KB096732

이경기의 영화 음악(OST) 총서 Vol.27

호주 ABC Classic FM 선정

영화 음악을 뒤흔든 사운드트랙 100

100 soundtracks that rocked movie music

이경기의 영화 음악(OST) 총서 Vol. 27
호주 ABC Classic FM 선정
영화 음악을 뒤흔든 사운드트랙 100 - 2권

발 행 | 2022년 10월 27일

저 자 | 영화 칼럼니스트 이경기

펴낸이 | 한건희

펴낸곳 | 주식회사 부크크

출판사등록 | 2014.07.15.(제2014-16호)

주 소 | 서울시 금천구 가산디지털1로 119 SK트윈테크타워 A동 305-7호

전 화 | 1670-8316

이메일 | info@bookk.co.kr

ISBN | 979-11-372-9819-4

www.bookk.co.kr

영화 음악을 뒤흔든 사운드트랙 100

제 2 권

이 경 기
(국내 1호 영화 칼럼니스트)

머리말

테마를 쓸 때 하고 싶은 것 중 하나는 실제로 얼마나 많은 삶을 살고 있는지 확인하는 것이다. 얼마나 많은 가능성이 있는가? 그것이 당신에게 기쁨으로 말할 수 있는가? 슬픔 속에서 당신에게 말할 수 있는가? 사랑이 될 수 있을까? 증오가 될 수 있을까? 몇 개의 메모만으로 이 모든 것을 말할 수 있을까? 그것이 어떤 곡이 좋은지 아닌지를 알아낼 때의 일이다. 하나 이상의 얇은 작은 문자가 있는가? 그것은 당신에게 단지 하나의 작은 할 말을 갖고 있는가? 피부 아래로 들어갈 수 있는가? 어두워 질 수 있는가? 아버지의 죽음이나 그런 것에 대해 이야기할 수 있는가?

When you write a theme one of the things you want to do is you want to see how much life it really has. How many possibilities there are? Can it speak to you in joy? Can it speak to you in sorrow? Can it be love? Can it be hate? Can you say all these things with just a few notes? That's the thing when you figure out if a tune is any good or not. Does it have more than one shallow little character? Does it have just one little thing to tell you. Can it get underneath there under your skin? Can it get dark? Can it talk about the death of a father or something like that.

- 한스 짐머, 영화 음악 창작론 중에서

음악은 궁극(窮極)의 비밀 세계이다. 그 안에서 일하지 않으면 영감(靈感)을 이해하기 어렵다. 나에게는 영화에서 음악이 무엇을 해야 하는지에 대해 스스로 결정을 내려야 한다. 영화 제작자가 생각하는 대로. 당신은 상상력이 자유로

워지기를 원하고 있다.

Music is the ultimate secret world. It's hard to understand the inspiration if you don't work in it. For me, I really have to make my own decisions about what the music should do in the film although obviously I'm interested in what the filmmaker thinks. You want your imagination to be free-ranging.

- 영화음악 작곡가 엘머 번스타인 2003년 인터뷰 중

훌륭한 배경음악으로 나쁜 영화를 구할 수는 없다.

You can't save a bad movie with a good score.

- 엔니오 모리코네

블록버스터가 극장가를 주도하면서 영화 음악 혹은 사운드트랙은 흥행 지수를 선도하는 가장 중요한 요소가 되고 있다는 것은 익히 알려진 사실이다.

1927년 10월 6일 알 존슨 주연의 〈재즈 싱어〉가 뉴욕 시에서 그 실체를 공개하면서 영화계는 무성에서 사운드를 들려주는 유성(有聲) 시대를 선언하게 된다.

1950년대 뮤지컬 영화 전성기를 거치면서 사운드트랙은 확고한 흥행 지수 역할을 해낸다.

그동안 공개됐던 수 만 편의 영화 중 지구촌 영화 음악 애호가들이 절대적으로 추천해주고 있는 최고의 음악 영화 100편은 어떤 작품들일까?

할리우드, 영국, 프랑스, 이태리, 독일 등 영화 선진국을 제외하고 음악 영화를 꾸준히 공개하면서 특화된 영역을 개척해 나가고 있는 국가가 오스트레일리아-호주-다.

2022년 6월 공개된 엘비스 프레슬리 전기 음악 영화 〈엘비스〉로 다시 한 번 재능을 떨치고 있는 바즈 루어만 감독을 비롯해서 스웨덴 혼성 그룹 아바 열풍을 촉발시킨 〈뮤리엘의 웨딩〉의 P. J. 호간 그리고 〈매드 맥스〉 시리즈의 조지 밀러, 〈위트니스〉의 피터 위어 등은 호주를 대표하는 대표적 흥행 감독들이다.

지난 2013년 '호주 라디오 방송 ABC 클래식 FM the Australian radio station ABC Classic FM'은 '위대한 영화 음악 100' 선정 작업을 진행했다.

2013년 4월 15일-4월 26일까지 진행됐던 조사 결과는 2013년 6월 7일-6월 10일 방송, 전 세계에 산재한 영화 음악 애호가들의 뜨거운 호응을 얻어낸다.

하루가 다르게 새로운 뉴스가 쏟아지는 급변하는 뉴스 상황 속에서 2022년 기점으로 약 10여 년이 지난 설문 조사이지만 현재도 그 공신력을 인정받고 있다.

당시 선정된 100곡은 지금도 방송사 홈페이지를 통해 인터넷(www.abc.net.au/classic/featured-music)으로 재청취가 가능하다.

'ABC Classic FM' 조사 이후 다양한 영화 및 영화 음악 전문 매체에서는 특집 형식으로 '사운드트랙 100선'을 발표해 오고 있지만 많은 매체에서 'ABC Classic FM' 조사를 가장 권위 있는 조사 결과로 인정하고 있다.

영화 음악 100 선정으로 가장 많은 호응을 받았던 조사는 단연 미국 영화 연구소 American Film Institute의 'AFI's 100 Years...100 Songs-the 100 greatest american movie music'이다.

필자가 영화음악 애호가들에게 절대적 호응을 받고 있는 AFI 선정 '영화 음악 100'을 의도적으로 배척(?)하고 호주 ABC Classic FM 선정 '영화 음악 카운트 다운 100'을 선택한 것은 다소 일방적이고 독선적인 할리우드 취향에서 탈피해 보다 폭넓고 다양하게 엄선된 영화 음악 100을 접해 볼 수 있지 않을까하는 주관적 판단이 크게 작용했다는 것을 부연 설명해 드린다.

하지만 결론적으로 호주 ABC FM도 선정 주최가 호주 영화 애호가들이라는 한계 때문인지 호주 영화 〈갈리폴리〉가 11위, 30위, 72위 등 무려 3번 언급됐으며 〈베이브〉(50위) 〈미스 포터〉(91위) 〈더 이어 마이 보이스 브로크〉(95위) 등 호주 영화가 선정돼 다소 편파적 추천이 아닌가라는 의구심이 들었던 것이 사실이다.

이런 취약점에도 불구하고 100편의 면면은 영화 및 영화 음악 애호가들에게 사운드트랙의 진가를 음미해 볼 수 있는 기회를 제공하고 있다는 자료적 가치를 판단해서 이 자료를 바탕으로 이번 책자 〈호주 ABC Classic FM 선정-영화 음악을 뒤흔든 사운드트랙 100〉의 원고 구성을 진행했다.

개인적으로 할리우드의 쿠엔틴 타란티노 버금갈 정도로 천부적 음악 선정 재능을 발휘하고 있는 바즈 루어만 감독의 〈댄싱 히어로〉 〈로미오와 줄리엣〉 〈물랑 루즈〉 등이 모두 탈락됐다는 것에 큰 아쉬움을 갖고 있다.

'ABC Classic FM held a Classic 100 Music in the Movies countdown'에서 선정된 작품 면면을 분석해보면 다음과 같다.

독자들의 가장 많은 관심을 집중시킨 대망의 1위곡은 이태리 출신 엔니오 모리코네 작곡의 〈미션〉이 차지했다.

18세기 미개한 중남미 원시 부족을 종교로 교화시키기 위한 스페인 예수회 신부(神父)들의 선교 활동과 순교(殉教) 과정을 다룬 〈미션〉은 모리코네의 'Gabriel's Oboe'가 새삼 영화 음악의 위력과 영향력을 입증시켜준 사례로 지금까지 회자(膾炙)되고 있다.

1986년 칸 영화제는 감독 롤랑 조페에게 황금 종려상 Palme d'Or과 기술적 그랑 프리 Technical Grand Prize 등 2개의 트로피를 선사했다.

1987년 아카데미 어워드에서는 작곡, 작품, 감독, 의상 디자인, 미술 감독, 촬영, 편집 등 7개 부문 후보에 지명 받았으나 예상을 깨고 작곡상에서 탈락하고 촬영상-크리스 멘지스-1개 수상에 그쳐 아카데미 선정 불공정성이 제기되는 후유증을 남겼다.

모리코네는 전 세계적으로 뜨거운 호응을 받았던 〈미션〉 배경 음악으로 작곡상 수상을 열망했지만 재즈 뮤지션 허비 행콕이 수상을 차지하자 상당한 서운함을 토로한 바 있다.

모리코네는 2001년 영화 음악 전문 매체와 인터뷰를 통해 '〈미션〉(1986)은 내가 이겼어야 했다는 생각이 확실히 들었다. 특히 그 해 오스카상 수상작이 〈라운드 미드나잇 Round Midnight〉(1986)이라는 점을 고려하면 이 작품은 원래 배경 음악이 아니다. 허비 행콕 편곡은 아주 좋았다. 하지만 기존의 음악을 사용했다. 그래서 〈미션〉과 비교할 수 없다.

I definitely felt that I should have won for The Mission (1986). Especially when you consider that the Oscar winner that year was Round Midnight (1986) which was not an original score. It had a very good arrangement by Herbie Hancock but it used existing pieces. So there could be no comparison with The Mission'이라며 오랜 시간이 지났지만 1987년 아카데미 작곡상 탈락에 대한 서운한 감정을 드러내 영화 음악 토픽을 추가시킨바 있다.

2위는 우주 오페라라는 칭송을 받았던 존 윌리암스 작곡의 〈스타 워즈〉, 3위는 20세기 〈해리 포터〉와 함께 환타지 장르 열기를 주도했던 하워드 쇼어 작곡의 〈반지의 제왕〉이 선정됐다.

리스트 세부적 항목을 살펴보면 우선 영화음악 작곡가로는 존 윌리암스-2위 〈스타 워즈〉, 10위 〈쉰들러 리스트〉, 15위 〈인디아나 존스〉, 24위 〈해리 포터〉, 69위 〈슈퍼맨〉, 96위 〈쥬라기 공원〉, 99위 〈이 티〉-가 7회 추천으로 단연 압도적 1위를 차지하고 있다.

뒤를 이어서 존 배리-8위 〈아웃 오브 아프리카〉, 28위 〈늑대와 춤을〉, 64위 〈야성의 엘자〉, 86위 〈미드나잇 카우보이〉-가 4회. 엔니오 모리코네-1위 〈미션〉, 16위 〈시네마 천국〉, 21위 〈좋은 놈, 나쁜 놈, 추한 놈〉. 한스 짐머-25위 〈캐리비안의 해적〉, 54위 〈글라디에이터〉, 59위 〈라이온 킹〉. 버나드 허만-47위 〈사이코〉, 80위 〈북북서로 진로를 돌려라〉, 93위 〈현기증〉 등이 각각 3회 추천 받았다.

모리스 자르-5위 〈닥터 지바고〉, 6위 〈아라비아의 로렌스〉-가 2회. 반젤리스-4위 〈불의 전차〉, 65위 〈블레이드 러너〉-가 2회. 엘머 번스타인-35위 〈황야의 7인〉, 73위 〈대 탈출〉-2회. 조지 거쉰-36위 〈맨하탄〉, 39위 〈파리의 아메리카인〉-2회. 헨리 맨시니-34위 〈핑크 팬더〉, 51위 〈티파니에서 아침을〉-2회. 하워드 쇼어-3위 〈반지의 제왕〉, 88위 〈호빗: 뜻밖의 여정〉-가 2회 추천 받았다.

클래식 작곡가로는 예상을 깨고 요한 세비스찬 바흐-46위 〈마스터 앤 커맨드〉, 48위 〈환타지아〉 55위 〈잉글리시 페이션트〉, 87위 〈트루리, 매드리, 딥 프리〉, 90위 〈신들러 리스트〉-의 곡이 5회 추천 받았다.

이어서 모차르트-17위 〈아마데우스〉, 31위 〈엘비라 마디간〉, 40위 〈아웃 오브 아프리카〉가 3회. 베토벤-7위 〈킹스 스피치〉, 29위 〈시계 태엽 오렌지〉, 60위 〈킹스 스피치〉-이 각각 3회로 모차르트와 베토벤이 남긴 주옥같은 고전 선율이 시대를 초월해 현대 영화 배경 음악으로 활용되고 있음을 엿보게 해주고 있다. 세르게이 라흐마니노프-66위 〈밀회〉, 70위 〈샤인〉-가 2회를 추천 받았다.

이번 조사가 호주 음악 방송국에서 진행했다는 것을 입증 하려는 듯이 호주 출신 영화 음악 작곡가 중 니겔 웨스트레이크-41위 〈미지의 땅 남극〉, 91위 〈미스 포터〉 등 2회, 브루스 스미어튼-12위 〈행잉 록에서의 피크닉〉이 1회 각각 언급되고 있다. 추천 작품 제작 연도는 1939년 막스 스타이너 작곡의 〈바람과 함께 사라지다〉가 가장 오래된 영화 음악으로 선정됐다.

이어 월트 디즈니가 애니메이션과 클래식 배경 음악을 결합시켜 신선한 반응을 불러일으킨 〈환타지아〉(1940), 영국 작곡가 리차드 아딘셀이 배경 음악을 맡았던 〈위험한 달빛〉(1941), 구 소련 클래식 음악가 드미트리 쇼스타코비치의 음악을 사운드트랙에 선곡한 〈가프리〉(1956) 등이 가장 오래된 추억의 영화 음악이다. 반면 가장 최신 작품으로는 〈킹스 스피치〉(2010) 〈스타 트렉〉 (1979-2013)이다.

이번 책자의 원고 구성 방법은 선정 작에 대한 개략적 내용을 소개하기 위해 영화 전문지 '버라이어티'에서 보도된 영화 리뷰를 원용(援用) 했다.

이어 미국과 유럽에서 발간되는 영화 음악 및 음악 전문지-Billboard, Rolling Stone 및 인터넷 영화 음악 사이트-SoundtrackTracklist Database, the Soundtrack INFO project, Internet Movie Soundtracks Database, FilmMusicSite.com, Allmusic.com, Variety.com, ET.com, empire.com, Filmmusicreview.com 등에서 보도한 선정 작품에 대한 현지 전문가들의 리뷰 및 기사를 참조해서 원고를 구성했다.

현지 영화 음악 및 음악 전문가들의 뛰어난 고견(高見)을 국내 영화 음악 애호 가들에게 직접 전달하고자 하는 충정(忠情)으로 영어 원문을 병기(倂記)시켰다.

이런 독특한 영화 음악 원고 구성으로 인해 체계적으로 영화 음악 이론을 연구 하거나 보다 심층적으로 해외 현지 음악 비평가들의 견해를 접해 보고자 하는 독자들에게는 매우 유용한 영화 음악 정보 참고 자료가 될 수 있도록 했다.

영어 원문은 직역을 피하고 보다 쉽게 이해할 수 있도록 의역(醫譯) 및 윤문(潤文) 번역을 시도했다. 번역 과정에서 행간의 오류나 곡해(曲解)가 있다면 필자의 해독력 부족이 초래한 것이다. 널리 혜량(惠諒)해 주실 것을 염치없이 부탁드린다.

또한 〈환타지아〉 〈갈리폴리〉 등 2회 이상 추천된 작품의 경우는 버라이어티 평, 사운드트랙 리뷰에서는 원고 내용이 중복되지 않도록 해외 현지 리뷰 자료를 다양하게 검색하여 게재했다.

이러한 원고 구성 방식으로 인해 동일한 영화에 대해 식견 있는 현지 비평가들의 다채로운 견해를 접할 수 있는 기회가 될 것이라고 판단한다.

이번 책자가 할리우드 정보 일변도에서 벗어나 2022년 국내 정치권에서 유행하는 용어대로 '제3지역'에서 바라보는 영화 음악 정보를 소개할 수 있는 기회가 됐다면 더할 나위 없는 기쁨으로 여기겠다.

보다 알찬 콘텐츠를 담은 저작물로 다시 찾아뵐 것을 약속드린다.

2022년 10월

사족(蛇足)

더 이상 음악을 쓸 수 없는 상황이 발생하면 나를 죽일 것이다. 그냥 직업이 아니다. 단순한 취미가 아니다. 그것은 내가 아침에 일어나는 이유이다.

If something happened where I couldn't write music anymore, it would kill me. It's not just a job. It's not just a hobby. It's why I get up in the morning.

– 한스 짐머, 영화 음악을 작곡하는 이유 중

영화 혹은 영화 음악 관련 콘텐츠를 쓰는 것은 내가 존재하는 이유다. 사람 가치보다는 모두가 돈을 끌어 모으기 위해 아귀다툼을 벌이는 자본주의 광풍 속. 재테크와는 거리가 먼 저술 활동은 그나마 내가 숨을 쉬고 있는 유일한 끈이다. 액션 코믹 등장인물처럼 누가 뭐래도 난 독고다이(tokkoutai)로 이 길을 갈 것이다.

– 국내 1호 영화 칼럼니스트 이경기

Contents

머리말 _4

51위 〈티파니에서 아침을 Breakfast at Tiffany's〉(1961) - 헨리 맨시니가 펼쳐주는 감칠 맛 풍기는 멜로 선율 ·················· 32

1. 〈티파니에서 아침을〉 버라이어티 평 _33
2. 〈티파니에서 아침을〉 사운드트랙 리뷰 _34
3. 〈티파니에서 아침을〉 사운드트랙 해설 - 빌보드 _36
4. 블레이크 에드워즈 감독과 헨리 맨시니 절묘한 팀웍 과시 _38
5. 〈티파니에서 아침을〉 통해 빅히트 곡으로 환영 받고 있는 'Moon River' _40
6. '문 리버' 작곡 일화 _42

52위 〈힐러리와 재키 Hilary and Jackie〉(1998) - 엘가의 '첼로 협주곡', 첼리스트 재클린 두 프레 비극 위안 곡으로 차용 ·················· 45

1. 〈힐러리와 재키〉 버라이어티 평 _46
2. 〈힐러리와 재키〉 사운드트랙 리뷰 _49
3. 〈힐러리와 재키〉를 관람한 뒤 힐러리가 밝힌 소감 _52

53위 〈전망 좋은 방 A Room with a View〉(1985) - 관습을 거부하는 자유 분망

한 여성의 가치관을 노출시켜준 'O mio babbino caro' ·············· 55

1. <전망 좋은 방> 버라이어티 평 _56
2. <전망 좋은 방> 사운드트랙 리뷰 _59
3. <전망 좋은 방> 사운드트랙 해설 – 빌보드 _61
4. <전망 좋은 방>으로 제조명 된 'O mio babbino caro'는 어떤 아리아? _63

54위 <글라디에이터 Gladiator>(2000) – 로마 시대 서사 대극 감동 부추겨준
한스 짐머 신세사이저 리듬 ·· 66

1. <글라디에이터> 버라이어티 평 _67
2. <글라디에이터> 사운드트랙 리뷰 _68
3. <글라디에이터> 사운드트랙 해설 – 빌보드 _70
4. <글라디에이터> 사운드트랙이 성취한 업적 _83
5. <글라디에이터> 사운드트랙이 불러일으킨 음악계 토픽 _84

55위 <잉글리시 페이션트 The English Patient>(1996) – 영국인 환자의 애절
한 사연 위해 원용된 바흐의 'Goldberg Variations' ·················· 87

1. <잉글리시 페이션트> 버라이어티 평 _88
2. <잉글리시 페이션트> 사운드트랙 리뷰 _92

56위 <남과 여 A Man and a Woman/ Un homme et un femme>(1966)
– 프랑시스 레이의 감성적 전자 리듬, 중년 남녀의 새로운 사랑 풍속도 응원
·· 101

1. <남과 여> 버라이어티 평 _102

2. <남과 여> 사운드트랙 리뷰 _104

3. <남과 여> 사운드트랙 해설 - 빌보드 _107

57위 <아멜리에 Amélie>(2001) - 프랑스 특유의 기발함이 돋보인 로맨틱 코미디와 배경 음악 ·· 112

1. <아멜리에> 버라이어티 평 _113

2. <아멜리에> 사운드트랙 리뷰 _115

3. <아멜리에> 사운드트랙 해설 - 빌보드 _116

4. <아멜리에> 커버 곡 사례 _126

58위 <라이온 킹 The Lion King>(1994) - 한스 짐머 신세사이저와 아프리카 리듬 결합시켜 ·· 128

1. <라이온 킹> 버라이어티 평 _129

2. <라이온 킹> 사운드트랙 리뷰 _133

3. <라이온 킹> 사운드트랙 해설 - 빌보드 _136

59위 <라임라이트 Limelight>(1952) - 찰리 채플린이 들려주는 페이소스 (pathos) 넘치는 코미디 음악 ·························· 147

1. <라임라이트> 버라이어티 평 _148

2. <라임라이트> 사운드트랙 리뷰 _150

3. <라임라이트> 사운드트랙 해설 - 빌보드 _151

4. 'Eternally-Charles Chaplin song'는 어떤 노래? _159

5. 'Terry's Theme'의 다양한 버전 _160

60위 〈킹스 스피치 The King's Speech〉(2010) - 베토벤 '심포니 7', 달변가 (達辯家)로 변신한 영국 조지 6세 격려 곡으로 원용(援用) ········ 162

1. 〈킹스 스피치〉 버라이어티 평 _163

2. 〈킹스 스피치〉 사운드트랙 리뷰 _166

3. 베토벤의 '심포니 7 Symphony No. 7 by Beethoven'은 어떤 곡? _171

4. 'Symphony No. 7 by Beethoven'을 사운드트랙에 선곡한 대표적 영화 목록 _172

61위 〈스노위 맨 The Man From Snowy River〉(1982) - 드넓은 호주 대륙에서 펼쳐지는 로맨스 액션 모험극 ·················· 174

1. 〈스노위 맨〉 버라이어티 평 _175

2. 〈스노위 맨〉 사운드트랙 리뷰 _176

3. 〈스노위 맨〉 사운드트랙 해설 - 빌보드 _178

4. 〈스노위 맨〉 사운드트랙 작곡가 브루스 로우랜드 Bruce Rowland는 누구? _181

62위 〈2001 스페이스 오딧세이 2001: A Space Odyssey〉(1968) - 유려한 클래식 'The Blue Danube', 인류 근원 찾는 우주여행 선율로 활용 ·················· 183

1. <2001 스페이스 오딧세이> 버라이어티 평 _184

2. <2001 스페이스 오딧세이> 사운드트랙 리뷰 _188

63위 〈코야니콰시 Koyaanisqatsi〉〈파와커시 Powaqqatsi〉〈나코콰시 Naqoyqatsi〉(1982, 1988, 2002) - 필립 글래스가 펼쳐 주는 미니멀 리듬의 진수(眞髓) ……………………………………………… 195

1. <코야니콰시> 버라이어티 평 _196

2. <코야니콰시> 사운드트랙 리뷰 _198

3. <코야니콰시> 사운드트랙 해설 - 빌보드 _200

4. <콰시 3부작 The Qatsi trilogy> _202

5. <코야니스콰시> 영화 및 사운드트랙이 끼친 영향 및 사례들 _202

6. <코야니스콰시> 제작 에피소드 _203

64위 〈야성의 엘자 Born Free〉(1966) - 존 배리의 웅장한 현악 선율에 담겨진 아프리카 사자와 인간의 교류 ……………………………………… 208

1. <야성의 엘자> 버라이어티 평 _209

2. <야성의 엘자> 사운드트랙 해설 리뷰 _210

65위 〈블레이드 러너 Blade Runner〉(1982) - 반젤리스의 긴박한 신세사이저에 담겨있는 경찰과 인조인간과의 위험한 사랑 ……………………… 219

1. <블레이드 러너> 버라이어티 평 _220

2. <블레이드 러너> 사운드트랙 리뷰 _222

3. 〈블레이드 러너〉 사운드트랙 해설 - 빌보드 _227

66위 〈밀회 Brief Encounter〉(1945) - 중년 남녀의 짧고 애뜻한 사연으로 선곡된 라흐마니노프 'Piano Concerto No. 2' ⋯⋯⋯⋯⋯⋯ 231

1. 〈밀회〉 버라이어티 평 _232
2. 〈밀회〉 사운드트랙 리뷰 _233
3. 〈밀회〉 사운드트랙 해설 - 빌보드 _234
4. 라흐마니노프의 'Piano Concerto No. 2' 해설 _240
5. 라흐마니노프의 'The Piano Concerto No. 2'가 사운드트랙에 선곡된 영화 목록 _242

67위 〈불의 전차 Chariots of Fire〉(1981) - 육상 선수의 독실한 종교적 신념 노출시켜준 'Jerusalem' ⋯⋯⋯⋯⋯⋯⋯⋯⋯ 244

1. 〈불의 전차〉 버라이어티 평 _245
2. 'Jerusalem'으로 널리 알려진 'And did those feet in ancient time' 해설 _247
3. 'Chariots of fire' 의미와 유래 _250
4. 패리 경(卿) 작곡 'Jerusalem'은 어떤 곡? _251
5. 〈불의 전차〉에서 사용된 'Bring me my Chariot of fire' _255

68위 〈스타 트렉 Star Trek〉(1979-2013) - 제리 골드스미스 + 제임스 호너 등 1급 작곡가들이 참여한 우주 항모의 장대한 모험 ⋯⋯⋯⋯ 257

1. 〈스타 트렉〉 버라이어티 평 _258

2. 〈스타 트렉〉 사운드트랙 리뷰 _262

69위 〈슈퍼맨 Superman〉(1978) - 슈퍼 영웅 사연 각인시켜준 존 윌리암스의 웅장한 관현악 리듬 ·· 269

1. 〈슈퍼맨〉 버라이어티 평 _270

2. 〈슈퍼맨〉 사운드트랙 리뷰 _272

3. 〈슈퍼맨〉 사운드트랙 해설 - 빌보드 _275

　1. 'Superman Fanfare' _277

　2. 'Superman March' or 'Superman Main Theme' _277

　3. 'Can You Read My Mind' or 치솟는 the soaring 'Love Theme' _277

　4. 'Krypton fanfare' _278

　5. 'Krypton crystal' motif or the 'Secondary Krypton' _278

　6. 'Personal motif' _279

　7. 'Smallville' or 'Leaving Home Theme' _279

　8. 'The March of the Villains' or 'Lex Luthor theme' _280

4. 소스 음악 Source music _280

　1. 'Rock Around the Clock' _280

　2. 'Only You'-플래터스 The Platters _281

　3. 앨범 'Even in the Quietest Moments'에 수록된 슈퍼트램프 Supertramp 그룹의 1977년 노래 'Give a Little Bit'이 10초 Ten seconds of Supertramp's 1977 song 'Give a Little Bit' from the album Even in the Quietest Moments _282

5. 영화를 위해 쓰여진 소스 음악 Source music written for the film _283

　1. 'Luthor's Luau'라고 불리는 하와이 테마의 선곡 A Hawaiian-themed cue called 'Luthor's Luau' _283

70위 〈샤인 Shine〉(1996) – 라흐마니노프의 '피아노 콘체르토 3번', 피아니스트 데이비드 헬프갓의 곡절 인생 위로 ················· **285**

1. 〈샤인〉 버라이어티 평 _286
2. 〈샤인〉 사운드트랙 리뷰 _287
3. 〈샤인〉 사운드트랙 해설 – 빌보드 _289
4. 라흐마니노프의 '피아노 협주곡 3번 Piano Concerto No. 3 (Rachmaninoff)' 해설 _294

71위 〈엘리자베스 Elizabeth〉(1998) – 최고 통치권자인 영국 엘리자베스 여왕의 애환을 위로해준 엘가 작곡 'Enigma Variations' ··············· **299**

1. 〈엘리자베스〉 버라이어티 평 _300
2. 〈엘리자베스〉 사운드트랙 리뷰 _301
3. 〈엘리자베스〉 사운드트랙 해설 – 빌보드 _304
4. 데이비드 허치펠더는 누구? _308
5. 엘가 작곡의 'Enigma Variations' 해설 _309

72위 〈갈리폴리 Gallipoli〉(1981) – 장-미셸 자르 'Oxygène', 1차 대전 당시 서부 호주에서 벌어진 병사 사연 들려줘 ················· **313**

1. 〈갈리폴리〉 버라이어티 평 _314
2. 〈갈리폴리〉 사운드트랙에 선곡된 'Oxygène' 해설 _316
3. 앨범 'Oxygène'에 대한 음반 비평가들의 평가 _321

73위 〈대 탈출 The Great Escape〉(1963) – 엘머 번스타인이 박력 있는 관현악 리듬으로 칭송한 연합군 포로의 의지(意志) ⋯⋯⋯⋯⋯⋯⋯⋯ 325

  1. 〈대 탈출〉 버라이어티 평 _326
  2. 〈대 탈출〉 사운드트랙 리뷰 _328
  3. 〈대 탈출〉 사운드트랙 해설 – 빌보드 _329

74위 〈엑소더스 Exodus〉(1960) – 이스라엘 건국 신화, 어네스트 골드 축하 선율 헌정(獻呈) ⋯⋯⋯⋯⋯⋯⋯⋯⋯⋯⋯⋯⋯⋯⋯⋯⋯⋯⋯⋯⋯ 338

  1. 〈엑소더스〉 버라이어티 평 _339
  2. 〈엑소더스〉 사운드트랙 리뷰 _341
  3. 〈엑소더스〉 사운드트랙 해설 – 빌보드 _344
  4. 다양하게 편곡 발표된 'Theme of Exodus' _349
    1. 커버 버전 Cover Versions 사례들 _349

75위 〈오션스 11 Ocean's Eleven〉(2001) – 신출귀몰한 절도범 행각에 관심을 촉발시켜준 드뷔시의 'Clair de lune' ⋯⋯⋯⋯⋯⋯⋯⋯⋯ 352

  1. 〈오션스 11〉 버라이어티 평 _353
  2. 〈오션스 11〉 사운드트랙 리뷰 _354
  3. 클로드 드뷔시의 'Clair de Lune' 해설 _359
  4. 〈오션스 11〉에서 사용되고 있는 여러 팝 음악들 _361

76위 〈내일을 향해 쏴라 Butch Cassidy and the Sundance〉(1969) – 인간

미 넘치는 두 무법자의 행각 그리고 버트 바카락의 낭만적 리듬 … 364

1. <내일을 향해 쏴라> 버라이어티 평 _365
2. <내일을 향해 쏴라> 사운드트랙 리뷰 _368
3. <내일을 향해 쏴라>를 통해 빅히트 된 'Raindrops Keep Falling on My Head'
   는 어떤 노래? _375

77위 <제네비에브 Genevieve>(1953) - 영국 코미디 진가 펼쳐 주는데 일조하
고 있는 하모니카 연주 달인 래리 아들러 …………………………… 378

1. <제네비에브> 버라이어티 평 _379
2. <제네비에브> 사운드트랙 리뷰 _380
3. <제네비에브> 사운드트랙 작곡 래리 아들러 Larry Adler는 누구? _384

78위 <잉글리시 페이션트 The English Patient>(1996) - 가브리엘 야레,
환상적 리듬 통해 영국인 환자가 펼쳐주는 운명적 러브 스토리 펼쳐줘
…………………………………………………………………………… 386

1. <잉글리시 페이션트> 버라이어티 평 _387
2. <잉글리시 페이션트> 사운드트랙 리뷰 _388
3. <잉글리시 페이션트> 사운드트랙 해설 - 빌보드 _389

79위 <파리, 텍사스 Paris, Texas>(1984) - 라이 쿠더의 슬라이드 기타 리듬
에 서려 있는 현대인들의 처절한 고독감 ……………………………… 393

1. 〈파리, 텍사스〉 버라이어티 평 _394

2. 〈파리, 텍사스〉 사운드트랙 리뷰 _395

3. 〈파리, 텍사스〉 사운드트랙 해설 - 올뮤직 Allmusic.com _399

4. 〈파리, 텍사스〉 사운드트랙 해설 - 빌보드 _402

80위 〈북북서로 진로를 돌려라 North by Northwest〉(1959) - 버나드 허만, 신경 거슬리는 현악 리듬 통해 스파이 스릴러 진수 펼쳐 ·············· **406**

1. 〈북북서로 진로를 돌려라〉 버라이어티 평 _407

2. 〈북북서로 진로를 돌려라〉 사운드트랙 리뷰 _409

3. 〈북북서로 진로를 돌려라〉 사운드트랙 해설 - 빌보드 _412

81위 〈브래스드 오프 Brassed Off〉(1996) - 영국 탄광 노동자들의 음악 열정을 드러낸 'Pomp and Circumstance No. 1' ·············· **425**

1. 〈브래스드 오프〉 버라이어티 평 _426

2. 〈브래스드 오프〉 사운드트랙 리뷰 _429

3. 〈브래스드 오프〉 사운드트랙 해설 - 빌보드 _430

82위 〈센스 앤 센서빌리티 Sense and Sensibility〉(1995) - 스코틀랜드 피아노 연주자 패트릭 도일이 들려주는 19세기 영국 여성들의 일상 ·········· **436**

1. 〈센스 앤 센서빌리티〉 버라이어티 평 _437

2. 〈센스 앤 센서빌리티〉 사운드트랙 리뷰 _440

3. 〈센스 앤 센서빌리티〉 사운드트랙 해설 - 빌보드 _446

83위 〈로미오와 줄리엣 Romeo and Juliet〉(1968) - 니노 로타가 애조 띤 가락으로 들려주는 비극적 연인 사연 ·················· 450

1. 〈로미오와 줄리엣〉 버라이어티 평 _451
2. 〈로미오와 줄리엣〉 사운드트랙 리뷰 _453
3. 〈로미오와 줄리엣〉 사운드트랙 해설 - 빌보드 _455
4. 'Love Theme from Romeo and Juliet' 해설 _460

84위 〈10〉(1979) - 모리스 라벨의 'Boléro', 여체 미학 칭송 곡으로 적극 활용 ·················· 462

1. 〈10〉 버라이어티 평 _463
2. 〈10〉 사운드트랙 리뷰 _464
3. 〈10〉 공개 이후 폭발적 호응을 얻었던 'Boléro'는 어떤 곡? _465

85위 〈디 아워스 The Hours〉(2002) - 필립 글래스의 피아노 선율에 담겨져 있는 버지니아 울프를 둘러싸고 있는 3명의 여성들의 삶 ·············· 474

1. 〈디 아워스〉 버라이어티 평 _475
2. 〈디 아워스〉 사운드트랙 리뷰 _476
3. 〈디 아워스〉 사운드트랙 해설 - 빌보드 _478
4. 〈디 아워스〉 사운드트랙 해설 - 롤링 스톤 _481

86위 〈미드나잇 카우보이 Midnight Cowboy〉(1969) - 존 배리, 남창(男娼)과 얍삽한 사기꾼의 이질적 동반 관계 들려줘 ·············· 485

1. <미드나잇 카우보이> 버라이어티 평 _486

2. <미드나잇 카우보이> 사운드트랙 리뷰 _489

3. <미드나잇 카우보이> 사운드트랙 해설 – 빌보드 _491

87위 〈트루리, 매드리, 딥프리 Truly, Madly, Deeply〉(1990) – 환타지 코미디 배경 곡으로 차용된 바흐의 'Brandenburg Concerto No. 3', ·········· 498

1. <트루리, 매드리, 딥프리> 버라이어티 평 _499

2. <트루리, 매드리, 딥프리> 제작 일화 _501

3. 바흐의 'Brandenburg Concertos' 해설 _502

88위 〈호빗: 뜻밖의 여정 The Hobbit: An Unexpected Journey〉(2012) – 캐나다 출신 작곡가 하워드 쇼어, 호빗 모험담 심포니 선율로 묘사 ·········· 506

1. <호빗: 뜻밖의 여정> 버라이어티 평 _507

2. <호빗: 뜻밖의 여정> 사운드트랙 리뷰 _509

3. <호빗: 뜻밖의 여정> 사운드트랙 해설 – 빌보드 _510

4. <호빗: 뜻밖의 여정> 사운드트랙 작곡 일화 _517

89위 〈타이타닉 Titanic〉(1997) – 제임스 호너, 합창과 셀틱 악기 그리고 일렉트릭 사운드로 인류 최악의 해양 재난 사고 재현(再現) ·········· 530

1. <타이타닉> 버라이어티 평 _531

2. 〈타이타닉〉 사운드트랙 리뷰 _533

3. 〈타이타닉〉 사운드트랙 해설 – 빌보드 _535

4. 〈타이타닉〉 사운드트랙 주요 곡 해설 _536

    1. 'Hymn to the Sea' _537

    2. 'Southampton' _538

    3. 'Distant Memories' _538

    4. 'Rose' _539

    5. 'Hard to Starboard' _540

    6. 'Death of Titanic' _540

    7. '2 1/2 Miles Down' _541

5. 〈타이타닉〉 사운드트랙이 남긴 흥행 일화 _542

90위 〈쉰들러 리스트 Schindler's List〉(1993) – 바흐의 '영국 모음곡 2', 나치에 의한 유대인 학살 참상 반추(反芻)시켜 ·················· 545

1. 〈쉰들러 리스트〉 버라이어티 평 _546

2. 〈쉰들러 리스트〉 사운드트랙 리뷰 _548

91위 〈미스 포터 Miss Potter〉(2006) – 클래식 분위기의 심포니 배경음에 담겨져 있는 아동 작가 미스 포터의 야망 ·················· 561

1. 〈미스 포터〉 버라이어티 평 _562

2. 〈미스 포터〉 사운드트랙 작곡가 니겔 웨스트레이크 인터뷰-빌보드 & 롤링 스톤 _565

92위 〈디바 Diva〉(1981) - 오페라 여신을 짝사랑하는 우편배달부 사연으로 차용된 'La Wally' ·········· 587

1. 〈디바〉 버라이어티 평 _588
2. 〈디바〉 사운드트랙 리뷰 _590
3. 〈디바〉 사운드트랙 선곡으로 재조명 받게 된 'La Wally' 해설 _592
4. 오페라 〈라 왈리〉의 주요 내용 _594
   1. 제1막 _594
   2. 제2막 _596
   3. 제3막 _597
   4. 제4막 _598

93위 〈현기증 Vertigo〉(1958) - 버나드 허만의 불안감 조성하는 현악 선율, 고소공포증 형사 심리 노출시켜 ··········· 600

1. 〈현기증〉 버라이어티 평 _601
2. 〈현기증〉 사운드트랙 리뷰 _603
3. 〈현기증〉 사운드트랙 해설 - 빌보드 _604
4. 〈현기증〉 사운드트랙 작곡 에피소드 _605

94위 〈카사블랑카 Casablanca〉(1942) - 오스트리아 출신 미국 작곡가 막스 스타이너, 2차 대전 배경 애조(哀調) 띈 로맨틱 배경 음악 들려줘 ··········· 612

1. 〈카사블랑카〉 버라이어티 평 _613
2. 〈카사블랑카〉 사운드트랙 리뷰 _616

3. 〈카사블랑카〉 사운드트랙 해설 – 빌보드 _618

95위 〈더 이어 마이 보이스 브로크 The Year My Voice Broke〉(1987) – 'The Lark Ascending', 1960년대 뉴 사우스 웨일즈 10대들 성장 배경 곡으로 선곡 ·· **630**

1. 〈더 이어 마이 보이스 브로크〉 버라이어티 평 _631
2. 〈더 이어 마이 보이스 브로크〉 사운드트랙 리뷰 _634
3. 'The Lark Ascending'은 어떤 곡? _636

96위 〈쥬라기 공원 Jurassic Park〉(1993) – 존 윌리암스 오케스트레이션 사운드로 부활한 쥬라기 시대 공룡 ························· **642**

1. 〈쥬라기 공원〉 버라이어티 평 _643
2. 〈쥬라기 공원〉 사운드트랙 리뷰 _647
3. 〈쥬라기 공원〉 사운드트랙 작곡 에피소드 – 롤링 스톤 _648

97위 〈오만과 편견 Pride & Prejudice〉(2005) – 이태리 작곡가 다리오 마리아넬리, 피아노 리듬으로 19세기 영국 여성들의 행적 격려 ········· **655**

1. 〈오만과 편견〉 버라이어티 평 _656
2. 〈오만과 편견〉 사운드트랙 리뷰 _659
3. 〈오만과 편견〉 사운드트랙 작곡 에피소드 _660
4. 〈오만과 편견〉 사운드트랙 해설 – 빌보드 _663

98위 〈일 포스티노 Il Postino: The Postman〉(1994) - 루이스 바칼로프, 합창과 오케스트라 연주 결합시켜 우편배달부와 위대한 시인과의 교류 묘사(描寫) ································· 670

1. 〈일 포스티노〉 버라이어티 평 _671
2. 〈일 포스티노〉 사운드트랙 리뷰 _673
3. 〈일 포스티노〉 사운드트랙 해설 - 빌보드 _675

99위 〈이 티 E. T. the Extra-Terrestrial〉(1982) - 존 윌리암스, 복조화음 polytonality 통해 지구 소년과 외계인 우정 묘사(描寫) ·········· 682

1. 〈이 티〉 버라이어티 평 _683
2. 〈이 티〉 사운드트랙 리뷰 _685
3. 〈이 티〉 사운드트랙 작곡 에피소드 _686
4. 〈이 티〉 사운드트랙 해설 - 빌보드 _690

100위 〈4번 결혼식과 한 번의 장례식 Four Weddings and a Funeral〉(1994) - 헨델 'The Arrival of the Queen of Sheba', 현대인들의 떠들썩한 관혼상제 음악으로 선택 ································· 696

1. 〈4번 결혼식과 한 번의 장례식〉 버라이어티 평 _697
2. 〈4번 결혼식과 한 번의 장례식〉 사운드트랙 리뷰 _699
3. 〈4번 결혼식 한 번의 장례식〉 사운드트랙 선곡 에피소드 _700
4. 헨델의 'The Arrival of the Queen of Sheba/ Solomon'은 어떤 곡? _703

다양한 장르 배경 음악 100선을 편집한 앨범은 음반 시장의 꾸준한 베스트셀러로 각광받고 있다. 사진은 월트 디즈니에서 제작한 극 영화, 뮤지컬, 애니메이션 배경 음악 100선 모음 앨범. ⓒ Walt Disney

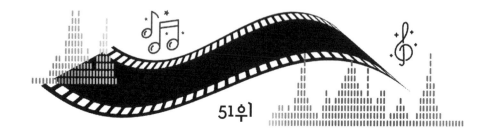

〈티파니에서 아침을 Breakfast at Tiffany's〉(1961) - 헨리 맨시니가 펼쳐주는 감칠 맛 풍기는 멜로 선율

작곡 헨리 맨시니 Henry Mancini

블레이크 에드워즈 감독의 로맨틱 코미디 〈티파니에서 아침을〉. ⓒ Paramount Pictures

1. <티파니에서 아침을> 버라이어티 평

뉴욕의 한 사교계 명사는 그녀의 아파트 건물로 이사한 한 청년에게 관심을 갖지만 그녀의 과거가 방해가 된다.

A young New York socialite becomes interested in a young man who has moved into her apartment building, but her past threatens to get in the way.

그녀는 뉴욕 시 눈부신 보석 가게 티파니와 조직 폭력배 샐리 토마토의 주간 '날씨 보고'를 위한 최대 보안 싱-싱 감옥을 자주 방문하게 된다.

After one of her frequent visits to Tiffany's New York City's dazzling jewellery store and the maximum security Sing-Sing prison for mobster Sally Tomato's weekly 'weather report'

만하탄 우아한 사교계 명사 홀리 고라이트리는 매력적인 새 이웃 폴 바작에게 푹 빠져 있다.

Holly Golightly, Manhattan's elegant socialite, finds herself infatuated with her charming new neighbour Paul Varjak.

지속적이고 창의적인 틀에 갇힌 폴 역시 홀리의 피상적인 세계에 빠져들게 된다. 물론 그가 홀리 오빠를 떠올리게 한다는 생각이 좋아서가 아니라 홀리의 매혹적인 유혹에 조금씩 빠져들기 때문이다.

Stuck in a persistent creative rut, Paul, too, lets himself drawn into Holly's superficial world, of course not because he likes the idea that he reminds her of her brother but because little by little, he succumbs to Holly's beguiling allure.

공개적으로 인정하지는 않는다. 하지만 마지못해 두 연인에게는 억누를 수 없는 과거가 있다. 그럼에도 불구하고 그들의 잘 숨겨진 비밀이 그들을 떼어 놓을 만큼 강력한가? 결국 폴과 홀리는 서로를 위하게 된다.

티파니의 이른 아침 식사는 상쾌한 젊은 사랑의 서곡이 될까?

Even though they don't openly admit it. the two reluctant lovers have a past that they struggle to keep at bay. nevertheless are their well-hidden secrets powerful enough to keep them apart? After all, Paul and Holly are meant for each other.

Will an early-morning breakfast at Tiffany's be the prelude to a breezy young love?

〈티파니에서 아침을〉은 블레이크 에드워즈가 감독했다.

트루만 카포티의 1958년 동명 소설을 조지 엑셀로드가 각색했다.

오드리 헵번이 고군분투하는 작가와 사랑에 빠진 순진하고 별난 카페 사교 소녀 홀리 고라이트리 역을 맡고 있다. 1961년 10월 5일 파라마운트 픽처스가 극장 개봉하여 비평과 상업적 성공을 거둔다.

Breakfast at Tiffany's is a 1961 American romantic comedy film directed by Blake Edwards, written by George Axelrod, adapted from Truman Capote's 1958 novella of the same name and starring Audrey Hepburn as Holly Golightly, a naïve, eccentric café society girl who falls in love with a struggling writer. It was theatrically released by Paramount Pictures on October 5, 1961 to critical and commercial success.

2. 〈티파니에서 아침을〉 사운드트랙 리뷰

영화가 상영되는 동안 헵번은 헨리 맨시니와 조니 머서가 부른 영화의 대표곡

'Moon River'를 불렀다.

During the film, Hepburn sang the film's signature song 'Moon River' by Henry Mancini and Johnny Mercer.

〈티파니에서 아침을〉. ⓒ Paramount Pictures

이 노래는 1957년 〈퍼니 페이스〉에서 연주한 노래를 바탕으로 헵번의 제한된 보컬 범위에 맞게 조정되었다고 한다.

공동 프로듀서 딕 쉐퍼드는 오디오 코멘터리에서 샌 프란시스코에서 프리뷰를 한 후 파라마운트 프로덕션 책임자 마틴 랭킨이 'Moon River'를 '마티가 아닌 다른 사람의 음악으로 대체하기를 원했다.'라고 말했다.

The song was tailored to Hepburn's limited vocal range based on songs she had performed in 1957's Funny Face. On the Anniversary Edition DVD of Breakfast at Tiffany's, co-producer Dick Shepherd says in his audio commentary that after a preview in San Francisco, Martin Rankin, Paramount's head of production wanted 'Moon River' replaced with music by somebody else but 'Marty'.

'타임 매거진'에 따르면 맨시니는 '자신의 멜로디를 걷는 베이스로 시작하고 합창과 스트링 변주로 확장하고 콤보 재즈의 활기찬 사운드로 이를 다양화 했다.'고 한다. 'Moon River'는 애절한 하모니카로 흐느끼고 스트링으로 반복되고 허밍 되고 있다.

그리고 나서 합창단이 부르고 마침내 하모니카로 다시 마무리 되고 있다.

According to Time magazine, Mancini sets off his melodies with a walking bass, extends them with choral and string variations, varies them with the brisk sounds of

combo jazz. 'Moon River' is sobbed by a plaintive harmonic repeated by strings, hum-
med and then sung by the chorus finally resolved with the harmonica again.

사운드트랙은 헨리 맨시니가 작곡하고 지휘한 악보와 맨시니와 작사가 자니
머서의 노래로 구성 되었다. 맨시니와 머서는 'Moon River'로 1961년 오스카
최우수 오리지널 주제가상을 수상하게 된다.

The soundtrack featured a score composed and conducted by Henry Mancini with
songs by Mancini and lyricist Johnny Mercer.
Mancini and Mercer won the 1961 Oscar for Best Original Song for 'Moon River'

맨시니는 작곡상 부문에서 수상한다. 존재하는 〈티파니에서 아침을〉의 미공
개 악보도 있다. 'Carousel Cue'는 미공개 장면에서 가져온 것이다.
'Outtake 1'은 홀리와 프레드가 티파니를 방문하는 삭제된 장면에서 흘러나
온 것으로 메인 테마의 변형이다.

Mancini won for Best Original Score. There are also unreleased score pieces from
Breakfast at Tiffany's in existence. 'Carousel Cue' is from an unsurfaced scene while
'Outtake 1' is from a deleted scene in which Holly and Fred visit Tiffany's and is a var-
iation of the main theme.

3. 〈티파니에서 아침을〉 사운드트랙 해설 – 빌보드

'홀리 고라이트리가 무엇인지 파악하는데 오랜 시간이 걸렸다. 자정이 지난
어느 날 밤 나는 여전히 시도하고 있었다. 나는 술을 많이 마시지는 않지만 술을

마셨다. 그리고 그것은 나에게 왔다. 나는 30분 만에 'Moon River'를 썼다.

- 헨리 맨시니

It took me a long time to figure out what Holly Golightly was all about. One night after midnight I was still trying. I don't drink much but I was sipping.
And it came to me. I wrote 'Moon River' in half an hour. - Henry Mancini

'Breakfast at Tiffany's: Music from the Motion Picture'는 오드리 헵번이 주연을 맡은 1961년 영화 〈티파니에서 아침을〉 사운드트랙이다.
트랙은 헨리 맨시니가 작곡하고 지휘한 영화 음악의 일부를 재배열하고 있다.
앨범은 또한 90주 이상 빌보드 앨범 차트에 머물렀다.

Breakfast at Tiffany's: Music from the Motion Picture is the soundtrack from the 1961 movie Breakfast at Tiffany's starring Audrey Hepburn. The tracks were re-arranged parts of the film music composed and conducted by Henry Mancini.
The album also stayed on Billboard's album charts for over ninety weeks.

TV 쇼 〈피터 건〉 테마와 같은 타이틀 테마로 성공을 거두었기 때문에 헨리 맨시니는 블레이크 에드워즈 감독으로부터 심포니 재즈 사운드트랙인 〈티파니에서 아침을〉 사운드트랙을 작곡해 달라는 요청을 받는다.
재즈 뮤지션 글렌 밀러 제자인 그는 〈글렌 밀러 스토리〉로 아카데미상을 수상한 배경 음악을 만든 바 있다. 영화 시사회 후 파라마운트 픽쳐스 임원은 'Moon River'라는 노래가 너무 무겁고 잘릴 것이라고 확신한다. 이것을 알게 된 헵번은 '내 눈에 흙이 들어가기 전에는 안 돼!'라고 대답했다고 한다.

Because of his success with title themes, such as the theme to the television show Peter Gunn, Henry Mancini was asked by director Blake Edwards to compose the soundtrack to Breakfast at Tiffany's, a symphony jazz soundtrack.

A protégé of jazz musician Glenn Miller, he created the Academy Award-winning score for The Glenn Miller Story. After a preview screening of the film an executive from Paramount Pictures was convinced that the song 'Moon River' was dead weight and it was due to be cut. Upon learning this, Hepburn responded 'Over my dead body'

이러한 반응은 그녀가 맨시니와 가진 우호적 관계 때문일 것이다. 노래가 영화에 남아야 한다는 주장에 이어 이 곡은 잘리지 않고 계속해서 히트를 치게 된다.

This response was likely due to the friendly relationship that she had with Mancini. Subsequent to the insistence that the song stay in the film it was not cut and went on to be a hit.

4. 블레이크 에드워즈 감독과 헨리 맨시니 절묘한 팀웍 과시

〈티파니에서 아침을〉. ⓒ Paramount Pictures

블레이크 에드워즈와 헨리 맨시니는 에드워즈가 수 년 동안 알고 지낸 맨시니 아내를 통해 만났다.

연결 후 그들은 맨시니가 타이틀 테마를 만든 TV 쇼 〈피터 건〉에서 공동 작업을 하기로 결정한다. 에드워즈는 자신이 〈티파니에서 아침을〉을 감독하게 될 것이라는 사실을 알았을 때 맨시니를 파트너로 선택하게 된다.

Blake Edwards and Henry Mancini met through Mancini's wife whom Edwards had known for a number of years. After connecting, they decided to collaborate on the television show Peter Gunn for which Mancini created the title theme. When Edwards learned he would be directing Breakfast at Tiffany's he chose Mancini as his partner.

그들의 파트너십은 성공적인 주제를 만들어낸다. 그들은 함께 다른 수많은 영화에 협력하게 된다. 자니 머서가 노래 가사를 제공한다.
아티스트들은 원만한 관계를 유지한다. 그 결과 노래가 탄생하게 된다.
맨시니는 머서를 위해 멜로디를 연주한 후 3가지 다른 변형 가사를 제안한다.
두 사람은 최종 조합을 결정하게 된다.

Their partnership produced successful themes and they collaborated on numerous other films together. Johnny Mercer provided the lyrics for the song.
The artists had a smooth relationship which resulted in the creation of the song.
After Mancini played the melody for Mercer. he offered three different variations of lyrics and the two decided on a final combination.

맨시니는 헵번의 녹음이 최고라고 믿었다. 그는 '문 리버는 그녀를 위해 썼다. 아무도 그것을 완전히 이해하지 못했다. 'Moon River' 버전은 1,000개가 넘지만 의심할 여지없이 그녀의 버전이 가장 위대하다.' 맨시니는 오드리 헵번을 존경했으며 그 느낌은 상호적이었다. 영화를 본 후 오드리는 맨시니에게 편지를 썼다. '당신 음악은 우리 모두를 고양(高揚)시켰다. 우리를 비상(飛翔)하게 만들었다.'

Mancini believed that Hepburn's recording was the best. He is quoted saying 'Moon River was written for her. No one else has ever understood it so completely. There have been more than a thousand versions of 'Moon River' but hers is unquestionably the greatest' Mancini had respect for Audrey Hepburn and the feeling was mutual.

after watching the film Audrey wrote a letter to Mancini saying 'Your music has lifted us all up and sent us soaring'

'우리가 말로 할 수 없고 행동으로 보여줄 수 없는 모든 것을 우리를 위해 표현해 주었다. 당신은 많은 상상력과 재미와 아름다움으로 이것을 해냈다.
당신은 가장 힙 한 고양이이자 가장 민감한 작곡가이다.'

'Everything we cannot say with words or show with action you have expressed for us. You have done this with so much imagination, fun and beauty. You are the hippest of cats and the most sensitive of composers!'

5. 〈티파니에서 아침을〉 통해 빅히트 곡으로 환영 받고 있는 'Moon River'

'Moon River'는 헨리 맨시니가 작곡하고 자니 머서가 작사한 노래이다.
이 곡은 원래 1961년 영화 〈티파니에서 아침을〉에서 오드리 헵번이 공연하여 아카데미 최우수 오리지널 주제가 상을 수상한다. 이 노래는 또한 1962년 그래미 어워드에서 올해의 레코드와 올해의 노래로 수상한다.

'Moon River' is a song composed by Henry Mancini with lyrics by Johnny Mercer.
It was originally performed by Audrey Hepburn in the 1961 movie Breakfast at Tiffany's winning an Academy Award for Best Original Song.
The song also won the 1962 Grammy Awards for Record of the Year and Song of the Year.

이 노래는 수많은 아티스트들이 음반으로 취입한다. 1962년 처음 공연해 그해 아카데미 시상식에서 공연한 앤디 윌리엄스의 주제가가 된다.

The song has been recorded by many other artists.[3] It became the theme song for Andy Williams, who first recorded it in 1962 and performed it at the Academy Awards ceremony that year.

윌리엄스는 자신의 이름을 딴 텔레비전 쇼 각 에피소드가 시작될 때 노래의 처음 8마디를 불렀다. 그의 프러덕션 이름과 미주리 주 브랜슨 거리 이름을 '문 리버'라고 작명한다. 그의 자서전도 〈문 리버와 나, 윌리엄스〉라고 했다.

윌리엄스 버전은 싱글로 발매된 적은 없다. 하지만 1962년 'Moon River and Other Great Movie Themes' 히트 앨범에서 그가 컬럼비아 레코드를 위해 녹음한 LP 트랙으로 차트에 진입한다.

He sang the first eight bars of the song at the beginning of each episode of his eponymous television show and named his production company and venue in Branson, Missouri, after it his autobiography is called 'Moon River and Me. Williams' version was never released as a single but it charted as an LP track that he recorded for Columbia on a hit album of 1962, Moon River and Other Great Movie Themes.

노래의 성공은 1950년대 중반에 록큰롤이 당시 대중음악으로서 재즈 표준을 대체했기 때문에 중단되었던 작곡가로서의 머서 경력을 다시 시작하는 데 기여한다. 노래 인기는 팝송에 대한 사람들의 기억에 대한 연구에서 테스트 샘플로 사용되고 있다.

The song's success was responsible for relaunching Mercer's career as a songwriter which had stalled in the mid 1950s because rock and roll had replaced jazz standards as the popular music of the time. The song's popularity is such that it has been used

〈티파니에서 아침을〉. © Paramount Pictures

as a test sample in a study on people's memories of popular songs.

가사에 대한 설명은 특히 머서가 미국 남부에서 보낸 젊음과 그의 지평을 넓히고자 하는 열망을 연상시킨다고 언급하고 있다. 로버트 라이트는 '월간 아틀란틱'을 통해 '이것은 방랑벽에 원문 그대로 노래한 사랑이다. 또는 낭만적인 파트너가 로맨스에 대한 아이디어인 낭만적인 노래이다.'라고 썼다.

Comments about the lyrics have noted that they are particularly reminiscent of Mercer's youth in the southern United States and his longing to expand his horizons.

Robert Wright wrote in The Atlantic Monthly 'This is a love sung to wanderlust. Or a romantic song in which the romantic partner is the idea of romance'

6. '문 리버' 작곡 일화

머서와 맨시니는 오드리 헵번이 영화 〈티파니에서 아침을〉에서 부를 노래를 작곡했다. 머서가 쓴 가사는 수로(水路)를 포함해 조지아 주 사바나 어린 시절을 연상시켜주고 있다.

Mercer and Mancini wrote the song for Audrey Hepburn to sing in the film Breakfast at Tiffany's. The lyrics written by Mercer are reminiscent of his childhood in

Savannah, Georgia including its waterways.

어렸을 때 그는 여름에 월귤 나무 열매를 땄던 평온한 어린 시절과 마크 트웨인 원작 〈허클베리 핀〉을 연결했다.

영화 오프닝 타이틀 위에 연주 버전이 연주되고 있다. 하지만 가사는 폴 프레드 바작-조지 페퍼드-가 홀리 고라이트리(헵번)가 아파트 밖으로 나와 기타를 치며 노래를 부르는 것을 발견하는 장면에서 처음 들려오고 있다.

As a child, he had picked huckleberries in summer and he connected them with a carefree childhood and Mark Twain's Huckleberry Finn.

Although an instrumental version is played over the film's opening titles, the lyrics are first heard in a scene where Paul Fred Varjak (George Peppard) discovers Holly Golightly (Hepburn) singing the song accompanying herself on the guitar while sitting on the fire escape outside their apartments.

파라마운트 픽쳐스 중역 마틴 랙킨이 미지근한 로스 엔젤레스 시사회 후 영화에서 이 노래를 삭제하자고 제안했을 때 무대 뒤에서 경악의 폭발이 일어난다. 헵번의 반응은 맨시니와 다른 사람들에 의해 '내 눈에 흙이 들어가기 전에는 안 된다.' 그녀에게 같은 요점을 만들기 위해 더 다채로운 언어를 사용하게 된다.

There was an eruption of behind-the-scenes consternation when a Paramount Pictures executive Martin Rackin suggested removing the song from the film after a tepid Los Angeles preview. Hepburn's reaction was described by Mancini and others in degrees varying from her saying 'Over my dead body!' to her using more colorful language to make the same point.

앨범 버전은 1960년 12월 8일 맨시니와 오케스트라 합창-헵번 보컬 제외-에 의해 녹음된다. 1961년 싱글로 발매되어 그 해 12월 11위를 기록한다.

빌보드 미공개 차트로 인해 조엘 휘트번의 '탑 어덜트 송 Top Adult (Contemporary) Songs'은 이 노래를 3위 또는 1위 쉬운 듣기 히트 곡으로 다양하게 보고한다. 맨시니의 원본 버전은 영화 〈7월 4일생〉(1989)에도 등장하고 있다.

An album version was recorded by Mancini and his orchestra and chorus-without Hepburn's vocal-on December 8, 1960. It was released as a single in 1961 and became a number 11 hit in December of that year. Due to unpublished charts in Billboard, Joel Whitburn's Top Adult (Contemporary) Songs variously reported the song as a #3 or #1 easy listening hit. Mancini's original version was also featured in the film Born on the Fourth of July (1989).

1993년 헵번이 사망한 후 그녀의 버전은 '오드리 헵번 영화 음악'이라는 제목의 앨범으로 발매 된다. 2004년 헵번 버전은 AFI의 100 Years...100 Songs 조사에서 미국 영화의 최고 곡 4위에 랭크된다.

In 1993, following Hepburn's death, her version was released on an album titled Music from the Films of Audrey Hepburn. In 2004, Hepburn's version finished at #4 on AFI's 100 Years...100 Songs survey of top tunes in American cinema.

〈티파니에서 아침을〉 사운드트랙. ⓒ RCA Victor Records.

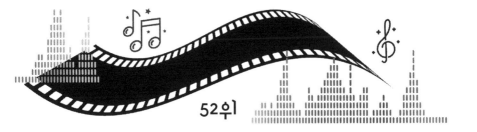

〈힐러리와 재키 Hilary and Jackie〉(1998) -
엘가의 '첼로 협주곡',
첼리스트 재클린 두 프레 비극 위안 곡으로 차용

작곡: 에드워드 엘가

첼로와 플루트 전공 자매의 애증을 다룬 실존 드라마 〈힐러리와 재키〉. ⓒ Film Four Distributors

1. 〈힐러리와 재키〉 버라이어티 평

세계적으로 유명한 클래식 첼리스트 재클린 뒤 프레의 비극적 이야기를 그녀 여동생 플루트 연주자 힐러리 뒤 프레 핀치 관점에서 이야기하고 있다.

The tragic story of world renowned classic cellist Jacqueline du Pré as told from the point of view of her sister, flautist Hilary du Pré-Finzi.

영국 자매 힐러리 뒤 프레(Hilary du Pré)와 재클린 뒤 프레(Jacqueline du Pré). 둘 다 재능 있는 음악가이다. 힐러리는 플루트 연주자. 재키는 첼리스트. 그들의 음악적 기량과 관련하여 그들은 항상 서로 우호적인 경쟁적인 성격을 갖는다. 대부분 음악적 위대함을 성취하기 위해 피아니스트 어머니 아이리스가 필요했기 때문이다. 그러나 이러한 우정의 이면에는 다른 사람보다 진정으로 더 나은 사람이 되고자 하는 깊은 열망이 있다. 그녀의 화려한 연주 스타일에도 불구하고 또는 부분적으로는 그 덕분에 어린 재키는 가족 중 유명한 음악가가 되기 위해 더 의기양양한 어린 시절 성공의 그늘에서 등장하게 된다.

British sisters Hilary du Pré and Jacqueline du Pré are both talented musicians, Hilary a flautist, Jackie a cellist. With regard to their musical prowess, they have always had a friendly competitive nature with each other fueled in large part by the want of their pianist mother Iris for them to achieve musical greatness.

But underlying this friendliness is a deep desire to be truly better than the other. Despite or perhaps in part because of her flamboyant performance style, the younger Jackie emerges from the shadows of older Hilary's more triumphant childhood successes to become the renowned musician in the family.

둘 다 음악을 계속하다가 결국 결혼-힐러리는 키퍼 핀지와 재키는 피아니스트 다니엘 바렌보임과 결혼-하지만 힐러리는 가정생활에 집중하고 재키는 경력에 집중한다. 재키가 힐러리에 대한 겉보기에 이상해 보이는 요청은 나중에 이해된다. 하지만 힐러리가 그 요청에 동의하는 것은 사랑하지만 특이한 자매관계의 진정한 본질을 보여주고 있다.

Although both continue with their music and both end up marrying-Hilary to Kiffer Finzi, and Jackie to pianist Daniel Barenboim-Hilary focuses on her home life whereas Jackie focuses on her career. A seemingly odd request by Jackie to Hilary is later understood but Hilary's agreement to that request demonstrates the true nature of their loving but unusual sisterly relationship

〈힐러리와 재키〉는 1998년 영국 전기 영화. 아난드 터커가 감독했다.
에밀리 왓슨과 레이첼 그리피스가 영국의 클래식 음악가 자매재클린 뒤 프레(첼로)와 힐러리 뒤 프레(플루트)로 출연하고 있다.
영화는 재클린의 갑작스러운 명성, 힐러리 남편 크리스토퍼 핀지와의 불륜 의혹, 20대 후반부터 시작된 다발성 경화증과의 투쟁을 다루고 있다.

Hilary and Jackie is a 1998 British biographical film directed by Anand Tucker starring Emily Watson and Rachel Griffiths as the British classical musician sisters Jacqueline du Pré (cello) and Hilary du Pré (flute). The film covers Jacqueline's meteoric rise to fame her alleged affair with Hilary's husband Christopher Finzi and her struggle with multiple sclerosis starting in her late 20s.

프랭크 코트렐-보이스의 시나리오는 최종 크레디트에서 피어스와 힐러리 뒤 프레의 1997년 회고록 〈가족 속 천재 A Genius in the Family〉-나중에 〈힐러리와 재키〉라는 제목으로 다시 출판-를 기반으로 한다고 주장했다.
그러나 그 회고록은 〈힐러리와 재키〉가 촬영 중일 때 아직 출판되지 않았다.

The screenplay by Frank Cottrell-Boyce claimed in the end credits to have been based on the 1997 memoir A Genius in the Family by Piers and Hilary du Pré-later republished under the title Hilary and Jackie. However, that memoir had not yet been published when Hilary and Jackie was being filmed.

〈힐러리와 재키〉. ⓒ Film Four Distributors

코트렐-보이스는 '힐러리는 내가 영화 작업을 하는 동시에 책 작업을 하고 있었다… 우리가 대본을 할 때 매우 초기 단계였다.'라고 말했다.
영화는 대신 힐러리와 피어스와의 대화를 기반으로 했다고 한다.
책과 달리 실화라고 주장하지 않으며 일부 가상 사건이 포함되어 있다.

Cottrell-Boyce stated 'Hilary was working on the book at the same time as I was working on the film…it was at a very early stage when we were doing the script'
The film was instead based on conversations with Hilary and Piers. unlike the book it does not claim to be the true story, and contains some fictionalised incidents.

영화는 재클린의 삶의 세부 사항을 왜곡했다는 주장으로 논란과 비판을 받았다.
재클린 뒤 프레의 몇 몇 개인적인 친구들은 공개적으로 영화를 비난했다.
힐러리 뒤 프레는 그녀의 이야기를 공개적으로 변호했다.

The film attracted controversy and criticism for allegedly distorting details in Jacqueline's life and several personal friends of Jacqueline du Pré publicly condemned the film. Hilary du Pré publicly defended her version of the story.

〈힐러리와 재키〉는 일반적으로 비평가들의 찬사를 받았다.

그리피스와 왓슨은 각각 아카데미 조연 여우상과 주연 여우상 후보에 오른다.

Hilary and Jackie generally received critical acclaim and both Griffiths and Watson were nominated for an Academy Award for Best Supporting Actress and Best Actress, respectively.

2. <힐러리와 재키> 사운드트랙 리뷰

예상할 수 있듯이 〈힐러리와 재키〉 사운드트랙은 재능 있는 두 자매-그 중한 명은 뛰어난 첼리스트 재클린 뒤 프레-사이의 감정적으로 고달픈 관계에 대한 이 영화에서 매우 중요한 역할을 하고 있다.

확실히 작곡가 바링톤 퍼렁-〈모스 탐정〉 시리즈와 〈트루리, 매드리, 디프리〉를 연상시키는 배경 음악을 포함하고 있다-은 에드워드 엘가 '첼로 협주곡'에 대한 뒤 프레의 랩소딕 하고 시그니처 해석과 함께 들을 수 있는 음악을 작곡하는데 어려운 도전에 직면했다. 다른 고전적인 선택을 언급하기 위해.

As might be expected, the soundtrack to Hilary and Jackie plays a highly prominent role in this film about the emotionally fraught relationship between two gifted sisters, one of whom is the brilliant cellist Jacqueline Du Pré. Certainly composer Barrington Pheloung-whose credits include the Inspector Morse series and the evocative score to Truly, Madly, Deeply-faced a heady challenge in writing music to be heard alongside Du Pré's rhapsodic, signature interpretation of the Edward Elgar Cello Concerto not to mention other classical selections.

그럼에도 불구하고, 그의 배경 음악이 울려 퍼지는 가을, 네오로맨틱한 풍미는 내러티브의 회상 지향적인 기법을 적절하게 반영해주고 있다.

첼로의 긴급한 고음역에 대한 그의 주장-솔리스트 캐롤라인 데일이 연주-은 비극적으로 고통 받는 주인공의 가슴 아픈 음악적 초상화를 만들어 내고 있다.

그러나 CD 대부분은 엘가 협주곡 전체에 제공되고 있다.

이는 일반적인 클래식 작은 정보 혼합에 비해 특히 효과적인 선택이다.

Even so, the resonantly autumnal, neo-Romantic flavor of his score aptly mirrors the narrative's flashback-oriented technique.

His insistence on the cello's urgent high register-played by soloist Caroline Dale-creates a poignant musical portrait of its tragically stricken protagonist.

Most of the CD, however is given to the entire Elgar concerto an especially effective choice as against the usual potpourri of classical snippets.

장엄하고 애가적이며 쉽게 접근할 수 있는 작품인 엘가의 오케스트라를 위한 축가 작곡은 뒤 프레의 감정적 여정에 대한 일종의 음악적 은유가 되고 있다.

전체 맥락에서 듣는 것에서 이득을 얻게 된다. 이번 공연은 남편 다니엘 바렌보임(Daniel Barenboim)이 지휘하는 반면 존 바비롤리와 함께 EMI에서 뒤 프레의 한 번도 개선되지 않은 엘가 버전을 사용해 보고 싶은 마음이 들 것이다.

This charged, elegiac and easily accessible work Elgar's own valedictory composition for orchestra becomes a sort of musical metaphor for Du Pré's emotional journey and gains from being heard in its full context. While the performance featured here is conducted by husband Daniel Barenboim, you'll probably be inspired to try Du Pré's never bettered version of the Elgar on EMI with John Barbirolli.

의심할 여지없이 CD의 주요 초점은 엘가의 '첼로와 오케스트라를 위한 협주곡' 전체로 제공되고 있다. 재클린의 작품 연주 이전에는 거의 알려지지 않았다.

오해되고, 사랑받지 못했고, 드물게 연주 되었다. 그녀는 그것이 무엇인지 조사할 수 있었다. 엘가의 '첼로 협주곡'은 그녀 이전에 누구와도 비교할 수 없는 깊이에 그녀를 필요로 한다.

그러나 이 특별한 녹음은 그녀의 최고가 아니다. 바리롤리가 지휘하는 런던 심포니 오케스트라는 최고로 높은 평가를 받았다. 이 디스크는 그녀의 두 번째 공연이지만 여전히 만개한 예술가의 멋진 그림을 그리고 있다.

Undoubtably the main focus of the cd is the Elgar 'Concerto for Cello and Orchestra' which is presented in whole. Prior to Jacquelines performance of the work.

it was little known, misunderstood, unloved and infrequently played.

she was able to probe it's depths like no other person before her, Elgar's 'Cello Concerto' needed her. But this particular recording isn't of her best, Barbirolli conducting the London Symphony Orchestra is highly regarded as the best.

No two performances were exactly alike and the recording on this disc being her second performance but it still paints a superb picture of a artist in full bloom.

바링톤 퍼렁의 배경 음악은 분노, 고통, 기쁨, 절망 또는 희망이든 간에 영화에서 묘사되는 강렬한 감정을 향상시켜주고 있다.

엘가와는 별도로 첼로는 캐롤린 데일의 것이다. 그녀는 재클린의 정신과 소리를 포착할 수 있다.

〈힐러리와 재키〉. ⓒ Film Four Distributors

Barrington Pheloung's score enhances the intense emotions portrayed in the film whether it's anger, pain, joy, depair or hope.

Apart from the Elgar, the cello heard is from Caroline Dale.

she is able to capture the spirit and sound of Jacqueline.

3. 〈힐러리와 재키〉를 관람한 뒤 힐러리가 밝힌 소감

바링톤 퍼렁의 배경 음악은 훌륭하다. 엘가 다른 첼로 작품 및 우리의 'Holiday Song'을 중심으로 그의 독창적인 구성을 훌륭하게 짜는 것이다.

바링톤은 어렸을 때 좋아하는 음악이 있는지 묻기 위해 나에게 연락했다. 나는 그에게 다양한 하모니와 장식으로 휴일에만 부르는 우리 노래에 대해 이야기 했다. 그것이 메인 테마이다. 그는 그 단순함을 잊혀지지 않게 사용하고 있다. 그의 음악은 영화에서 묘사된 강렬한 감정 사이에서 능숙하게 미끄러지고 있다. 그것이 유머, 분노, 고통, 기쁨, 절망 또는 희망이든, 음악은 항상 정서적, 시각적 효과를 향상시키고 있다.

엘가를 제외하고 사운드 트랙의 첼로 목소리는 캐롤린 데일이다. 그녀는 재키의 정신과 소리를 포착하는 데 있어 비범한 수준의 '첼로 연기'를 달성했다.

Barrington Pheloung's score is masterly. It is a marvellous weaving of his original composition around the Elgar, other cello works and our Holiday Song.

Barrington contacted me to ask if, as children. we had any favourite music. I told him about our song, sung only on holiday with varying harmonies and embellishments.

It is the main theme and he makes haunting use of its simplicity.

His music slips skillfully amongst the intense emotions portrayed in the film. Whether it is humour, anger, pain, joy, despair or hope, the music always enhances the emotional and visual impact. Apart from the Elgar, the cello voice on the soundtrack is of Caroline Dale. She has achieved an extraordinary degree of 'cello acting' in catching the spirit and sound of Jackie.

'첼로 협주곡'은 엘가의 마지막 주요 작품이다. 처음에는 제대로 제작되지 않은 것으로 간주되어 재키가 연주할 때까지 거의 알려지지 않았다.

확실히 재키가 그 깊이를 조사하기 전에는 어떤 첼리스트도 없었다.

그것은 오해되고 사랑받지 못하고 드물게 수행 되었다. 이것은 재키에게 깊은 영어, 깊이 향수를 불러일으키고 고통스럽게 회고적인 이상적인 영역이다.

The Cello Concerto was Elgar's last major work. Initially it was regarded as poorly crafted and was little known until Jackie played it. Certainly no cellist before Jackie had managed to probe its depths. It had remained misunderstood, unloved and infrequently performed. It is profoundly English, deeply nostalgic and painfully retrospective ideal territories for Jackie.

재키가 연주했을 때 자신과 첼로, 음악이 완전히 융합되었다. 장벽이나 이음새가 없었다. 그녀는 음악이었다. 재키가 자주 말했듯이, 그것은 그녀의 '소속'이었다. 그녀는 청취자를 지금까지 탐험되지 않고 예상치 못한 영역으로 옮겼다. 그녀의 소리와 능력은 독특했다. 그녀의 연주는 여전히 나를 갈가리 찢는다.

When Jackie played there was complete fusion between herself her cello and the music. There were no barriers, no seams. She was the music as Jackie often said.
it 'belonged' to her and she transported her listeners to hitherto unexplored and unexpected realms. Her sound and her capacities were unique. Her playing still tears me to shreds.

엘가 재키의 공연에서 그녀의 본능적인 이해, 색채 및 열정을 협주곡에 불어넣었다. 그녀는 모든 사람의 마음을 단숨에 사로잡는 젊음과 나이의 멋진 조합을 만들었다. 그녀는 엘가를 첼로 레퍼토리의 중심 곡일 뿐 만 아니라 보편적으로 사랑받는 곡으로 만들었다. 그것은 그녀를 필요로 했다. 그녀는 그것을 사랑했으며 함께 그들은 서로를 만들었다. - 힐러리 뒤 프레, 1998년 10월

In her performances of the Elgar Jackie infused the Concerto with her instinctive understanding, colour and passion. She created a wonderful mixture of youth and age that cut immediately into everyone's hearts. She made the Elgar not only a central piece in the cello repertoire but universally loved. It needed her, she loved it and together they made each other. – Hilary du Pré October 1998

Track listing

1. Adagio, Moderato by Sir Edward Elgar
2. Sisters by B. Pheloung
3. Overture by J. S. Bach from Suite No. 2 In B Minor
4. The Farmhouse by B. Pheloung
5. The Holiday Song by B. Pheloung
6. The Hospital by B. Pheloung
7. A Day On A Beach by B. Pheloung, Concerto For Cello And Orchestra in E Minor, Op. 85 by Sir Edward Elgar
8. Adagio. Moderato
9. Lento. Allegro Molto
10. Adagio
11. Allegro. Moderato. Allegro Ma Non Troppo

〈힐러리와 재키〉 사운드트랙. ⓒ Sony Classical

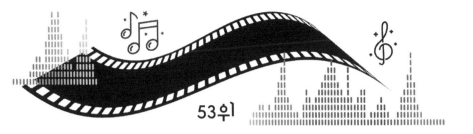

53위

⟨전망 좋은 방 A Room with a View⟩(1985) - 관습을 거부하는 자유 분망한 여성의 가치관을 노출시켜준 'O mio babbino caro'

작곡: 지아코모 푸치니 Giacomo Puccini

푸치니 명곡 오페라가 배경 음악으로 선곡돼 품위 있는 로맨스 극으로 기억되고 있는 ⟨전망 좋은 방⟩.
© Curzon Film Distributors, Metro-Goldwyn-Mayer

1. <전망 좋은 방> 버라이어티 평

에드워드 왕조 시대. 허니처치-마리안 허니처치(로즈마리 리치)와 그녀의 두 자녀 루시 허니처치(헬레나 본햄 카터)와 프레디 허니처치(루퍼트 그레브스)는 서레이의 썸머 스트리트라는 시골 마을에 사는 평온하고 재미있는 가족이다. 그럼에도 불구하고 루시는 도덕적으로 젊은 여성이다.
어떤 사람들은 그녀가 피아노로 베토벤을 연주하는 방식으로 그녀의 적절한 태도 뒤에 끓어오르는 열정이 있음을 알 수 있다.
그녀와 사촌 샬로트 발렛(매기 스미스 부인)은 교활한 방식으로 업무를 수행하며 1주일 동안 휴식을 위해 이태리 피렌체로 여행을 떠난다.

It's the Edwardian era. The Honeychurches-Marian Honeychurch (Rosemary Leach) and her two just of age children Lucy Honeychurch (Helena Bonham Carter) and Freddy Honeychurch (Rupert Graves) are a carefree and fun-loving family that live in the country town of Summer Street, Surrey. Regardless, Lucy is a proper young woman. Some can tell by the way she plays Beethoven on the piano that there is a seething passion underneath her proper demeanor. She and her older cousin, her chaperon Charlotte Barlett (Dame Maggie Smith) who is officious in a slyly undermining way, travel to Florence, Italy for a week-long respite.

그들이 머물고 있는 펜션 베르톨리니는 영국 관광객들에게 인기가 높다.
펜션에 모인 다른 영국인 손님 중에는 샬로트는 그의 진취성 때문에 천박하다고 생각하는 미스터 에머슨(던홈 엘리오트)과 그의 아들, 명랑하지만 우울한 조지 에머슨(줄리안 샌즈) 등이 있다. 체류가 진행됨에 따라 조지는 이태리인의 삶이 인생에서 중요한 것에 대해 눈을 뜨게 하고 있음을 느끼고 루시에게도 같은 일이 일어나고 있음을 느끼게 된다.

The Pensione Bertolini where they are staying is popular amongst British tourists. Amongst the disparate group of other British guests at the pensione are a Mr. Emerson (Denholm Elliott) who Charlotte considers vulgar because of his forwardness and his son, the bright, but brooding, George Emerson (Julian Sands). As their stay progresses, George feels that Italian life is opening his eyes to what is important in life and he feels the same is happening to Lucy.

단체 나들이에서 샬로트와 루시 모두 부적절하다고 생각하는 사건이 발생하여 두 사람은 이태리를 일찍 떠나 영국으로 향한다.

On a group outing, an incident occurs which both Charlotte and Lucy consider improper which leads to the two leaving Italy early and heading back to England.

그 후 얼마 지나지 않아 루시는 상류층과 열정이 없는 세실 바이세(다니엘 데이-루이스)와 약혼한다.
그리고 미스터 에머슨은 썸머 스트리트로 이사하고 조지는 주말에 방문한다.

Shortly thereafter, Lucy gets engaged to the upper crust and passionless Cecil Vyse (Daniel Day-Lewis). And Mr. Emerson moves to Summer Street with George visiting on the weekends.

조지는 허니처치와 친구가 된다. 루시는 자신의 삶에서 자신이 진정 원하는 것과 원하는 사람에 대해 주로 자신에게 일련의 거짓말을 하기 시작한다.

As George befriends the Honeychurches, Lucy begins to tell a series of lies, mostly to herself about what and who she really wants for and in her life.

〈전망 좋은 방〉은 제임스 아이보리가 감독한 1985년 영국 로맨스 영화이다.

E. M. 포스터 동명 소설(1908)을 루스 프라워 자발라(Ruth Prawer Jha-bvala)가 각본을 쓰고 이스마일 머천트(Ismail Merchant)가 제작했다.

데뷔작인 헬레나 본햄 카터(Lucy)가 루시역, 줄리안 샌즈(Julian Sands)가 조지 역으로 출연하고 있다. 매기 스미스, 덴홈 엘리어트, 다니엘 데이 루이스, 주디 덴치, 사이먼 캘로우가 조연으로 출연하고 있다.

A Room with a View is a 1985 British romance film directed by James Ivory with a screenplay written by Ruth Prawer Jhabvala and produced by Ismail Merchant of E. M. Forster's novel of the same name (1908). It stars Helena Bonham Carter in her film debut as Lucy and Julian Sands as George and features Maggie Smith, Denholm Elliott, Daniel Day-Lewis, Judi Dench and Simon Callow in supporting roles.

영국과 이태리를 배경으로 하는 영화는 에드워드 시대 영국의 제한적이고 억압된 문화의 마지막 고통 속에서 루시 허니처치라는 젊은 여성과 자유분방한 청년 조지 에머슨에 대한 그녀의 발전하는 사랑에 관한 것이다.

영화는 주제별 세그먼트를 구분하기 위해 장(章) 제목을 사용하여 소설을 밀접하게 따르고 있다.

Set in England and Italy. it is about a young woman named Lucy Honeychurch in the final throes of the restrictive and repressed culture of Edwardian England and

her developing love for a free-spirited young man George Emerson.

The film closely follows the novel by use of chapter titles to distinguish thematic segments.

〈전망 좋은 방〉. ⓒ Curzon Film Distributors, Metro-Goldwyn-Mayer

〈전망 좋은 방〉은 보편적인 비평가들의 찬사를 받았으며 흥행에도 성공한다. 제 59회 아카데미 시상식에서 작품상을 포함한 8개의 아카데미상 후보에 올라 각색상, 미술상, 의상상 등 3개 부문을 수상한다. 또한 5개의 영국 아카데미 영화상과 골든 글로브를 수상했다. 1999년에 영국 영화 연구소는 20세기 영국 영화 100선 목록에 〈전망 좋은 방〉을 73위에 올려놓았다.

A Room with a View received universal critical acclaim and was a box-office success. At the 59th Academy Awards, it was nominated for eight Academy Awards including Best Picture and won three: Best Adapted Screenplay, Best Art Direction and Best Costume Design. It also won five British Academy Film Awards and a Golden Globe. In 1999, the British Film Institute placed A Room with a View 73rd on its list of the Top 100 British films of the 20th century.

2. 〈전망 좋은 방〉 사운드트랙 리뷰

〈전망 좋은 방〉은 영화 작곡가의 일반적인 관용구인 전통적이고 낭만적인 교향곡 스타일로 작곡한 로빈스를 찾는 3편 중 가장 전통적인 악보이다.

그는 여기에서 자신의 솜씨를 완전히 발휘하여 항상 영국인 여행자를 현혹해온 따뜻하고 햇살 가득한 남부의 정신으로 가득 찬 악보를 만들었다.

A room With a View is the most traditional score of the three, finding Robbins composing in a traditional, Romantic symphonic style, the usual idiom of film composers.

He was completely on top of his craft here creating a score full of the spirit of the warm and sunny South which has always beguiled English travellers.

그는 또한 현명하게 푸치니의 가장 위대한 사랑 아리아 두 곡을 선택했다. 크고 따뜻하며 광활하게 빛나는 사랑 음악을 작곡하는 데 있어 그 누구도 푸치니를 능가할 수 없다. 〈쟌니 스키키 Gianni Schicchi〉 중 'O Mio Babbino Caro'는 이미 푸치니의 가장 인기 있는 아리아 중 한 곡이다.

종종 오페라 자체 외부의 리사이틀에서 불렀다.

그러나 1980년대 영화가 종종 새로운 관객을 고전 작품으로 데려온 것처럼-슬프게도 사라졌지만-이 영화는 아리아를 대중적인 수준의 명성과 감상으로 끌어 올렸다. 〈라 론다인 La Rondine〉의 'Magda's aria'는 'O Mio Babbino Caro' 만큼의 호응을 얻지는 못했다.

하지만 소프라노를 위한 황홀한 아리아로, 진정한 사랑을 원했기 때문에 왕의 손을 거부한 여성 도레타와 영화 줄거리를 거의 요약하는 관심이 많은 사람에게서 그것을 찾았다.

He also wisely chose to feature two of Puccini's greatest love arias and when it comes to composing big, warm, expansively glowing love music, no one can top Puccini.

O Mio Babbino Caro from Gianni Schicchi was already one of Puccini's most popular arias, often sung in recital outside of the opera itself. But in the way that films in the 80's often brought a new audience to classical works something which has sadly dissappeared. this film brought the aria to a pop level of fame and appreciation, one it still enjoys. Magda's aria from La Rondine did not get quite the reception of O Mio Babbino Caro but is a rapturous aria for a soprano which tells the story of Doretta, a woman who rejected the hand of a king because she wanted true love and who found it in a student which pretty much sums up the plot of the film.

〈전망 좋은 방〉에는 푸치니가 있었다. 〈전망 좋은 방〉에는 만돌린이 있다.

A Room With a View had its Puccini and Again, Room had its mandolins.

리차드 로빈스는 필립 글래스와 마이클 니먼 같은 영화 음악을 쓰고 있다. 예외는 로빈스 작품이 동시대 사람보다 질감이 가볍다는 것이다.

Richard Robbins writes a type of film music like phillip glass and michael nyman. the exception is that robbins work is lighter in texture than either of his contemporaries.

3. 〈전망 좋은 방〉 사운드트랙 해설 - 빌보드

시끌벅적한 시작부터 눈물을 흘리는 마지막 장면까지, 오감의 향연을 선사할 만큼 맛있는 재료들로 폭탄을 터트린 영화의 명장면이다.

영화는 자코모 푸치니, 베토벤, 슈베르트 음악을 통합한 풍부한 사운드트랙을 배경으로 우리를 피렌체와 토스카나 시골에

〈전망 좋은 방〉. © Curzon Film Distributors, Metro-Goldwyn-Mayer

서 울창한 정원과 에드워드 시대 영국 호화로운 집 인테리어로 안내하고 있다.

동명의 책의 내러티브에서 작가 E M 포스터는 19세기 후반 미학 숭배를 풍자하고 있다. 혐오스러운 세실 바이세가 구현한 문화 중심의 내러티브에 코미디를 추가시키고 있다.

From its bustling outset to the tear-jerking scene at the end, it is a gem of a film, a bombe bursting with ingredients so delicious that it provides a feast for the senses. The movie takes us from Florence and the Tuscan countryside to the lush gardens and sumptuous house interiors of Edwardian England, all against a rich soundtrack incorporating the music of Giacomo Puccini, Beethoven and Schubert.

In the narrative of the eponymous book, author EM Forster satirises the late nineteenth-century cult of the aesthete embodied by the odious Cecil Vyse (Daniel Day-Lewis) adding a note of comedy to the culture-heavy narrative.

〈전망 좋은 방〉은 믿을 수 없을 정도로 단순한 이야기다. 표면적으로는 소년과 소녀가 만나 사랑에 빠진다. 둘은 헤어지고 소녀는 다른 남자와 약혼하게 된다. 소년과 소녀는 영광스러운 낭만적인 상황에서 재회하여 부적절한 결혼 및 또는 지루한 삶에서 그녀를 구해낸다. 그러나 영화가 끝날 때 조지 에머슨(줄리안 샌즈)가 플로렌타인 광장이 내려다 보이는 방에서 루시에게 의기양양하게 키스하는 동안에도 많은 질문이 우리를 괴롭히고 있다.

A Room With a View is a deceptively simple tale. On the surface, a boy and girl meet and fall in love. They part company and the girl becomes engaged to another man.

The boy and girl are reunited in gloriously romantic circumstances, thus saving her from an unsuitable marriage and or a life of boredom. But even as George Emerson (Julian Sands) triumphantly kisses Lucy (Helena Bonham Carter) in the room overlooking the Florentine piazza at the end of the movie, many questions assail us.

키리 티-카나와(Kiri Ti-Kanawa)가 부른 푸치니(Puccini)와 같은 매혹적인 사운드트랙이 확실히 도움이 된다. 숨겨진 보석은 자브바라가 각색한 것으로 그는 포스터의 방대한 캐릭터 캐러밴에 생명을 불어넣고 20세기 전환기에 빅토리아주의에서 모더니즘으로의 파괴적인 전환이라는 주제를 극화했다.

계급, 성별, 국적의 장벽을 허무는 방식으로 미묘하지만 허를 찌르는 방식으로, 자기 발견의 고통 속에 있는 한 지방의 젊은 여성의 명확하고 상쾌한 스토리라인에 과부하를 주지 않고 있다.

The ravishing soundtrack, mainly Puccini as sung by Kiri Ti-Kanawa certainly helps.

The hidden gem may be the adaptation by Jhabvala who brings to life Forster's vast caravan of characters and dramatizes his themes.

the disruptive transition from Victorianism to modernism at the turn of the 20th century with its breakdown of barriers in class, gender and nationalitiesin subtle but walloping fashion without overloading the clear, breezy story line of a provincial young woman in the throes of self-discovery.

4. 〈전망 좋은 방〉으로 재조명 된 'O mio babbino caro'는 어떤 아리아?

'O mio babbino caro'-오, 사랑하는 나의 아버지'는 지코모 푸치니 오페라 〈쟌니 스키키 Gianni Schicchi〉(1918)에서 지오바치노 포르자노가 대본을 쓴 소프라노 아리아이다. 아버지 스키키와 그녀가 사랑하는 소년 리누치오 가족 사이의 긴장이 그녀를 리누치오로 부터 분리시키겠다고 위협하는 한계점에 도달한 후 로레타가 이 노래를 불러주고 있다.

중세 피렌체의 위선, 질투, 이중 거래, 불화의 분위기와 대조되는 서정적 단순성과 사랑을 표현하는 막간을 제공하고 있다.

그것은 철저한 오페라로 작곡 된 것 중 유일한 기성 형식을 제공하고 있다.

'O mio babbino caro/ Oh my dear Papa' is a soprano aria from the opera Gianni Schicchi (1918) by Giacomo Puccini to a libretto by Giovacchino Forzano.

It is sung by Lauretta after tensions between her father Schicchi and the family of Rinuccio, the boy she loves, have reached a breaking point that threatens to separate her from Rinuccio.

It provides an interlude expressing lyrical simplicity and love in contrast with the atmosphere of hypocrisy, jealousy, double-dealing and feuding in medieval Florence.

It provides the only set-piece in the through-composed opera.

〈전망 좋은 방〉. ⓒ Curzon Film Distributors, Metro-Goldwyn-Mayer

아리아는 1918년 12월 14일 인기 있는 에드워드 잉글랜드 소프라노 플로렌스 이스턴(Florence Easton)이 뉴욕 메트로폴리탄 오페라(Metropolitan Opera)에서 열린 〈쟌니 스키키Gianni Schicchi〉 초연에서 첫 공연된다.

많은 소프라노들이 불렀다.

데임 조안 해먼드는 1969년 이 아리아의 100만 장 판매로 골드 레코드를 수상한다.

The aria was first performed at the premiere of Gianni Schicchi on 14 December 1918 at the Metropolitan Opera in New York by the popular Edwardian English soprano Florence Easton. It has been sung by many sopranos.

Dame Joan Hammond won a Gold Record in 1969 for 1 million sold copies of this aria.

아리아는 콘서트에서 자주 연주되고 많은 유명 가수와 크로스오버 가수의 리사이틀에서 앙코르로 연주되고 있다.

The aria is frequently performed in concerts and as an encore in recitals by many popular and crossover singers.

Track listing

1. O Mio Babbino Caro by Kiri Te Kanawa And The London Philharmonic Orchestra
2. The Pensione Bertollini
3. Lucy, Charlotte and Miss Lavish See The City
4. In The Piazza Signoria
5. The Embankment
6. Phaeton and Persephone
7. Chi Il Bel Sogno Di Doretta by Kiri Te Kanawa And The London Philharmonic Orchestra
8. The Storm
9. Home and The Betrothal
10. The Sacred Lake
11. The Allan Sisters
12. In The National Gallery
13. Windy Corner
14. Habanera
15. The Broken Engagement
16. Return to Florence
17. End Titles

〈전망 좋은 방〉 사운드트랙. ⓒ DRG Records

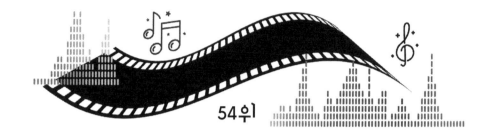

〈글라디에이터 Gladiator〉(2000) - 로마 시대 서사 대극 감동 부추겨준 한스 짐머 신세사이저 리듬

작곡: 한스 짐머 Hans Zimmer + 리자 게라드 Lisa Gerrard(보컬)

리들리 스코트 감독이 로마 시대를 배경으로 펼쳐준 서사 역사극 〈글라디에이터〉. ⓒ Dream-Works Distribution LLC, United International Pictures

1. 〈글라디에이터〉 버라이어티 평

〈글라디에이터〉는 리들리 스코트가 감독하고 데이비드 프란조니, 존 로간, 윌리암 니콜슨이 각본을 맡은 2000년 서사 역사 드라마 영화다.

Gladiator is a 2000 epic historical drama film directed by Ridley Scott and written by David Franzoni, John Logan and William Nicholson.

크로우는 마커스 아우렐리우스 황제의 야심 찬 아들인 코모두스가 아버지를 살해하고 왕위를 차지하자 배신당하는 로마 장군 막시무스 데시무스 메리디어스 역을 묘사해 주고 있다. 노예로 전락한 막시무스는 검투사가 되어 가족과 황제의 살인에 대한 복수를 위해 투기장 계급을 통해 올라간다.

Crowe portrays Roman general Maximus Decimus Meridius, who is betrayed when Commodus, the ambitious son of Emperor Marcus Aurelius, murders his father and seizes the throne. Reduced to slavery, Maximus becomes a gladiator and rises through the ranks of the arena to avenge the murders of his family and his emperor.

다니엘 P. 매닉스의 1958년 저서 〈죽음을 앞둔 자들-이전 명칭은 검투사의 길〉에서 영감을 받은 영화 대본은 처음에 프란조니가 작성했다. 주요 촬영은 대본이 완성되기 전인 1999년 1월에 시작되어 그해 5월에 끝났다.
고대 로마 장면은 말타의 포트 리카솔리에서 19주 동안 촬영되었다.

Inspired by Daniel P. Mannix's 1958 book Those About to Die-formerly titled The Way of the Gladiator. the film's script, initially written by Franzoni.
Principal photography began in January 1999, before the script was completed, and wrapped up in May of that year with the scenes of Ancient Rome shot over a period of nineteen weeks in Fort Ricasoli, Malta.

영화 컴퓨터 생성 이미지 효과는 영국의 후반 제작 회사 더 밀에서 제작했다. 제작 중 리드가 심장마비로 사망하여 리드 캐릭터 프록시모와 관련된 나머지 장면을 위해 디지털 바디 더블-대역-을 제작하게 된다.

The film's computer-generated imagery effects were created by British post-production company The Mill who also created a digital body double for the remaining scenes involving Reed's character Proximo due to Reed dying of a heart attack during production.

2021년 스코트 감독은 나폴레옹 전기 영화가 완성된 후 공식적으로 개발에 들어갈 영화 속편에 대한 쓰기가 시작되었다고 공식적으로 발표한다.

In 2021, Scott officially announced that writing had begun on a sequel to the film, which would formally enter development after the completion of his Napoleon biopic.

2. 〈글라디에이터〉 사운드트랙 리뷰

오스카 상 후보에 오른 배경 음악은 한스 짐머와 리자 게라드가 작곡하고 가빈 그린웨이가 지휘했다. 짐머는 원래 〈이집트 왕자〉에서 그녀와 함께 작업한 후 배경 음악에 이스라엘 보컬리스트 오프라 하자를 사용할 계획이었다.

그러나 하자는 2000년 2월 말에 녹음을 할 수 있기 전에 사망하자 게라드가 대신 선택되었다.

리자 게라드의 보컬은 〈인사이더〉 작곡에 대한 그녀의 작업과 유사하다.

많은 전투 장면 음악은 구스타프 홀스트의 'Mars: Bringer of War'와 유사한 것으로 알려져 있다.

2006년 6월 홀스트 재단은 한스 짐머를 고인이 된 홀스트의 작품을 복사한 혐의로 고소한다.

또 다른 긴밀한 음악적 유사성은 리하르트 바그너의 〈니벨룽의 반지〉에서 'Das Rheingold의 전주곡'과 'Götterdämmerung' 중 지그프리트 장례 행진곡이라는 두 부분을 분명히 연상시키는

〈글라디에이터〉. ⓒ DreamWorks Distribution LLC, United International Pictures

음악과 함께 코모두스가 로마에 승리하여 입성하는 장면에서 발생한다.

The Oscar-nominated score was composed by Hans Zimmer and Lisa Gerrard and conducted by Gavin Greenaway.

Zimmer was originally planning to use Israeli vocalist Ofra Haza for the score after his work with her in The Prince of Egypt. However, Haza died in late February 2000 before she was able to record and so Gerrard was chosen instead.

Lisa Gerrard's vocals are similar to her own work on The Insider score.

The music for many of the battle scenes has been noted as similar to Gustav Holst's 'Mars: The Bringer of War' and in June 2006, the Holst Foundation sued Hans Zimmer for allegedly copying the late Holst's work. Another close musical resemblance occurs in the scene of Commodus's triumphal entry into Rome accompanied by music clearly evocative of two sections the Prelude to Das Rheingold and Siegfried's Funeral March from Götterdämmerung from Richard Wagner's Ring of the Nibelung.

2001년 2월 27일, 첫 번째 사운드트랙이 출시된 지 거의 1년 후 데카 레코드는 'Gladiator: More Music From The Motion Picture'를 제작한다.

그런 다음 2005년 9월 5일 데카는 위에서 언급한 2장의 CD 팩인 'Gladiator: Special Anniversary Edition'을 제작한다. 영화 음악 중 일부는 2003년 1월 광고 중단 전과 하프 타임 전후에 NFL 플레이오프에 등장한다.

2003년, 루치아노 파바로티는 자신이 영화에서 노래를 부르는 녹음을 발표하고 사운드트랙에서 공연하자는 제안을 거절한 것을 후회한다고 말했다.

On February 27, 2001, nearly a year after the first soundtrack's release. Decca produced Gladiator: More Music From the Motion Picture. Then, on September 5, 2005, Decca produced Gladiator: Special Anniversary Edition, a two-CD pack containing both the above-mentioned releases. Some of the music from the film was featured in the NFL playoffs in January 2003 before commercial breaks and before and after half-time. In 2003, Luciano Pavarotti released a recording of himself singing a song from the film and said he regretted turning down an offer to perform on the soundtrack.

3. 〈글라디에이터〉 사운드트랙 해설 - 빌보드

짐머의 〈글라디에이터〉 배경 음악은 평균과 좋음 사이에 있으며 작품에 대한 최고의 찬사를 제공하는 사람은 거의 없다.

그러나 대부분 관객에게 영화 내 스코어의 압도적인 성공은 음악에 진정한 생명을 불어 넣었다. 〈글라디에이터〉는 그 이후로 최소한 리들리 스코트 영화 비전과 조화를 이루는 것으로 인정받게 된다.

Zimmer's Gladiator music between average and good with few offering the highest praises to the work. The overwhelming success of the score within the film for most viewers however is what gave true life to the music, and Gladiator has since become recognized as being at the very least, in tune with Ridley Scott's vision of the film.

또한, 상당한 양의 팬들은 〈글라디에이터〉를 '유죄의 기쁨'으로 채택했다. 이것은 짐머와 바델트의 〈캐리비안의 해적〉과 같은 방식으로 3년 후 성취한 것과 매우 유사하다. 전체적으로 〈글라디에이터〉는 짐머의 문체적 성숙에 대한 스코어의 명확한 정의와 짐머의 영감을 얻는 과정으로 인해 분출한 소송 때문에 회고적으로 연구하기에 그 어느 때보다 매력적이다.

Additionally, a fair amount of fans have adopted Gladiator as a 'guilty pleasure' much in the same way that Zimmer and Badelt's Pirates of the Caribbean would accomplish three years later (though Zimmer was contractually forced to remain uncredited for his involvement in the composition of that score). On the whole, Gladiator remains as fascinating as ever to study in retrospect, partially because of the score's clear definition of Zimmer's stylistic maturation and partially because of the lawsuit that has erupted because of Zimmer's process of gaining inspiration.

작곡 크레디트는 여러 작곡가 사이에 분산되어 있다. 하지만 짐머는 대부분 작곡가에 대해 크레디트를 받고 있다. 〈글라디에이터〉 주요 주제와 주제 중에서 오직 리자 게라드의 'Elysium' 주제만이 스코어 전체에 걸쳐 짐머가 사용한 두 개의 주요 주제와 여러 개의 작은 주제에 중요한 주제 기여를 표시하고 있다. 게라드의 많은 구절도 클라우스 바델트와 함께 크레디트에 공유 되어 있다.

While compositional credit is spread around between the several composers, Zimmer takes credit for most of them. Of the major themes and motifs in Gladiator, only Lisa Gerrard's 'Elysium' theme marks a significant thematic contribution to the two major and several minor themes employed by Zimmer throughout the score with many of Gerrard's passages shared in credit with Klaus Badelt as well.

〈글라디에이터〉의 배경 음악은 로마 세계와 사후 세계로 명확하게 구분되고 있다. 영화는 후자 정신으로 시작하고 끝을 맺고 있다. 짐머의 오프닝 선곡은 종종 '야생의 부름' 주제라고 하는 모호한 주제로 시대의 분위기를 소개하고 있다. 이것은 악보의 2가지 주요 정체성 사이의 다리 역할을 하고 있다.

The score for Gladiator is clearly divided between the world of Rome and that of the afterlife and the film opens and closes with the spirit of the latter.

Zimmer's opening cue introduces the ambience of the era with a nebulous motif often referred to as a 'calling of the wild' theme that would appear as a bridge between the score's two primary identities.

〈글라디에이터〉. © DreamWorks Distribution LLC, United International Pictures

'Progeny'에서 짐머는 그의 저명한 솔로이스트 3명, 즉 두둑의 디반 가스파얀, 플루트의 제프 로나, 첼로의 토니 플리스 사이에서 연주를 나누고 있다.

리자 게라드의 'Elysium' 테마는 나중에 짐머의 'Earth' 테마와 결합되어 유명한 'Now We Are Free' 상승 선곡을 형성하고 있다.

In "Progeny," Zimmer splits the performances between three of his noted soloists: Djivan Gasparyan on duduk, Jeff Rona on flute, and Tony Pleeth on cello. Lisa Gerrard's "Elysium" theme, later to be combined with Zimmer's own "Earth" theme to form the famous "Now We Are Free" ascension cue.

이 선곡은 스코어의 놀랍게도 몇 안 되는 액션 악보 중 하나인 '배틀'의 시작 부분에 직접 혼합되고 있다. 짐머는 이 곡과 로마에서 벌어지는 검투사 전투에 대한 후속 변형과 함께 고전적인 비엔나 왈츠에 크게 기반을 두고 있다. 작곡된 악보의 첫 부분이라고 주장했다.

This cue is mixed directly into the start of 'The Battle'. one of the score's surprisingly few action pieces. Zimmer has claimed that this piece along with its subsequent variant for the gladiator battles in Rome is based heavily on a classical Viennese waltz and was the first part of the score written.

'배틀'의 시작 30초는 캐릭터에게 닥칠 슬픔이 아니었다면 막시무스의 삶과 영화 모두의 주요 주제처럼 보였을 내용을 제공하고 있다. 활기찬 프렌치 호른 테마는 짐머 경력을 위한 구조의 표준이다. 추진력 있는 전자 타악기 위에 떠오르는 구조는 '영웅 찬가' 뿐만 아니라 그가 이전 또는 이후에 작곡한 모든 것의 역할을 제공하게 된다.

The opening thirty seconds of 'The Battle' offers what would have seemed to be the primary theme of both Maximus life and the film. if not for the sorrows that would befall the character. The rousing French horn theme is standard in structure for Zimmer's career. it's rising structures over propulsive electronic percussion serving the role of 'hero's anthem' as well as any he has written before or after.

이 테마의 악기는 〈크림슨 타이드〉를 반영하고 있다. 첫 번째 문장의 끝 부분에 있는 테마 상단의 트럼펫 솔로가 있다. 거기에서 '배틀'은 이해할 수 있을 정도로 흐려지고 있다. 펄럭이는 헤이터 페레이라의 기타 작업은 스페인 영향이 악보 후반부에 올 것임을 예고하고 있다. 하지만 여기서는 그 사용법이 잘못된 것 같다. 깊은 남성 합창단은 〈크림슨 타이드〉의 합성 두근거림 효과를 다시 한 번 울려 퍼지게 하고 있다.

Instrumentation in this theme mirrors Crimson Tide even down to the trumpet solos over the top of the theme near the end of the first statement. From there 'The Battle' becomes understandably muddied. A fluttering of Heitor Pereira's guitar work foreshadows the Spanish influence to come later in the score though its usage seems misplaced here. Deep male choir is mixed under echoing synthetic pounding effects once again from Crimson Tide.

기타는 선곡을 지배할 3/4 왈츠 리듬을 열기 위해 'Battle'로 돌아오고 있다. 결국 현과 금관에서 거칠게 요구되는 스타카토 블라스트에 의해 주도된다. 구스타프 홀스트의 그림자는 이 신호의 여러 구절에서 분명해지고 있다. 휘젓는 움직임 위에 전자적으로 조작된 불협화음의 황동 악센트를 통해 전투의 광란의 피치를 높이려는 짐머의 시도에 의해서만 가려졌다.

The guitar returns in 'The Battle' to open the 3/4 waltz rhythm that would dominate the cue, eventually led by wildly demanding staccato blasts from strings and brass. Shades of Gustav Holst become evident in several passages within this cue, masked only by Zimmer's attempt to heighten the battle's frantic pitch through dissonant, electronically manipulated brass accents atop the churning movements.

선곡은 여러 관련 악보로 나눌 수 있다. 그 중 하나는 〈캐리비안의 해적〉에 대한 짐머와 바델트에게 중요한 영감을 제공하게 된다. 짐머의 가짜 스워시버클링 스타일은 〈글라디에이터〉에서 분명히 적절하지 않은 것처럼 보인다. 이 작은 부분은 나중에 배경 음악에서 완전히 다시 돌아올 것이다.

The cue can be broken into several related pieces, one of which providing significant inspiration to Zimmer and Badelt for Pirates of the Caribbean.

Zimmer's faux-swashbuckling style seems distinctly out of place in Gladiator and this small segment would return once in full later in the score.

선곡의 마지막 부분에서 게라드의 목소리가 짐미의 멋진 'Earth' 테마의 첫 번째 악보를 제공할 때까지 선곡의 이전 세그먼트는 바그너스타일 움직임을 포함하여 짧은 재언급을 위해 반환된다. 짐머는 분명히 이 주제를 죽음을 대표하는 것으로 보았다. 이 잔인한 피의 시퀀스가 끝날 때 사용하는 것이 탁월하다. 테마는 다음 'Earth' 선곡에서 당연히 더 많은 관심을 받게 될 것이다.

Previous segments in the cue return for short restatements including the Wagnerian movements until Gerrard's voice provides the first fragments of Zimmer's gorgeous 'Earth' theme in the final moments of the cue.

Zimmer obviously viewed this theme as being representative of death and its use at the end of this atrociously bloody sequence is outstanding. The theme would receive further attention not surprisingly, in the following 'Earth' cue.

〈글라디에이터〉. © DreamWorks Distribution LLC, United International Pictures

장면의 외로움을 표현하기 위해 추가 '애도' 모티브를 제공한 후-우아한 트럼펫으로-짐머는 첼로와 플루트에 대한 'Earth' 주제에 대한 첫 번째 완전한 진술을 제공하고 있다.

'Sorrow'의 경우 게라드의 'Elysium' 테마가 악보의 하이라이트 중 한 곡인 게라드의 강력한 보컬 연주를 위해 바델트에 의해 확장되고 있다.

After providing an additional 'mourning' motif to represent the loneliness of the scene-with elegant trumpet-Zimmer yields his first full statement of the 'Earth' theme on cello and flute.

For 'Sorrow' Gerrard's 'Elysium' theme is expanded upon by Badelt for a powerful vocal performance by Gerrard that serves among the highlights of the score.

유명한 두둑 duduk 악기 연주자 디반 가스파얀과 작업하려는 짐머의 열망은 〈글라디에이터〉에서 'To Zucchabar' 보다 더 감동적인 몇 가지 신호로 이어졌다. 영화 위치가 남쪽으로 향함에 따라 짐머는 두둑 악기를 사용하여 'Earth' 테마의 조각과 이전의 작은 모티브 두 개를 가스파얀 자신의 즉흥 연주 덕분에 이국적인 새로운 테마로 병합하고 있다.

Zimmer's desire to work with famed duduk performer Djivan Gasparyan led to a handful of cues in Gladiator none more moving than 'To Zucchabar'.

As the film's location heads south, Zimmer uses the duduk to merge fragments of the 'Earth' theme and two of the previous smaller motifs into a exotic new theme owing some, surely to Gasparyan's own improvisations.

'Patricide'의 경우 짐머는 'calling' 테마 일부를 기반으로 하는 극적인 현악을 위해 오케스트라 요소의 전자적 조작과 신세사이저에서 멀리 이동하고 있다. 하지만 상당한 불협화음으로 위장되어 있다. 이 신호는 〈글라디에이터〉에서 짐머의 가장 지능적으로 계층화 된 멜로드라마를 제공하고 있다. 그러나 실제로 듣는 사람의 관심을 끌지는 못한다.

For 'Patricide' Zimmer moves away from the synthesizers and electronic manipulation of orchestral elements for a dramatic string piece based on parts of the 'calling' theme, though it is disguised by significant dissonance.

While this cue offers some of Zimmer's most intelligently layered melodrama in Gladiator. it fails to really engage the listener.

'the Commodus theme' 도입은 선곡의 후반부를 고르지 못하고 지나치게 요구하는 스트링 문장으로 표시하고 있다.

이어지는 'The Emperor is Dead'에서 게라드와 바델트는 짐머가 게라드에게 발견하고 제안한 얀 칭 Yan Ching이라는 악기를 사용하고 있다. 그것은 지터 악기처럼 들리고 이 선곡에서 그녀의 'Elysium' 테마를 수행하고 있다.

The introduction of the Commodus theme marks the latter half of the cue with choppy, over-demanding string statements. In the subsequent 'The Emperor is Dead'.

Gerrard and Badelt employ an instrument called the Yan Ching that Zimmer discovered and offered to Gerrard.

It sounds like a zither and in this cue if performs her 'Elysium' theme with class.

틀림없이 이 악보의 핵심은 'The Might of Rome'이 전체 악보에서 가장 기억에 남는 단서로 판명되면서 이어지고 있다.

느린 타악기 크레센도의 2분은 짐머가 상당한 양의 머리를 긁는 3분 표시까지 게라드의 도움을 받아 이국적인 비트와 합창 성가(聖歌)로 이어지고 있다.

Arguably the centerpiece of the score follows with 'The Might of Rome' proving to be the most memorable cue from the entire score. Two minutes of a slow percussive crescendo lead to an exotic beat and choral chant aided by Gerrard until the three minute mark which is when Zimmer causes a significant amount of head scratching.

짐머는 그가 이 단서 후반부를 쓸 때 리하르트 바그너의 음악-더 구체적으로는 지그프리트의 라인강 여행과 지크프리트의 고테르다메룽의 장례 행진곡과 관련된 반지 부분-을 염두에 두고 있었다고 말한 바 있다.

쓰는 데만 1시간이 걸렸다. 영화 속 선곡의 아름다움과 고대 도시를 영광스럽게 되살리는 'The Mill'의 특수 효과는 의심의 여지가 없다.

하지만 바그너의 노골적인 사용은 간과할 수 없다.

Zimmer has stated that he had the music of Richard Wagner-and, more specifically, the Ring portions relating to Siegfried's Journey to the Rhine and Siegfried's Funeral March from Gotterdamerung-so clearly in mind when he wrote the latter half of this cue that the music took only an hour to write. While the beauty of the cue in the film, with the special effects by The Mill gloriously bringing the ancient city back to life is not questioned, the blatant use of Wagner can't be overlooked.

지그프리트의 장례 행진곡만 통합하는 것이 너무 어색해서 큐 끝 근처에서 놀라운 합창 폭발조차 일어나지 않고 있다.

아이러니하게도 선곡에서 짐머의 신세사이저와 결합될 때 반젤리스가 몇 년 후 알렉산더에게 제공한 것과 놀랍게도 유사하게 들리고 있다.

2분 동안 듣는 내용을 나머지 배경 음악과 일치시키는데 도움이 될 수 있다.

So awkward is the incorporation of Siegfried's Funeral March alone that not even the remarkable choral outburst near the end of the cue which ironically, when combined with Zimmer's synths in the cue, sounds surprisingly similar to what Vangelis would provide for Alexander several years later can help match what you hear in these two minutes with the rest of the score.

'Strength and Honor' 경우 짐머의 베이스 영역 요소를 사용하여 'Patri-

〈글라디에이터〉. © DreamWorks Distribution LLC, United International Pictures

cide'의 코모두스 아이디어에 대한 마이너 키 변형을 탐색하고 있다.

선곡은 〈씬 레드 라인〉의 믹스와 스타일이 비슷하다.

선곡이 'Reunion'으로 이어짐에 따라 짐머는 게라드와 바델트가 게라드의 'Elysium' 테마의 단순한 보컬 연주를 언제나 처럼 동양 풍 아름다움으로 아름답게 표현하도록 허용해주고 있다.

이로써 이야기에서 결코 실현될 수 없는 슬픈 사랑의 상황을 처리해 주고 있다.

For 'Strength and Honor' Zimmer uses bass region elements to explore a minor key variant on his Commodus ideas in 'Patricide'. the cue is similar in mix and style to The Thin Red Line. As the cue segues into 'Reunion'.

Zimmer handles the sorrowful circumstances of love that can never be realized in the story by allowing Gerrard and Badelt to provide a simple vocal rendition of Gerrard's 'Elysium' theme as pretty in its Eastern flavor as always.

이 선곡의 끝에서 리듬과 고조된 보컬은 중요한 'Slaves to Rome' 선곡으로 이어지고 있다.

The rhythm and heightened vocals at the end of this cue lead to the momentous 'Slaves to Rome' cue.

'Barbarian Horde', 그러나 짐머는 짧은 죄책감을 허용하고 있다.
그는 악보 주제에 대한 유일한 대규모 오케스트라 정체성을 제공할 짧은 공연을 위해 전체 앙상블에 'Earth theme'를 넘겨주게 된다.

'Barbarian Horde', however, Zimmer allows a short guilty pleasure.
he hands the 'Earth' theme over to the full ensemble for one brief performance that would provide to be the only large, orchestral identity for the theme in the score.

앨범의 2번째 트랙에 등장하는 'Now We Are Free' 버전은 클라우드 바델트가 게라드의 'Elysium'과 짐머의 'Earth' 테마를 유명한 뉴 에이지 곡으로 병합하려는 여러 시도 중 하나였다.
바델트가 이 하이라이트 트랙에서 너무 많은 일을 했다는 점을 감안할 때 그가 〈글라디에이터〉에 대한 전반적인 노력에 대해 더 많은 스크린 크레디트를 받지 못했다는 것은 놀라운 일이다.

The 'Now We Are Free' version that appears on the second track on this album was among the many attempts by Klaus Badelt to merge Gerrard's 'Elysium' and Zimmer's 'Earth' theme into the famous new age piece. Given that Badelt did so much work on this highlight track. it's surprising that he didn't receive more screen credit for his overall effort on Gladiator.

'Homecoming' 스코어 선곡-영화에 나옴-은 짐머의 아주 막판 작곡이었다.
작곡가조차도 목적 없는 긴급성이 스코어의 다른 부분과 특별히 관련이 없다는 것을 인정하고 있다.

The 'Homecoming' score cue-which did appear in the film-was a very last minute composition by Zimmer and even the composer would admit that its aimless urgency doesn't particularly relate to any other part of the score.

두 번째 앨범 하이라이트는 게라드와 짐머가 'Now We Are Free' 노력의 조합을 위한 템플릿으로 사용하고 바델트가 일부 타악기를 펌핑한 즉흥 연주인 'Rome is the Light'이다.

A highlight of the second album is 'Rome is the Light' an improvisation that Gerrard and Zimmer used as a template for the combination of their 'Now We Are Free' efforts and for which Badelt pumped in some percussion.

이 선곡에서 제시되는 독립된 주제는 영화를 위한 더 매력적인 구성 중 하나일 뿐만 아니라 더 만족스럽게 독창적인 아이디어 중 하나이다.
게라드의 보컬은 이 선곡에서 절묘하며, 이 자료 일부가 CGI가 포함된 장면에 대한 바그너 영감의 일부 대신 사용되지 않은 것이 유감이다.

The standalone theme presented in this cue is not only one of the more compelling compositions for the film, but also one of the more satisfyingly original ideas. Gerrard's vocals are exquisite in this cue and it's a shame that parts of this material weren't used in lieu of some of the Wagner inspirations for the CGI-laden scenes.

'The Gladiator Waltz'에서 우리는 짐머와 스코트가 중요한 초기 장면의 템포를 설정하는 데 사용한 'Battle'의 완전히 합성된 데모 버전을 듣게 된다.
다시 한 번, 이 작품에서 홀스트의 음영은 왈츠 구조와 함께 모음곡으로 함께 전투 음악을 형성하는 단편적인 아이디어의 시퀀스를 흐리게 하고 있다.

In 'The Gladiator Waltz', we hear the totally synthetic demo version of 'The Battle' that Zimmer and Scott used to set the tempo of the pivotal early scene.
Once again, shades of Holst in this piece overshadow the waltz structures as well as the sequence of fragmented ideas that together as a suite form the battle music.

이 선곡의 시작 부분에 있는 막시무스의 대화가 하이라이트이다.

그러나 짐머의 신세사이저만을 실재로 하여 이 선곡에서 표절을 듣는 것은 거의 견딜 수 없다. 'Figurines'에서 지터와 같은 얀 칭 Yan Ching 악기에 대한 'Earth' 테마의 게라드 솔로 공연은 또 다른 폐기 트랙이다.

Maximus dialogue at the outset of this cue is its highlight.

to hear the plagiarism in this cue with only Zimmer's synths as substance is nearly unbearable though. Gerrard's solo performance of the 'Earth' theme on the zither-like Yan Ching instrument in 'Figurines' is another throw-away track.

〈글라디에이터〉. ⓒ DreamWorks Distribution LLC, United International Pictures

트랙 'Busy Little Bee'는 게라드와 바델트가 비밀리에 썼고 영화에서 황제와 자매의 소름 끼치는 대화 장면에 사용되었다.

그것은 'Earth' 테마의 단편들의 희미하게 혼합된 게라드 보컬과 함께 크게 설명되지 않는 스트링 선곡이다.

The track 'Busy Little Bee' was written by Gerrard and Badelt in secrecy and was used in the film for the creepy conversational scene for Emperor and sister. It's a largely non-descript string cue with only faintly mixed Gerrard vocals of fragments of the 'Earth' theme.

그래서, 결국 〈글라디에이터〉 배경 음악은 얼마나 좋은가?

짐머의 경력 및 판매 수치는 그의 가장 인기 있는 스코어가 반드시 그의 최고는 아니며 〈글라디에이터〉도 예외는 아니라는 것이 수년 동안 입증되었다.

So, in the end, how good is the Gladiator score? Zimmer's career and sales numbers have proven through the years that his most popular scores aren't necessarily his best and Gladiator is no exception.

4. <글라디에이터> 사운드트랙이 성취한 업적

'Gladiator: Music From The Motion Picture'는 2000년 같은 이름의 영화 오리지널 사운드트랙이다. 원곡과 노래는 한스 짐머와 리자 게라드가 맡았다. 2000년 'Gladiator: Music From The Motion Picture'라는 제목으로 발매된다. 배경 음악을 연주하는 린드허스트 오케스트라(Lyndhurst Orchestra)는 개빈 그리너웨이(Gavin Greenaway)가 지휘했다.

Gladiator: Music From the Motion Picture is the original soundtrack of the 2000 film of the same name.

The original score and songs were composed by Hans Zimmer and Lisa Gerrard and were released in 2000 titled Gladiator: Music From the Motion Picture.

The Lyndhurst Orchestra performing the score was conducted by Gavin Greenaway.

음반은 골든 글로브상 최우수 오리지널 작곡상을 수상했다. 아카데미상과 BAFTA상 최우수 작곡상 Anthony Asquith Award for Film Music 후보에도 올랐다.

The album won the Golden Globe Award for Best Original Score and was also nominated for the Academy Award and BAFTA Award for Best Score-Anthony Asquith Award for Film Music.

5. <글라디에이터> 사운드트랙이 불러일으킨 음악계 토픽

한스 짐머의 스타일은 많은 작곡가에게 영향을 주었다.
이들은 여성의 울부짖는 보컬과 뒤이은 고대 전쟁 영화에 '전투 왈츠'와 같은
요소를 따라했다.

Hans Zimmer's style influenced many composers who used elements like female
wailing vocals and the 'battle waltz' for ancient war movies that followed.

- 짐머의 '미디어 벤처 프러덕션' 멤버인 해리 그레그손-윌리암스는 리들리
스코트 영화 <킹덤 오브 헤븐>의 사운드트랙을 담당한다.

Harry Gregson-Williams, a member of Zimmer's own Media Ventures Productions
relayed scoring duties for Ridley Scott's later film, Kingdom of Heaven.

- 2006년 4월, 홀스트 재단을 대표하는 법률 회사는 짐머가 구스타프 홀스트
의 'The Planets'의 저작권을 침해했다고 주장하는 소송을 제기한다.
악보의 '배틀'은 '전쟁을 불러오는 화성' 저작권을 침해한다고 주장한 것이다.
'Barbarian Horde' 트랙은 이러한 주제의 대부분을 반복하고 있다.

In April 2006, a law firm representing the Holst Foundation filed a lawsuit claiming
that Zimmer had infringed the copyright of Gustav Holst's The Planets. 'The Battle'
from the score was claimed to infringe the copyright on 'Mars, the bringer of war'.
The Track 'Barbarian Horde' reprises most of these themes.

- 서구 영화 음악 평론가들은 이 악보가 'The Might of Rome'과 'Am I Not
Merciful?' 등의 후반부가 리하르트 바그너의 'Siegfried'와 'Götterdämm-
erung' 주제에서 차용했다고 언급한다.

Film music critics noted that the score also borrows from works by Richard Wagner particularly themes from Siegfried and Götterdämmerung included in the latter half of 'The Might of Rome' and 'Am I Not Merciful?'

〈글라디에이터〉. ⓒ DreamWorks Distribution LLC, United International Pictures

- 2003년 루치아노 파바로티는 앨범 'Ti Adoro'에서 'Il Gladiatore'라는 노래를 발표한다. 이 노래는 사운드트랙에 수록된 4번째 트랙 'Earth' 주제를 기반으로 했다. 파바로티는 빌보드 잡지를 통해 '하지만 그때 나는 거절했다. 너무 슬프다. 그것은 멋진 노래와 힘든 영화이다. 그래도 노래만으로도 드라마가 너무 많다.'라고 말했다.

In 2003 Luciano Pavarotti released the song 'Il gladiatore' from his album Ti Adoro. The song was based on a theme from the score featured on the soundtrack as track 4 'Earth'. Pavarotti told Billboard magazine that he was meant to sing this song in the film 'But I said no then. Too bad. It's a magnificent song and a tough movie. Still, there is so much drama in just the song'

Track listing

1. Progeny
2. The Wheat
3. The Battle
4. Earth
5. Sorrow

6. To Zucchabar

7. Patricide

8. The Emperor is Dead

9. The Might of Rome

10. Strength and Honor

11. Reunion

12. Slaves to Rome

13. Barbarian Horde

14. Am I Not Merciful?

15. Elysium

16. Honor Him

17. Now We Are Free

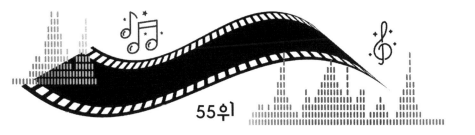

〈잉글리시 페이션트 The English Patient〉(1996) – 영국인 환자의 애절한 사연 위해 원용된 바흐의 'Goldberg Variations'

작곡: 요한 세바스찬 바흐 Johann Sebastian Bach

안소니 밍겔라 감독의 서사 로맨스극 〈잉글리시 페이션트〉. © Miramax Films

1. <잉글리시 페이션트> 버라이어티 평

제2차 세계 대전이 끝날 무렵.
젊은 간호사는 심하게 화상을 입은 비행기 추락 희생자를 돌보게 된다.
그의 과거가 회상으로 나타나 운명적인 사랑에 연루되어 있음을 드러나게 된다.

At the close of World War II,
a young nurse tends to a badly-burned plane crash victim.
His past is shown in flashbacks, revealing an involvement in a fateful love affair.

1944년 10월 전쟁으로 파괴된 이태리.
이동식 육군 의료 부대에 근무하는 프랑스계 캐나다인 간호사 하나(줄리엣 비노쉬)는 자신이 사랑하는 모든 것이 죽어가는 것 같은 느낌을 받고 있다.
여행의 어려움과 위험, 특히 지뢰로 가득 찬 풍경 때문에 하나는 심하게 화상을 입고 기형이 된 죽어가는 반 기억상실증 환자를 돌보기 위해 교회에 남아 자원 봉사를 하고 있다. 그녀는 그가 죽은 후에 나머지 부대를 따라잡는 데 동의한다. 환자가 기억하는 것은 그가 영국인이고 결혼했다는 것 뿐.
그들의 고독은 그가 독일인과 협력한 사람으로 환자를 알고 있다고 확신하는 정보국 일원인 동료 캐나다인 데이비드 카라바지오(월렘 대포우)의 교회에 도착하면서 방해를 받게 된다.
카라바지오는 환자 기억이 대체로 손상되지 않았으며 환자가 과거로부터 부분적으로 또는 전체적으로 도피하고 있다고 믿고 있다. 환자는 전쟁으로 중단된 북아프리카의 지도 제작자로서 그의 일을 둘러싼 모든 과거에 대해 이야기한다.

October 1944 in war torn Italy. Hana (Juliette Binoche), a French-Canadian nurse working in a mobile army medical unit, feels like everything she loves in life dies on her. Because of the difficulty traveling and the dangers, especially as the landscape is still heavily booby-trapped with mines, Hana volunteers to stay behind at a church to care solely for a dying semi-amnesiac patient who is badly burned and disfigured. She agrees to catch up to the rest of the unit after he dies.

All the patient remembers is that he is English and that he is married. Their solitude is disrupted with the arrival at the church of fellow Canadian David Caravaggio (Willem Dafoe) part of the Intelligence Service who is certain that he knows the patient as a man who cooperated with the Germans. Caravaggio believes that the patient's memory is largely intact and that he is running away from his past, in part or in its entirety. The patient does open up about his past all surrounding his work as a cartographer in North Africa which was interrupted by the war.

그는 카라바지오가 믿는 것처럼 독일인을 위한 스파이 일에서 도망친 것이 아니라 결혼 한 캐서린 클리프톤(데임 크리스틴 스코트 토마스)과의 불륜 기억, 그의 삶의 사랑, 약속의 기억 완전히 충족되지 않은 상태다.

He may not be running from his work as a spy for the Germans as Caravaggio believes but rather the memory of an affair he had with married Katharine Clifton (Dame Kristin Scott Thomas), the love of his life and the memory of a promise not totally fulfilled.

하나는 또한 현재 무성한 교회 잔디밭에 야영을 하고 있는 인도 시크교도 킵 싱(나빈 앤드류스)과 자신의 관계를 시작하면서 사랑과 죽음으로 자신의 운명 에 대한 자신의 이론을 시험할 수도 있게 된다.

Hana may also test her theory of her fates with love and death as she embarks on a relationship of her own with Kip Singh (Naveen Andrews), a Sikh from India whose unit has camped on the now overgrown lawn of the church.

그들의 작업은 광산을 청소하고 확산시키는 것, 이전에 그녀의 생명을 구한 광산 중 한 곳의 발견을 동반하게 된다.

Their work entails sweeping for and diffusing mines, the discovery of one such mine which had earlier saved her life

〈잉글리시 페이션트〉는 마이클 온다테의 1992년 동명 소설을 바탕으로 안소니 밍겔라가 감독하고 사울 자엔츠가 제작한 1996년 서사적 로맨스 전쟁 드라마 영화이다.

The English Patient is a 1996 epic romantic war drama film directed by Anthony Minghella from his own script based on the 1992 novel of the same name by Michael Ondaatje and produced by Saul Zaentz.

영어 억양으로 말을 하는 알아 볼 수 없을 정도로 화상을 당한 주인공은 일련의 플래시백을 통해 자신의 역사를 회상하며 관객들에게 자신의 진정한 정체성과 전쟁 이전에 가졌던 사랑의 관계를 드러내주고 있다.

〈잉글리시 페이션트〉. © Miramax Films

The eponymous protagonist, a man burned beyond recognition who speaks with an English accent, recalls his history in a series of flashbacks, revealing to the audience his true identity and the love affair he was involved in before the war.

그는 영화가 끝날 때까지 자신을 돌보는 간호사와 그를 의심하는 남자에게 자신의 정체를 인정하거나 모든 이야기를 공개하지 않는다. 이 형태의 설명은 모르핀의 영향으로 환자가 자신의 과거에 대해 이야기하는 책과 매우 다르다.

He does not admit his identity or reveal the entire story to the nurse who cares for him and the man who suspects him until the end of the film.

This form of exposition is very different from the book where under the influence of morphine, the patient talks about his past.

또한 디지털 편집 영화로 최우수 편집 아카데미상을 받은 최초의 작품이기도 하다. 랄프 파인즈(Ralph Fiennes)가 캐릭터를 연기하고 크리스틴 스코트 토마스(Kristin Scott Thomas)가 그들의 연기로 오스카상 후보에 올랐다.

영화는 또한 5개의 BAFTA 상과 2개의 골든 글로브를 수상했다.

It was also the first to receive a Best Editing Oscar for a digitally edited film. Ralph Fiennes, playing the titular character, and Kristin Scott Thomas were Oscar-nominated for their performances.

The film also won five BAFTA Awards and two Golden Globes.

영국 영화 연구소는 〈잉글리시 페이션트〉를 20세기 최고의 영국 영화 55위로 선정한다.

The British Film Institute ranked The English Patient the 55th greatest British film of the 20th century.

2021년 8월 현재 이 소설은 미라막스 TV와 파라마운트 TV 스튜디오가 공동 제작한 새로운 BBC TV 시리즈의 초기 개발 단계에 있다.

As of August 2021, the novel is currently in early development for a new BBC television series, co-produced by Miramax Television and Paramount Television Studios.

2. 〈잉글리시 페이션트〉 사운드트랙 리뷰

밍겔라는 프로덕션이 시작되기 전에 〈잉글리시 페이션트〉 음악을 상당히 광범위하게 고려했다고 한다. 다양한 클래식 음악과 민속음악에 대한 그의 취향은 영화의 다문화적 영향을 형성하는데 도움이 될 것이다. 그는 한편으로는 바로크 양식의 서양 고전주의를 바라보고 가장 일반적인 청취자에게는 아랍 또는 북아프리카 음악의 인식과 구별할 수 없는 헝가리 민속음악을 탐구한다.

Minghella considered the music for The English Patient quite extensively before production began his taste for various classical and folk music would assist in shaping the film's multicultural influences.
He would look towards Western classicism of a Baroque style on one side while also exploring Hungarian folk music that for most common listeners is indistinguishable from the perception of Arabic or North African music.

그는 영화에서 소스로 사용하기 위해 이 라인을 따라 여러 악보를 모았다고 한다. 〈잉글리시 페이션트〉 댄스 시퀀스를 조정한 그의 아내는 프로덕션 소스 재료로도 사용될 스윙 노래를 제안했다.

He assembled several pieces along these lines for source usage in the film while his wife who coordinated the dance sequences for The English Patient suggested the swing songs that would also be used as source material for the production.

감독은 이러한 모든 아이디어를 하나로 묶는 밑줄에 동일한 수준의 중요성을 부여한다. 그는 프로덕션의 개념적 단계에서 염두에 둔 유일한 작곡가는 당시 국제적으로 알려지지 않은 로맨스를 작업하던 레바논 태생 클래식 스타일 예술가 가브리엘 야레였다고 주장하고 있다.

야레를 고용한 후 밍겔라는 작곡가가 초기 프로덕션 일부이고 다양한 촬영 세션에 참석해야 한다고 주장한다.

그는 또한 야레에게 그의 작품에 바로크와 헝가리 요소의 소리를 적용하고 통합하는 동시에 현대 낭만주의를 러브 스토리에 주입하도록 지시했다고 한다.

The director placed the same level of importance on the underscore that would tie all of these ideas together. he claims that the only composer he had in mind from the conceptual step of the production was Gabriel Yared, the Lebanese-born classical-style artist working in France on internationally obscure romances at the time.

After hiring Yared, Minghella insisted that the composer be a part of early production and attend various shooting sessions. He also instructed Yared to adapt and integrate the sounds of both the Baroque and Hungarian elements into his work all the while infusing modern romanticism into the love story.

그 결과로 얻은 배경 음악은 골든 글로브와 아카데미상을 그 해에 더 많은 자격을 갖춘 후보자 분야에서 탈취했으며 야레 자신은 앞으로 몇 년 동안 주요 작곡 임무를 부여할 국제적 명성을 얻게 된다.

The resulting score would steal a Golden Globe and Academy Award away from a field of more deserving candidates that year and Yared himself would go on to international fame that would land him major scoring assignments for years to come.

야레가 〈잉글리시 페이션트〉에게 제공한 것은 적시에 적절한 영화에 대한 올바른 배경 음악이었다. 영화에서 그것은 플롯의 숙명적이고 우울한 성격과 잘 맞아서 장기적으로 앨범의 급격한 판매를 초래한다.

그러나 많은 영화 음악 애호가들에게 이 배경 음악은 영화 분위기를 벗어나는 기능을 하는 데 완전히 실패하고 여러 면에서 영화가 완전히 스코어를 전달하는 드문 경우 중 하나가 된다.

〈잉글리시 페이션트〉. © Miramax Films

What he provided for The English Patient was the right score for the right film at the right time.

In the film, it fits well with the fatalistic and brooding nature of the plot, resulting in catapulted sales of the album over the long-term.

For many film score enthusiasts, however, this score completely fails to function outside of the film's ambient personality and in many regards.

it's one of those rare cases where the film completely carries the score.

댄스 장면 소스 음악과 플롯에 필수적인 비노쉬 캐릭터의 피아노 연주 사이에서 〈잉글리시 페이션트〉 음악이 대부분의 유권자에게 오스카상을 보증할 만큼 충분히 기억에 남는 이유를 쉽게 상상할 수 있다.

그러나 이 성공은 야레의 기여 덕분에 극히 일부에 불과했다. 스코어는 매우 제한적이기 때문에 대부분 앨범 스코어 수집가에게 적합하지 않다.

그는 두 가지 주제를 설정하고 작업 전반에 걸쳐 매우 드물게 전개하고 있다.

Between the source music during the dance scenes and the piano performances by Binoche's character as integral to the plot. it's easy to imagine why the music from The English Patient was memorable enough to warrant the Oscar for most voters.

But this success was only fractionally due to Yared's contribution.

The score is extraordinarily restrained which is why it doesn't work for most score collectors on album.

He establishes two themes and develops them very sparsely throughout the work.

각각은 구조에 내재된 힘을 특징으로 하고 있다. 하지만 야레는 스토리에서 실현되지 않은 사랑으로 인해 각각의 공연을 마무리해야 했다.

Each features a power inherent in its structure, but Yared is sure to tail off each of their performances due to the unrealized love in the story.

따라서 두 테마 모두 극적인 위상에서는 많은 것을 약속하지만 놀라울 정도로 적은 양을 제공하고 있다. 절망이라는 가장 중요한 주제는 실제로 배경 음악을 정의하기에는 너무 드물게 존재한다.

오프닝 'The English Patient' 중간에 독주 목관악기로 도입된 이 주제의 유일한 다른 주요 연주는 전체 오케스트라 앙상블을 위한 유일한 주요 공연은 'As Far as Florence'가 끝날 때까지 기다리는 것이다. 두 번째 주제는 존 배리의 노력과 같은 넓은 획으로 구성된 더 갈망하는 연애이다.

나중에 'The English Patient'에서 이 아이디어를 처음 들을 수 있다.

As such, both themes promise much in dramatic stature but deliver surprisingly little. The overarching theme of despair exists too infrequently to really define the score. Introduced on solo woodwind midway through the opening 'The English Patient'. the theme's only other major performance for the full orchestral ensemble would wait until 'As Far as Florence' at the end. The second theme is the more yearning love affair, structured with the same broad strokes as a John Barry effort, and you can first hear this idea later in 'The English Patient'

모든 주요 아이디어 모음 역할을 하는 오프닝 선곡은 대부분 서양인 귀에 너무 거슬리는 마르타 세베스텐의 헝가리 독창 보컬로 시작하여 절망과 외로움 주제에 대한 간략한 설명으로 끝나고 있다.

합시코드인 것 같으며 임박한 운명의 드르렁 하는 베이스음이 특징이다.

That opening cue, serving as a suite of all the major ideas, opens with the solo Hungarian vocals of Márta Sebestyén which may be too grating for most Western ears and concludes with a brief statement of the despair and loneliness motif heard on what seems to be a harpsichord and featuring a droning bass note of impending doom.

몇 가지 다른 모티프가 악보 중에 밝혀지고 있다. 하지만 야레는 이를 효과적인 제휴 도구로 만들 만큼 충분히 신중하게 언급하지 않고 있다.

Several other motifs are teased out during the score, but Yared never states them with enough deliberateness to make them effective tools of affiliation.

사랑 테마는 일반적으로 야레 작품의 가장 쉬운 식별자로 간주되고 있다. 'Swoon, I'll Catch You'에서 처음으로 완전한 구현을 받고 있다. 'Read Me to Sleep'에서 피아노에 부드러운 터치를 받고 있다. 현악에 대한 이 주제에 대한 긴 연주는 '수영하는 사람의 동굴'과 '피렌체만큼 멀리'를 우아하게 할 것이다. 그러나 이러한 열정의 폭발 속에서도 야레의 배경 음악은 많은 에너지를 소집하지 못하고 있다.

The love theme is typically considered the easiest identifier of Yared's work. It receives its first full realization in 'Swoon, I'll Catch You' and receives a tender touch on piano in 'Read Me to Sleep' Lengthy performances for this theme on strings would grace 'The Cave of Swimmers' and 'As Far as Florence' But even in these swells of passion. Yared's score fails to muster much energy.

잃어버린 열정과 불길한 운명에 대한 절망적인 이야기를 묘사한 영화와 함께 스코어는 바로 그 발자취를 따르고 있다. 감정의 잠재력을 최대한 활용하지 않으며, 각 신호는 일반적으로 거의 들리지 않는 구불구불한 소리로 사라지고 있다.

야레가 〈병 속에 든 편지 Message in the Bottle〉 및 〈비욘드〉 드라마를 위해 결국 제작하게 될 매혹적인 음원과 비교하면,

그는 〈잉글리시 페이션트〉 필드에서 세인트 마틴 아카데미의 연주자들과 힘과 우아함을 낭비하고 있다.

〈잉글리시 페이션트〉. ⓒ Miramax Films

With a film depicting a frustrating tale of lost passion and doomed fate, the score follows in those exact footsteps.

Never building to its full potential in emotion each cue typically fades away to meanderings barely audible. Compared to the mesmerizing material that Yared would eventually produce for such dramas as Message in a Bottle and beyond.

he wastes the power and elegance of the players from The Academy of St. Martin in the Fields in The English Patient.

그룹의 존재는 야레 작곡에 생명을 불어 넣는 데 필요한 재능보다는 능숙한 클래식 연주에 대한 명성에 더 기초한 것 같다.

레코딩은 앙상블이 불러일으킬 수 있는 활력을 나타내지 못하고 있다. 만약 있었다면, 스코어는 스튜디오 그룹에 의해 동등한 효과로 수행될 수 있었다.

The presence of the group seems to be based more on reputation for adept classical performances rather than the talent necessary to bring Yared's composition to life.

The recording fails to exhibit any of the vibrance that the ensemble is capable of evoking.

if anything, the score could have been performed with equal effectiveness by a studio group.

고상하고 낭만적인 의도에도 불구하고 전체 배경 음악은 등장인물의 본질을 제대로 포착하지 못하고 있다. 하지만 매우 적절한 방식으로 사막의 황량하고 외로운 모래와 잘 어울리고 있다.

따라서 독을 선택해야 한다. 앨범에서 약간 흥미로운 솔로는 단조로움을 깨는 데 도움이 되고 있다. 헝가리 민속 예술가 마르타 세베스티엔 보컬이 매우 짧은 이국적 분위기를 더해주고 있다. 존 콘스테이블의 피아노 솔로는 영화의 고독한 감정을 더욱 발전시켜주고 있다.

Despite its noble and romantic intentions, the entire score fails to really capture the essence of any of the characters and yet, in a very fitting way. it very well accompanies the desolate and lonely sands of the desert. Thus, you have to choose your poison. On album, the marginally interesting solos assist in breaking up the monotony. the vocals of Márta Sebestyén, the Hungarian folk artist add a very brief sense of exotic setting, and John Constable's piano solos further develop the solitary emotions of the film.

시대 노래를 가끔 뿌리는 것은 절충주의적인 특성 때문에 고통을 일으키고 결과적으로 훨씬 더 혼란스러운 청취 경험을 초래한다.

아트 하우스 영화 팬들은 영화 기념품으로 이 앨범에서 장점을 발견할 것이다. 하지만 악보 수집 세계에 더 가까운 대부분의 청취자들은 이 앨범이 흥미롭지 않고 관련이 없으며 저개발 되었다고 생각할 것이다.

The occasional sprinkling of period songs causes distress because of their eclectic nature, resulting in an even more disjointed listening experience.

Fans of arthouse films will find merit in the album as a souvenir from the film though most listeners closer to the score collecting world will find it uninteresting, uninvolving and underdeveloped.

슬픔, 소외, 운명에 대한 영화의 경우 스코어가 매우 좋다. 그러나 그 분위기에 사용할 수 있는 훨씬 더 복잡하고 멜로드라마틱한 음악적 비극이 있는데 누가 앨범에서 〈잉글리시 페이션트〉를 반복해서 듣고 싶겠는가?

For a film about sorrow, alienation, and fate, the score is a great match. But who would want to listen to The English Patient repeatedly on album when there are so many more complex and melodramatic musical tragedies available for that mood?

원곡과 노래는 가브리엘 야레가 작곡했다.

The original score and songs were composed by Gabriel Yared.

앨범은 4개의 주요 사운드트랙 상을 수상했다.
아카데미상(최우수 드라마 스코어), 골든 글로브(최우수 오리지널 스코어), BAFTA 상(최우수 영화 음악) 및 그래미 상(영화 또는 텔레비전 음악을 위한 최고의 연주 작곡)을 수상한다.

〈잉글리시 페이션트〉. © Miramax Films

The album won the four major soundtrack awards: the Academy Award (Best Dramatic Score), the Golden Globe (Best Original Score), the BAFTA Award (Best Film Music) and the Grammy Award (Best Instrumental Composition Written for a Motion Picture or for Television).

Track listing

1. The English Patient
2. A Retreat
3. Rupert Bear
4. What Else Do You Love?
5. Why Picton?
6. Cheek to Cheek
7. Kip's Lights
8. Hana's Curse
9. I'll Always Go Back to That Church
10. Black Nights
11. Swoon, I'll Catch You
12. Am I K. In Your Book?
13. Let Me Come In!
14. Wang Wang Blues
15. Conventino Di Sant Anna
16. Herodotus
17. Szerelem, szerelem
18. Ask Your Saint Who He's Killed
19. One O'Clock Jump
20. I'll Be Back
21. Let Me Tell You About Winds
22. Read Me to Sleep
23. The Cave of Swimmers
24. Where or When
25. Aria From The Goldberg Variations
26. Cheek to Cheek
27. As Far as Florence
28. Én csak azt csodálom (Lullaby For Katharine)

〈잉글리시 페이션트〉 사운드트랙. ⓒ Fantasy Records

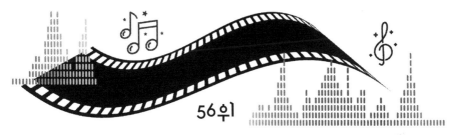

56위

〈남과 여 A Man and a Woman/ Un homme et un femme〉 (1966) - 프란시스 레이의 감성적 전자 리듬, 중년 남녀의 새로운 사랑 풍속도 응원

작곡: 프란시스 레이 Francis Lai

끌로드 를르슈 감독의 〈남과 여〉. 애절한 분위기의 배경 음악 덕분에 1960년대 프랑스 멜로 영화의 진수를 발휘하게 된다. ⓒ Allied Artists

1. <남과 여> 버라이어티 평

과부와 홀아비는 사랑으로 발전하는 관계를 발견하게 된다.
하지만 과거 비극은 극복하기 어려워 극도로 섬세하게 진행되고 있다.

A widow and a widower find their relationship developing into love but their past tragedies prove hard to overcome causing them to proceed with utmost delicacy.

한 남자와 여자는 일요일 저녁. 아이들 기숙학교에서 우연히 만나게 된다. 홀아비와 과부가 서로에게 천천히 자신을 드러내고 각각의 계시는 오해로 숨겨져 있게 된다. 두 사람은 점 점 가까워지다가 남편의 기억력이 아직 너무 강해서 연인이 될 수 없다는 사실을 밝힐 때까지. 영화 대부분은 말없이 행동으로, 혹은 각자의 생각을 들음으로써 이야기 되고 있다.

A man and a woman meet by accident on a Sunday evening at their children's boarding school. Slowly the widower and widow reveal themselves to each other with each revelation hidden by a misperception.

They become closer and closer until she reveals that she can't have a lover because her husband's memory is still far too strong. Much of the film is told wordlessly in actions or through hearing each person's thoughts

<남과 여 Un homme et une femme>는 클로드 를르슈가 각본과 감독을 맡고 아누크 에메와 장 루이 트랭티냥이 주연을 맡은 1966년 프랑스 영화이다. 를르슈와 피에르 우터호벤이 공동 각본을 맡은 영화는 어린 미망인과 홀아비가 자녀의 기숙학교에서 우연히 만나 사망한 배우자에 대한 기억으로 인해 복잡해진 관계에 대한 이야기다.

A Man and a Woman/ Un homme et une femme is a 1966 French film written and

directed by Claude Lelouch and starring Anouk Aimée and Jean-Louis Trintignant.
Written by Lelouch and Pierre Uytterhoeven, the film is about a young widow and widower who meet by chance at their children's boarding school and whose budding relationship is complicated by the memories of their deceased spouses.

영화는 풀 컬러, 흑백, 세피아 톤 샷 사이에서 빈번한 전환을 특징으로 하는 무성한 영상과 프란시스 레이의 기억에 남는 배경 음악으로 유명하다.

The film is notable for its lush photography which features frequent segues among full color, black-and-white and sepia-toned shots and for its memorable musical score by Francis Lai.

〈남과 여〉는 프랑스에서 총 4,272,000장의 영화 티켓을 판매했다. 그해 6번째로 높은 수익을 올린 영화이다. 미국에서 영화는 $14,000,000를 벌어 들였다.
영화는 1966년 칸 영화제 황금 종려상, 골든 글로브 최우수 외국어 영화상과 여우주연상(Aimée), 아카데미 최우수 외국어 영화상과 각본상 등 2개 부문 등 여러 상을 수상한다.

A Man and a Woman sold a total of 4,272,000 cinema tickets in France and was also the 6th highest-grossing film of the year. In the United States, the film earned $14,000,000. The film won several awards including the Palme d'Or at the 1966 Cannes Film Festival, two Golden Globe Awards for Best Foreign Language Film and Best Actress-Drama (for Aimée) and two Academy Awards for Best Foreign Language Film and Best Original Screenplay.

속편 〈남과 여, 그 후 20년 A Man and a Woman: 20 Years Later/ Un Homme et une Femme, 20 Ans Déjà〉이 1986년 개봉된다.

이어 2019년 〈생의 최고의 해〉가 이어서 개봉된다.

A sequel, A Man and a Woman: 20 Years Later/ Un Homme et une Femme, 20 Ans Déjà was released in 1986 followed by The Best Years of a Life which was released in 2019.

2. 〈남과 여〉 사운드트랙 리뷰

〈남과 여〉. © Allied Artists

사운드트랙은 프랜시스 레이가 작곡했다. 1967년 BAFTA Awards와 골든 글로브 어워드 '작곡상' 후보에 지명 받는다. 프랜시스 레이가 작곡, 피에르 바루가 가사를 쓰고 불러준 영화 주제가는 골든 글로브 주제가상 후보에도 오른다.

핀란드에서는 크루즈 페리 브랜드 실자 라인 Silja Line에서 수십 년 동안 사용하여 가장 친숙하게 알려진 TV 광고 테마 중 한 곡이 된다.

The soundtrack was written by Francis Lai and earned 'Best Original Score' nominations at both the BAFTA Awards and Golden Globe Awards in 1967.

The film's theme song with music by Francis Lai and lyrics by Pierre Barouh was also nominated for 'Best Original Song in a Motion Picture' at the Golden Globe Awards.

In Finland it has become one of the most easily recognizable TV advertisement themes, having been used for decades by the cruise ferry brand Silja Line.

영화에서 죽은 남편을 연기한 피에르 바루도 사운드트랙 노래를 불러주고 있다. 영화 장면에서 그는 비니시어스 드 모래가 쓴 원래 가사와 바덴 파웰이 작사했던 브라질 노래 'Samba da Benção'의 프랑스 버전 'Samba Saravah'를 불러주면서 잠시 재등장하고 있다.

Pierre Barouh who plays the deceased husband in the film, also sings the songs in the soundtrack.

In a sequence of the film, he makes a brief reappearance singing 'Samba Saravah' a French version with lyrics by Barouh himself of the Brazilian song 'Samba da Benção' written by Baden Powell with original lyrics by Vinicius de Moraes.

1960년대와 1970년대에 세상 어디에도 〈남과 여〉 주제를 단번에 알아차리지 못한 사람이 있을까? 당신이 시베리아의 한 동굴에 있는 바위 아래에서 살고 있지 않다면 아마도 그 소리를 들었을 것이다.

사실, 그것은 거의 즉시 쓰여 진 가장 사랑받는 영화 주제 중 한 곡이 되었다. 적절한 시기에 적절한 영화의 적절한 주제였다. 1966년에 발매된 〈남과 여〉는 연주되는 곳마다 센세이션을 일으켰다. 자신의 몸에 로맨틱한 뼈가 있다고 생각하는 사람이라면 누구나 볼 만한 영화가 되었다. 사운드트랙 녹음은 영화만큼 인기가 있었다. 실제로 너무 인기가 있어서 두 번째 사운드트랙 앨범이 영어 가사와 함께 출반된다. 영화는 신선하고 독특하고 매혹적이었다. 프란시스 레이의 배경 음악도 마찬가지였다. 이미지와 음악의 완벽한 조화였다.

Is there a person anywhere in the world who was around in the 1960s and 1970s who could not instantly recognize the theme from A Man and a Woman? Doubtful, unless you were living under a rock in a cave in Siberia, and even then you'd probably have heard it. In fact, it became one of the most beloved movie themes ever written almost instantly. It was the right theme from the right film at the right time. Upon

its release in 1966, A Man and a Woman became a sensation everywhere it played.
It became the film to see for anyone who considered that they had a romantic bone
in his or her body. The soundtrack recording was as popular as the film so popular.
in fact, that a second soundtrack album was released with the lyrics in English.
The film was fresh, unique and beguiling and so was its score by Francis Lai.
It was the perfect marriage of image and music.

〈남과 여〉는 레이의 3번째 영화 음악이었다. 하지만 그것은 그를 정상에 올려
놓았다. 그는 그 이후로 일을 멈추지 않았다. 여기에는 를르슈 감독을 위한 30편
에 가까운 영화의 배경 음악 작곡이 포함 되고 있다. 불과 몇 년 후인 1970년
레이는 〈러브 스토리〉로 오스카 최우수 작곡상을 수여 받는다. 〈남과 여〉를 위
한 그의 음악은 그 자체로 말해 주고 있다. 멜로디는 놀랍도록 아름답다.
악보의 일부는 바루 가사와 함께 피에르 바루와 니콜 크로이실의 멋진 보컬이
된다. 악보와 노래는 전 세계의 연인들에게 사랑 받았다. 그럴만한 이유가 있다.
이것은 단순히 역사상 가장 로맨틱하고 진심 어린 음악 중 일부일 것이다.

A Man and a Woman was only Lai's third film score but it put him on the map and
he has not stopped working since and that includes scoring close to thirty films for
director Lelouch. Just a few short years later, in 1970, Lai would win the Oscar for
Best Score for Love Story. His music for A Man and a Woman speaks for itself the mel-
odies are stunningly beautiful. Part and parcel of the score are the wonderful vocals
of Pierre Barouh and Nicole Croisille along with Barouh's lyrics. The score and songs
have been loved by lovers all over the world and with good reason. this is simply some
of the most romantic and heartfelt music ever.

〈남과 여〉는 원래 United Artists LP로 발매 되었다.
엄청난 인기를 얻으면서 United Artists는 영어 버전을 출반하게 된다.

A Man and a Woman was originally issued on a United Artists LP. With its extreme popularity, United Artists then issued the English language version.

3. 〈남과 여〉 사운드트랙 해설 - 빌보드

과소평가된 보석인 이 영화는 1966년에 개봉되었으며 언제나 아름다운 아누크 에메와 장-루이 트랭트냥이 출연하고 있다.

뉴웨이브 영화인만큼 무브먼트를 특징짓는 요소가 많았다.

하지만 단숨에 마음을 사로잡은 것은 프란시스 레이의 소울풀한 선율이었다.

An underrated gem, this movie came out in 1966, and starred the ever beautiful Anouk Aimée and the dashing Jean-Louis Trintignant.

Being a new wave film, it had ample elements that characterise the movement but what captivated immediately was the soulful tune by Francis Lai.

같은 기숙학교에 다니는 아이들을 둔 과부와 사랑에 빠진 과부 남자에 대한 간단한 이야기다. 과거와 현재를 오가는 내러티브는 등장인물들의 배경을 엿볼 수 있게 해주었다. 하지만 매료시킨 것은 아름다운 음악이었다.

가사가 없는 경우가 많다.

이것은 사랑과 음악이 언어를 초월할 수 있음을 의미하고 있다. 리드미컬 하면서도 게으른 'la-ba-da-ba-da'가 계속해서 페이드인 및 아웃되는 것이 특징이다. 짧은 노래 'Aujourd'hui c'est toi'가 재생되는 경우 제외.

It's a simple story about a widowed man who fell in love with a widowed woman whose kids went to the same boarding school as his. The narrative cut between the

〈남과 여〉. © Allied Artists

past and the present, giving us glimpses about the background of the characters but what kept mesmerised was the beautiful music.

It is often without lyrics, signifying how love and music can go beyond words. It's characterised by a rhythmic yet lazy cascade of 'la-ba -da-ba-da' that keeps fading in and out except for when the short song 'Aujourd'hui c'est toi' plays.

영화 음악은 소울풀하고 로맨틱할 뿐만 아니라 매우 매혹적인 모션을 갖고 있어 남녀가 차를 타고 빗속을 달리는 장면에 다른 차원을 제공하고 있다.

'la-ba-da-ba-da'의 캐스케이드가 때때로 사라지면서 주로 악기를 연주하는 레이의 마스터스트로크는 단순하게 연주하는 것이었다.

The music of the film is not only soulful and romantic.

it also has a very captivating motion to it and it gives a different dimension to the scenes when the man and the woman are in the car, driving around in the rain.

Mainly instrumental, with the cascade of 'la-ba-da-ba-da' fading in from time to time, the masterstroke by Lai was to play it simple.

사운드트랙을 그토록 매혹적으로 만든 것은 더 이상 아무 것도 하지 않기로 한 그의 천재적인 결정이었다. 영화 음악 덕분에 악기와 영화처럼 음악이 언어와 언어를 초월하는 방식에 주목하게 된다. 음악의 아름다움은 가사에 담을 수 없다. 날개를 펄럭이며 언어와 말을 훨씬 뛰어넘는다.

영화와 마찬가지로 음악은 그 자체로 언어이다.

It was his genius decision to not do anything more to it that made the soundtrack so enthralling. It was the music in this film that made me take note of instrumentals and how, like cinema, music transcends words and language.

The beauty of music can never be contained in the lyrics. it flaps its wings and reaches far beyond language and words. Like cinema. music is a language in itself.

우리는 영화를 보고 나면 배경에 '라-바-다-바다'가 울려 퍼지지 않는다면 어떤 모습일지, 어떤 느낌일지 종종 궁금했다.

하지만 그럴 때마다 우리는 그것이 없는 영화를 상상하지 못했다.

흔히 음악은 영화의 감정을 표현한다고 하는데, 배경 음악이 없었다면 영화가 얼마나 공허한 느낌이었는지 깨닫게 해준 사운드트랙이었다.

We have often wondered, after watching the film, what it would look or feel like without the 'la-ba-da-ba-da' echoing in the background but each time We failed to imagine the film without it.

It is often said that music renders the emotion in a film and this was the soundtrack that made me realize how hollow a film would feel without the background score.

우리는 일반적으로 가사(歌詞) 없이 배경에 흐르는 음악을 무시하는 경향이 있다. 하지만 그렇지 않은 경우보다 더 자주 감정을 한데 묶고 강조하며 고양(高揚)시키는 배경 음악이다.

We generally tend to ignore the music that runs in the background without any lyrics but more often than not, it is the background music that holds the emotions together, emphasises them and enhances them.

〈남과 여〉. © Allied Artists

두 캐릭터가 빗속을 달리는 장면을 배경으로 선율이 흘러나오는 장면을 재생할 때마다 우리는 비가 오는 저녁으로 옮겨갈 수밖에 없다.

고요한 저녁에 떨어지는 빗방울의 아름다운 소리처럼 게으른 폭포가 귓가에 울린다.

우리가 〈남과 여〉 전체 사운드트랙에 매료된 것처럼 어떤 음악에도 매료된 적이 없다. 의심의 여지없이 이 아름다운 영화를 본 사람들은 프란시스 레이의 천재적인 음악이 영화를 하나로 묶는 중추라는 데 동의할 것이다. 비 오는 저녁과 우연한 만남에 보내는 러브레터 같다.

Whenever We replay the scenes of these two characters driving around in the rain while the tune plays in the background. We can't help but be transported to a rainy evening. The lazy cascade rings in our ear like the beautiful sound of falling raindrops on a quiet evening. We've never been as fascinated with any music as We are with the entire soundtrack of A Man and a Woman.

Without doubt or debate, those who have watched this beautiful film will agree that Francis Lai's genius music is the backbone that holds the film together.

It's like a love letter to rainy evenings and chance meetings.

Track listing

1. Un homme et une femme/ A Man and a Woman performed by Nicole Croisille and Pierre Barouh

2. Samba Saravah by Pierre Barouh

3. Aujourd'hui c'est toi/ Today It's You by Nicole Croisille

4. Un homme et une femme/ A Man and a Woman

5. Plus fort que nous/ Stronger Than Us

6. Aujourd'hui c'est toi/ Today It's You

7. A l'ombre de nous/ In Our Shadow by Pierre Barouh

8. Plus fort que nous/ Stronger Than Us by Nicole Croisille and Pierre Barouh

9. A 200 a l'heure/ 124 Miles An Hour

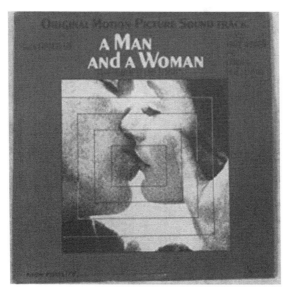

〈남과 여〉 사운드트랙. © United Artists Records

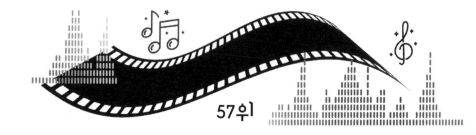

〈아멜리에 Amélie〉(2001) -
프랑스 특유의 기발함이 돋보인
로맨틱 코미디와 배경 음악

작곡: 얀 티에르센 Yann Tiersen

재기 넘치는 장 피에르 주네의 연출력이 유감없이 담겨진 로맨틱 코미디 〈아멜리에〉. © UGC
Fox Distribution, Prokino Filmverleih

1. <아멜리에> 버라이어티 평

아멜리에는 자신만의 정의감이 있는 순수하고 순진한 파리 소녀.
그녀는 주변 사람들을 돕기로 결심하고 그 과정에서 사랑을 발견하게 된다.

Amélie is an innocent and naive girl in Paris with her own sense of justice.
She decides to help those around her and along the way discovers love.

<아멜리에>는 장 피에르 주네가 감독한 2001년 프랑스어 로맨틱 코미디 영화이다. 주네가 기욤 로랑과 함께 각본을 맡은 영화는 몽마르트르를 배경으로 현대 파리지앵의 삶을 기발하게 묘사하고 있다.

Amélie/ Le Fabuleux Destin d'Amélie Poulain/ The Fabulous Destiny of Amélie Poulain is a 2001 French-language romantic comedy film directed by Jean-Pierre Jeunet. Written by Jeunet with Guillaume Laurant, the film is a whimsical depiction of contemporary Parisian life, set in Montmartre.

오드리 토투가 연기한 수줍은 웨이트리스는 자신의 고립을 극복하면서 주변 사람들의 삶을 더 나은 방향으로 바꾸기로 결심하는 이야기를 들려주고 있다.
영화는 또한 마티유 카소비츠, 루퍼스, 로렐라 크라보타, 세르지 머린, 야멜 드부아즈, 클레어 모리에르, 클로틸드 몰렛, 이자벨 낸티, 도미니크 피농, 아르투스 드 펜건, 요한드 모르, 어베인 캔셀리에르 및 모리스 베니슈를 포함한 앙상블 캐스트가 포진하고 있다.

It tells the story of a shy waitress, played by Audrey Tautou who decides to change the lives of those around her for the better while dealing with her own isolation.
The film also features an ensemble cast of supporting roles, including Mathieu Kassovitz, Rufus, Lorella Cravotta, Serge Merlin, Jamel Debbouze, Claire Maurier,

Clotilde Mollet, Isabelle Nanty, Dominique Pinon, Artus de Penguern, Yolande Moreau, Urbain Cancelier and Maurice Bénichou.

영화는 토투의 연기, 촬영, 프로덕션 디자인 및 각본에 대한 찬사와 함께 비평가들의 찬사를 받았다.
〈아멜리에〉는 유럽 영화상 최우수 영화상을 수상한다.
또한 세자르 영화상에서 최우수 영화상과 최우수 감독상을 포함한 4개 부문상을 수상한다.
각본상을 포함한 2개의 영국 아카데미 영화상을 수상했으며 외국어 영화상과 각본상을 포함한 5개의 아카데미상 후보에 올랐다.

The film received critical acclaim with praise for Tautou's performance, the cinematography, production design and writing. Amélie won Best Film at the European Film Awards.
it also won four César Awards including Best Film and Best Director.
It won two British Academy Film Awards including Best Original Screenplay and was nominated for five Academy Awards including Best Foreign Language Film and Best Original Screenplay.

영화는 1,000만 달러의 예산으로 전 세계적으로 1억 7,420만 달러의 수익을 올리는 상업적 성공을 거두었다.
프랑스 영화로서는 가장 큰 국제적 성공 중 하나이다

The film was a commercial success, grossing $174.2 million worldwide against a budget of $10 million and is one of the biggest international successes for a French film.

2. <아멜리에> 사운드트랙 리뷰

 장-피에르 주네 감독은 이전에 들어본 적 없는 CD를 넣어준 프로덕션 조수와
함께 운전하면서 얀 티에르센의 아코디언과 피아노 기반 음악을 우연히 접하게
됐다고 한다. 큰 감명을 받은 그는 즉시 티에르센의 전체 카탈로그를 구입하고
결국 그에게 영화의 일부를 구성하도록 의뢰하게 된다.

 Director Jean-Pierre Jeunet chanced upon the accordion- and piano-driven music
of Yann Tiersen while driving with his production assistant who put on a CD he had
not heard before. Greatly impressed, he immediately bought Tiersen's entire cata-
logue and eventually commissioned him to compose pieces for the film.

 사운드트랙에는 티에르센의 처
음 3장의 앨범 작곡과 새로운 항
목이 모두 포함되어 있다.

 그 변형은 그가 동시에 작곡한
그의 4번째 앨범 'L'Absente'에
서 찾을 수 있다.

〈아멜리에〉. ⓒ UGC Fox Distribution, Prokino Filmverleih

 The soundtrack features both
compositions from Tiersen's first
three albums as well as new items variants of which can be found on his fourth album
L'Absente which he was writing at the same time.

 아코디언과 피아노 외에도 음악에는 합시코드, 밴조, 베이스 기타, 비브라폰,
그리고 영화 오프닝 타이틀 위에서 흘러나오는 'La Dispute'의 끝에 자전거 바
퀴까지 연주되는 부분이 있다.

Besides the accordion and piano, the music features parts played with harpsichord, banjo, bass guitar, vibraphone and even a bicycle wheel at the end of 'La Dispute' which plays over the opening titles in the motion picture.

티에르센을 발견하기 전에 주네 감독은 작곡가 마이클 니먼이 영화의 배경 음악을 녹음하기를 원했다고 한다. 'Les Jours trites'는 〈신 곡 神 曲 Divine Comedy〉의 닐 한논과 공동 작곡했다. 이 트랙은 나중에 영어 가사를 받았다. 〈신 곡〉에서 그룹 리제네레이션의 b-면 싱글 'Perfect Lovesong'의 수록 곡으로 발매된다. 영어 버전은 티에르센의 'L' Absente'에도 등재된다.

Before discovering Tiersen, Jeunet wanted composer Michael Nyman to score the film. 'Les Jours tristes' was co-written with Neil Hannon of The Divine Comedy.

The track later received English lyrics and was released by The Divine Comedy as a b-side to the Regeneration single 'Perfect Lovesong'.

The English-language version also appeared on Tiersen's L'Absente.

3. 〈아멜리에〉 사운드트랙 해설 – 빌보드

'당신에게 특별한 선물을 주세요: 〈아멜리에〉 사운드트랙.
평생 동안, 당신은 당신이 그렇게 해서 행복할 것이다.'

'Give yourself a special gift: Amelie's soundtrack.
For the rest of your life, you'll be happy that you did!'

〈아멜리에〉는 제작의 모든 면에서 다소 독특한 개성을 지닌 로맨틱 코미디인 프랑스 영화의 기준점이 된다.

물론 〈아멜리에〉의 독특한 기질은 시각적 및 음향적 차원에서 영화를 구현하는 출발점이 되고 있다. 세트와 의상(시각적 자극), 사운드트랙(음향적 자극)은 모두 〈아멜리에〉의 독특한 캐릭터인 프랑스에 살고 있으며 주변 사람들의 삶을 개선하는 것을 좋아하는 어린 소녀에서 영감을 받았다.

Amelie has become a reference point for the French cinema a romantic comedy with a rather distinctive personality in every aspect of its production.

Of course, Amelie's specific temperament is the starting point for realizing the film on a visual and sonic level. Sets and costumes (visual stimulus), and the soundtrack (sonic stimulus), all are inspired by Amelie's unique character, a young girl who lives in France and she likes to improve the lives of people surrounding her.

웃는 사람들과 어울리기를 좋아하고 낙관적으로 인생을 마주하는 소녀.

고갈되는 일상생활의 일부가 되는 것을 의식적으로 무시하는 무진장한 친절의 원천. 자신의 환타지 세계를 생존 도구로 들고 현실 세계가 훨씬 더 아름답고 친절한 것으로 변하는 괴짜 영혼.

영화 음악은 〈아멜리에〉 환타지 세계와 완벽하게 일치하고 있다.

A girl who prefers to socialize with smiling people who face life with optimism.

An inexhaustible source of kindness that consciously neglects to become a part of troubled everyday life. An eccentric soul who carries her own fantasy world as a survival tool where the real world turns into something far more beautiful and kind.

The music of the film coincides perfectly with Amelie's fantasy world.

즉각적인 낙관론을 느끼고 싶은가?

상냥함이 넘쳐흐르는 상상의 음악 세계를 경험하고 싶으신가?

아니면 〈아멜리에〉가 방황했던 파리로 날아갔을까?

위의 모든 것은 영화 사운드트랙을 들으면 가능하다.

'재생'을 누르고 음악이 기적을 일으키도록 하기만 하면 된다.

Would you like to feel an immediate injection of optimism?

Would you like to experience an imaginary musical universe overflowing with kindness? Or perhaps beamed to Paris to places where Amelie wandered?

All the above are possible by listening to the soundtrack of the film.

All you have to do is just press 'play' and let the music do the miracle!

〈아멜리에〉. © UGC Fox Distribution, Prokino Filmverleih

그리고 음악이 놀라운 일을 할 수 있다고 믿지 않는다면 이 사운드트랙은 당신을 재고하게 만들 수 있을 것이다.

이 특별한 사운드트랙은 듣는 사람이 〈아멜리에〉의 눈, 장난에 대한 열정과 분위기로 반짝이는 눈, 장-피에르 주네 감독 영화의 호감 가는 여주인공을 특징짓는 구조적 요소를 통해 세상을 보게 만드는 능력을 갖고 있기 때문이다.

And if you don't believe that music can do wonders, then perhaps this soundtrack can make you reconsider! Cause this particular soundtrack has the ability to make its listener see the world through Amelie's eyes, eyes that sparkle with enthusiasm and mood for mischief, structural elements that characterize the likeable heroine of Jean- Pierre Jeunet's film.

〈아멜리아〉 감독 장-피에르 주네는 마이클 니먼을 영화 작곡가로 선택했다.

그러나 우연의 일치로 상황의 정상적인 흐름이 역전되게 된다.

어느 날 한 제작진이 감독을 해달라고 제안했다. CD 플레이어가 켜져 있었고 감독은 그가 연주하는 음악에 깊은 인상을 받게 된다. 밤이 오기 전까지 장-피에르 주네는 음악이 너무 즐거운 아티스트가 발매한 모든 CD를 구입하게 된다.

Amelie's director, Jean-Pierre Jeunet had Michael Nyman in mind as his choice for the composer of the film. A coincidence, however, reversed the normal flow of things. one day a member of the crew offered to give the director a lift.

The CD player was on and the director was impressed by the music he heard playing.

Until the night came, Jean-Pierre Jeunet had purchased every CD released by the artist whose music was so enjoyable.

그의 이름은 프랑스 음악가 얀 티에르센이었다. 운명이 개입했고 이미 결정이 내려지게 된다. 얀 티에르센이 이 영화의 작곡가가 된 것이다.

프랑스에서는 솔로 CD로 알려졌던 다양한 악기를 연주할 수 있는 뮤지션으로, 그의 음악적 목소리를 사랑하는 이들의 마음을 진정시킨 영화 〈아멜리에〉를 계기로 세계적인 스타로 떠오르게 된다.

얀 티에르센에게 〈아멜리에〉는 신의 선물이었다. 개인적 차원에서 음악적 표현을 위한 새로운 분야를 찾을 수 있는 기회를 제공하게 된다.

His name was Yann Tiersen, a French musician. Fate intervened and the decision was already made. Yann Tiersen was to be the composer of the film! A musician who is able to perform a great variety of musical instruments known in his country by his solo CD album releases before becoming an international star on the occasion of 'Amelie' a film which really catapulted the devotees of his musical voice.

For Yann Tiersen, the case of 'Amelie' was a godsend gift which on a personal level gave him the opportunity to find a new field for his musical expression.

티에르센이 영화적 모험을 하기 몇 년 전에 쓴 모든 음악은 영화 전용으로 작곡된 새로운 작곡과 스타일이 다르지 않다. 반대의 경우도 마찬가지다.

영화를 계기로 작곡된 모든 음악은 그의 음악 경력 전체에서 이물이 아니다.

티에르센의 영화적인 면을 알고 있든, 뮤지션 티에르센의 앨범을 통해 알고 있든, 하나의 통일된 음악적 목소리를 발견하게 될 것이다.

All the music Tiersen wrote in the years preceding his cinematic ventures does not differ in style from the new compositions written exclusively for the cinema.

The other way around is also true.

All the music composed on the occasion of a film is not a foreign object in the whole of his musical career. Either you know the cinematic side of Tiersen either you know the musician Tiersen through his albums, you will find a single unified musical voice.

이 목소리는 특정 악기를 사용하여 형성되며 작곡가는 연주하기를 좋아한다. 〈아멜리에〉 음악에 맞추어 다음은 장난감 피아노, 카리용, 밴조, 만돌린, 기타, 클라베신, 비브라폰, 아코디언, 피아노, 베이스, 멜로디카이다.

사운드트랙 20곡 트랙 중 10곡은 얀 티에르센의 이전 앨범에서 선택되었다.

감독이 말했듯이 어려운 선택이었다.

더 많은 트랙이 영화 정신과 일치했기 때문이다.

트랙 목록에서 더 많은 음악적 탐구를 위해 특별히 영화를 위해 작곡된 트랙과 다른 티에르센 앨범에서 사용된 트랙을 확인할 수 있다.

This voice is shaped by using specific instruments, the composer loves to perform. On the occasion of Amelie's music these are toy piano, carillon, banjo, mandolin, guitar, clavecin, vibraphone, accordion, piano, bass, melodica.

Ten out of twenty tracks of the soundtrack were selected from previous albums by Yann Tiersen a difficult selection as stated by the director since many more matched the spirit of the film. In the following track list, you can see which tracks were composed especially for the film and which were used from other Tiersen albums for further musical exploration.

일반적으로 영화 음악에 사용되는 오케스트라는 얀 티에르센의 음악 세계에서 설 자리가 없다. 그것은 〈아멜리에〉 영화 세계에도 맞지 않을 것이다.

〈아멜리에〉의 환타지 세계는 정교한 악기 팔레트를 요구하고 있다.

예를 들어, 아코디언은 영원히 프랑스와 동일시되고 있다. 그 소리가 나면 마음은 즉시 〈아멜리에〉의 모든 모험이 일어나는 파리로 여행하게 될 것이다.

The orchestra, as it is usually used in a film score has no place in the musical world of Yann Tiersen.

It wouldn't fit to Amelie's cinematic universe either. The fantasy world of Amelie calls for a sophisticated instrumental palette. For example, the accordion is forever

〈아멜리에〉. © UGC Fox Distribution, Prokino Filmverleih

identified with France and at the sound of it one's mind would immediately travel to Paris where all Amelie's adventures are taking place.

영화에서 음악 배치는 모든 장면에서 나타나는 원하는 감정을 따르고 있다.

그러나 이것이 음악이 주제적 소재에 결여되어 있다는 것을 의미하지는 않는다.

따라서 영화를 위해 티에르센이 쓴 오리지널 스코어에 집중할 때이다.

여 주인공 테마가 지배적이다.

Music's placement in the movie follows the desired emotion that emerges in every scene. However, this does not mean that the music lacks on thematic material on the contrary. And therefore, it's time to focus to the original score written by Tiersen for the movie dominated by the theme for the heroine.

'La Valse d'Amilie'(#3) 트랙에는 아코디언이 연주하는 왈츠와 함께 〈아멜리에〉 음악이 새겨져 있다. 〈아멜리에〉를 위해 왈츠를 선택해야 하는 이유는 무엇인가? 우선, 왈츠를 듣는 것의 영향을 기억하시오.

행복감을 일으키는 것은 음악이다. 보는 사람/ 듣는 사람은 〈아멜리에〉가 일상생활에서 만나는 사람들에게 주는 것과 같은 긍정적인 감정으로 가득 차 있다.

동시에 왈츠는 두 명의 개인이 필요한 춤이다.

이것은 2가지 방식으로 〈아멜리에〉 캐릭터 기질을 제공하고 있다.

한편으로는 〈아멜리에〉가 식별하고 마침내 그녀가 자신을 드러낼 때까지 그와 숨바꼭질을 하는 특별한 반쪽의 존재를 나타내게 된다.

The track 'La Valse d'Amilie' (#3) bears the stamp of Amelie's music with a waltz performed by an accordion. Why should a waltz be chosen for Amelie?

First of all, try to remember the impact of hearing a waltz.

it is music that causes euphoria. The viewer/ listener is infused with positive feelings such as those caused by Amelie to the people she meets in her everyday life.

At the same time, the waltz is a dance that requires two individuals.

This serves the temperament of Amelie's character in two ways on one hand refers to the existence of a special other half identified by Amelie and playing hide and seek with him until, finally, she reveals herself.

반면에 왈츠는 개인에 관한 것이 아니라 〈아멜리에〉가 다른 사람들과의 정서적 상호 작용을 언급하는 대안적인 종류의 '댄스'이다.

그녀가 만나는 사람들의 마음에서 깨우려는 긍정적 감정에 중점을 두고 있다.

파리를 중심으로 한 아코디언으로 채색된 왈츠는 아멜리에 영혼을 음악적으로 완벽하게 구현한 것이다. 그녀 테마의 다양한 버전은 항상 듣는 즐거움을 선사하고 있다. 그녀의 환타지 세계를 풍부하게 한다. 주된 임무는 긍정적인 방식으로 행동하고 있다. 비우호적인 현실에서 생존의 궁극적인 도구인 그녀의 호기심 많은 미소는 모든 사람에게 스캔들을 일으키게 한다.

On the other hand, the waltz is an alternative kind of 'dance' not concerning individuals but referring to Amelie's emotional interaction with other people with an emphasis on the positive emotions she is trying to awake in the hearts of the people she meets. A waltz, colored by the accordion, which focuses on Paris is the perfect musical incarnation of Amelie's soul.

The various versions of her theme are always a delight to listen which enrich her own fantasy world where the primary mission is to act in a positive way and scandalize everyone with her curious smile, the ultimate tool of survival in a unfriendly reality.

이번에 아코디언 없는 아멜리에 왈츠는 'La Valse d'Amelie'(오케스트라 버전)(#11)에서 찾아 감상할 수 있다. 'La Valse d'Amelie(피아노 버전)에서는 독주 피아노로 연주하고 있다(#19).

Amelie's waltz, without the presence of the accordion this time can be found and enjoyed in 'La Valse d'Amelie'(Version Orchestre) (#11) and performed by a solo piano in 'La Valse d'Amelie' (Version Piano) (#19).

영화 〈아멜리에〉는 얀 티에르센에게 확실히 비옥(肥沃)한 음악 표현의 다른 영역을 보여주었다. 이것은 그에게 독특한 영화 히로인을 음표로 번역할 수 있는 기회를 주게 된다. 그녀 상상 속의 내면으로 들어가 기억에 남을 주제의 정체성을 만들어냄으로써 그는 모든 감정적 저항을 굴복시킬 수 있다. 놀라운 방식으로 〈아멜리에〉 사운드트랙을 들으면 낙관주의 배터리가 채워지게 된다.

〈아멜리에〉. ⓒ UGC Fox Distribution, Prokino Filmverleih

얼굴에 미소가 형성되며 친절이 마음을 채울 것이다.

어렵지 않게 어린 시절의 추억을 회상하기 시작하게 된다.

The movie 'Amelie' demonstrated a different field of musical expression for Yann Tiersen certainly a fertile one which gave him the opportunity to translate into musical notes a unique film heroine.

By entering to her imaginary inner existence and creating a very memorable thematic identity, he manages to bend every emotional resistance. Upon hearing the soundtrack of 'Amelie' in a remarkable way.

you'll fill your batteries of optimism a smile is formed on your face and kindness fills your heart. Effortlessly, you start to recollect childhood memories.

긍정적 감정만이 마음을 압도하게 된다. 얀 티에르센 음악 세계는 〈아멜리에〉가 살기로 선택한 환타지 세계와 크게 다르지 않은 것 같다.

그래서인지 그의 음악은 영화와 너무나 잘 어울리고 있다. 얀 티에르센은 항상 긍정적인 에너지로 가득찬 음악을 썼다. 앞으로도 쓸 것이기 때문이다.

사실, 그는 〈아멜리에〉가 오드리 토투의 화신이 되기 전부터 자신도 모르는 사이에 항상 '아멜리에'를 위한 음악을 작곡해 왔다.

Only positive emotions overwhelm your heart. It seems that Yann Tiersen's musical universe is not much different from the fantasy world in which Amelie chooses to live. That's why his music fits so perfectly to the movie. It's because Yann Tiersen always wrote and will always write music filled with positive energy.

In fact, he had been always writing music for 'Amelie' without being aware of it even before Amelie's incarnation of Audrey Tautou.

슬픈 감정이 우울(憂鬱)에만 국한되지 않는 세상을 위한 음악.
극적인 요소는 그의 음악에서 부재함으로써 빛을 발하고 있다.

Music for a world where sad feelings are hardly limited to melancholy.
The dramatic element shines by its absence from his music.

〈아멜리에〉 사운드 트랙은 얀 티에르센을 알게 되는 훌륭한 출발점이다.

주저하지 말고 자신이나 사랑하는 사람에게 이 희귀한 음악적 선물을 주시오.

〈아멜리에〉. © UGC Fox Distribution, Prokino Filmverleih

당신은 미소와 진심 어린 감사를 모을 것이다.

영화음악에서 종종 과소평가되는 한 가지, 즉 단순함을 기반으로 긍정적으로 주입된 음악으로 자신의 감정적 배터리를 재충전할 기회를 주시오.

감독과 작곡가는 솔직히 이 사운드트랙이 언급하는 맑은 공터 위를 산책하도록 당신을 초대하고 있다.

영화나 악보가 자연 풍경이었다면 분명히 맑은 하늘이었을 것이다.

Amelie's soundtrack is an excellent starting point to get to know Yann Tiersen so do not hesitate at all and give yourself or a loved one. this rare musical gift. You will collect smiles and sincere thanks. Give yourself a chance to recharge your own emotional batteries with such positively infused music based on the one thing that it's underappreciated often in film music that is simplicity. Director and composer invite you for a walk on a sunny clearing to which frankly this soundtrack is referring to.

If the film or the score was a natural landscape.

it would most certainly be a sunny clearing.

4. 〈아멜리에〉 커버 곡 사례

- 밴드 뉴 파운드 글로리는 2번째 커버 앨범 'From Screen to Your Stereo Part II'를 통해 'J'y suis jamais allé'를 커버해서 발표한다.

이 노래는 또한 그룹 익스프레션 크루의 댄스 액션 'Marionette'에서 사용된다.

The band New Found Glory covered 'J'y suis jamais allé' on their second covers album From the Screen to Your Stereo Part II.

The song was also used by Expression Crew in their dance act Marionette.

- 피아니스트 겸 작곡가 디미트로 모리키트는 'Comptine d'un autre été : L'après-midi' 커버 버전을 편곡하고 연주해 준다.

Pianist, composer Dmytro Morykit arranged and plays a cover version of 'Comptine d'un autre été : L'après-midi'

Track listing

1. J'y Suis Jamais Alle from the album 'Rue Des Cascades'

2. Les Jours Tristes (Instrumental) from the album 'L' Absente'

3. La Valse d'Amilie

4. Comptine d'Un Autre Ete: L'Apros Midi

5. La Noyıe album 'Le Phare'

6. L'Autre Valse d'Amilie

7. Guilty

8. A Quai from the album 'L' Absente'

9. Le Moulin

10. Pas Si Simple from the album 'Rue Des Cascades'

11. La Valse d'Amelie (Version Orchestre)

12. La Valse des Vieux Os

13. La Dispute from the album 'Le Phare'

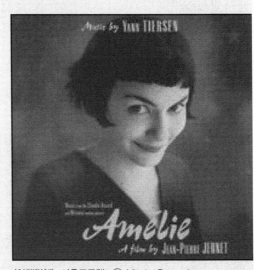

14. Si Tu n'ıtais Pas Lú (Frebel)

〈아멜리에〉 사운드트랙. © Virgin Records

15. Soir de Fete from the album 'Rue Des Cascades'

16. La Redecouverte

17. Sur le Fil from the album 'Le Phare'

18. Le Banquet from the album 'La Valse Des Monstres'

19. La Valse d'Amelie (Version Piano)

20. La Valse des Monstres from the album 'La Valse Des Monstres'

〈라이온 킹 The Lion King〉(1994) -
한스 짐머 신세사이저와 아프리카 리듬 결합시켜

작곡: 한스 짐머 Hans Zimmer

한스 짐머에게 첫 번째 아카데미 작곡상을 수여 받게 한 〈라이온 킹〉. ⓒ Walt Disney

1. 〈라이온 킹〉 버라이어티 평

〈라이온 킹〉은 월트 디즈니 피처 애니메이션이 제작하고 월트 디즈니 픽처스가 배급한 1994년 미국 애니메이션 뮤지컬 드라마 영화이다.

The Lion King is a 1994 American animated musical drama film produced by Walt Disney Feature Animation and released by Walt Disney Pictures.

32번째 디즈니 장편 애니메이션이자 디즈니 르네상스라고 알려진 시기에 제작된 5번째 애니메이션 영화이다.

It is the 32nd Disney animated feature film and the fifth animated film produced during a period known as the Disney Renaissance.

이야기는 아프리카 사자 왕국에서 발생하며 조셉과 모세의 성서 이야기와 윌리엄 셰익스피어 〈햄릿〉의 영향을 받았다.

The story takes place in a kingdom of lions in Africa and was influenced by the Biblical stories of Joseph and Moses and William Shakespeare's Hamlet.

〈라이온 킹〉은 아버지 무파사의 뒤를 이어 프라이드 랜드 왕이 될 어린 사자 심바-사자를 뜻하는 스와힐리어-의 이야기를 들려주고 있다.
하지만 심바 삼촌 스카가 왕좌를 차지하기 위해 무파사를 살해한다.
심바는 자신이 책임이 있다고 생각하도록 조종되어 망명을 하게 된다.
태평한 추방자 티몬과 품바와 함께 성장한 심바는 소꿉친구 날라와 샤먼 라피키로 부터 가치 있는 판단력을 받은 뒤 스카에게 도전하여 독재를 끝내고 생명의 원에서 자신의 자리를 차지하기 위해 정당한 왕으로 돌아오게 된다.

The Lion King tells the story of Simba-Swahili for lion-a young lion who is to succeed his father Mufasa as King of the Pride Lands. however, after Simba's paternal uncle Scar murders Mufasa to seize the throne. Simba is manipulated into thinking he was responsible and flees into exile. After growing up in the company of the carefree outcasts Timon and Pumbaa, Simba receives valuable perspective from his childhood friend Nala and his shaman, Rafiki, before returning to challenge Scar to end his tyranny and take his place in the Circle of Life as the rightful King.

〈라이온 킹〉 개발은 1988년 유럽에서 〈올리버와 동료 Oliver & Company〉를 홍보하면서 제프리 카첸버그, 로이 E. 디즈니 및 피터 슈나이더 사이의 회의에서 시작되었다. 토마스 M. 디치는 영화 트리트먼트를 쓴다.

울버튼은 첫 번째 대본을 개발한다.

조지 스크리브너는 감독으로 임명되었고 나중에 알러스가 합류하게 된다.

Development of The Lion King began in 1988 during a meeting between Jeffrey Katzenberg, Roy E. Disney and Peter Schneider while promoting Oliver & Company in Europe. Thomas M. Disch wrote a film treatment and Woolverton developed the first scripts while George Scribner was signed on as director being later joined by Allers.

1991년 〈포카혼타스〉와 동시에 제작이 시작되어 많은 디즈니 최고 애니메이터들을 끌어들이게 된다. 스태프가 영화 배경과 동물을 조사하기 위해 케냐의 헬스 게이트 국립공원을 방문한다.

얼마 후 스트리버는 영화를 뮤지컬로 만들기로 한 결정에 동의하지 않고 프로덕션을 떠난다. 민코프가 그 자리를 대신한다.

Production began in 1991 concurrently with Pocahontas which wound up attracting many of Disney's top animators. Some time after the staff traveled to Hell's Gate

National Park in Kenya to research the film's setting and animals.

Scribner left production disagreeing with the decision to turn the film into a musical, and was replaced by Minkoff.

그는 대본에 만족하지 않았다. 이야기는 즉시 다시 작성되었다.

플로리다에 있는 디즈니-MGM 스튜디오 테마 파크에서 거의 20분 분량의 애니메이션 시퀀스가 제작 되었다. 컴퓨터 애니메이션은 또한 여러 장면, 특히 와일드비스트 스탬피드 시퀀스에서 사용되었다.

he was dissatisfied with the script and the story was promptly rewritten.

Nearly 20 minutes of animation sequences were produced at the Disney-MGM Studios theme park in Florida. Computer animation was also used in several scenes most notably in the wildebeest stampede sequence.

〈라이온 킹〉은 1994년 6월 15일에 개봉된다.

음악, 스토리, 테마 및 애니메이션에 대해 영화를 칭찬하며 비평가들의 찬사를 받는다.

〈라이온 킹〉. ⓒ Walt Disney

7억 6,300만 달러의 초기 전 세계 총수익으로 1994년 최고의 수익을 올린 영화이자 〈쥬라기 공원〉(1993)에 이어 두 번째로 높은 수익을 올린 영화로 극장 상영을 마치게 된다.

The Lion King was released on June 15, 1994 to critical acclaim, praising the film for its music, story, themes and animation. With an initial worldwide gross of $763 million, it finished its theatrical run as the highest-grossing film of 1994 and the second-highest-grossing film of all time, behind Jurassic Park (1993).

개봉 당시 영화는 데즈카 오사무의 1960년대 애니메이션 시리즈 〈킴바 백사자〉와 유사성으로 일본에서 일부 논란을 불러일으킨다.

〈라이온 킹〉은 음악 부문의 공로로 2개의 아카데미상을, 뮤지컬 또는 코미디 부문에서 골든 글로브 상 최우수 영화상을 수상한다.

On release, the film drew some controversy in Japan for its similarities to Osamu Tezuka's 1960s anime series Kimba the White Lion.

The Lion King garnered two Academy Awards for its achievement in music and the Golden Globe Award for Best Motion Picture-Musical or Comedy.

영화는 1997년 브로드웨이 각색과 같은 많은 파생 작품으로 이어졌다.

2편의 직접 비디오 후속편-속편인 〈라이온 킹 2 The Lion King II: Simba's Pride〉(1998)와 전편/ 병렬인 〈라이온 킹 1 1/2 The Lion King 1½〉(2004), 두 편의 텔레비전 시리즈, 〈티몬과 품바 Timon and Pumbaa〉와 〈라이온 가드 The Lion Guard〉(2011) 3D 재발매, 그리고 2019년 포토 리얼리스틱한 리메이크를 해서 개봉 당시 가장 높은 수익을 올린 애니메이션 영화가 된다.

The film has led to many derived works, such as a Broadway adaptation in 1997; two direct-to-video follow-ups—the sequel, The Lion King II: Simba's Pride (1998) and the prequel/parallel, The Lion King 1½ (2004); two television series, Timon and Pumbaa and The Lion Guard; a 3D re-release in 2011 and a photorealistic remake in 2019 which also became the highest-grossing animated film at the time of its release.

2. 〈라이온 킹〉 사운드트랙 리뷰

〈알라딘〉의 곡을 작곡가 알란 멘켄과 함께 작업하던 작사가 팀 라이스가 곡을 쓰도록 초빙 받는다. 작곡 파트너를 찾는 조건으로 수락되었다.

멘켄을 사용할 수 없었기 때문에 제작자는 베니 앤더슨이 뮤지컬 〈크리스티나 프란 두베말라〉로 바쁘기 때문에 그룹 아바의 라이스 초청이 무산된다.

이후 엘튼 존이 라이스의 제안을 수락한다. 존은 〈정글 북〉(1967)의 영향을 언급하면서 '아이들이 좋아하는 울트라 팝 노래, 그러면 어른들이 가서 그 영화를 보고 많은 즐거움을 얻을 수 있다.'는 것에 관심을 표명하게 된다.

'음악은 너무 재미있고 아이들과 어른들에게 어필했다.'

Lyricist Tim Rice, who was working with composer Alan Menken on songs for Aladdin (1992) was invited to write the songs, and accepted on the condition of finding a composing partner.

As Menken was unavailable, the producers accepted Rice's suggestion of Elton John after Rice's invitation of ABBA fell through due to Benny Andersson being busy with the musical Kristina från Duvemåla.

John expressed an interest in writing 'ultra-pop songs that kids would like then adults can go and see those movies and get just as much pleasure out of them'

mentioning a possible influence of The Jungle Book (1967) where he felt the 'music was so funny and appealed to kids and adults'

존과 라이스는 영화를 위해 5개의 오리지널 곡-'Circle of Life' 'I Just Can't Wait to Be King' 'Be Prepared' 'Hakuna Matata' 'Can You Feel Tonight'-등을 작곡한다.

엔딩 크레디트에서는 존의 'Can You Feel Tonight'이 공연된다.

IMAX 및 DVD 릴리스에는 개발 중에 폐기된 노래를 기반으로 한 또 다른 노래 'The Morning Report'가 추가된다.

이 노래는 마침내 〈라이온 킹〉 라이브 뮤지컬 버전에도 등장한다.

John and Rice wrote five original songs for the film—'Circle of Life' 'I Just Can't Wait to Be King' 'Be Prepared' 'Hakuna Matata' and 'Can You Feel the Love Tonight'.

with John's performance of 'Can You Feel the Love Tonight' playing over the end credits. The IMAX and DVD releases added another song 'The Morning Report' based on a song discarded during development that eventually featured in the live musical version of The Lion King.

〈라이온 킹〉. ⓒ Walt Disney

배경 음악은 아프리카를 배경으로 한 두 편의 영화인 〈파워 오브 원〉(1992)과 〈갈라진 세계〉(1988)에서 자신의 작업을 기반으로 고용된 한스 짐머가 작곡한다.

레보 M에 의해 배열된 요소와 전통 아프리카 음악과 합창으로 악보를 보완하게 된다.

짐머 파트너 마크 맨시나와 제이 리프킨은 편곡과 곡 제작을 돕는다.

The score was composed by Hans Zimmer who was hired based on his work in two films in African settings, The Power of One (1992) and A World Apart (1988) and supplemented the score with traditional African music and choir elements arranged by Lebo M. Zimmer's partners Mark Mancina and Jay Rifkin helped with arrangements and song production.

〈라이온 킹〉 오리지널 영화 사운드트랙은 1994년 4월 27일 월트 디즈니 레코드에서 발매된다. 이 음반은 빌보드 차트 200에서 4번째로 많이 팔린 앨범이자 가장 많이 팔린 사운드트랙이 된다.

The Lion King original motion picture soundtrack was released by Walt Disney Records on April 27, 1994. It was the fourth-best-selling album of the year on the Billboard 200 and the top-selling soundtrack.

미국 음반 산업 협회(Recording Industry Association of America)에서 다이아몬드(10배 플래티넘) 인증을 받은 애니메이션 영화의 유일한 사운드트랙이다. 영화에 대한 짐머의 전체 연주곡은 2014년 사운드트랙 20주년 기념 재발매 전까지는 원래 정식 발매되지 않았다.

〈라이온 킹〉은 또한 짐머, 맨시나 및 레보 M의 8곡으로 1995년 발매된 'Rhythm of the Pride Lands'에 영감을 주게 된다.

It is the only soundtrack for an animated film to be certified Diamond (10× platinum) by the Recording Industry Association of America.

Zimmer's complete instrumental score for the film was never originally given a full release, until the soundtrack's commemorative 20th anniversary re-release in 2014.

The Lion King also inspired the 1995 release Rhythm of the Pride Lands with eight songs by Zimmer, Mancina and Lebo M.

티몬와 품바가 있는 장면에서 'The Lion Sleeps Tonight'이라는 노래를 사용한 것은 디즈니와 1939년에 이 노래-원래 제목은 'Mbube'-를 작곡한 남아프리카 공화국 솔로몬 린다 가족 사이에 분쟁으로 이어지게 된다.

2004년 7월, 린다 가족은 디즈니에 160만 달러의 로열티를 요구하는 소송을 제기한다.

2006년 2월 린다 상속인은 Abilene Music과 법적 합의에 이르렀다. Abilene Music은 전 세계에 대한 권리를 보유하고 있으며 공개되지 않은 금액으로 이 노래를 디즈니가 사용하도록 허용한다.

The use of the song 'The Lion Sleeps Tonight' in a scene with Timon and Pumbaa led to disputes between Disney and the family of South African Solomon Linda who composed the song originally titled 'Mbube' in 1939. In July 2004, Linda's family filed suit seeking $1.6 million in royalties from Disney.

In February 2006, Linda's heirs reached a legal settlement with Abilene Music who held the worldwide rights and had licensed the song to Disney for an undisclosed amount of money.

3. 〈라이온 킹〉 사운드트랙 해설 - 빌보드

〈라이온 킹〉은 이후의 모든 멘켄/ 디즈니 협업 인기를 능가했다. 하지만 1994년 출품작은 후속 노력의 기대를 감안할 때 원 히트 경이로운 것으로 판명 되었다.

고유한 특성에도 불구하고 〈이집트 왕자〉 특히 〈엘 도라도〉 등은 여러 속편과 브로드웨이 프로덕션을 낳은 〈라이온 킹〉 만큼 주류에 감염되지 않았다.

The Lion King exceeded the popularity of all the later Menken/ Disney collabo-rations of the era, however, the 1994 entry proved to be something of a one-hit won-der given subsequent effort's expectations.

Despite their own unique qualities, The Prince of Egypt and especially The Road to El Dorado weren't as infectious to the mainstream as The Lion King which has spawned several sequels and a Broadway production.

영화는 또한 짐머와 존 모두에게 애니메이션 장르의 정점을 찍었지만, 유명한 가수는 음악의 인기에 대한 대부분의 크레디트를 받게 된다.

존의 노래는 정말 매력적이다.

하지만 그가 영화를 위해 작곡한 5곡 중 엔딩 제목에 삽입된 'Can You Feel Tonight' 연주는 단 한 곡만이 화면에서 자신의 보컬 퍼포먼스를 선보이게 된다.

앨범 판매를 촉진하기 위해 존의 두 번의 추가 공연이 녹음된다.

The film also arguably marked the high point in the animated genre for both Zimmer and John though the famed singer receives most of the credit for the music's popularity. John's songs are indeed quite catchy but of the five that he composed for the film only one, the 'Can You Feel the Love Tonight' rendition placed during the end titles featured his own vocal performance on screen. Two additional performances by John were recorded to assist in driving album sales.

〈라이온 킹〉의 열광자들에게는 존의 노래 앙상블과 개별 캐스트 공연이 훨씬 더 재미있을 것이다. 왜냐하면 그러한 노래 보컬과 악기 편곡이 짐머 주변 악보의 톤과 완벽하게 맞기 때문이다. 이러한 연속성은 〈라이온 킹〉 음악의 가장 강력한 측면 중 하나이다. 캐스트 보컬 자체는 히트와 미스 유망주이다.

제레미 아이언스의 깊고 으르렁거리는 목소리를 축복하지만 그는 단순히 노래를 부를 수 없다. 참을 수 없는 노래 'I Just Can't Wait To Be King'에서 로완 아트킨슨에 대해서도 같은 주장을 할 수 있다.

For enthusiasts of The Lion King, the ensemble and individual cast performances of John's songs will remain far more entertaining because the vocal and instrumental arrangements of those songs fit perfectly with the tone of Zimmer's surrounding score. This continuity is one of the strongest aspects of the music for The Lion King. The cast vocals themselves are a hit and miss prospect.

bless Jeremy Irons for his deep, snarling voice but he simply can't sing.

The same argument could be made about Rowan Atkinson in the insufferable song 'I Just Can't Wait To Be King'

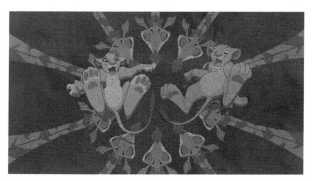

〈라이온 킹〉. ⓒ Walt Disney

그러나 대부분 노래에 대한 짐머와 공동 작업자 마크 맨시나의 편곡은 연주자들이 전체 악보를 정의하는 동일한 베이스의 무겁고 강력한 아프리카 사운드에 맞서게 하고 있다.

이러한 분위기는 대부분 노래를 저장하고 북엔딩하는 'Circle of Life'에서 훌륭하게 된다. 존과 짐머는 모두 〈라이온 킹〉에 대한 노력으로 아카데미상을 수상하게 된다. 더 많은 고전적인 영화 음악 팬들이 그 해 토마스 뉴먼과 알란 실베스트리에 대한 짐머 승리에 동의하지 않았다. 하지만 이 배경 음악은 여전히 짐머의 더 우수하고 가장 인기 있는 음악 중 하나라고 할 수 있다.

But the arrangements by Zimmer and collaborator Mark Mancina for most songs place the performers against the same bass-heavy, robust African sound that defines the entire score and this ambience saves most of the songs and is brilliant in the bookending 'Circle of Life'. Both John and Zimmer won Academy Awards for their efforts on The Lion King, and while many more classically-inclined film score fans have disagreed with Zimmer's triumph over Thomas Newman and Alan Silvestri that year, this score does remain one of Zimmer's better and most popular.

영화에서 그 영향은 이야기의 영적 요소에 대한 장엄하고 아름다운 악기 반주에서 울려퍼지고 있다. 짐머에게 〈라이온 킹〉은 작곡가의 두 가지 독특한 초기 매너리즘, 즉 아프리카 정신을 포착하는 능력과 뚜렷한 목관 악기 멜로디에 대한 사랑의 성숙을 나타내고 있다. 전자의 경우, 1992년 영화에 대한 짐머 작업은 〈파워 오브 원〉에 대한 그의 작업으로 직접 이어졌다. 초기 작업은 쉽게 디즈니가 좋아하는 영화에 대한 보다 확실한 자매 배경 음악이라고 부를 수 있다.

It's impact in the film is resounding in its majestic and beautiful instrumental accompaniment to the story's spiritual elements. For Zimmer, The Lion King represented a maturation of two of the composer's distinct early mannerisms his knack for capturing African spirit and his love for pronounced woodwind melodies.

In the case of the former, Zimmer's work on the 1992 film The Power of One directly led to his hiring on The Lion King and the earlier work could easily be termed the more authentic sister score to the Disney favorite.

짐머는 〈파워 오브 원〉 이후 '전복적인 영화 제작'에 참여했다는 이유로 남아프리카에서 블랙리스트에 오른다. 하지만 이 프로젝트는 레보 M과의 협업을 공고히 하여 〈라이온 킹〉으로 직접 이어지게 된다.

1994년 애니메이션 배경 음악을 제작할 때 짐머는 남 아프리카로 다시 여행하지 않고 아프리카 솔로 요소를 가져와야 했다. 그러나 그가 음악을 사용해서 일부를 포함하여 그의 음악이 항상 다루었던 끓어오르는 인종적 요소 및 대륙의 기본 감정을 더 정의하는데 방해가 되지 않았다.

Zimmer was blacklisted in South Africa for having engaged in 'subversive filmmaking' after The Power of One but the project solidified a collaboration with Lebo M that carried over directly to The Lion King. When producing the 1994 animation score, Zimmer had to bring the African solo elements to him rather than travel again to

South Africa, but this didn't deter him from using his music to further define the underlying sentiments of the continent including, for some, the simmering racial elements that his music had always addressed.

짐머의 초기 작품 수집가라면 누구나 이 작곡가가 가장 기이한 장소 〈폭풍의 질주〉에 낭만적인 요소를 위해 팬파이프와 기타 목관 악기 멜로디를 배치했음을 알 수 있다.

하지만 그 기술의 연속성은 〈라이온 킹〉에서 아름답게 작동하고 있다. 플루트와 오보에를 위한 여러 저명한 배치에 합류하는 것은 악보 전체에 걸쳐 리차드 하비의 절대적으로 화려한 팬파이프 솔로이다.

Any collector of Zimmer's early works will recognize that the composer placed panpipe and other woodwind melodies for romantic elements in some of the most bizarre places Days of Thunder probably takes the cake but his continuation of that technique functions beautifully in The Lion King. Joining several prominent placements for flutes and oboe are Richard Harvey's absolutely gorgeous panpipe solos throughout the score,

그리고 그의 기여만으로도 이 배경 음악 효과를 촉발한 은혜의 요소를 제공한다고 주장되어 왔다. 유명한 악보에 대한 하비의 목관 공연은 그의 자신의 것보다 더 잘 알려져 있다.

종종 영화와 텔레비전을 위한 인상적인 작곡 작품이라고 할 수 있다.

and it has been argued that his contribution alone provides the element of grace that catapulted this score's effectiveness.

Harvey's woodwind performances for famous scores are better known than his own often impressive compositional work for films and television.

이 배경 음악의 주목할 만한 측면 중 하나는 아프리카와 서양의 영향이 있다. 후자는 긴장된 순간을 위한 다소 병약한 왈츠 악장으로 확장되고 있다. 짐머의 과거에 대한 또 다른 연결. 서로 충돌하지 않고 있다.

One of the remarkable aspects of this score is how the African and Western influences, the latter extending to somewhat sickly waltz movements for suspenseful moments another connection to Zimmer's past) don't conflict with each other.

레보 M 민족성은 멘켄과 하워드 애쉬만이 〈작은 인어 The Little Mermaid〉를 위해 달성한 것과 같은 방식으로 서부 배경에서 성공하게 된다. 〈라이온 킹〉에서 짐머의 다른 중요한 선택은 악보의 가장 두드러진 시퀀스의 많은 부분에서 지배적인 전통 합창단을 적용한 것이다.

The Lebo M ethnicity succeeds against the Western backdrop in the same way Menken and Howard Ashman accomplished for The Little Mermaid which spiced things up for its playful storied moments with a stylish calypso spirit. Other important choices from Zimmer in The Lion King are led by his application of traditional choir which is dominant in many of the score's most prominent sequences.

민족적 스타일 공연을 넘어 이 다양한 보컬은 배경 음악의 하이라이트이다.

'ascension theme'에 대한 남녀 혼합 기여부터 오리지널 앨범의 합성 엣지와 함께 이듬해 〈크림슨 타이드〉을 예고하는 지속적인 남성 전용 베이스 허밍에 이르기까지,

Beyond the ethnically-style

〈라이온 킹〉. ⓒ Walt Disney

performances, these varied vocals are the highlights of the score ranging from the mixed male and female contributions for the 'ascension theme' to a continuous male-only bass hum that foreshadows along with the original album's synthetic edge, the masculine approach to the following year's Crimson Tide.

짐머는 이 배경 음악에서 무게감 있는 색상으로 고민하고 싶은 충동에 빠져 있다. 하지만 2000년대와 그 이후의 그의 매너리즘과 달리 상당한 고음 존재를 허용하기 위해 사운드 스케이프를 펼치는 데에도 두려움이 없다.

이 악보의 바이올린과 플루트 라인은 실제로 때때로 강조 역할을 하는 등 매우 활동적이다. 종종 듣는 이들의 엉덩이를 흔들게 만드는 심바의 롬프의 리드미컬한 움직임으로 구현되고 있다.

Zimmer indulges his urge to brood with weighty colors in this score but unlike his mannerisms of the 2000's and beyond. he is equally unafraid to spread out the soundscape to allow for substantial treble presence. This score's violin and flute lines are actually quite active in an accenting role at times often embodied in the rhythmic movement of Simba's romps that will solicit some butt wiggling from listeners.

겉보기에는 어울리지 않는 것처럼 보이고 있다. 하지만 짐머는 그것을 해내고 더 친근한 순간에 밝고 쾌활한 성격의 이점을 얻게 된다.

While seemingly incongruous on paper, Zimmer pulls it off and the score benefits from a bright, bouncy personality in its more amiable moments.

액션과 악당 소재는 〈라이온 킹〉의 배경 음악이 때때로 비틀거리며 전체 별 5개 등급에서 그것을 억제하는 곳이다.
액션 음악은 합창단의 질감에 크게 의존하고 있다.

무파사의 죽음 장면에서 노래하고 비명을 지르며 때때로 〈글라디에이터〉에서 다시 나타날 갑작스러운 악센트로 폭발하고 있다.

The action and villain material is where the score for The Lion King stumbles occasionally, restraining it from a full five-star rating.

The action music relies heavily on the texture of the choir, chanting and shrieking during the scene of Mufasa's death and occasionally bursting forth with sudden accents that would reappear in Gladiator.

'Elephant Graveyard'와 다른 곳에서 빈티지 짐머 액션을 가끔 엿볼 수 있다. 주로 그 당시 짐머에게는 전형적이지 않은 〈블랙 레인〉을 연상시키는 짧은 순간이다. 〈라이온 킹〉 악당은 매우 틀에 박힌 방식으로 처리되고 있다.

하지만, 스카의 진입 주제에 대해 팬파이프가 종소리로 번역되는 것을 듣는 것은 좋은 일이다.

There are occasional glimpses of vintage Zimmer action during 'Elephant Graveyard' and elsewhere mainly brief moments reminiscent of Black Rain which wasn't atypical for Zimmer at the time.

The villain of The Lion King is handled in very stereotypical fashion though it's nice to hear the panpipe translated into a tolling chime for Scar's entry motif.

그렇지 않으면 짐머는 악당의 페르소나를 나타내기 위해 바순과 색소폰을 천박한 진행으로 사용하고 스카의 경쾌한 주제는 'Didn't Your Mother Tell You Not to Play With Your Food' 'Hyenas in the Pride Land' 'The Rightful King' 등의 테마를 등장시키고 있다.

Otherwise, Zimmer uses bassoons and saxophone in sleazy progressions to denote the villain's persona and the slithery theme for Scar inhabits 'Didn't Your Mother Tell

You Not to Play With Your Food' at length before making cameo appearances early in 'Hyenas in the Pride Land' and 'The Rightful King'

플루트와 트럼펫이 하이엔드에서 이 주제와 상호작용하는 것을 듣는 것은 흥미롭다. 하지만 아마도 관련된 가족 관계를 암시하기 위해 이 주제는 'Be Prepared' 노래 멜로디 자체의 영향을 미치지 않고 있다.

고맙게도 짐머는 적절한 시간에 그의 악보에 존의 멜로디를 사용하고 특히 'Be Prepared'는 영화의 첫 번째 악보 선곡 초반에 오보에로 예고되고 있다.

While it's interesting to hear the flute and trumpet interplays with this theme at the high end, perhaps to suggest the familial relation involved, the theme doesn't have the impact of the 'Be Prepared' song melody itself. Zimmer, thankfully, does work the John melodies into his score at appropriate times and the 'Be Prepared' one in particular is foreshadowed on oboe early in the film's first score cue.

아마도 노래 주제를 배경 음악에 가장 잘 주입한 것은 'Can You Feel Tonight'이 팬파이프에 대한 초기 힌트를 받는 'Hyenas in the Pride Land' 끝 부분에 있을 것이다. 그러나 배경 음악에는 앞서 언급한 악보의 주요 정체성인 'ascension theme'가 이끄는 노래와 독립적인 여러 주제가 있다.

Perhaps the best infusion of a song theme into the score comes at the end of 'Hyenas in the Pride Land' when 'Can You Feel the Love Tonight' receives an early hint on panpipes.

There are several themes in the score that are independent of the songs, however led by the aforementioned the score's main identity, the 'ascension theme'

이 고귀한 아이디어는 심바 아버지 무파사를 나타내며 차례로 왕의 위치를 나타내고 있다. 경이로운 호소력으로 'We Are All Connected'를 시작하고 'Kings of the Past'와 배경 음악의 승리로 이어지는 이 아이디어는 모든 악보의 장엄함을 제공하고 있다.

〈라이온 킹〉. ⓒ Walt Disney

이어 기본 프레이즈에서 특성을 공유하는 뚜렷한 하강 라인을 의도적이든 아니든 'Can You Feel Tonight' 멜로디로 유지하고 있다.

This noble idea represents Simba's father Mufasa and in turn the position of king itself.

Opening 'We Are All Connected' with wondrous appeal and extending through 'Kings of the Past' and the victorious finale of the score, this idea supplies all the score's majesty and yet maintains in its primary phrases distinct descending lines that share traits intentionally or otherwise with the melody of 'Can You Feel the Love Tonight'

Track listing

1. Circle of Life by Carmen Twillie & Lebo M
2. I Just Can't Wait to Be King by Jason Weaver
3. Be Prepared by Jeremy Irons
4. Hakuna Matata by Nathan Lane & Ernie Sembella
5. Can You Feel the Love Tonight by Joseph Williams & Sally Dworsky

6. This Land by Instrumental, Hans Zimmer
7. ...To Die For by Instrumental, Hans Zimmer
8. Under the Stars by Instrumental, Hans Zimmer
9. King of Prid Rock by Instrumental, Hans Zimmer
10. Circle of Life performed by Elton John
11. I Just Can't Wait to Be King performed by Elton John
12. Can You Feel the Love Tonight (End Title) performed by Elton John

〈라이온 킹〉 사운드트랙. © Mercury Records

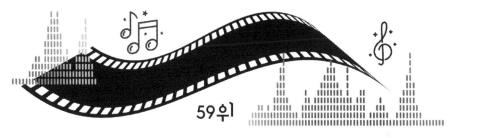

〈라임라이트 Limelight〉(1952) -

찰리 채플린이 들려주는

페이소스(pathos) 넘치는 코미디 음악

작곡: 찰리 채플린 Charlie Chaplin

천재 코미디언 찰리 채플린이 감독, 주연 및 배경 음악까지 맡아
천부적 재능을 발휘한 〈라임라이트〉. ⓒ United Artists,
Columbia Pictures

1. 〈라임라이트〉 버라이어티 평

채플린의 마지막 미국 영화는 낙담한 발레 댄서가 걷는 법과 삶에 대해 다시 자신감을 느끼는 법을 배우도록 돕기 위해 퇴색하는 뮤직 홀 코미디언의 노력에 대한 이야기를 들려주고 있다.

영화 하이라이트는 채플린의 유일한 진정한 예술 영화 코미디 라이벌인 버스터 키튼과의 클래식 듀엣이다.

Chaplin's final American film tells the story of a fading music hall comedian's effort to help a despondent ballet dancer learn both to walk and feel confident about life again. The highlight of the film is the classic duet with Chaplin's only real artistic film comedy rival Buster Keaton.

〈라임라이트〉는 찰리 채플린이 각본, 제작, 감독, 주연을 맡은 1952년 미국 코미디 드라마 영화이다.

채플린 소설 〈풋라이트 Footlights〉를 원작으로 하고 있다.

배경 음악은 채플린이 작곡하고 레이 라쉬가 편곡했다.

Limelight is a 1952 American comedy-drama film written, produced, directed by and starring Charlie Chaplin based on a novella by Chaplin titled Footlights.

The score was composed by Chaplin and arranged by Ray Rasch.

영화는 채플린이 자살하려는 댄서-클레어 블룸이 연기-를 자살에서 구하고 둘 다 삶을 살아가기 위해 노력하는 개그맨으로 출연하고 있다.

니겔 브루스, 시드니 얼 채플린, 휠러 드라이덴 및 노만 로이드가 추가 역할을 제공하고 있으며 버스터 키튼이 출연하고 있다.

The film stars Chaplin as a washed-up comedian who saves a suicidal dancer played by Claire Bloom from killing herself and both try to get through life; additional roles are provided by Nigel Bruce, Sydney Earl Chaplin, Wheeler Dryden and Norman Lloyd with an appearance from Buster Keaton.

댄스 장면에서 블룸은 멜리사 헤이덴이 대역을 맡았다. 영화가 개봉되자 비평가들의 반응은 엇갈렸다.

그것은 채플린의 공산주의적 동정심 때문에 미국에서 심하게 보이콧 되었고 상업적으로 실패하게 된다.

In dance scenes, Bloom is doubled by Melissa Hayden. Upon the film's release, critics reception was divided. it was heavily boycotted in the United States because of Chaplin's alleged communist sympathies and failed commercially.

그러나 영화는 1972년 로스 엔젤레스에서 첫 상영을 포함하여 미국에서 재공개된다.

이로써 채플린이 유일하게 경쟁적인 오스카상을 수상한 제45회 아카데미 시상식에서 수십 년 된 영화가 경합을 벌일 수 있게 된다.

However, the film was re-released in the United States in 1972 which included its first screening in Los Angeles. This allowed the decades-old film to be in contention for the 45th Academy Awards where Chaplin won his only competitive Oscar.

오늘날 영화는 때때로 채플린의 가장 훌륭하고 개인적인 작품 중 하나로 여겨지고 있다. 그리고 컬트 추종자들을 얻게 된다.

Today, the film is sometimes regarded as one of Chaplin's best and most personal works and has attained a cult following.

2. <라임라이트> 사운드트랙 리뷰

채플린이 작곡한 'The Terry Theme'라는 제목의 영화 연주 곡 주제는 게프 파슨과 존 터너가 가사를 쓴 'Eternally'로 인기 있고 자주 커버되는 노래가 된다.

The instrumental theme to the film composed by Chaplin and titled 'The Terry Theme' became a popular and often-covered song as 'Eternally' with lyrics by Geoff Parsons and John Turner.

영화가 처음 개봉된 지 20년이 넘은 1973년, 채플린과 그의 음악 공동 작업자인 레이몬드 라쉬와 래리 러셀은 오스카 드라마 작곡상을 수여 받는다.

In 1973, over 20 years after the film's first release Chaplin and his musical collaborators Raymond Rasch and Larry Russell were awarded an Oscar for Best Original Dramatic Score.

〈라임라이트〉. © United Artists, Columbia Pictures

래리 러셀의 경우, 재즈왁스 저널리스트 마크 메이어스는 이것이 잘못된 신원의 사례이며 러셀 가르시아가 1972년 오스카상을 받았어야 하는 실제 작곡가라고 썼다.

래리 러셀 가족은 보고서를 부인하고 있다.

그럼에도 불구하고 채플린이 수상한 유일한 경쟁 아카데미상이 된다.

채플린은 이전에 2번의 명예 오스카상을 수상한 바 있다.

In the case of Larry Russell, JazzWax journalist Marc Myers has written that this was a case of mistaken identity and Russell Garcia was the actual composer who should have been awarded the 1972 Oscar. Larry Russell's family denies the report. Regardless, it was the only competitive Academy Award that Chaplin ever received. he had previously received two Honorary Oscars.

3. 〈라임라이트〉 사운드트랙 해설 - 빌보드

자신의 경력 동안 대부분 자신의 영화를 작곡한 채플린은 동료 작곡가 레이몬드 라쉬 및 래리 러셀과 함께 배경 음악을 작곡한다.

라쉬는 1950년대와 1960년대에 할리우드 장면에서 피아니스트이자 편곡자였다. 러셀은 주로 영화 산업에서 활동한 미국 작곡가였다.

'Vaya Con Dios'라는 노래의 3명의 작가 중 한 명으로 가장 잘 기억되고 있다.

라쉬는 1964년에 사망하고 러셀은 1954년에 사망했다.

Chaplin who scores the majority of his own films during his career wrote the score with fellow composers Raymond Rasch and Larry Russell.

Rasch was a pianist and arranger on the Hollywood scene in 1950s and 1960s, while Russell was an American composer working mostly in the motion picture industry and is best remembered as being one of three writers of the song 'Vaya Con Dios'

Rasch died in 1964 and Russell died in 1954.

'트랙 1'은 오프닝 크레디트를 지원하고 있다. 황금시대의 가장 훌륭한 전통에 따라 목관 악기와 하프로 장식된 호화로운 바이올린에서 탄생한 테리의 테마를 안내하는 강력한 전주곡으로 극적으로 시작되고 있다.

'Track 1' supports the Opening Credits and begins dramatically with a potent prelude which ushers in Terry's Theme born on sumptuous violins adorned with woodwinds delicato and harps in the finest traditions of the Golden Age.

'트랙 2'는 거리 오르간 드라이버가 연주하는 것을 볼 수 있는 런던 거리를 보여주고 있다. 음악은 카니발레스크적이며 우리가 침대에 누워 있는 테리가 약병을 들고 의식이 없는 것을 보는 우리의 여정을 지원한다.

술에 취한 칼베로는 비틀거리며 집에 간신히 문을 열 수 있다.

'Track 2' reveals a London street where we see a street organ driver playing.

The music is carnivalesque and supports our journey into a house where we see Terry laying in bed holding a vial, and unconscious.

A drunken Calvero staggers home and is barely able to open the door.

'트랙 3'은 테리는 칼베로 방에서 깨어나 자신이 어떻게 그녀의 생명을 구했는지 이야기 하고 있다. 그녀의 테마 사운드는 현악돌로로소(doloroso)로 전달된다. 그가 그녀의 삶을 끝내려고 애쓰는 그녀를 훈계하면서 솔로 오보에가 그녀의 주제를 차지하고 있다. 정말 좋은 선곡이다.

'Track 3' Terry wakes up in Calvero's room and he relates how he saved her life.

Her theme sounds carried by strings doloroso. As he admonishes her for seeking to end her life, solo oboe takes up her theme. What a pretty cue.

'트랙 5'는 칼베로가 잠들 때 연주하는 오르간, 바이올린, 클라리넷의 스트리트 밴드를 보여주고 있다. 우리는 약간 엉터리 노래를 부르는 칼베로와 함께 무대 쇼처럼 보드빌로 향한다. 노래는 코믹하고 매우 재미있다!

칼베로가 벼룩 쇼를 시작하면서 오케스트라 연주로 전환된다. 우리는 가볍고 평온한 에너지로 흐른다. 칼베로는 우리를 사랑하고 있다. 박수갈채를 보낸 후 그는 밖의 텅 빈 극장을 보고 낙담하고 꿈에서 깨어나게 된다.

'Track 5' reveals a street band of organ, violin and clarinet playing as Calvero falls to sleep. We segue to vaudeville like stage show with Calvero singing a little ditty. The song is comedic, full of fun and very entertaining!

we transition to an orchestral rendering of the song as Calvero begins his flea show. We flow with a light, carefree energy, which endears us to Calvero.

After the applause he looks out and is despondent to see an empty playhouse and he wakes from his dream.

'트랙 7'에서 두 사람은 결속을 다해 다른 방에서 잠을 자고, 칼베로는 다시 잠이 든 꿈의 풍경에 빠진다. 목관 악기가 우리를 무대로 다시 데려간다.

사랑의 소네트 'Ode To A Worm'의 낭송을 제공하는 또 다른 칼베로 무대 공연으로 데려간다.

In 'Track 7' the two have bonded, go to sleep in different quarters and Calvero again falls into a slumberous dreamscape.

A pastorale of woodwinds carries us back to the stage and to another Calvero stage act which offers a recitation of a love sonnet Ode To A Worm which takes off on an accelerando for a most spirited song that carries his dancing!

'트랙 8'에서는 테리와 함께 무대에 오르는 모습이 공개된다.

그녀는 그의 매력에 푹 빠져 있다. 채플린은 고전적인 화려한 스트링 라인, 전형적인 황금기 낭만주의로 순간을 지지하고 있다.

'Track 8' reveals Terry joining him on stage and she becomes smitten by his charm.

〈라임라이트〉. © United Artists, Columbia Pictures

Chaplin supports the moment with a classic florid string line, quintessential Golden Age romanticism.

'트랙 11'에서 테리는 칼베로가 매력을 발견한 대담한 젊은 작곡가 네빌과의 만남에 대해 이야기한다.
그는 피아니스트이다.
채플린은 시냇물처럼 흐르지만 음표에는 미묘한 슬픔의 색조가 있는 반짝이는 상냥함으로 그녀의 이야기를 뒷받침해주고 있다.

In 'Track 11' Terry relates to Calvero her encounter with Neville, a dashing young composer who she found attractive.

He is a pianist and Chaplin supports her tale with a twinkling piece of gentility which flows like a streamlet yet there is a subtle tinge of sadness in the notes.

'트랙 15'는 칼베로가 자신의 연기를 펼쳤고 해고된 관객들의 모욕을 겪은 절망에 빠진 칼베로를 제안한다. 그가 썰물 때, 테리는 그가 한때 그녀에게 요청했던 것처럼 싸움에 다시 참여하도록 그에게 첨삭을 퍼붓고 권고한다.

다리를 다시 사용할 수 있게 되었다는 사실을 깨닫자 채플린은 두 다리를 모두 회복시키는 축하 현악기로 그들의 기쁨을 지지해 주고 있다.

'Track 15' offers Calvero in despair having suffered the indignity of the audience walking out on his act and he being fired. As he ebbs, Terry crests and exhorts him to rejoin the fight as he once asked of her.

When she realizes she has regained the use of her legs, Chaplin supports their joy with celebratory strings which restores both of them.

6개월 후 '트랙 16'에서 우리는 엠파이어 극단에 있고 테리를 포함한 댄서들의 합창단은 이국적인 춤으로 무대를 우아하게 장식하고 있다.
채플린은 축제 분위기의 집시 같은 작품으로 장면을 지원해 주고 있다.

Six months later in 'Track 16' we are at the Empire Theater and a chorus of dancers which includes Terry graces the stage in an exotic dance.
Chaplin supports the scene with a festive gypsy-like piece.

'트랙 17' 테리는 채플린이 베토벤과 함께 지원하는 거리 4중주와 함께 연주하는 칼베로를 찾기 위해 집으로 돌아간다.
'트랙 18'은 테리가 피아니스트 네빌을 다시 만나는 모습을 보여 주고 있다. 그들은 서로를 알아보고 그녀는 극장 주인을 위해 춤을 춘다. 채플린은 협주곡 연주곡처럼 피아노로 극적으로 연주되는 테리주제를 제공한다.
그녀는 신성하게 춤을 추며 프리마 발레리나 역할을 얻게 된다.

'Track 17' Terry returns home to find Calvero playing with the street quartet which Chaplin supports with Beethoven. 'Track 18' reveals Terry meeting Neville again who is the pianist. They recognize each other and she dances for the theatre owner.
Chaplin offers Terry's Theme played dramatically by piano as though a concerto concert piece. She dances divinely and earns the prima ballerina role!

'트랙 21'에서 네빌과 테리는 식사를 하고 있다. 그녀가 음악 가게에서 일할 때 그녀에 대해 어떻게 느꼈는지 이야기 하고 있다. 호화로운 현악기가 솔직한 서정성과 뻔뻔한 낭만주의로 흘러들어 그들의 사랑 주제를 표현해 주고 있다.
이 트랙은 그들의 초기 사랑을 알려주는 악보의 하이라이트를 제공하고 있다.

In 'Track 21' Neville and Terry are dining and he relates how he felt about her when she worked at the music shop. Sumptuous strings flow with a forthright lyricism and unabashed romanticism rendering their Love Theme. This track offers a score's highlight which informs us of their nascent love.

'트랙 22'는 멋진 스코어 하이라이트를 제공하고 있다. 그것은 그녀 주제에 따라 극적이고 웅장하게 시작되고 있다. 테리 캐릭터가 그녀의 연인과 함께 죽어가는 연극의 마지막 장면을 특징으로 하고 있다.

그녀는 마지막으로 한 번만 밖을 내다보기 위해 창가로 데려가 달라고 요청한다. 이것은 그녀의 주제를 보다 낭만적이고 서정적으로 표현한 것으로 뒷받침된다. 광대는 울고 그녀는 그들에게 공연을 요청한다.

'Track 22' offers a magnificent score highlight. It opens dramatically and grandly upon her theme and features the play's final scene where Terry's character is dying with her lover and the clowns standing vigil. She asked to be carried to the window to look out one last time and this is supported by a more romantic and lyrical rendering of her theme. The clowns weep and she asks them to perform.

그들은 의무를 다하고 연주하는 동안 음악이 장난스럽고 코믹하고 익살스럽게 변하고 있다. 발레리나가 들어와 춤을 추자 음악은 존재의 부드러움과 가벼움으로 왔다 갔다 하고 있다. 테리는 굴복해서 죽고 슬픔을 짊어지기 위해 애도가 펼쳐지고 있다. 우리는 그녀의 연인이 묘지에서 마술 지팡이로 춤을 추는 것을 볼 때 가볍고 활기찬 춤이 펼쳐지고 있다.

They oblige and the music becomes playful, comedic and farcical as they perform. As ballerina enter and dance the music shifts to and fro with gentility and lightness of being. Terry succumbs and dies and the pathetique unfolds to carry the grief. We

light and spirited dance unfolds as we
see her lover dancing with his magic
wand in the graveyard.

〈라임라이트〉. © United Artists, Columbia Pictures

그는 지팡이를 사용해서 그녀를
부활시키려는 헛된 시도를 한다. 춤
을 추는 발레리나 영혼이 들어와서
그에게 절망하지 말라고 말한다.
음악은 다시 밝아진다.
그녀의 영혼이 어디에나 있다는 그에게 위안을 준다.
그리고 진실은 테리가 그녀의 주제에 대해 낭만적인 우아함을 갖고 입장했고
우리는 춤, 이미지 및 음악의 완벽한 결합으로 대우 받게 된다.

He uses the wand in a futile attempt to resurrect her. The music again lightens as
dancing ballerina spirits enter and tell him not to despair consoling him that her spirit
is everywhere. And truth be told terry enters with romantic elegance upon her theme
and we are treated to a perfect marriage of dance, imagery and music.

'트랙 33'에서 칼베로는 코미디 희극으로 돌아온다. 장난기 넘치는 음악은
무대에서 그의 어리석은 익살을 뒷받침해 준다. 관중들이 앙코르를 요구하자
그는 희극 피아니스트 키튼과 함께 바이올리니스트로서 무대에 돌아온다.
현악기와 목관악기로 이루어진 활기 넘치는 작품이 바보 같은 슬랩스틱 촌극
을 연주하면서 익살스러운 모습을 보여주고 있다.
결국 키튼은 그의 악보를 정리하고 그가 더듬거리며 악기를 조율하려고 한다.

In 'Track 33' Calvero returns in a comedy skit and the playful music supports his
silly antics on stage. The crowd demands an encore so he returns to the stage as a

violinist with Keaton the comedic pianisl.

A spirited piece by string and woodwinds animato carry his antics as he performs silly slapstick skits. Eventually Keaton organizes his music sheets which he has been fumbling and they try to tune their instruments.

'트랙 34'에서 그들은 마침내 함께 연기를 펼친다. 피아노 반주와 함께 화려한 바이올린 선율을 연주한 후 칼베로가 오케스트라 피트에 떨어진다. 케틀드럼에서 연주되는 것으로 끝나는 프레스토 페이스 곡을 연주해주고 있다.

In 'Track 34' they finally get their act together and manage to play a florid violin melody with piano accompaniment followed by a presto paced piece which ends with Calvero falling into the orchestra pit and being carried out in a kettle drum!

'Track 35'는 놀라운 스코어 하이라이트로 칼베로가 심장마비를 겪었고 테리가 그의 편에 섰다는 것을 보여주고 있다. 그녀는 춤을 추도록 부름을 받는다. 그는 자신의 시간이 되었음을 감지한다. 병원에 데려가지 않고 그녀의 공연을 마지막으로 한 번 보기로 선택한다. 우리는 그녀가 신성하게 춤을 출 때 그녀의 모든 눈부신 아름다움과 함께 그녀의 주제를 듣고 그가 옆 무대를 지나간다.

'Track 35' is a marvelous score highlight which reveals that Calvero has suffered a heart attack and Terry comes to his side. She is called to dance and he senses his time has come and so chooses to watch her perform one last time rather than be taken to the hospital. We hear her theme with all its resplendent beauty as she dances divinely and he passes side stage.

'트랙 36'은 엔딩 크레디트를 뒷받침하는 화려한 왈츠를 제공하고 있다.

'Track 36' offers a sumptuous waltz that supports the roll of the End credits.

4. 'Eternally-Charles Chaplin song'는 어떤 노래?

'Eternally'는 찰리 채플린의 작곡과 영국 작사가 게프 파슨스와 존 터너의 가사가 포함된 노래이다.

음악은 처음에 채플린의 영화 〈라임라이트 Limelight〉 (1952)를 위해 작곡되었다.

제목은 'Terry's Theme'. 영화는 1973년 제 45회 아카데미 시상식에서 '최우수 오리지널 드라마 작곡'으로 오스카상을 수상하게 된다.

'Eternally' is a song with music by Charles (Charlie) Chaplin and words by the English lyricists Geoff Parsons and John Turner.

The music was initially composed for Chaplin's film Limelight (1952) and titled 'Terry's Theme'. the film won an Oscar for 'Best Original Dramatic Score' at the 45th Academy Awards in 1973.

'Eternally'는 지미 영, 빅 다몬, 페출라 클락, 빙 크로스비, 디나 쇼어, 스티브 로렌스, 미쉘 르그랑, 제리 발레, 사라 본, 로저 휘태커, 잉글버트 험버딩크, 빅터 우드, 아말리아 로드리게스, 존 시니어 등 수많은 아티스트들이 음반으로 발매한다.

As 'Eternally'. it was recorded by Jimmy Young, Vic Damone, Petula Clark, Bing Crosby, Dinah Shore, Steve Lawrence, Michel Legrand, Jerry Vale, Sarah Vaughan, Roger Whittaker, Engelbert Humperdinck and Victor Wood, Amália Rodrigues, John Serry Sr among many others.

5. 'Terry's Theme'의 다양한 버전

'Terry's Theme'은 프랭크 책스 필드(영국 2위, 미국 5위), 론 굿윈(영국 3위), 리차드 헤이만(미국 13위) 등 1953년 연주곡 차트에서 히트된다.

As 'Terry's Theme' the tune was a charting instrumental hit in 1953 for Frank Chacksfield (UK number 2, US number 5), Ron Goodwin (UK number 3), and Richard Hayman (US number 13).

Track listing

1. Track 1
2. Track 2
3. Track 3
4. Track 4
5. Track 5
6. Track 6
7. Track 7
8. Track 8
9. Track 9
10. Track 10
11. Track 11
12. Track 12
13. Track 13
14. Track 14
15. Track 15
16. Track 16
17. Track 17
18. Track 18

〈라임라이트〉 사운드트랙. © Tavesoch International Classics

19. Track 19

20. Track 20

21. Track 21

22. Track 22

23. Track 23

24. Track 24

25. Track 25

26. Track 26

27. Track 27

28. Track 28

29. Track 29

30. Track 30

31. Track 31

32. Track 32

33. Track 33

34. Track 34

35. Track 35

36. Track 36

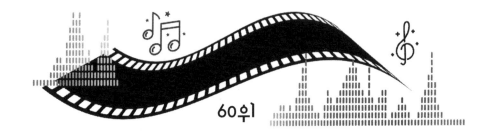

60위

〈킹스 스피치 The King's Speech〉(2010) -

베토벤 '심포니 7', 달변가(達辯家)로 변신한

영국 조지 6세 격려 곡으로 원용(援用)

작곡: 루드비그 판 베토벤 Ludwig van Beethoven

톰 후퍼 감독의 〈킹스 스피치〉에서는 품격 있는 클래식 배경 음악이 실존 인물 영국 조지 6세의 일화에 공감을 보낼 수 있는 양념 역할을 해내고 있다. © Momentum Pictures, Paramount Pictures

1. 〈킹스 스피치〉 버라이어티 평

〈킹스 스피치〉는 톰 후퍼가 감독하고 데이비드 세이들러가 각본을 맡은 2010년 영국 역사 드라마 영화이다. 콜린 퍼스가 말더듬에 대처하기 위해 게프리 러시가 연기하고 있는 호주의 말하기 및 언어 치료사 라이오넬 로그와 대면하는 미래 조지 6세 국왕 역할을 연기하고 있다.

남자들은 함께 일하면서 친구가 된다.

그의 형이 왕위에서 물러난 후, 새로운 왕은 로그에 의존하여 1939년 영국의 독일에 대한 선전포고에 대한 첫 전시 라디오 방송을 하도록 도와주게 된다.

The King's Speech is a 2010 British historical drama film directed by Tom Hooper and written by David Seidler. Colin Firth plays the future King George VI who to cope with a stammer sees Lionel Logue an Australian speech and language therapist played by Geoffrey Rush. The men become friends as they work together and after his brother abdicates the throne, the new king relies on Logue to help him make his first wartime radio broadcast upon Britain's declaration of war on Germany in 1939.

세이들러는 조지 6세가 젊었을 때 발달시킨 말더듬 상태를 관리하는 법을 배운 후의 삶에 대해 읽었다고 한다. 그는 1980년대부터 치료사와 왕실 환자의 관계에 대해 쓰기 시작했다. 하지만 왕의 미망인인 엘리자베스 여왕의 요청으로 2002년 그녀가 사망할 때까지 작업을 연기하게 된다.

Seidler read about George VI's life after learning to manage a stuttering condition he developed during his own youth.

He started writing about the relationship between the therapist and his royal patient as early as the 1980s but at the request of the King's widow Queen Elizabeth The Queen Mother postponed work until her death in 2002.

그는 나중에 두 주인공 사이의 본질적인 관계에 초점을 맞추기 위해 무대 시나리오를 다시 썼다. 촬영이 시작되기 9주 전에 영화 제작자는 로그가 쓴 메모가 그의 손자 마크와 피터 콘라디가 책의 기초로 사용하고 있다는 사실을 알게 된다. 메모와 책의 자료를 대본에 통합할 수 있는 허가를 받았다고 한다.

He later rewrote his screenplay for the stage to focus on the essential relationship between the two protagonists. Nine weeks before filming began, the filmmakers learned of the existence of notes written by Logue that were being used by his grandson Mark and Peter Conradi as the basis of a book and were granted permission to incorporate material from the notes and book into the script.

주요 영화 촬영은 2009년 11월부터 2010년 1월까지 런던과 영국 전역에서 이루어졌다. 하드 라이트는 이야기에 더 큰 공명을 주기 위해 사용되었다. 일반 렌즈보다 넓은 렌즈를 사용하여 요크 공작의 수축 느낌을 재현했다. 후퍼가 사용한 3번째 기술은 캐릭터 중심에서 벗어난 프레이밍이었다고 한다.

Principal photography took place in London and around Britain from November 2009 to January 2010.
Hard light was used to give the story a greater resonance and wider-than-normal lenses were employed to recreate the Duke of York's feelings of constriction.
A third technique Hooper employed was the off-centre framing of characters.

〈킹스 스피치〉는 주요 박스 오피스이자 중요한 성공을 거두었다. 비주얼 스타일, 아트 디렉션, 각본, 연출, 배경 음악, 연기 등에서 영화 평론가들로부터 폭넓은 찬사를 받는다. 다른 평론가들은 특히 퇴위를 반대한 윈스턴 처칠의 반전에 대한 영화의 역사적 세부 묘사에 대해 논의했다. 영화는 특히 콜린 퍼스의 연기로 많은 상과 후보에 올랐다.

그 결과 그의 첫 오스카 남우주연상을 수상하게 된다.

The King's Speech was a major box office and critical success.

It was widely praised by film critics for its visual style, art direction, screenplay, directing, score and acting. Other commentators discussed the film's representation of historical detail especially the reversal of Winston Churchill's opposition to abdication. The film received many awards and nominations, particularly for Colin Firth's performance which resulted in his first Oscar win for Best Actor.

제83회 아카데미 시상식에서 〈킹스 스피치〉는 그 해 어떤 영화 보다 많은 12개의 오스카상 후보에 오른다.

이후 최우수 작품상을 포함하여 4개 부문을 수상한다. 검열 당국은 처

〈킹스 스피치〉. ⓒ Momentum Pictures, Paramount Pictures

음에 욕설로 인해 성인 등급을 부여한다. 하지만 나중에 영국 제작사와 배급업체의 비판과 미국에서 일부 욕설이 묵살된 후 하향 조정된다. 800만 파운드 예산으로 국제적으로 2억 5000만 파운드 이상의 수익을 올리게 된다.

At the 83rd Academy Awards, The King's Speech received 12 Oscar nominations more than any other film in that year and subsequently won four including Best Picture. Censors initially gave it adult ratings due to profanity though these were later revised downwards after criticism by the makers and distributors in the UK and some instances of swearing were muted in the US.

On a budget of £8 million, it earned over £250 million internationally.

2. 〈킹스 스피치〉 사운드트랙 리뷰

〈킹스 스피치〉는 작곡가 알렉산드르 데스플랏의 두 번째 왕실 영화다. 2006년 〈더 퀸 The Queen〉으로 오스카상 후보에 오른 바 있다. 물론 왕실 가족에 대한 끝없는 매혹이 있다. 로열 웨딩 준비 중. 〈킹스 스피치〉를 집필할 당시 이미 많은 상을 수상했고 오스카상이 코앞에 다가온 만큼 이 영화는 많은 언론의 주목을 받고 있다. 왕실 설정의 핵심은 자신의 개인적인 악마를 극복하는 한 남자의 드라마다.

The King's Speech is the second Royal movie by composer Alexandre Desplat since he also scored and was similarly oscar-nominated for The Queen in 2006. Of course there is an endless fascination with the Royal family particularly this year with a Royal Wedding in preparation. At the time of writing The King's Speech has already won many awards and the Oscars are just around the corner so the film is receiving a lot of media attention. Although The King's Speech has a distinctive Royal setting at its core it is a drama about a man overcoming his own personal demons.

영화 성공의 핵심 요소는 왕이 될 버티(콜린 퍼스)와 그의 괴짜 언어 치료사 라이오넬(제프리 러시) 사이의 캐릭터 상호 작용과 주연 배우들의 탁월한 캐릭터 화가 영화를 이끌고 있다.

A key ingredient to the movie's success is the character interplay between the King-to-be Bertie (Colin Firth) and his eccentric speech therapist Lionel (Geoffrey Rush) and the excellent characterisation from the lead actors carries the film.

음악 사운드트랙 감독 톰 후퍼는 영화가 끝날 무렵 중요한 순간에 몇 가지 클래식 음악을 선택한다. 그는 사운드트랙이 그 곡들의 톤을 유지하기를 원했다.

영화에 묘사된 캐릭터의 의미와 생각을 관객이 해석할 수 있는 공간을 관객에게 제공하여 복잡하고 모호한 방식으로 영화에 배경 음악을 매기는 데스플랏의 능력을 좋아했다.

When it came to the music soundtrack director Tom Hooper had selected some Classical Music for key moments towards the end of the film.

He wanted the soundtrack to keep to the tone of those pieces and he liked Desplat's ability to score films in a complex ambiguous way giving an audience space to interpret the meaning and thoughts of the characters portrayed in the movie.

데스플랏의 배경 음악은 이를 쉽게 수행하고 있다. 음악은 필요할 때 적절하게 위엄이 있지만 냉담한 것과는 거리가 멀다. 데스플랏은 이벤트에 따뜻함을 가져다주고 관객이 캐릭터와 동일시 할 수 있도록 가벼운 터치를 사용하고 있다.

Desplat's score does this with ease. The music is appropriately dignified when required but it is far from aloof. Desplat uses a light touch which brings a warmth to the events and helps the audience identify with the characters.

앨범은 데스플랏이 베토벤의 '피아노 협주곡 5번' 느린 악장에 대한 미묘한 참조를 통해 후기 클래식 트랙과 영리하게 연결하는 장엄한 'Lionel and Bertie'(언어 치료사와 왕)로 시작되고 있다.

The album kicks off with the majestic 'Lionel and Bertie'(speech therapist and King) where Desplat cleverly ties in with the later classical tracks by a subtle reference to the slow movement of Beethoven's 5th Piano Concerto.

이것은 또한 주로 피아노와 현을 사용하는 사운드트랙의 톤을 설정해주고 있다. 〈킹스 스피치〉는 피아노에 대한 영화의 주요 주제를 피치카토와 후에 활을

든 현으로 제공하고 있다. 멜로디로서 그것은 멜로드라마틱 하지 않지만 작곡가가 여러 가지 방법으로 발전시키는 강력한 단순성을 갖고 있다.

This also sets the tone for the soundtrack which mostly uses piano and strings. The King's Speech provides the film's main theme on piano with pizzicato and later bowed strings. As a melody it is not melodramatic but has a powerful simplicity which the composer develops in a number of ways.

〈킹스 스피치〉. © Momentum Pictures, Paramount Pictures

그런 다음 'My Kingdom, My Rules'에서 작곡가는 현악 화음으로 지원되는 피아노 한 음표의 짧은 선율로 시작하고 있다.

말 그대로 주저하는 피아노 인물은 버티의 말더듬을 암시하고 있다. 반면 현은 그의 아내로부터 받는 엘리자베스와 언어 치료사 라이오넬 지원을 시사하고 있다.

Then in 'My Kingdom, My Rules' the composer starts with a short melody on a single note of the piano supported by string chords and very literally the hesitant piano figure suggests Bertie's stuttering while the strings might suggest the support he gets from his wife Elizabeth and speech therapist Lionel.

거의 눈에 띄지 않지만 이 반복되는 피아노 음표는 여러 트랙에서 되풀이되고 있다.

Although hardly noticeable, this repeated piano note recurs in a number of tracks.

‘The King is Dead’는 버티의 아버지 조지 5세(마이클 갬본)죽음을 애도하는 엄숙하지만 아름다운 곡이다. 이것은 가족 비극이었지만 버티가 왕좌에 한 걸음 더 다가섰다는 것을 의미하기도 한다.

‘Memories of Childhood’는 버티의 말더듬에 영향을 미쳤을 수 있는 어린 시절의 사건을 암시하는 엄숙한 어조를 이어가고 있다.

‘The King is Dead’ is a solemn but beautiful lament on strings for the death of Bertie’s father King George V (played by Michael Gambon).

Although this was a family tragedy it also means that Bertie is one step closer to the throne and ‘Memories of Childhood’ continues the solemn tone suggesting events in his childhood which may have contributed to his stutter.

형 에드워드 8세가 퇴위한 후 버티는 1936년 말에 ‘조지 6세’가 된다.

음악은 이에 수반되는 모든 대중 연설과 함께 그의 취임에 대한 두려움을 불러일으키고 있다.

After the abdication of his older brother as King Edward VIII, Bertie becomes ‘King George VI’ in late 1936 and the music brings out his dread of assuming office with all the public speaking that this entails.

‘The Royal Household’의 메인 테마 복귀는 왕과 그의 엘리자베스 여왕- 훗날 여왕의 어머니가 됨-이 딸 엘리자베스, 마가렛과 함께 가족생활을 즐기는 모습으로 분위기를 고조시킨다.

그의 첫 번째이자 가장 중요한 라디오 방송의 ‘The Rehearsal’은 앨범에서 가장 가벼운 트랙으로 목관악기와 호른을 불러오고 있다.

The return of the main theme in ‘The Royal Household’ raises the mood as the King and his Queen Elizabeth-later to become the Queen Mother-enjoy family life with their daughters the young Elizabeth and Margaret. 'The Rehearsal' for his first and most important radio broadcast is the lightest track on the album and brings in wood-wind and horns.

왕이 개인적인 고민을 해결하는 동안 유럽에서는 정치적 긴장이 고조 된다. 전쟁이 불가피해 보였던 그 달에 'The Threat of War'은 긴장감을 뚝뚝 떨어뜨린다. 반복되는 음표가 가끔씩 존재감을 유지하면서 불협화음의 멜로디 조각이 있는 미니멀한 현악기 오스티나토가 있다.

While the King deals with his personal troubles, political tensions are growing in Europe and 'The Threat of War' drips with tension in those months when it seemed that war was inevitable. There is a minimalist string ostinato with discordant melodic fragments while the repeating note maintains its occasional presence.

사운드트랙 앨범에 대한 설명에서 이야기 했듯이 모든 녹음의 톤은 로얄 브로드캐스트를 녹음하는데 사용된 오리지널 EMI 마이크를 사용하여 매우 미묘한 세피아 색조와 같은 음악적 톤을 제공하고 있다.
마지막 3트랙-베토벤과 모차르트 음악-은 특히 테리 데이비스가 런던 심포니 오케스트라를 지휘하는 이 영화를 위해 재녹음 되었다.

As explained in the notes to the soundtrack album, the tone of all the recordings was given the musical equivalent of a very subtle sepia tint by using the original EMI microphones used to record Royal Broadcasts. The final three tracks-of music by Beethoven and Mozart-were re-recorded especially for the film with Terry Davies conducting the London Symphony Orchestra.

사운드트랙 CD에는 알렉산드르 데스플랏의 11개 트랙, 베토벤 2개 트랙과 모차르트의 1개 트랙 편곡 등으로 구성됐다.

soundtrack CD: 11 tracks by Alexandre Desplat and arrangements of two tracks by Beethoven and one by Mozart.

3. 베토벤의 '심포니 7 Symphony No. 7 by Beethoven'은 어떤 곡?

'교향곡 7번 A 장조 Op. 92번'은 루드비히 판 베토벤이 1811년에서 1812년 사이에 작곡한 4악장의 교향곡이다. 보헤미안 온천 마을 테플리츠에서 건강을 개선하게 된다.

이 작품은 모리츠 폰 프리스 백작에게 헌정되었다.

The Symphony No. 7 in A major, Op. 92, is a symphony in four movements composed by Ludwig van Beethoven between 1811 and 1812 while improving his health in the Bohemian spa town of Teplitz.

The work is dedicated to Count Moritz von Fries.

1814년 화가 루이스 테르론이 드로잉 화로 그린 베토벤의 근영(近影). ⓒ wikipedia.org

1813년 12월 8일 비엔나 대학에서의 초연에서 베토벤은 이 작품이 그의 최고의 작품 중 하나라고 말했다. 2악장 'Allegretto'는 청중들이 앵콜을 요구할 정도로 인기를 끌었다. 'Allegretto'는 오늘날까지 자주 따로 연주되고 있다.

At its premiere at the University in Vienna on 8 December 1813, Beethoven remarked that it was one of his best works. The second movement 'Allegretto' was so popular that audiences demanded an encore.

The 'Allegretto' is frequently performed separately to this day.

4. 'Symphony No. 7 by Beethoven'을 사운드트랙에 선곡한 대표적 영화 목록

- 1934년 공포 영화 〈검은 고양이 The Black Cat〉에서 '2악장'이 선곡되고 있다.

- 〈코스모스: 퍼스널 보이지 Cosmos: A Personal Voyage〉(1980) 첫 번째 에 피소드에서는 '광활한 광활함 resplendent spaciousness'으로 '지구의 광대 함과 다양성을 강조 underscore the vastness and diversity of Earth' 하기 위해 1악장이 들려오고 있다.

- 1995년 영화 〈홀랜드 오퍼스 Mr. Holland's Opus〉에서는 고등학교 음악 교사 미스터 홀랜드의 역할을 강조하기 위해 2악장이 사용되고 있다.
  2악장은 극중 홀랜드 아들이 청각 장애를 일으켜 음악에 대한 아버지 홀랜드 열 정을 나눌 수 없는 비극을 묘사하기 위해 선곡됐다는 후일담이 전해지고 있다.

- 2006년 〈더 폴 The Fall〉에서는 극중 여러 차례 2악장이 흘러나오고 있다.

- 2007년 코미디 극 〈다질링 리미티드 The Darjeeling Limited〉에서는 4악장 이 선곡되고 있다.

- 2009년 SF 영화 〈노잉 Knowing〉은 종말론적 보스턴에서 대량 탈출하는 절정 장면에서 2악장을 사용하고 있다.

- 2010년 사극 영화 〈킹스 스피치 The King's Speech〉에서 2악장은 제 2차 세 계 대전에 참전한 후 버킹엄 궁전에서 조지 왕의 클라이맥스 연설에서 사용되고 있다. 악장의 느린 구축은 '조지 왕의 투쟁과 인내를 강조 accents his struggle and his perseverance' 해주는 역할을 해내고 있다.

- 2016년 슈퍼 히어로 영화 〈엑스-맨: 아포칼립스 X-Men: Apocalypse〉에서

2악장은 전 세계 모든 핵무기가 발사되는 장면에서 흘러나오고 있다.

– 2007년 SF 영화 〈맨 프롬 어스 Man from Earth〉에서 2악장은 캐릭터가 그의
역사의 중요한 부분을 설명하는 데 사용되고 있다.

* 〈킹스 스피치〉 사운드트랙 목록은 7위 〈킹스 스피치〉 참조

어눌한 말투 때문에 심적 고통을 당했던 1930년대 영국 조지 6세 일화를
실감나게 열연해주어 공감을 얻어낸 콜린 퍼스 주연의 〈킹스 스피치〉.
사진은 프랑스 개봉 포스터. © The Weinstein Company, UK Film
Council, Momentum Pictures

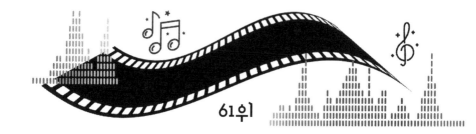

〈스노위 맨 The Man From Snowy River〉(1982) -
드넓은 호주 대륙에서 펼쳐지는 로맨스 액션 모험극

작곡: 브루스 로우랜드 Bruce Rowland

조지 밀러 감독이 대하 서부극 〈스노위 맨〉. ⓒ Hoyts Distribution

1. <스노위 맨> 버라이어티 평

1880년대 호주, 젊은 짐 크레이그 아버지가 사망한 후 해리슨 가축 목장에 취직하여 강제로 남자가 된다.

In 1880s Australia, after young Jim Craig's father dies.
he takes a job at the Harrison cattle ranch where he is forced to become a man.

짐 크레이그는 아버지 농장이 있는 호주산에서 처음 18년을 살았다. 아버지 죽음으로 인해 농장을 되찾을 수 있는 충분한 돈을 벌기 위해 저지대로 가야 한다.

Jim Craig has lived his first 18 years in the mountains of Australia on his father's farm. The death of his father forces him to go to the low lands to earn enough money to get the farm back on its feet.

커크 더글라스는 몇 년 동안 말을 하지 않은 쌍둥이 형제로 두 역할을 연기하고 있다. 한 명은 짐 아버지의 가장 친한 친구였다.
다른 한 명은 그가 결혼하고 싶은 소녀의 아버지였다.

Kirk Douglas plays two roles as twin brothers who haven't spoken for years, one of whom was Jim's father's best friend and the other of whom is the father of the girl he wants to marry.

20년 된 불화가 다시 일어난다. 짐이 경품 종마를 풀어주었다는 혐의를 받고 짐과 제시카가 그 한 가운데에 끼어들게 된다.

A 20 year old feud re-erupts catching Jim and Jessica in the middle of it as Jim is accused of letting a prize stallion loose.

〈스노위 맨〉은 밴조 패터슨의 시 '눈 덮인 강에서 온 사나이 The Man from Snowy River'를 바탕으로 한 1982년 호주 서부 드라마 영화이다.

영화에는 해리슨 형제-패터슨의 시에 자주 등장하는 캐릭터-로 커크 더글라스와 클랜시로 스퍼, 잭 톰슨, 짐 크레이그 역으로 톰 벌린슨, 해리슨의 딸 제시카 역으로 시그리드 손튼, 테렌스 도노반이 짐 아버지 헨리 크레이그 역, 크리스 헤이우드가 컬리 역으로 출연하고 있다.

The Man from Snowy River is a 1982 Australian Western drama film based on the Banjo Paterson poem 'The Man from Snowy River'.

The film had a cast including Kirk Douglas in a dual role as the brothers Harrison-a character who appeared frequently in Paterson's poems-and Spur, Jack Thompson as Clancy, Tom Burlinson as Jim Craig, Sigrid Thornton as Harrison's daughter Jessica, Terence Donovan as Jim's father Henry Craig and Chris Haywood as Curly.

버링턴과 손튼은 나중에 월트 디즈니 픽쳐스 Walt Disney Pictures에서 공개한 1988년 속편 〈스노위 맨 2 The Man from Snowy River II〉에서 역할을 다시 수행한다.

Both Burlinson and Thornton later reprised their roles in the 1988 sequel The Man from Snowy River II which was released by Walt Disney Pictures.

2. 〈스노위 맨〉 사운드트랙 리뷰

브루스 로우랜드는 영화와 속편 음악을 작곡한다.

'클랜시 테마'는 죄수 발라드 'Moreton Bay'의 파생물이다.

Bruce Rowland composed the music for both the film and the sequel.
Clancy's theme is a derivative of the convict ballad Moreton Bay.

브루스 로우랜드는 영화 음악을 작곡했으며 앨범 녹음 중에 오케스트라를 지휘하기도 했다. 녹음을 위한 사운드 엔지니어는 로저 샤베지가 맡았다.

Bruce Rowland composed the music for the film, and also conducted the orchestra during the recording of the album.
The sound engineer for the recording was Roger Savage.

〈스노위 맨〉. © Hoyts Distribution

나중에 브루스 로우랜드는 2000년 하계 올림픽 개막식을 위해 '메인 타이틀' 테마의 특별 올림픽 버전을 작곡한다.

Later, Bruce Rowland composed a special Olympics version of the 'Main Title' theme for the 2000 Summer Olympics opening ceremony.

또한, 영화 사운드트랙 'Main Title'과 'Jessica's Theme'은 모두 2002년 뮤지컬 〈스노위 맨 The Man from Snowy River: Arena Spectacular〉 캐스트 앨범 사운드트랙의 일부로 다시 사용된다.

Also, both the 'Main Title' and 'Jessica's Theme' from the film's soundtrack were reprised as part of the cast album soundtrack of the 2002 musical The Man from Snowy River: Arena Spectacular.

영화 〈나폴레옹 다이너마이트〉 포스트 크레디트 장면에 '메인 타이틀'의 모방 선율이 등장하고 있다.

A pastiche of the 'Main Title' appeared in the post-credits scene of Napoleon Dynamite.

3. 〈스노위 맨〉 사운드트랙 해설 - 빌보드

호주 영화음악의 가장 널리 알려진 사례 중 하나는 브루스 로우랜드 작곡의 〈스노위 맨〉(조지 밀러, 1982)의 오케스트라 배경 음악이다.

One of the most widely recognised examples of Australian film music is Bruce Rowland's orchestral score for The Man from Snowy River (George Miller, 1982).

2000년 시드니 올림픽 개막식에서 선보인 이 음악은 다른 상징적인 사운드 트랙 발췌곡-〈크로커다일 던디〉 〈댄싱 히어로〉 및 〈프리실라의 모험〉 등을 포함-과 함께 호주의 소리로 등장했다.

This music featured at the Sydney Olympics opening ceremony in 2000, standing in as the sound of Australia along with other iconic soundtrack excerpts-including Crocodile Dundee, Strictly Ballroom and The Adventures of Pricilla, Queen of the Desert.

이 음악 클립의 초반부-라이더들이 야생 브루비들을 쫓아 덤불 속을 질주하는 장면-에서 우리는 액션을 향상시키면서 말의 발소리를 모방하는 3쌍으로 된 두드러진 오케스트라 현 오스티나토-또는 반복되는 구절-를 듣게 된다.

이 섹션은 메인 테마-금관 악기 연주-와 합쳐지고 있다.

In the early part of this clip-where the riders gallop through the bush in pursuit of the wild brumbies-we hear a prominent orchestral string ostinato-or repeated phrase-in triplets which imitates the horse footfalls while enhancing the action.

This section merges into the main theme-played in brass.

그런 다음 짐 크레이그-톰 버링슨-의 솜씨 좋은 기마술을 보여주는 산비탈을 타고 내려가는 유명한 야생의 경우 음악은 더 희박해지고 거의 조용해진다. 말 발굽 소리는 침구 드론을 강조하고 위험 요소를 강조하는 데 도움이 되고 있다.

Then for the famous wild ride down the hillside-showcasing the skilful horsemanship of Jim Craig (Tom Burlinson)-the music becomes more sparse almost silent.

The sound of horse hooves punctuates a bedding drone and helps to accentuate the element of danger.

짐은 겉보기에는 다치지 않은 것처럼 보이는 언덕 바닥에 도착한다.

채찍을 부러뜨리고 승리의 금관악기와 타악기에 대한 주요 주제의 도입을 촉발하고 있다. 이제 추격이 재개된다.

Once Jim reaches the bottom of the hill seemingly unharmed. he cracks his whip, triggering the introduction of the main theme on triumphant brass and percussion.

The chase now resumes.

말이 눈밭을 만나면 음악은 더 높은 음조와 음색과 색상에서 더욱 미묘해지고 있다. 금관을 대신하는 차임과 같은 금속성 오케스트라 타악기와 피아노로 거의 축제 같은 크리스마스 느낌을 주고 있다.

높은 음역은 고지대 환경과도 잘 어울리는 것 같다.

When the horses encounter a snow pass, the music becomes higher in pitch and more ethereal in tone and colour with piano and metallic orchestral percussion such as chimes taking the place of the brass, giving an almost feative Christmas feel.

The higher register also seems to resonate with the high-altitude environment.

눈이 내리면 호주 고지대 풍경의 전경을 보여주는 황동의 극적인 역동성으로 돌아간다. 장면은 라이더가 멈추는 이미지로 끝난다.

유일한 소리는 그의 채찍이 부서지는 소리뿐이다.

Once off the snow, we return to the dramatic dynamics of brass which help foreground the Australian high country landscape. The scene concludes with an image of the rider coming to a halt, the only sound being the cracking of his stockwhip.

이 시퀀스와 영화 전체에서 발견되는 오케스트라 장치의 유형은 잠재의식, 감정 및 극적인 수준에서 작동하도록 설계된 고전적인 할리우드 구성 및 내러티브 기술을 반영하고 있다.

The types of orchestral devices found in this sequence and throughout the film echo classical Hollywood compositional and narrative techniques designed to function on subliminal, emotional and dramatic levels.

이러한 장치와 미학은 풍경 샷과 액션 시퀀스의 장엄한 품질과 장관을 강조해주고 있다. 전통적인 오케스트레이션과 내러티브 기법의 사용은 또한 영화의 상업적 요구와 국제 관객에게 어필하려는 의도에 대해 말해주고 있다.

These devices and aesthetics empha-
sise the epic quality and spectacle of
landscape shots and action sequences.
The use of traditional orchestration and
narrative techniques also says some-
thing about the film's commercial im-
peratives as well as its intent to appeal
to international audiences.

〈스노위 맨〉. ⓒ Hoyts Distribution

4. 〈스노위 맨〉 사운드트랙 작곡가 브루스 로우랜드 Bruce Rowland 는 누구?

브루스 로우랜드(Bruce Rowland, 1942년 5월 9일 멜버른 출생)는 오스트
레일리아의 작곡가이다. 1982년 영화 〈스노위 맨〉 사운드트랙과 1988년 속편
〈스노위 맨 2〉 사운드트랙을 작곡한다—미국에서는 〈스노위의 귀환〉, 영국에서
는 〈언테임드〉로 각각 개봉.

두 영화 모두 반조 피터슨의 시를 바탕으로 제작되었다.

그의 다른 영화 음악으로는 〈나우 앤 포에버 Now and Forever〉(1983) 〈파
랩 Phar Lap〉(1983) 〈부시파이어 문 Bushfire Moon〉(1987) 〈치타 Chee-
tah〉(1989) 〈케이트와 주말을 Weekend with Kate〉(1990) 〈크로스 미스컨
덕트 Gross Misconduct〉(1993) 〈앙드레 Andre〉(1994) 〈라이트닝 잭
Lightning Jack〉(1994) 〈제우스 앤 록산 Zeus and Roxanne〉(1997) 및 TV
영화 〈타이들 웨이브 Tidal Wave: No Escape〉(1997) 등이 있다.

Bruce Rowland (born 9 May 1942 in Melbourne) is an Australian composer.

He composed the soundtrack for the 1982 movie The Man from Snowy River, as well as the soundtrack for its 1988 sequel The Man from Snowy River II-which has the United States title of Return to Snowy River, and the United Kingdom title of The Untamed. Both films were based on Banjo Paterson's poem The Man from Snowy River.

His other film scores include Now and Forever (1983), Phar Lap (1983), Bushfire Moon (1987), Cheetah (1989), Weekend with Kate (1990), Gross Misconduct (1993), Andre (1994), Lightning Jack (1994), Zeus and Roxanne (1997) and the TV movie Tidal Wave: No Escape (1997).

Track listing

1. Main Title
2. Clancy's Theme
3. Henry Dies / Farewell To Frew
4. Harrison's Homestead / Jim Gets His Horse
5. Mountain Theme
6. The Brumbies
7. Jessica's Sonata
8. Tom Fool's Knot
9. Searching for Jessica
10. Jessica's Theme-Breaking in the Colt
11. The Chase
12. Rosemary Recalls
13. Jim's Ride
14. Jim Brings in the Brumbies
15. Closing Titles

〈스노위맨〉 사운드트랙. ⓒ Festival Records, Varèse Sarabande

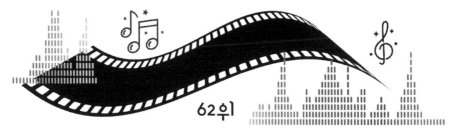

62위

⟨2001 스페이스 오딧세이 2001: A Space Odyssey⟩ (1968) - 유려한 클래식 'The Blue Danube', 인류 근원 찾는 우주여행 선율로 활용

작곡: 요한 스트라우스 2세 Johann Strauss II

스탠리 큐브릭 감독의 인류 근원 탐사를 위한 SF ⟨2001 스페이스 오딧세이⟩. 클래식 명곡을 배경 음악으로 선곡해 신선한 반응을 불러일으킨다. ⓒ Metro-Goldwyn-Mayer

1. <2001 스페이스 오딧세이> 버라이어티 평

검은색 단일체는 인간에게 영향을 미치며 단일체 효과는 두 가지 특정 기간에 초점을 맞추고 있다. 첫 번째 기간은 400만 년 전, 인간이 태어날 때이다. 단일체 출현 이후 유인원들은 이전에 알려지지 않은 행동을 보이기 시작한다. 두 번째 시기는 가까운 미래인 2001년이다.

A black monolith has an affect on humans, the monolith's effects focusing on two specific time periods. The first period is four million years ago at the dawn of man. After the appearance of the monolith, the ape men begin to display behavior unknown before then. The second period is the near future, in the year 2001.

목성 탐사(探査)를 하고 있는 디스커버리 원호에는 5명의 우주인이 탑승하고 있다. 미션 초기에는 5명의 우주비행사들에게 그 이유를 알 수 없었다. 우주 비행사 중 3명은 전체 과정에 걸쳐 인력을 보존하기 위한 임무가 시작될 때 최대 절전 모드에 있다. 임무 사령관 데이브 보우만 박사와 프랭크 풀 박사는 우주선을 관리하는 두 사람으로 남게 된다.

There are five astronauts aboard Discovery One which is on a mission to Jupiter. At the beginning of the mission, the reason for it is unknown to the five astronauts. Three of the astronauts are in hibernation at the start of the mission to preserve the manpower over its entire course leaving mission commander Dr. Dave Bowman and Dr. Frank Poole as the two manning the spacecraft.

기내에는 종종 '6번째' 우주 비행사로 간주되는 HAL 9000-간단히 Hal이라고 함-이 있다. 인공 지능 컴퓨터는 동면중인 3명의 우주 비행사를 살아 있게 유지하는 시스템을 포함하여 우주선의 모든 기능을 제어한다.

There is another what is often considered 'sixth' astronaut on board, HAL 9000-referred to simply as Hal-the artificial intelligent computer which controls all of the craft's functions including the systems keeping the three hibernating astronauts alive.

할은 인공 목소리를 부여 받아 더욱 우주비행사 같은 모습을 하고, 할과 우주 비행사들은 종종 대화를 나눴다. 9000 시리즈 컴퓨터는 오류가 없는 것으로 간주되며 인간이 저지른 모든 오류는 원인이 된다.

Hal is made all the more astronaut-like as it is given an artificial voice.
Hal and the astronauts often having conversations. A 9000 series computer is considered infallible any error one has ever made being human caused.

궁극적으로 보우만과 풀은 할이 오작동하고 있다고 믿고 있다.
할의 행동이 18개월 전 달 전초 기지인 클라비어스에서 발생한 사건에 대한 기밀 정보에 대한 지식 때문이라는 사실을 알지 못한다.

Ultimately, Bowman and Poole believe that Hal is malfunctioning.
they are unaware that Hal's behavior is due to knowledge of classified information it has about events at Clavius, a lunar outpost, eighteen months earlier.

그러나 우주 비행사와 할의 문제는 생존을 위한 싸움이 된다.
그 임무는 전체적으로 인류에게 중대한 결과를 낳게 된다.

However, the issue between the astronauts and Hal becomes a fight for survival.
The mission in its entirety has profound consequences for the human race.

〈2001 스페이스 오딧세이〉는 스탠리 큐브릭이 제작, 감독한 1968년 서사

SF 영화이다. 각본은 큐브릭과 공상과학 소설가 아서 C. 클라크가 썼다.

클라크의 1951년 단편 소설 〈센티넬 The Sentinel〉과 다른 단편 소설에서 영감을 받았다. 클라크는 영화 소설화를 개발한다. 소설은 영화 개봉 후에 공개되었으며 부분적으로는 각본과 동시에 작성되었다.

2001: A Space Odyssey is a 1968 epic science fiction film produced and directed by Stanley Kubrick. The screenplay was written by Kubrick and science fiction author Arthur C. Clarke and was inspired by Clarke's 1951 short story 'The Sentinel' and other short stories by Clarke. Clarke also developed a novelisation of the film which was released after the film's release and in part written concurrently with the screenplay.

〈2001 스페이스 오딧세이〉. ⓒ Metro-Goldwyn-Mayer

영화는 케이르 둘리아, 게리 록우드, 윌리암 실베스터 및 더글라스 레인이 출연하고 있다. 외계인 단일체를 발견한 후 지각 있는 슈퍼컴퓨터 HAL과 함께 목성으로의 항해를 따라가고 있다.

The film stars Keir Dullea, Gary Lockwood, William Sylvester and Douglas Rain and follows a voyage to Jupiter with the sentient supercomputer HAL after the discovery of an alien monolith.

영화는 과학적으로 정확한 우주 비행 묘사, 선구적인 특수 효과 및 모호한 이미지로 유명하다. 큐브릭은 기존의 영화 및 내러티브 기법을 피했다.
대화는 드물게 사용되며 음악만 동반되는 긴 시퀀스가 있다.

The film is noted for its scientifically accurate depiction of space flight, pioneering special effects and ambiguous imagery.
Kubrick avoided conventional cinematic and narrative techniques dialogue is used sparingly and there are long sequences accompanied only by music.

영화는 암울한 묵시록으로 보는 사람들부터 인류의 희망에 대한 낙관적인 재평가로 본 사람들에 이르기까지 다양한 비평가들의 반응을 받게 된다.
비평가들은 실존주의, 인간 진화, 기술, 인공 지능 및 외계 생명체의 가능성과 같은 주제에 대한 탐구에 주목했다.

The film received diverse critical responses, ranging from those who saw it as darkly apocalyptic to those who saw it as an optimistic reappraisal of the hopes of humanity. Critics noted its exploration of themes such as existentialism, human evolution, technology, artificial intelligence and the possibility of extraterrestrial life.

4개 아카데미상 후보에 올랐으며 시각 효과 감독으로 큐브릭 상을 수상했다.
영화는 지금까지 만들어진 영화 중 가장 위대하고 영향력 있는 영화 중 하나로 널리 알려져 있다.

It was nominated for four Academy Awards, winning Kubrick the award for his direction of the visual effects. The film is now widely regarded as one of the greatest and most influential films ever made.

2. 〈2001 스페이스 오딧세이〉 사운드트랙 리뷰

〈2001〉은 연장 된 우주 정거장 도킹과 달 착륙 장면에서 요한 슈트라우스 2
세의 가장 유명한 왈츠 'The Blue Danube'를 사용한 것으로 특히 기억되고
있다. 이것은 큐브릭이 위성의 회전 운동과 왈츠의 댄서 사이에 만든 연관성의
결과이다.

2001 is particularly remembered for using pieces of Johann Strauss II's best-known
waltz, The Blue Danube during the extended space-station docking and Lunar landing
sequences. This is the result of the association that Kubrick made between the spin-
ning motion of the satellites and the dancers of waltzes.

또한 헤르베르트 폰 카라얀이 지휘한 빈 필하모닉이 연주한 리하르트 슈트라
우스의 음조 시 또한 '차라투스트라Zarathustra'의 시작 부분을 활용하고 있다.
스트라우스의 'Zarathustra' 사용은 니체 작품 '차라투스트라는 이렇게 말
했다.'가 인간이 궁극적으로 초월자(Übermensch)로 대체되는 주제에 대한
언급일 수 있다.

It also makes use of the opening from the Richard Strauss tone poem Also sprach
Zarathustra performed by the Vienna Philharmonic conducted by Herbert von
Karajan. The use of Strauss's Zarathustra may be a reference to the theme of man-
kind's eventual replacement by overmen (Übermensch) in Nietzsche's work Thus
Spoke Zarathustra.

아람 카찬투리안 작곡의 〈게이얀 Gayane〉 발레 모음곡 중 'Gayane's
Adagio'는 디스커버리 호에 탑승한 보우만과 풀을 소개하는 섹션에서 들려오
고 있다. 다소 외롭고 애절한 품질을 전달하고 있다.

Gayane's Adagio from Aram Khachaturian's Gayane ballet suite is heard during the sections that introduce Bowman and Poole aboard the Discovery, conveying a somewhat lonely and mournful quality.

두 명의 스트라우스와 카찬투리안의 장엄하면서도 상당히 전통적인 작곡에 더하여 큐브릭은 기오르기 리게티의 매우 현대적인 작곡 4곡을 사용하고 있다. 이들 곡은 천천히 변하는 지속적인 불협화음의 사용인 소대성음(micropolyphony)을 사용하고 있다. 이 기법은 'Atmosphères'에서 개척된 것이다. 영화에서 유일하게 리게티의 전체 곡을 들을 수 있다. 리게티는 큐브릭의 영화를 높이 평가했다. 하지만 큐브릭이 그에게 직접 허가를 받지 못한 것에 짜증을 냈다. 뿐만 아니라 작곡가 요한 스트라우스 2세와 리하르트 스트라우스가 공유한 영화 사운드트랙에 그의 음악이 사용되었다는 사실에 화가 났다고 한다.

In addition to the majestic yet fairly traditional compositions by the two Strausses and Khachaturian, Kubrick used four highly modernistic compositions by György Ligeti that employ micropolyphony, the use of sustained dissonant chords that shift slowly.

This technique was pioneered in Atmosphères, the only Ligeti piece heard in its entirety in the film. Ligeti admired Kubrick's film but in addition to being irritated by Kubrick's failure to obtain permission directly from him.

he was offended that his music was used in a film soundtrack shared by composers Johann Strauss II and Richard Strauss.

HAL의 인기 곡 'Daisy Bell'-HAL은 영화에서 'Daisy'라고 함-버전은 1962년 벨 연구소 머레이 힐 Bell Laboratories Murray Hill에서 아서 C. 클라크가 들은 막스 매튜의 컴퓨터 합성 편곡에서 영감을 받았다고 한다. 우연히 친구이자 동료인 존 R. 피어스를 방문했을 때의 시설이다.

당시 물리학자 존 래리 켈리 주니어가 IBM 704 컴퓨터를 사용하여 음성을 합성하는 음성 합성 시연을 하고 있었다고 한다.

HAL's version of the popular song 'Daisy Bell'-Referred to by HAL as 'Daisy' in the

⟨2001 스페이스 오딧세이⟩. ⓒ Metro-Goldwyn-Mayer

film-was inspired by a computer-synthesized arrangement by Max Mathews which Arthur C. Clarke had heard in 1962 at the Bell Laboratories Murray Hill facility when he was, coincidentally, visiting friend and colleague John R. Pierce.

At that time, a speech synthesis demonstration was being performed by physicist John Larry Kelly Jr by using an IBM 704 computer to synthesize speech.

켈리의 보이스 레코더 신세사이저 보코더는 노래 'Daisy Bell'(Bicycle Built For Two)을 재창조한다. 막스 매튜는 음악 반주를 제공한다. 아서 C. 클라크는 매우 감명을 받아 나중에 각본과 소설에서 그것을 사용했다고 한다.

Kelly's voice recorder synthesizer vocoder recreated the song 'Daisy Bell' (Bicycle Built For Two). Max Mathews provided the musical accompaniment. Arthur C. Clarke was so impressed that he later used it in the screenplay and novel.

영화의 많은 비영어 버전은 'Daisy'라는 노래를 사용하지 않고 있다.

프랑스 사운드트랙에서 HAL은 연결이 끊긴 상태에서 프랑스 민요 'Au clair de la lune'를 부르고 있다.

독일어 버전에서 HAL은 동요 'Hänschen klein'(Little Johnny)을 부르고,

이태리 버전에서 HAL은 'Giro giro tondo'(Ring a Ring o Roses)를 부른다.

Many non-English language versions of the film do not use the song 'Daisy'.
In the French soundtrack, HAL sings the French folk song 'Au clair de la lune' while being disconnected.
In the German version, HAL sings the children's song 'Hänschen klein'(Little Johnny) and in the Italian version HAL sings 'Giro giro tondo' (Ring a Ring o Roses).

영국의 경음악 작곡가 시드니 토치의 'Off Beat Moods Part 1' 녹음은 디스커버리호에서 본 가상의 BBC 뉴스 프로그램 '월드 투나잇 The World Tonight' 주제로 큐브릭에 의해 선택된다.

A recording of British light music composer Sidney Torch's 'Off Beat Moods Part 1' was chosen by Kubrick as the theme for the fictitious BBC news programme 'The World Tonight' seen aboard the Discovery.

2010년 6월 25일. 음악 사운드트랙 없이 워너 브라더스가 특별히 리마스터한 영화 버전이 영국 영화 연구소(British Film Institute)와 협력하여 사우스뱅크 센터에서 왕립 학회 350주년 기념행사를 진행한다.
악보는 필하모니아 오케스트라와 합창단이 라이브로 연주한다.

On June 25, 2010. a version of the film specially remastered by Warner Bros without the music soundtrack opened the three hundred and fiftieth anniversary celebrations of the Royal Society at Southbank Centre in cooperation with the British Film Institute. The score was played live by the Philharmonia Orchestra and Choir.

이것은 사우스뱅크 센터 로열 페스티벌 홀에서 반복되는 이벤트가 되었다.
2011년과 2016년 10월 2일에 반복 연주되었다. 나중에 이 두 공연은 런던

필하모닉 오케스트라가 연주하고 필하모니아 합창단이 불렀다. 'Film Scores Live'라는 제목의 유사한 이벤트의 보다 일반적인 프로그램이다.

This has become a recurring event at the Southbank Centre's Royal Festival Hall with repeat performances in 2011 and on October 2, 2016.

These later two performances were played by the London Philharmonic Orchestra and sung by the Philharmonia Choir, the latter as part of a more general programme of similar events entitled 'Film Scores Live'

1966년 3월, MGM은 〈2001 스페이스 오딧세이〉 진행 상황에 대해 우려하게 된다. 큐브릭은 클래식 녹음의 임시 사운드트랙에 대한 장면의 쇼 릴을 만들었다. 스튜디오 보스는 결과에 만족했고 큐브릭은 '가이드 조각'을 최종 음악 사운드트랙으로 사용하기로 결정한다. 노스의 스코어는 포기하게 된다.

In March 1966, MGM became concerned about 2001's progress and Kubrick put together a show reel of footage to the ad hoc soundtrack of classical recordings.

The studio bosses were delighted with the results and Kubrick decided to use these 'guide pieces' as the final musical soundtrack and he abandoned North's score.

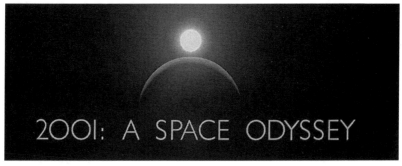

〈2001 스페이스 오딧세이〉. © Metro-Goldwyn-Mayer

마이클 시멘트와의 인터뷰에서 큐브릭은 다음과 같이 설명했다

In an interview with Michel Ciment, Kubrick explained

'우리 최고의 영화 작곡가가 아무리 훌륭해도 베토벤, 모차르트, 브람스가 아니다. 과거와 우리 시대의 훌륭한 오케스트라 음악이 이렇게 많이 있는데 왜 덜 좋은 음악을 사용하는가? 영화를 편집할 때 다양한 음악을 시도하여 장면에서 어떻게 작동하는지 확인할 수 있는 것은 매우 도움이 된다. 글쎄, 조금만 더 주의하고 생각하면 이 임시 트랙이 최종 스코어가 될 수 있다.'

'However good our best film composers may be they are not a Beethoven, a Mozart or a Brahms. Why use music which is less good when there is such a multitude of great orchestral music available from the past and from our own time?

When you are editing a film. it's very helpful to be able to try out different pieces of music to see how they work with the scene. Well, with a little more care and thought, these temporary tracks can become the final score'

엔딩 음악 크레디트에는 'Also Sprach Zarathustra' 지휘자와 오케스트라가 나와 있지 않다. 스탠리 큐브릭은 영화 사운드트랙으로 영국식 데카의 헤르베르트 폰 카라얀/ 비엔나 필하모닉 버전을 원했다.

하지만 데카 경영진은 영화와 관련하여 녹음을 '저렴하게' 하는 것을 원하지 않았기 때문에 지휘자와 오케스트라가 참여하지 않는다는 조건으로 허가한다.

The end music credits do not list a conductor and orchestra for 'Also Sprach Zarathustra'. Stanley Kubrick wanted the Herbert von Karajan/ Vienna Philharmonic version on English Decca for the film's soundtrack but Decca executives did not want their recording 'cheapened' by association with the movie and so gave permission on the condition that the conductor and orchestra were not named.

영화가 성공적으로 개봉된 후 데카는 앨범 표지에 인쇄된 'As Heard in 2001' 플래그를 사용하여 녹음을 다시 공개함으로써 실수를 시정하려고 한다.

존 컬쇼는 'Putting the Record Straight'(1981)에서 이 사건을 자세히 설명하고 있다.

한편, MGM은 '공식 사운드트랙' L.P를 폰 카라얀 버전을 대체하여 칼 뵘의 베를린 필하모닉의 'Also Sprach Zarathustra'로 조심스럽게 발표한다.

After the movie's successful release Decca tried to rectify its blunder by re-releasing the recording with an 'As Heard in 2001' flag printed on the album cover. John Culshaw recounts the incident in 'Putting the Record Straight'(1981). in the meantime, MGM released the 'official soundtrack' L.P with Karl Böhm's Berlin Philharmonic 'Also Sprach Zarathustra' discreetly substituting for von Karajan's version.

* 〈2001 스페이스 오딧세이〉 사운드트랙 목록은 13위 〈2001 스페이스 오딧세이 2001: A Space Odyssey〉 참조.

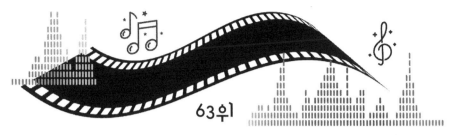

63위

<코야니콰시 Koyaanisqatsi> <파와쿼시 Powaqqatsi>
<나코콰시 Naqoyqatsi>(1982, 1988, 2002) -
필립 글래스가 펼쳐주는 미니멀 리듬의 진수(眞髓)

작곡: 필립 글래스 Philip Glass

필립 글래스가 실험적 영화 음악을 시도했던 <코야니콰시> <파와쿼시> <나코콰시>. ⓒ Island Alive, New Cinema

1. 〈코야니콰시〉 버라이어티 평

〈코야니콰시〉는 '코야니콰시: 라이프 아웃 오브 밸런스 Koyaanisqatsi: Life Out of Balance'로 알려진 1982년 미국의 실험적인 비내러티브 영화이다.

가프리 레지오가 제작하고 감독했다.

음악은 필립 글래스가 작곡하고 론 프릭크가 촬영했다.

Koyaanisqatsi also known as Koyaanisqatsi: Life Out of Balance is a 1982 American experimental non-narrative film produced and directed by Godfrey Reggio with music composed by Philip Glass and cinematography by Ron Fricke.

영화는 주로 미국 전역 도시와 많은 자연 경관의 슬로우 모션 및 타임랩스 영상으로 구성되고 있다.

시각적 톤 시는 대화나 음성 나레이션을 포함하지 않고 있다.

그 톤은 이미지와 음악의 병치에 의해 설정되고 있다.

The film consists primarily of slow motion and time-lapse footage of cities and many natural landscapes across the United States.

The visual tone poem contains neither dialogue nor a vocalized narration.

it's tone is set by the juxtaposition of images and music.

레지오는 '이 영화에 말이 없는 것은 언어에 대한 사랑이 없어서가 아니다. 내 관점에서 볼 때 우리의 언어는 엄청난 굴욕의 상태에 있기 때문이다. 그것은 더 이상 세상을 묘사하지 않는다. 우리가 살고 있는 곳이다.'

호피 언어로 '코야니콰시 koyaanisqatsi'라는 단어는 '균형이 없는 삶'을 의미하고 있다.

Reggio explained the lack of dialogue by stating 'it's not for lack of love of the language that these films have no words. It's because from my point of view, our language is in a state of vast humiliation. It no longer describes the world in which we live'. In the Hopi language, the word koyaanisqatsi means 'life out of balance'

영화는 〈콰시 Qatsi〉 영화 3부작의 첫 번째 작품이다.
〈파와콰시 Powaqqatsi〉(1988)와 〈나코콰시 Naqoyqatsi〉(2002)가 그 뒤를 이었다.
3부작은 인간, 자연 및 기술 간의 관계의 다양한 측면을 묘사하고 있다.
〈코야니콰시〉는 3부작 중 가장 잘 알려져 있다. 컬트영화로 간주되고 있다.

The film is the first in the Qatsi film trilogy.
it is succeeded by Powaqqatsi (1988) and Naqoyqatsi (2002). The trilogy depicts different aspects of the relationship between humans, nature and technology.
Koyaanisqatsi is the best known of the trilogy and is considered a cult film.

그러나 저작권 문제로 인해 이 영화는 1990년대 대부분 절판되었다.
2000년에 이 영화는 '문화적으로, 미학적으로, 또는 역사적으로 중요하다고 미 의회 도서관에 의해 미국 국립 영화 등록부(United States National Film Registry) 보존 대상으로 선정된다.

However, because of copyright issues, the film was out of print for most of the 1990s.
In 2000, the film was selected for preservation in the United States National Film Registry by the Library of Congress for being 'culturally, aesthetically or historically significant'.

2. 〈코야니콰시〉 사운드트랙 리뷰

영화 음악은 필립 글래스가 작곡했다.
마이클 리즈만이 지휘하는 필립 글래스 앙상블이 연주했다.

The film's score was composed by Philip Glass and was performed by the Philip Glass Ensemble, conducted by Michael Riesman.

영화 사운드트랙의 축약된 버전은 1983년 아일랜드 레코드에게 출반한다.
영화 음악의 분량이 거의 영화 자체만큼 길었음에도 불구하고 이 1983년 사운드트랙 발매는 46분에 불과했다. 영화 일부만 선보였습니다.

An abbreviated version of the film's soundtrack was released in 1983 by Island Records. Despite the fact that the amount of music in the film was nearly as long as the film itself. this 1983 soundtrack release was only 46 minutes long and only featured some of the film's pieces.

1998년 필립 글래스는 논서치 레코드를 통해 73분 길이의 영화 음악을 다시 녹음한다.

새로운 녹음에는 영화에서 잘라낸 새로운 추가 트랙과 원본 앨범 트랙의 확장 버전이 포함되고 있다.

이 앨범은 영화 사운드트랙이 아니라 〈코야니콰시〉로 발매된다.

〈코야니콰시〉〈파와쿼시〉〈나코콰시〉는 '콰시 3부작'으로 평가받고 있다. ⓒ Island Alive, New Cinema

In 1998, Philip Glass re-recorded the film score with Nonesuch Records with a length of 73 minutes. This new recording includes new additional tracks that was cut from the from the film as well as extended versions of tracks from the original album. This album was released as Koyaanisqatsi rather than a soundtrack to the film.

2009년 필립 글래스의 자체 음악 레이블 오렌지 마운틴 뮤직에서는 '코야니 콰시: 사운드트랙 Koyaanisqatsi: Complete Original Soundtrack'으로 리마스터링 된 앨범이 출반된다. 76분이 넘는 이 녹음에는 원본 음향 효과와 영화에 사용된 추가 음악이 포함되어 있다.

In 2009, a remastered album was released under Philip Glass own music label, Orange Mountain Music, as Koyaanisqatsi: Complete Original Soundtrack.
This recording with a length over 76 minutes includes the original sound-effects and additional music that was used in the film.

오프닝 'The Grid'는 금관 악기의 느린 지속 음으로 시작되고 있다. 음악은 작품의 21분 동안 속도와 역동성을 구축하고 있다. 곡이 가장 빠를 때 곡의 베이스 라인 오스티나토를 연주하는 신세사이저가 특징이다.

The opening for 'The Grid' begins with slow sustained notes on brass instruments.
The music builds in speed and dynamics throughout the piece's 21 minutes.
When the piece is at its fastest.
it is characterized by a synthesizer playing the piece's bass line ostinato.

영화를 위한 글래스의 음악은 많이 반복되는 그림, 단순한 구조 및 음색-단어 의 전통적인 관습적 의미는 아니지만-조화 언어가 특징인 미니멀리스트 구성 연구의 매우 잘 알려진 사례가 되고 있다.

Glass's music for the film is a highly recognizable example of the minimalist school of composition which is characterized by heavily repeated figures, simple structures and a tonal-although not in the traditional common practice sense of the word-harmonic language.

글래스는 영화 작곡법에 미니멀리즘을 도입한 최초의 작곡가 중 한 명이다. 이러한 스타일의 미래 작곡가를 위한 길을 닦아 주게 된다.

Glass was one of the first composers to employ minimalism in film scoring, paving the way for many future composers of that style.

영화 〈파카데스 Façades〉를 위해 쓰여진 한 작품은 뉴욕 월스트리트 장면을 몽타주로 재생하도록 의도 되었다. 그것은 궁극적으로 영화에서 사용되지 않았다. 글래스는 1982년 앨범 'Glassworks'의 일부로 이를 출반한다.

One piece written for the film 'Façades' was intended to be played over a montage of scenes from New York's Wall Street. It ultimately was not used in the film. Glass released it as part of his album Glassworks in 1982.

그 음악은 너무나 유명해 져서 필립 글래스 앙상블이 전 세계를 순회하며 〈코야니콰시 Koyaanisqatsi〉 음악을 영화 스크린 앞에서 라이브로 연주해준다.

The music has become so popular that the Philip Glass Ensemble has toured the world, playing the music for Koyaanisqatsi live in front of the movie screen.

3. 〈코야니콰시〉 사운드트랙 해설 - 빌보드

필립 글래스 악보에서 'koyaanisqatsi'라는 단어는 엄숙한 4마디 오르간 파사칼리아를 통해 가수 알버트 드 루이터의 '다른 세상', 어둡고 무덤이 있는 바소 프로폰도에서 영화 시작과 끝에서 읊어지고 있다. 'Prophecies' 악장 후반부에 합창 앙상블이 부른 3개의 호피 예언은 엔딩 크레디트 직전에 옮겨지게 된다.

In the score by Philip Glass, the word 'koyaanisqatsi' is chanted at the beginning and end of the film in an 'otherworldly' dark, sepulchral basso profondo by singer Albert de Ruiter over a solemn, four-bar organ-passacaglia bassline.

Three Hopi prophecies sung by a choral ensemble during the latter part of the 'Prophecies' movement are translated just prior to the end credits:

필립 글래스의 실험적 음악이 청각을 자극시켜 주고 있는 〈코야니콰시〉.
© Island Alive, New Cinema

마지막 제목 동안 영화는 자크 엘울, 이반 일리치, 데이비드 모논계, 가이 드보드 및 레오폴드 코에게 영감을 주는 크레디트를 제공하고 있다.

또한 감독의 컨설턴트 중에는 제프리 루, T. A. 프라이스, 벨 카펜터, 시벨 카펜터, 랭돈 위너, 바바라 피카리치 등의 이름이 나열되어 있다.

During the end titles, the film gives Jacques Ellul, Ivan Illich, David Monongye, Guy Debord and Leopold Kohr credit for inspiration. Moreover amongst the consultants to the director are listed names including Jeffrey Lew, T. A. Price, Belle Carpenter, Cybelle Carpenter, Langdon Winner and Barbara Pecarich.

4. ⟨콰시 3부작 The Qatsi trilogy⟩

⟨콰시 3부작⟩은 가프리 레지오가 제작하고 필립 글래스가 작곡을 담당한 비내러티브 영화 시리즈에 부여된 비공식적인 명칭이다.

The Qatsi trilogy is the informal name given to a series of non-narrative films produced by Godfrey Reggio and scored by Philip Glass:

시리즈는 ⟨코야니스콰시: 라이프 아웃 오브 밸런스 Koyaanisqatsi: Life Out of Balance⟩(1982) ⟨파워콰시: 라이프 인 트랜스포메이션 Powaqqatsi: Life in Transformation⟩(1988) ⟨나코콰시: 전쟁 같은 인생 Naqoyqatsi: Life as War⟩(2002) 등으로 구성됐다.

3편의 영화 제목은 모두 호피어에서 온 단어로 '콰시 qatsi'라는 단어는 '인생'으로 번역되고 있다. 시리즈는 '펀드 포 체인지 Fund for Change'를 창설한 '지역 교육을 위한 연구소 Institute for Regional Education'에서 제작했다.

The titles of all three motion pictures are words from the Hopi language in which the word qatsi translates to 'life'. The series was produced by the Institute for Regional Education who also created the Fund for Change.

5. ⟨코야니스콰시⟩ 영화 및 사운드트랙이 끼친 영향 및 사례들

- ⟨코야니스콰시⟩ 영화 클립은 2016년 영화 ⟨20 세기 여성⟩에 등장하고 있다.

- 2009년 영화 〈워치맨 Watchmen〉에서 'Prophecies'와 'Pruit Igoe' 악보는 몽타주와 함께 캐릭터 닥터 맨하탄 Doctor Manhattan의 기원 이야기를 들려 주고 있다.

- 노이즈 록 밴드 카우 Cows는 1987년 데뷔 앨범 'Taint Pluribus Taint Unum' 에서 타이틀 트랙 'Koyaanisqatsi' 버전을 커버해 주고 있다.

- 〈코야니스콰시〉는 라멜 로스 RaMell Ross 감독의 2018년 오스카상 후보에 오른 다큐멘터리 〈헤일 컨트리 디스 모닝, 디스 이브닝 Hale County This Morning, This Evening〉에 영감을 주었다.

- 팝 가수 마돈나 Madonna 노래 'Ray of Light' 뮤직 비디오는 〈코야니스콰시〉 중 'Grid' 장면에서 영향을 받고 제작됐다.

6. 〈코야니스콰시〉 제작 에피소드

호피 Hopi 언어에서 가져온 'Koyaanisqatsi'는 '미친 삶' 또는 '균형을 잃은 삶'을 나타내고 있다. 1983년 개봉 이후 85분 길이의 영화는 전 세계 예술제와 공연 예술 센터에서 수많은 라이브 공연을 통해 컬트 추종자들을 집결시킨다. 레지오와 함께 영화 음악을 작업한 작곡가 필립 글래스는 'Koyaanisqatsi' 에 대해 '강력면에서 전례가 없는 영화와 음악의 콜라보레이션'이라고 말했다.

Taken from the Hopi language 'Koyaanisqatsi' indicates a 'crazy life' or 'life out of balance'. Since its release in 1983, this 85-minute film has gained a cult following through its numerous live performances at arts festivals and performing arts centers around the world. Composer Philip Glass, who worked with Reggio on the film's music has said that 'Koyaanisqatsi is a collaboration of film and music that is unprecedented in its intensity'

'Koyaanisqatsi' 및 '콰시 qatsi 3부작'의 다른 영화에 대한 영감은 레지오의 흥미로운 과거에 뿌리를 두고 있다. 뉴 올리안스에서 태어난 그는 14세 나이에 로마 카톨릭 수도회에 입회하게 된다. 그곳에서의 경험은 그로 하여금 도시의 젊은이들과 가르치는 일에 참여하도록 격려하게 된다.

Inspiration for 'Koyaanisqatsi' and the other films in the 'qatsi trilogy' take root in Reggio's intriguing past. Born in New Orleans, he entered the Roman Catholic order of the Christian Brothers at the age of 14. His experiences there encouraged him to get involved with urban youth and teaching.

1960년대에 그는 뉴 멕시코에서 초등학교, 중등학교, 대학 교육을 받는다. 1963년에는 거리 갱단을 지원하는 지역 사회 조직 프로젝트 영 시티즌 포 액션 Young Citizens for Action을 공동 설립한다. 그러나 레지오가 처음으로 영화에 관심을 갖게 된 곳은 멕시코시티였다. 그는 '영화가 나와 다른 사람들에게 미친 영향에 감동했다. 영화를 직접 추구하게 된 계기가 되었다.'고 말한다.

In the 1960s he taught grade school, secondary school and college in New Mexico and in 1963, he co-founded the Young Citizens for Action, a community organization project that aided street gangs. It was in Mexico City, however that Reggio first became interested in film. 'I was moved by the effect that film had on me and other people' he said. 'It moved me to pursue film myself'

'콰시' 시리즈의 각 영화는 '세계화'라는 더 넓은 주제를 제안하기 위해 서로 연결되는 다른 주제를 탐구하고 있다. 'Koyaaniqatsi'는 북반구의 기술과 도시 생활 간의 충돌에 초점을 맞추고 있다. 레지오는 이 영화의 자연 환경을 관객이 '자연'이라고 생각하는 것이 아니라 자동차 교통으로 묘사하고 있다.

Each film in the 'qatsi' series explores a different theme that connects with one another to suggest a broader theme of 'globalization'.
'Koyaaniqatsi' featured focuses on the collision between technology and urban life in the Northern hemisphere. Reggio describes the natural environment in this film to be automobile traffic, rather than what the audience would consider to be 'nature'

두 번째 영화 〈파와콰시 Powaqqatsi〉는 남반구에 초점을 맞추고 있다.

레지오는 그곳에서 북부의 산업화에 의해 수제 문화가 계승되고 있다고 말한다.

〈코야니콰시〉. ⓒ Island Alive, New Cinema

마지막으로 〈나콰콰시 Naquoyqatsi〉는 처음 두 영화를 하나로 묶고 있다. '그것은 다양성으로 뭉쳐진 지평선 없는 세상을 상상하고 있다.'라고 레지오는 말해주고 있다.

The second film 'Powaqqatsi' focuses on the Southern hemisphere. There, Reggio says, the handmade cultures are being taken over by industrialization in the North. Finally 'Naquoyqatsi' ties the first two films together. 'It envisions a horizonless world a world which is held together by diversity' said Reggio.

기계화, 도시화 및 기술이라는 광범위한 주제를 제외하고 각 영화에는 언어, 줄거리 또는 배우가 포함되어 있지 않다. 레지오에 따르면 이 기술은 영화에 비전통적인 다큐멘터리 특성을 부여한다. '콰시 3부작' 영화는 대화나 단어를 강조하는 대신 이미지를 사용하여 단어를 나타내고 있다.

'그림이 천 마디 말을 하는 것과 같다.'고 레지오가 말한다.

'이제 1,000 장의 사진이 한 단어를 말한다.'

Aside from broad themes of mechanization, urbanization and technology each film also contains no language, plot or actors. According to Reggio, this technique gives the films the character of a non-traditional documentary. Instead of putting an emphasis on dialogue or words, the films in the 'qatsi trilogy' use images to reveal words.

'It's like using the old saying that a picture speaks a thousand words'.

Reggio said 'Now a thousand pictures speak one word'

레지오는 또한 자신의 영화 경험을 IMAX 영화에 비유하고 있다. 그는 당신이 언제라도 그곳으로 걸어 들어가 그 이미지에 몰입할 수 있다고 말한다.

'화면은 실제 크기보다 심리적으로 훨씬 더 크다.'라고 그는 말하고 있다.

Reggio also likens the experience of his films to an IMAX film.

He says you can walk into it at any time and feel absorbed by the imagery.

'The screen is psychologically much bigger than its actual size' he said.

레지오 영화 핵심은 필립 글래스(Philip Glass) 음악이다.

이것은 전체 관람 경험의 일부가 되었다.

말이 필요 없이 음악은 영화의 전면에 나타나 액션의 일부가 되고 있다.

'Koyaaniqatsi' 음악은 매우 아름답다.'라고 필립 글래스 앙상블 멤버 중 한 명인 존 깁슨이 말하고 있다.

'이 작품을 발표하는데 아주 좋은 역할을 하고 있다.'

As the heart of Reggio's films is Philip Glass's music which has become part and parcel of the entire viewing experience. Without words, the music comes to the foreground of the film and becomes part of the action. 'The music to Koyaaniqatsi is quite beautiful' said John Gibson, one of the Philip Glass ensemble members.

'It does a very good job in presenting this work'

Track listing

1. Koyaanisqatsi
2. Vessels
3. Cloudscape
4. Pruitt Igoe
5. The Grid
6. Prophecies

〈코야니스콰시〉 사운드트랙. ⓒ Antilles/Island

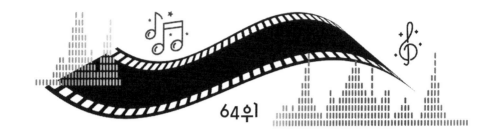

〈야성의 엘자 Born Free〉(1966) - 존 배리의 웅장한 현악 선율에 담겨진 아프리카 사자와 인간의 교류

작곡: 존 배리 John Barry

인간과 야생 동물 간의 끈끈한 교류를 묘사해 공감을 받은 〈야성의 엘자〉. 존 배리 배경 음악이 감동의 깊이를 더해 주는데 일조한다. ⓒ Columbia Pictures

1. 〈야성의 엘자〉 버라이어티 평

〈야성의 엘자〉는 1966년 영국 드라마 영화이다.

실제 부부 버지니아 맥케나와 빌 트래버스가 조이로, 그리고 또 다른 실생활 부부인 조지 아담슨이 있다. 이들 부부는 새끼 사자인 고아 엘자를 성인으로 키우고 케냐의 광야로 풀어 주었다.

Born Free is a 1966 British drama film starring the real-life couple Virginia McKenna and Bill Travers as Joy and George Adamson, another real-life couple who raised Elsa the Lioness an orphaned lion cub to adulthood and released her into the wilderness of Kenya.

블랙리스트에 오른 할리우드 작가 레스터 콜-제랄드 L.C. 캅레이-이 쓴 각본은 조이 아담슨의 1960년 논픽션 책 〈야성의 엘자〉를 기반으로 했다.

영화는 제임스 힐이 감독하고 샘 제프와 폴 라딘이 제작했다. 'Born Free'와 존 배리의 배경 음악은 수많은 상을 수상한다.

비록 영화는 역사적으로 정확하지는 않다.

타이틀곡은 돈 블랙이 가사를 쓰고 맷 몬로가 불러주었다.

The screenplay written by blacklisted Hollywood writer Lester Cole-under the pseudonym Gerald L.C. Copley- was based upon Joy Adamson's 1960 non-fiction book Born Free. The film was directed by James Hill and produced by Sam Jaffe and Paul Radin.

Born Free and it's musical score by John Barry won numerous awards as well as the title song with lyrics by Don Black and sung by Matt Monro although the film is not historically accurate.

2. <야성의 엘자> 사운드트랙 해설 리뷰

존 배리는 영화 촬영을 위해 고용되었다. 하지만 즉시 힐 감독의 비전과 창의적인 차이에 직면하게 된다. 힐은 그의 영화를 장엄한 이야기로 보았다.

배리에게 웅장하고 포괄적이며 장대한 사운드 스케이프를 제공하도록 지시한다. 하지만 배리는 영화를 이런 식으로 해석하지 않고 이야기를 친밀한 가족 중심의 드라마로 보았다. 따라서 그는 영화 감수성이 거의 디즈니와 비슷하고 따뜻하고 친밀하며 장난스럽고 어린애 같은 방식으로 영화 배경 음악을 만들어 낸다. 이것은 집요한 힐과 많은 원한을 불러일으키게 된다. 그의 완고함으로 잘 알려진 배리는 그의 뜻을 굽히지 않았다. 프로듀서 칼 포어맨이 배리의 접근 방식에 개입하고 지원했을 때 힐과의 관계는 깨지고 회복할 수 없게 된다.

John Barry was hired to score the film, but immediately encountered creative differences with Director Hill's vision. Hill saw his film as a magnificent tale and so instructed Barry to provide a grand, sweeping and grandiose soundscape. Barry however did not interpret the film in this manner, instead seeing the story as an intimate family driven drama. He therefore scored the film in a manner that was almost Disney-like in its sensibilities, warm, intimate, playful and child-like. This brought about much rancor with Hill who was insistent, yet Barry who was well known for his stubbornness, would not bend to his will. When producer Carl Foreman intervened and supported Barry with his approach, the relationship with Hill became fractured and unsalvageable.

배리는 수많은 장면에서 존재감을 드러내는 'Born Free Theme'라는 하나의 주요 정체성으로 영화를 뒷받침하기로 결정한다. 주제는 그의 가장 훌륭한 것 중 하나이며 영화 음악 예술에서 상징적 주제가 된다. 노래 형식-돈 블랙이 작사-에서 전 세계 아티스트의 600개 이상의 녹음으로 주제가 전설로 전달된다.

메인타이틀은 고귀한 전령 뿔과 대위법 타악기 선이 있는 소용돌이치는 현으로 가장 웅장한 표현을 보여주고 있다.

〈야성의 엘자〉. © Columbia Pictures

배리는 또한 영화의 설정을 지원하는 데 필요한 민족적 색상을 제공하기 위해 여러 아프리카 원주민 악기를 통합한다. 태평한 놀이 테마는 어린아이 같은 감성으로 목관 악기와 실로폰이 전하는 보글보글 시냇물처럼 흐르고 있다.

Barry chose to underpin the film with one primary identity, the Born Free Theme whose presence is manifest in countless scenes. The theme is one of his finest and one that has become iconic in film score art. In its song form-lyrics by Don Black-is where the theme has passed unto legend with over 600 recordings by artists from around the world. The Main Title presents its grandest articulation with heraldic horns nobile and swirling strings with a contrapuntal percussive line. Barry also incorporated several African nativist instruments so as to provide the ethnic colors necessary to support the film's setting. The carefree Play Theme has a child-like sensibility and flows like a bubbling stream carried by woodwinds and xylophone.

B 프레이즈는 코믹하고 장난스럽게 부조화를 일으키며 새끼 놀이에서 태어난 혼란을 완벽하게 포착해 주고 있다. 주목할 가치가 있는 것은 'Born Free'가 배리에게 2개의 오스카상-작곡 상과 주제가상을 제공했다는 것이다. 이것은 영국인이 처음으로 동시에 수상한 것이다.

It's B Phrase is comic and playfully discordant fully capturing the havoc born of the cubs play. Worth noting is that 'Born Free' provided Barry with his first two Oscar wins, Best Original Score and Best Original Song.

the first time an Englishman had won the simultaneously.

'Main Title-Born Free'는 배경 음악의 하이라이트이다. 원주민 드럼 악센트로 장식된 'Born Free 테마' 위에서 웅장하게 시작되고 있다.

컬럼비아 로고로 시작하여 광활한 케냐 사바나 풍경과 토착 야생 생물의 놀라운 장면이 펼쳐지는 오프닝 크레디트를 지원해 주고 있다.

이 주제는 가장 순수한 형태의 오케스트라를 위한 단어가 없는 노래이다.

호른의 따뜻함과 고귀함이 휘젓고 초대하고 있다.

현이 앞쪽으로 움직일 때 우리는 상징적인 멜로디에 대한 배리의 최고의 선물을 목격하게 된다.

우리가 판단한 이 멜로디는 영화의 감정적 핵심을 완벽하게 포착해 주고 있다.

'The Hunt'는 음소거 된 프렌치 호른, 현, 이방인 목관 악기로 메인 테마를 제공하고 있다. 조이가 아름다운 연못 옆에 그림을 그리기 위해 이젤을 세팅하는 것을 볼 수 있다.

'Main Title-Born Free' is the score's highlight and opens grandly atop the Born Free Theme which is adorned with nativist drum accents. It begins with the Columbia logo and supports the roll of the opening credits over a panorama of the vast Kenyan savannah vistas with wondrous scenes of native wild life.

This theme, in its purest form is really a wordless song for orchestra.

The warmth and nobility of the horns both stir and invite and when the strings move to the forefront we bear witness to Barry's supreme gift for iconic melody. This melody in our judgment perfectly captures the film's emotional core.

'The Hunt' offers the Main Theme with muted French horns, strings and gentile woodwinds as we see Joy setting up her easel to paint aside a beautiful pond.

우리는 사파리에서 식인 사자를 사냥하는 조지로 장면을 전환하고 배리는 반복되는 경적 카운터와 불안한 실로폰 악센트와 드럼으로 긴장감을 조성해 주고 있다. 날카로운 혼 악기 선언은 우리에게 수컷 사자와 암컷 사자의 총격 사건에 대해 알려주게 된다.

이 여러 장면의 단서는 영화의 내러티브를 완벽하게 뒷받침해 주고 있다.

We shift scenes to George who is on safari hunting for a man-eating lion and Barry builds tension with repeating horn counters and unsettling xylophone accents and drums. Sharp horn declarations inform us of the shooting of both the male and then female lions. This multi-scenic cue perfectly supported the film's narrative.

'Feeding Time'은 훈훈한 선곡을 선사해 주고 있다.

조이와 조지가 새끼들이 먹을 분유를 찾기 위해 고군분투하는 동안 우리는 메인 테마의 부드러운 표현을 제공하는 현악기로 시작하게 된다.

결국 공식 17은 엘자를 유인하고 새끼들을 위해 하루를 구하게 된다.

'Elsa at Play'는 배리가 메인 테마와 상호 작용하는 자신의 플레이 테마를 소개하는 악보 하이라이트이다.

우리는 엘자가 놀고 그녀의 새 집을 탐험하는 확장된 몽타주를 보게 된다.

그리고 나서 새끼들 놀이로 인한 모험과 혼란을 보게 된다.

엘자가 탐색하고 그녀의 형제자매들과 연주하는 것을 볼 때 경이로운 현악 지오코소 giocoso는 우리를 메인 테마 상단으로 안내해 주고 있다.

혼 브리지는 우리를 주요 테마로 돌아가기 전에 새끼들이 우스꽝스럽게 노는 것처럼 놀이 테마의 완전한 렌더링으로 이끌어내고 있다.

'Feeding Time' provides a heart-warming cue. We open with strings doloroso offering tender phrasing of the Main Theme as Joy and George struggle to find a milk formula that the cubs will eat. Eventually formula 17 entices Elsa and saves the day for the cubs. 'Elsa at Play' is a score highlight where Barry introduces his Play Theme which interplays with the Main Theme. We see an extended montage of Elsa playing and exploring her new home, and then the adventures and havoc caused by the cubs play. Wondrous strings giocoso carry us atop the Main Theme as we see Elsa explore and then playing with her siblings playing. horn bridge leads us into a full rendering of the Play Theme as the cubs play comically before returning to the Main Theme.

〈야성의 엘자〉. ⓒ Columbia Pictures

이것은 기쁨, 행복 및 장난기 가득한 재미로 가득 찬 멋진 확장 선곡이다. 배리는 영화 내러티브를 완벽하게 포착해 우리의 마음을 따뜻하게 해준다.

This is a wonderful extended cue which abounds with joy happiness and playful fun! Barry perfectly captured the film's narrative and warms our hearts.

'Playtime'은 새끼 고양이가 집에 침입하여 모두가 그들을 쫓는 동안 혼란을 일으키는 것을 특징으로 하고 있다. 배리는 메인 테마의 표현과 유사한 새로운 멜로디를 제공하고 있다. 그것은 더 부드럽고 온화하며 근심 없는 장난으로 이리저리 날아다니고 있다. 'The Death of Pati'은 집에 돌아온 조이가 사랑하는 애완동물인 바위 너구리인 파티가 죽었다는 소식을 듣고 슬퍼하는 모습을 보여

주고 있다. 배리는 조이의 슬픔을 완벽하게 포착하는 애가(哀歌) 신호를 제공한다. 조이가 목관 악기와 실로폰의 유쾌한 결합에 이끌려 엘자와 함께 탐험하고 노는 것을 보게 된다.

'Playtime' features the cubs getting into the house and wreaking havoc as everyone chases them down! Barry provides a new melody, which is kindred in its expression to that of the Main Theme. It is more tender, gentile and prances to and fro with a carefree playfulness. Again Barry's music perfectly captures the film's imagery. 'The Death of Pati' reveals Joy coming home and being greeted by the news that her beloved pet Pati a rock hyrax, had died. Barry provides an elegiac cue, which perfectly captures Joy's grief. we segue in a scene change and see Joy out exploring and playing with Elsa carried by a delightful joining of woodwinds and xylophone.

엘자가 조이의 생명을 구하는 동안 혼 스팅거는 코브라와의 대결을 지원하고 있다. 'Killing at Kiunga'는 조지가 쿠니가 해안 마을에서 사람을 살해하는 사자를 죽이기 위해 다시 한 번 파견됨에 따라 주요 테마의 암울한 렌더링을 제공하고 있다.

A horn stinger supports a confrontation with a cobra as Elsa saves Joys life. 'Killing at Kiunga' offers a somber rendering of the Main Theme as George is once more dispatched to kill a man-killing Lion at the costal town of Kuniga.

'Elsa's Kill'에서 엘자는 야생에서의 첫 번째 죽임, 사마귀 돼지, 그리고 생존에 필요한 중요한 이정표를 달성하게 된다. 배리는 메인 테마에서 영감을 얻은 어두운 드럼, 소용돌이치는 현, 혼 선언의 아프리카 색상으로 장식된 앰비언트 선곡을 제공하고 있다.

In 'Elsa's Kill' Elsa achieves her first kill in the wild, a wart hog and a crucial milestone necessary for survival.

Barry provides an ambient cue adorned with African colors of dark drums, swirling strings and horn declarations which draws inspiration from the Main Theme.

'Fight of The Lioness'는 엘자가 다른 암사자에 맞서는 궁극의 테스트를 제공하고 있다. 우리는 배리가 아프리카 민족 색상으로 강조하는 천천히 상승하는 크레센도와 함께 잠겨있는 채로 열리게 된다.

우리는 엘자의 만족스러운 승리로 절정을 이루게 된다. 'Wild and Free'는 엘자와 이별하는 조이와 조지를 보여주고 있다. 엘자는 그들이 옳은 일을 했다고 확신하고 그녀가 살아 남을 것이라고 믿게 된다.

'Fight of The Lioness' offers Elsa's ultimate test holding her own against another lioness. We open pensively with a slowly rising crescendo which Barry accents with African ethnic colors. We culminate with a satisfying victory by Elsa.

'Wild and Free' reveals Joy and George parting with Elsa confident that they have done the right thing and believing that she will survive.

배리는 그 순간을 완벽하게 뒷받침하는 메인 테마의 진심 어린 표현으로 이별을 응원해주고 있다.

Barry supports the parting with a heartfelt rendering of the Main Theme which perfectly supports the moment.

'Reunion-Born Free'에서 조이와 조지는 엘자를 만나기 위해 1년 후 영국에서 1주일 동안 돌아오게 된다. 마지막 날이 왔지만 그들은 그녀를 찾지 못하고 절망하게 된다. 그러나 그들이 캠프를 떠날 준비를 하고 있을 때 엘자는 그녀의 3마리 새끼와 함께 나타나며 즐거운 재회가 일어나게 된다.

〈야성의 엘자〉. © Columbia Pictures

In 'Reunion-Born Free' Joy and George return a year later from England for a week in hope of seeing Elsa. The last day has come. they do not found her and they despair.

Yet as they prepare to depart camp Elsa appears with her three cubs and a joyous reunion occurs.

긴 주변 소개 후 배리는 감동적인 메인 테마의 멋진 연주로 그 순간을 지원해 주고 있다.

이 곡은 번영으로 끝나고 우리의 여정을 매우 만족스러운 결론으로 이끌어낸다.

이 CD는 맷 몬로가 불러주고 있는 'Born Free'라는 노래로 이어지는 영화의 실제 엔딩에서 출발하게 된다. 그것은 클로징 크레디트에 걸쳐 재생되며 우리에게 영화 스코어 아트에서 가장 훌륭한 노래 중 하나를 제공하게 된다.

After a lengthy ambient introduction Barry supports the moment with a wonderful heartfelt rending of the Main Theme which ends in a flourish and brings our journey to a very satisfying conclusion.

This CD departs from the actual ending of the film, which segues into the song 'Born Free' sung by Matt Monro. It plays over the closing credits and for our offers one of the finest songs in film score art.

Track listing

1. Main Title–Born Free
2. The Hunt
3. Feeding Time
4. Elsa at Play
5. Playtime
6. The Death of Pati
7. Killing at Kiunga
8. Waiting for Joy
9. Holiday With Elsa
10. Elephant Stampede
11. The New Reserve
12. Flirtation
13. Abandoning Elsa
14. Elsa's Kill
15. Fight of the Lioness
16. Wild and Free
17. Reunion–Born Free

〈야성의 엘자〉 사운드트랙. ⓒ Varese Sarabande

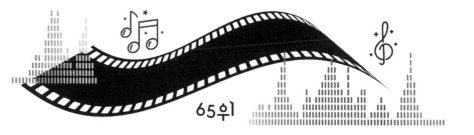

〈블레이드 러너 Blade Runner〉(1982) -
반젤리스의 긴박한 신세사이저에 담겨 있는
경찰과 인조인간과의 위험한 사랑

작곡: 반젤리스 Vangelis

리들리 스코트 감독의 미래 묵시록 메시지가 담겨져 있는 〈블레이드 러너〉. 반젤리스의 긴박감 있는 배경 음악이 강렬한 여운을 남겨주고 있다. ⓒ Warner Bros

1. 〈블레이드 러너〉 버라이어티 평

〈블레이드 러너〉는 리들리 스코트가 감독하고 햄튼 팬처(Hampton Fancher)와 데이비드 피플(David Peoples)이 각색한 1982년 SF 영화이다.

영화는 필립 K. 딕의 1968년 소설 '안드로이드는 전자 양의 꿈을 꾸고 있는가? Do Androids Dream of Electric Sheep?'를 각색했다.

영화는 디스토피아적 미래인 2019년 로스 엔젤레스를 배경으로 하고 있다. 리플리컨트로 알려진 합성 인간이 우주 식민지에서 일하기 위해 강력한 타이렐 코포레이션에 의해 생체 공학 처리되고 있다.

로이 배티(루트거 하우어)가 이끄는 고급 리플리컨트 도망자 그룹이 지구로 다시 탈출한다. 극도로 피곤한 경찰 릭 데카드(해리슨 포드)는 마지못해 그들을 사냥하기로 동의하게 된다.

Blade Runner is a 1982 science fiction film directed by Ridley Scott and adapted by Hampton Fancher and David Peoples.

it is an adaptation of Philip K. Dick's 1968 novel Do Androids Dream of Electric Sheep? The film is set in a dystopian future Los Angeles of 2019 in which synthetic humans known as replicants are bio-engineered by the powerful Tyrell Corporation to work on space colonies.

When a fugitive group of advanced replicants led by Roy Batty (Hauer) escapes back to Earth, burnt-out cop Rick Deckard (Ford) reluctantly agrees to hunt them down.

〈블레이드 러너〉는 처음 북미 극장과 양극화 된 비평가 사이에서 흥행 실적이 저조했다. 일부는 주제의 복잡성과 시각적 효과를 칭찬한다.

다른 일부는 느린 속도와 액션 부족을 비판한다. 그것은 나중에 최고의 SF 영화 중 하나로 여겨지는 찬사를 받은 컬트영화가 된다.

Blade Runner initially underperformed in North American theaters and polarized critics. some praised its thematic complexity and visuals, while others critiqued it's slow pacing and lack of action. It later became an acclaimed cult film regarded as one of the all-time best science fiction films.

첨단 기술이지만 쇠퇴하는 미래를 묘사한 프로덕션 디자인으로 찬사를 받은 〈블레이드 러너〉는 네오 느와르 영화의 대표적인 본보기이자 사이버펑크 장르의 기초 작품으로 종종 간주되고 있다.
반젤리스가 작곡한 영화 사운드트랙은 1982년 BAFTA와 골든 글로브 최우수 오리지널 작곡 부문에 노미네이트 된다.

Hailed for its production design depicting a high-tech but decaying future, Blade Runner is often regarded as both a leading example of neo-noir cinema as well as a foundational work of the cyberpunk genre.
The film's soundtrack composed by Vangelis was nominated in 1982 for a BAFTA and a Golden Globe as best original score.

영화는 많은 공상 과학 영화, 비디오 게임, 애니메이션 및 TV 시리즈에 영향을 미치게 된다.
그것은 필립 K. 딕의 작품을 할리우드가 주목을 끌게 한다.
〈토탈 리콜〉(1990) 〈마이너리티 리포트〉(2002) 〈스캐너 다크리〉(2006) 등과 같이 그의 원작을 기반으로 한 여러 대형 예산 영화가 제작된다.

The film has influenced many science fiction films, video games, anime and television series. It brought the work of Philip K. Dick to the attention of Hollywood and several later big-budget films were based on his work, such as Total Recall (1990), Minority Report (2002) and A Scanner Darkly (2006).

2. 〈블레이드 러너〉 사운드트랙 리뷰

반젤리스의 〈블레이드 러너〉 사운드트랙은 리들리 스코트가 구상한 필름 느와르 복고풍 미래를 반영하는 고전적인 구성과 미래 지향적인 신세사이저의 어두운 멜로디 조합이다. 아카데미상 수상작 〈불의 전차〉로 갓 데뷔했던 반젤리스는 자신의 신세사이저로 음악을 작곡하고 연주했다.

The Blade Runner soundtrack by Vangelis is a dark melodic combination of classic composition and futuristic synthesizers which mirrors the film-noir retro-future envisioned by Ridley Scott. Vangelis, fresh from his Academy Award-winning score for Chariots of Fire composed and performed the music on his synthesizers.

〈블레이드 러너〉. ⓒ Warner Bros

반젤리스는 다양한 울림과 협력자 데미스 루소스의 보컬을 사용했다. 또 다른 기억에 남는 사운드는 반젤리스의 많은 앨범에서 연주한 영국 색소폰 연주자 딕 모리세이의 테너 색소폰 솔로 'Love Theme'이다.

He also made use of various chimes and the vocals of collaborator Demis Roussos.

Another memorable sound is the tenor sax solo 'Love Theme' by British saxophonist Dick Morrissey who performed on many of Vangelis's albums.

리들리 스코트는 또한 반젤리스 앨범 'See You Later' 중 'Memories of Green'을 사용했다. 이 오케스트라 버전은 스코트가 나중에 자신의 영화 〈썸원

투 워치 오버 미 Someone to Watch Over Me〉에서 사용했다.

Ridley Scott also used 'Memories of Green' from the Vangelis album See You Later, an orchestral version of which Scott would later use in his film Someone to Watch Over Me.

반젤리스의 구성 및 주변 음악 구조와 함께 영화 사운드스케이프에는 일본 앙상블 니폰니아의 트랙인 'Ogi no Mato' 혹은 노네수치 레코드에서 발매한 'Traditional Vocal and Instrumental Music'의 'The Folding Fan as a Target'와 로렐 레코드에서 발매된 하프 연주자 게일 래프턴의 'Harps of the Ancient Temples' 등을 등장시키고 있다.

Along with Vangelis's compositions and ambient textures, the film's soundscape also features a track by the Japanese ensemble Nipponia 'Ogi no Mato' or 'The Folding Fan as a Target' from the Nonesuch Records release Traditional Vocal and Instrumental Music and a track by harpist Gail Laughton from 'Harps of the Ancient Temples' on Laurel Records.

반젤리스의 1982년 미래형 느와르 탐정 스릴러 영화의 사운드트랙은 영화만 큼이나 황량하고 전자적으로 오싹하다.

반젤리스는 영화 대화와 사운드를 미묘하게 삽입하여 속삭이는 하위 텍스트 와 광범위한 계시로 잊혀지지 않는 사운드스케이프를 만들어 중동의 질감에서 영감을 얻고 신고전주의적인 구조를 불러일으키고 있다.

Vangelis soundtrack to the 1982 futuristic noir detective thriller Blade Runner is as bleak and electronically chilling as the film itself.

By subtly interspersing clips of dialogue and sounds from the film, Vangelis creates haunting soundscapes with whispered subtexts and sweeping revelations, drawing inspiration from Middle Eastern textures and evoking neo-classical structures.

종종 차갑고 쓸쓸한 청취자는 2019년 로스 엔젤레스 네온과 금속 도시 풍경을 통해 부는 무관심한 바람을 대부분 들을 수 있다.

관능적인 색소폰 중심의 'Love Theme'은 그 이후로 작곡가의 가장 인정받는 작품이자 스탠드 중 한 곡으로 계속되고 있다. 어둡고 추운-그러나 아름다운-배경 음악에서 몇 안 되는 따뜻한 피난처 중 하나로 지탱하고 있다.

Often cold and forlorn, the listener can almost hear the indifferent winds blowing through the neon and metal cityscapes of Los Angeles in 2019. The sultry, saxophone-driven 'Love Theme' has since gone on as one of the composer's most recognized pieces and stands alone as one of the few warm refuges on an otherwise darkly cold-but beautiful-score.

불행하게도 1930년대에서 영감을 받은 발라드 'One More Kiss, Dear'가 포함된 것은 음소거 된 트럼펫과 루디 발리 스타일의 노래로 앨범의 미래적 합성 흐름을 방해하고 있다. 아무리 잘 만들어도-그리고 영화에서 적절하게-마치 월튼의 거실에 있는 멀리 있는 필코 라디오에서 재생되는 것처럼 들리는 쓸쓸한 사랑 노래가 앨범 분위기를 순간적으로 부자연스럽게 깨뜨리고 있다.

An unfortunate inclusion of the 1930s-inspired ballad 'One More Kiss, Dear' interrupts the futuristic synthesized flow of the album with a muted trumpet and Rudy Vallée-style croon. However well done-and appropriate in the movie-a forlorn love song that sounds as if it is playing on a distant Philco radio in The Walton's living room jarringly breaks the mood of the album momentarily

팬들에게 좋은 평가를 받았다. 1982년 BAFTA와 골든 글로브에서 최고의 오리지널 작곡상 후보로 지명된다.

비평가들의 찬사를 받았고 영화 끝 제목에서 폴리돌 레코드 사운드트랙 앨범을 약속했음에도 불구하고 공식 사운드트랙 녹음출시는 10년 이상 지연된다.

Despite being well received by fans and critically acclaimed and nominated in 1982 for a BAFTA and Golden Globe as best original score and the promise of a soundtrack album from Polydor Records in the end titles of the film.

the release of the official soundtrack recording was delayed for over a decade.

〈블레이드 러너〉 공식 음악은 두 가지다. 앨범 발매의 부족에 비추어 뉴 아메리칸 오케스트라는 1982년에 원본과 거의 유사하지 않은 오케스트라 각색을 녹음한다. 영화 트랙 중 일부는 1989년 모음집 'Vangelis: Themes'에 나타나지만 Director's Cut 버전이 1992년에 출시되기 전까지는 영화 배경 음악의 상당 부분이 상업적으로 출반된다.

There are two official releases of the music from Blade Runner.

In light of the lack of a release of an album, the New American Orchestra recorded an orchestral adaptation in 1982 which bore little resemblance to the original. Some of the film tracks would in 1989, surface on the compilation Vangelis: Themes but not until the 1992 release of the Director's Cut version would a substantial amount of the film's score see commercial release.

음반은 '영향력 있고 신화적' '믿을 수 없고 깨끗함' '회상적' 및 '신세사이저 사운드트랙의 정점' 등으로 다양하게 설명되고 있다. AllMusic은 이 배경 음악에 대해 '영화 자체처럼 황량하고 전자적으로 소름 끼친다.'고 평가하고 있다.

반젤리스가 속삭이는 하위 텍스트와 광범위한 폭로가 포함된 잊혀지지 않는 사운드 스케이프를 만든 것에 대해 칭송을 보내고 있다.

It has been variously described as 'influential and mythical' 'incredible and pristine' 'evocative' and 'the pinnacle of synthesiser soundtracks'.

AllMusic labeled the score as 'bleak and electronically chilling as the film itself' and praised Vangelis for creating 'haunting soundscapes with whispered subtexts and sweeping revelations'

음반에 대해 반젤리스는 다음과 같이 설명하고 있다.

〈블레이드 러너〉. ⓒ Warner Bros

The accompanying featured this explanation by Vangelis

'앨범에 포함된 대부분 음악은 1982년 런던에서 영화 〈블레이드 러너〉 악보 작업을 하는 동안 녹음한 것이다. 그 당시에 이 녹음을 공개할 수 없다는 사실을 깨닫고 지금 그렇게 할 수 있게 되어 매우 기쁘다.'

Most of the music contained in this album originates from recordings I made in London in 1982 whilst working on the score for the film Blade Runner. Finding myself unable to release these recordings at the time.

it is with great pleasure that I am able to do so now.

'포함된 부분 중 일부는 영화의 오리지널 사운드트랙에서 여러분에게 알려질 것이다. 다른 부분은 여기에 처음으로 등장할 것이다. 리들리 스코트의 강력하고 감동적인 영화를 돌이켜 보면 예전과 같은 자극을 받았다. 오늘 이 음악을 다시 재편집하는 것은 즐거운 경험이 되었다. - 반젤리스, 아테네, 1994년 4월

Some of the pieces contained will be known to you from the Original Soundtrack of the film whilst others are appearing here for the first time.

Looking back at Ridley Scott's powerful and evocative pictures left me as stimulated as before and made the recompiling of this music, today, an enjoyable experience. - Vangelis, Athens, April 1994.

트랙 중 4곡-Main Titles, Blush Response, Wait for Me, 마지막으로 'Tears in Rain'-에는 영화의 대화 샘플이 포함되어 있다. 트랙 1-4는 이음매 없는 악보로 함께 혼합되어 있다. 트랙 5에서 7까지는 그들 사이에 침묵이 있다. 마지막 트랙인 8에서 12까지는 다른 이음매 없는 악보로 혼합되고 있다.

Four of the tracks-Main Titles, Blush Response, Wait for Me, and finally Tears in Rain-feature samples of dialogue from the film. Tracks 1 through 4 are mixed together as a seamless piece. tracks 5 through 7 have silence between them and the final tracks 8 through 12 are mixed into another seamless piece.

3. 〈블레이드 러너〉 사운드트랙 해설 - 빌보드

1982년 리들리 스코트 감독은 필립 K 딕의 휴머노이드 로봇(레플리컨트)과 챈들레스크 영웅-타이틀 '블레이드 러너'-에 대한 디스토피아 소설을 바탕으로한 역사상 가장 위대한 SF 영화 중 하나를 발표한다.

그들을 사냥하고 근절하기 위해서였다.

스코트 영화가 해리슨 포드의 실존적 불안을 반영하기 위해 비에 흠뻑 젖은 야경과 네온사인으로 가득찬 도시에 의존했던 만큼, 에반젤로스 오디세아스 파파탄시오우의 배경 음악에도 적지 않은 부분을 차지하여 성공했다. 〈불의 전차〉 작곡 작업 외에도 반젤리스의 가장 찬사를 받은 영화 작품이 이곳에 있다.

In 1982, director Ridley Scott released one of the greatest science fiction films of all time: Blade Runner, based on Philip K Dick's dystopian novel of humanoid robots (replicants) and a Chandleresque hero (the 'blade runner' of the title) whose job was to hunt them down and eradicate them. As much as Scott's film relied on its rain-drenched nightscapes and neon-glazed city sprawl to reflect the existential angst of Harrison Ford. it also succeeded due in no small part to the score by Evangelos Odysseas Papathanassiou. Besides his work on the score for Chariots of Fire, Vangelis most lauded film work resides here.

그리스 출신 키보드 마이스터의 작업 팬과 영화 음악을 연상시키고 감동적이며 무엇보다도 여전히 독자적으로 서 있는 방법에 대한 입문서를 원하는 사람 모두에게 기쁨이다. 많은 심야 그루버의 휴식 재생 목록에 오랫동안 포함되어 있는 반젤리스의 작업은 '뉴 에이지'라고 표시된 줄의 오른쪽에 있다.

신세사이저는 냉담한 소외와 이상하게도 감정을 가진 기계가 사는 세계에서 인간의 전체 딜레마를 동시에 전달해주고 있다.

both a delight for fans of the Greek keyboard meister's work and for anyone who wants a primer on how exactly to make cinematic music evocative, emotive and above all still stand up on its own. Long a feature on many a late night groover's chill-out playlist, Vangelis work here resides on just the right side of the line marked 'new age' The synthesizers at once convey icy alienation and also, strangely, the entire di-lemma of a human in a world inhabited by machines with emotions.

〈블레이드 러너〉. © Warner Bros

이것은 특히 환상적인 'Blade Runner Blues' 와 앨범의 가장 유명한 트랙인 'Love Theme'에서 더욱 그렇다.
　해리슨 포드와 숀 영이 울부짖는 색소폰의 긴장으로 인간/ 기계의 분열을 극복한 곳이다.

This is especially true on the fantastic 'Blade Runner Blues' and on the album's most famous track 'Love Theme' where Harrison Ford and Sean Young overcome the man/ machine divide to the strains of a wailing saxophone.

마스터스트로크는 각 주요 장면에 맞는 대화를 포함하고 있다.
　예를 들어 'Tears in The Rain'에서 루트거 하우어가 무너져가는 시내 호텔의 지붕에서 존재하지 않는 곳으로 미끄러져 들어가는 순간-'Attack Ships on fire' 등-이 나온다.
　그리고 우리가 처음에 놓친 모든 것들이 있다. 모든 것이 좋다.

The masterstroke is to include the dialogue that fits each key scene.
　For instance we get 'Tears in The Rain' we get Rutger Hauer's finest moment-'Attack ships on fire' etc-as he slides into non-existence on the roof of a crumbling downtown hotel.
　And then there's all the stuff we missed out on the first time around. It's every bit as good.

〈블레이드 러너〉는 여전히 역대 최고 영화 중 하나에 대한 최고의 사운드트랙 중 하나이다.
　반젤리스의 프로토-일렉트로니카는 여전히 매력적이고 필수적이다.

Blade Runner is still one of the best soundtracks to one of the best films of all time.
Vangelis proto-electronica remains beguiling and essential.

Track listing

1. Main Titles
2. Blush Response
3. Wait for Me
4. Rachel's Song
5. Love Theme
6. One More Kiss, Dear
7. Blade Runner Blues
8. Memories of Green
9. Tales of the Future
10. Damask Rose
11. Blade Runner (End Titles)
12. Tears in Rain

〈블레이드 러너〉 사운드트랙. ⓒ Atlantic Records

〈밀회 Brief Encounter〉(1945) -

중년 남녀의 짧고 애뜻한 사연으로 선곡된

라흐마니노프 'Piano Concerto No. 2'

작곡: 세르게이 라흐마니노프 Sergei Rachmaninoff

데이비드 린 감독이 선보인 기혼 중년 남녀가 벌이는 아슬아슬한 로맨스 극 〈밀회〉. ⓒ Eagle-Lion Distributors

1. 〈밀회〉 버라이어티 평

기차 역 카페.

주부 로라 제슨(셀리아 존슨)은 알렉 하비 박사(트레버 하워드)를 만난다.
두 사람은 이미 결혼했지만 점차 서로를 사랑하게 된다. 그들은 사랑이 불가
능하다는 것을 알고 있지만 매주 목요일 작은 카페에서 계속 만난다.

At a café on a railway station, housewife Laura Jesson (Celia Johnson) meets Dr.
Alec Harvey (Trevor Howard). Although they are both already married, they gradually
fall in love with each other. They continue to meet every Thursday in the small café
although they know that their love is impossible.

〈밀회〉는 1936년 1인 단막극 〈스틸 라이프〉를 바탕으로 노엘 코워드가 각본
을 쓰고 데이비드 린이 감독한 1945년 영국 로맨틱 드라마 영화이다.

Brief Encounter is a 1945 British romantic drama film directed by David Lean from
a screenplay written by Noël Coward based on his 1936 one-act play Still Life.

영화는 제2차 세계 대전 직전 영국에서 벌어지는 열정적인 혼외정사를 다루
고 있다. 주인공 로라는 자녀가 있는 기혼 여성. 기차역에서 우연히 결혼한 낯선
사람과 만나 사랑에 빠지면서 평범한 삶이 점점 복잡해진다.

The film follows a passionate extramarital affair in England shortly before WW II.
The protagonist is Laura, a married woman with children whose conventional life
becomes increasingly complicated following a chance meeting at a railway station
with a married stranger with whom she subsequently falls in love.

〈밀회〉는 1945년 11월 13일 런던에서 초연된다. 11월 25일 극장 개봉되어

비평가들의 찬사를 받는다. 제19회 아카데미 시상식에서 감독, 여우 주연(존 슨), 각색 등 3개 부문 후보로 지명 받는다.

Brief Encounter premiered in London on 13 November 1945 and was theatrically released on 25 November to widespread critical acclaim.

It received three nominations at the 19th Academy Awards, Best Director, Best Actress (for Johnson) and Best Adapted Screenplay.

영화는 영화 평론가, 역사가, 학자들에 의해 역사상 가장 위대한 영화 중 한 편으로 널리 언급되고 있다. 1999년 영국 영화 연구소는 이 영화를 역사상 두 번째로 위대한 영국 영화로 선정한다.

The film is widely cited by film critics, historians and scholars as one of the greatest films of all time. In 1999, the British Film Institute ranked it as the second-greatest British film of all time.

2017년 타임아웃은 배우, 감독, 작가, 프로듀서, 비평가 150명을 대상으로 한 설문 조사에서 이 영화를 역대 최고의 영국 영화 12위에 올려놓는다.

In 2017, a poll of 150 actors, directors, writers, producers and critics for Time Out had it ranked the 12th-best British film ever.

2. <밀회> 사운드트랙 리뷰

세르게이 라흐마니노프의 '피아노 협주곡 2번'에서 발췌한 내용을 무이 매티 슨이 지휘하는 국립 심포니 오케스트라와 피아니스트 에이린 조이스 협연으로

연주되고 있다. 차를 마시는 다 방(茶房) 장면에서는 살롱 오케스트라가 모리츠 모스코위스키의 '스페인 무용 5번(볼레로)'을 연주하는 장면도 있다.

Excerpts from Sergei Rachmaninoff's Piano Concerto No. 2 recur throughout the film played by the National Symphony Orchestra, conducted by Muir Mathieson with pianist Eileen Joyce. There is also a scene in a tea room where a salon orchestra plays the Spanish Dance No. 5 (Bolero) by Moritz Moszkowski.

〈밀회〉. © Eagle-Lion Distributors

3. 〈밀회〉 사운드트랙 해설 - 빌보드

1945년의 고전 영화 〈밀회〉를 처음으로 그리고 마침내 이제 우리는 라흐마니노프의 '두 번째 피아노 협주곡'을 사운드트랙으로 사용한 것이 무엇인지 이해하게 된다. 우리는 영화를 보지 않고도 심장을 찢는 낭만적이고 소용돌이치는 주제와 기교적이고 잔물결 같은 피아노 소리에 휩싸인 음악을 발견하게 된다.

the 1945 classic film Brief Encounter for the first time and now at last, We understand what the big deal is about its use of Rachmaninov's second piano concerto as its soundtrack. We'd found the music heart-rending and romantic without seeing the film, swept along by its swirling themes and virtuosic, rippling piano sounds.

우리는 영화에서 한 커플이 기차 창가에서 라흐마니노프의 음악과 함께 그들의 관계에 대해 알아야 할 모든 것을 알려 주는 클립을 본 적이 있다.

이제 시작부터 지켜보면, 역을 질주하는 증기 기관차의 휘파람이 첫 번째 감동적인 멜로디로 시작되는 불길한 피아노 코드를 안내할 때 격동적인 분위기가 설정되고 우리는 이미 푹 빠져 있게 된다.

We had seen a clip from the film, a couple at a train window with Rachmaninov's music telling you all you need to know about their relationship.

Now, watching from the start, as the whistle of a steam train whooshing through the station ushers in the ominous piano chords which launch into the first stirring melody, the turbulent mood is set and We are already hooked.

갈등하는 감정의 이야기다. 두 낯선 사람인 로라와 알렉-둘 다 다른 사람과 결혼-은 밀포드 정션의 다과 실에서 우연히 만난 후 서로에게 빠지기 시작한다.

다과 실 초기 대화 장면은 완전히 무반주이다. 그러나 집으로 돌아가는 기차 안에서 로라가 자신의 감정을 회상하는 동안 애절한 주제가 조용히 시작되고 있다. 이 주제는 영화 후반부 가슴 아픈 순간에 다시 돌아오고 있다.

This is a story of conflicted emotions.

Two strangers, Laura and Alec-both married to other people-begin to fall for one another, after meeting by chance in the refreshment room at Milford Junction. The initial dialogue scenes in the refreshment room are starkly unaccompanied.

But on the train home, a plaintive theme begins quietly as Laura reflects on her feelings, a theme that returns at poignant moments later in the film.

이야기가 전개되는 동안 우리는 극도로 감정적인 상태에 있는 로라가 역으로 가기 위해 서두르는 것을 보게 된다. 동요된 주제는 또 다른 그리움의 멜로디로 이어지며 기차는 계속 돌진하고 있다.

As the story unfolds, we see Laura, in a highly emotional state, hurrying through the station whilst an agitated theme leads to another yearning melody and trains continue to hurtle by.

어쨌든 옛날 역에는 향수를 불러일으키고 낭만적인 무언가가 있다. 특히 증기 기관차 커플이 작별 인사를 하고 멀리 사라져가면서 서로에게 손을 흔들던 시대에. 그래서 우리가 기차 창에서 그 유명한 장면에 오면 끝을 향해 우리가 문맥에서 보았던 것이다.

there's something nostalgic and romantic about old fashioned stations anyway, especially during the age of the steam train couples saying their goodbyes and waving to each other as they disappear into the distance. So, when we come to the famous scene at the train window towards the end that We had seen out of context.

아마도 이 3가지 조합일 것이다. 영화를 위해 음악을 작곡할 수 있었던 것 같다. -협주곡의 다른 부분에서 가져온-추출물이 너무 완벽하게 맞아서 우리를 열광적인 로맨스의 회오리바람 여행으로 안내하고 있다. 악보의 불안한 구절은 죄책감, 품위, 명예와 씨름하는 로라의 고뇌를 강조해주고 있다.

Perhaps it's the combination of all three. It seems to me as if the music could have been written for the film, the extracts-taken from different parts of the concerto-fit so perfectly, taking us on a whirlwind journey of heady romance.
Unsettling passages from the score highlight Laura's anguish as she wrestles with feelings of guilt, decency and honour.

현대인의 청각에는 이 부부의 아주 정중하게 잘린 영어 악센트가 대화의 자제력을 강화하는 것처럼 보이고 있다.

하지만 라흐마니노프 음악은 그들의 열정적인 감정에 대해 의심의 여지가 없다.

To modern ears, the couple's terribly polite clipped English accents seem to intensify the restraint in their conversation but Rachmaninov's music leaves you in no doubt of their passionate feelings.

우리는 로라가 이야기를 들려주는 방식을 좋아한다.
그녀는 남편에게 이야기를 하는 것을 상상하면서 집에 함께 앉아 라디오를 들으며 타임즈 십자말풀이를 하고 있다.

We love the way the story is told by Laura, as she imagines telling it to her husband as they sit at home together, listening to the radio whilst he does the Times crossword.

그녀가 그를 도와준 단서에 대한 답은 우연히 '로맨스'라는 단어였다.
그녀가 방사선 사진을 켰을 때 그것은 우연히 라흐마니노프의 두 번째 피아노 협주곡을 연주하고 있었다.

〈밀회〉. © Eagle-Lion Distributors

The answer to the clue she helps him with just happens to be the word 'romance' and when she switches on the radiogram. it just happens to be playing Rachmaninov's second piano concerto.

많은 영화들은 특별히 의뢰한 음악적 사운드트랙을 갖고 있다.
하지만 어떤 감독들은 영화 분위기에 완벽하게 들어맞는 잘 알려진 음악을 사용하기로 선택한다. 한 가지 분명한 예는 보 비더베르그 감독의 서정적 〈엘비라 마디간〉(1967)으로, 여기서 모차르트의 피아노 협주곡 21번 C장조는 관객을 특별한 아름다움의 장소로 끌어들이는 데 도움이 된다.

Though many films have a musical soundtrack that has been specially commis-
sioned, some directors opt to use a well-known piece of music which they feel fits
the mood of their film perfectly.
One obvious example is Bo Widerberg's lyrical Elvira Madigan (1967) in which
Mozart's Piano Concerto No. 21 in C Major helps lure the viewer into a place of special
beauty.

분명히 말해서, 단조는 장조와 다른 감정을 자극하고 있다. 그러나 라흐마니
노프는 또한 드라마의 많은 부분이 있는 기차역을 질주하는 급행열차에 의해
반사되는 크레센도를 구축하는 움직임의 감각을 전달해주고 있다.

To state the obvious, the minor key stimulates different emotions than the major.
But Rachmaninoff also conveys a sense of movement of building crescendos that
are mirrored by the express trains rushing through the railway station that is the site
of so much of the drama.

〈밀회〉, 이 영화는 린 감독의 빛과 어둠-캐롤 리드 감독이 4년 후 똑같이 기억
에 남는 〈제3의 사나이〉에서 그대로 모방함-을 훌륭하게 사용했다.
뿐만 아니라 노엘 코워드의 신랄한 스토리라인으로 인해 훨씬 더 진지하며
그의 종종 맛있고 경박한 연극 코미디보다 걸작으로 인정받는다.

Brief Encounter, The film is rightly acknowledged as a masterpiece, not only for
Lean's brilliant use of light and darkness-which Carol Reed would emulate four years
later in the equally memorable The Third Man-but also for Noel Coward's poignant
storyline so much more serious than his often deliciously flippant theatrical
comedies.

트레버 하워드와 셀리아 존슨은 불법적인 사랑의 상황에 우연히 갇힌 부부로 완벽한 짝을 이루고 있다.

그녀의 작은 가족을 돌보는 편안하지만 고무적이지 않은 중년의 삶과 쇼핑, 영화 감상, 도서관 책 교체를 위해 매주 기차를 타고 더 큰 마을로 여행을 떠나는 것처럼 펼쳐지는 대부분의 사건을 여성의 눈으로 보고 있다.

부츠에서 모험, 여행의 꿈, 열정적인 로맨스를 엿볼 수 있다.

Trevor Ho see a film and change her library book at Boots is rockeward and Celia Johnson are a perfect pairing as the couple trapped by accident in a situation of illicit love.

One sees most of the unfolding events through the woman's eyes, as her comfy but uninspiring middle aged life of overseeing her little household with the treat of a weekly excursion by train to a larger town to shop,d by a glimpse of adventure, dreams of travel and a passionate romance.

긴장은 영화의 일부 사소한 만화 캐릭터들에 의해 깨지고 있다.

소름 끼치게 수다스러운 가십, 그녀의 공기와 우아함을 지닌 역의 다과 실 매니저.

그러나 라흐마니노프의 음악은 우리를 놓친 기회와 양립 할 수 없는 의무 요구와 열정 그리고 비극으로 계속 되돌려주고 있다.

The tension is broken by some of the minor comic characters in the film.

the ghastly chattering gossip, the station's refreshment room manager with her airs and graces but Rachmaninoff's music keeps bringing us back to the tragedy of missed opportunities and the irreconcilable demands of duty and passion.

4. 라흐마니노프의 'Piano Concerto No. 2' 해설

'피아노 협주곡 2번 다단조 Op. 18'은 1900년 6월부터 1901년 4월까지 세르게이 라흐마니노프가 작곡한 피아노와 관현악을 위한 협주곡이다. 1900년 여름부터 가을까지 그는 협주곡의 2악장과 3악장을 작업했다. 1악장에 어려움이 있었다. 미완성 협주곡의 두 악장 모두 솔리스트로 그와 함께 처음 연주되었다. 그의 사촌 알렉산더 실로티는 1900년 12월 15일 지휘 데뷔를 한다.

The Piano Concerto No. 2 in C minor, Op. 18 is a concerto for piano and orchestra composed by Sergei Rachmaninoff between June 1900 and April 1901.

From the summer to the autumn of 1900, he worked on the second and third movements of the concerto with the first movement causing him difficulties.

Both movements of the unfinished concerto were first performed with him as soloist and his cousin Alexander Siloti making his conducting debut on December 15 1900.

1악장은 1901년에 완성된다.
완전한 작품은 1901년 10월 27일에 초연된다.
다시 작곡가가 솔리스트로, 실로티가 지휘한다.

The first movement was finished in 1901 and the complete work was premiered on October 27 1901, again with the composer as soloist and Siloti conducting.

1897년 그의 교향곡 1번의 비참한 초연 이후, 라흐마니노프는 3년 동안 작곡을 방해하는 심리적 쇠약을 겪게 된다.
우울증이 그의 기력을 앗아간다. 하지만 그는 여전히 공연에 몰두한다.
그의 재정 상태를 완화하기 위해 지휘와 피아노 레슨이 필요하게 된다.
1899년 그는 병으로 작곡을 하지 못한 채 런던에서 피아노 협주곡 2번을 연주

할 예정이었지만 성공적인 지
휘 데뷔를 하게 된다.

그의 성공은 다음 해에 그의
피아노 협주곡 1번으로 다시
초대하도록 이끌었다.

After the disastrous 1897 pre-
miere of his First Symphony,
Rachmaninoff suffered a psy-
chological breakdown that pre-

〈밀회〉. © Eagle-Lion Distributors

vented composition for three years. Although depression sapped his energy.

he still engaged in performance. Conducting and piano lessons became necessary
to ease his financial position. In 1899.

he was supposed to perform the Second Piano Concerto in London which he had not
composed yet due to illness and instead made a successful conducting debut.

The success led to an invitation to return next year with his First Piano Concerto;

그러나 그는 새로운 것으로 다시 나타나겠다고 약속한다. 라흐마니노프는 나
중에 작가 차단이 취소되기를 바라는 마음으로 톨스토이 집에 초대받았지만 회
의는 상황을 악화시키게 된다. 친척들은 그를 1900년 1월부터 4월까지 매일
방문하는 신경과 전문의 니콜라이 달을 소개하기로 결정한다. 라흐마니노프는
자신을 성공적으로 치료해준 것에 대해 달에게 협주곡을 헌정한다.

however, he promised to reappear with a new one. Rachmaninoff was later invited
to Leo Tolstoy's home in hopes of having his writer's block revoked, but the meeting
only worsened his situation. Relatives decided to introduce him to the neurologist
Nikolai Dahl whom he visited daily from January to April 1900 which helped restore

his health and confidence in composition. Rachmaninoff dedicated the concerto to Dahl for successfully treating him.

이 작품은 협주곡 작곡가로서 라흐마니노프의 명성을 확립해 주게 된다. 그의 가장 지속적으로 인기 있는 작품 중 하나이다.

The piece established Rachmaninoff's fame as a concerto composer and is one of his most enduringly popular pieces.

5. 라흐마니노프의 'The Piano Concerto No. 2'가 사운드트랙에 선곡된 영화 목록

- 프랭크 보사지 Frank Borzage 감독의 1946년 영화 〈아이브 올웨이즈 러브드 유 I've Always Loved You〉 메인 테마로 선곡된다. 아서 루빈스테인 Arthur Rubinstein이 사운드트랙을 맡고 있다.

- 윌리엄 디어테리 William Dieterle 감독의 1950년 영화 〈여수 September Affair〉에서 배경 음악으로 선곡된다.

- 찰스 비더 Charles Vidor 감독의 〈랩소디 Rhapsody〉(1954)에서 극중 열정적 피아니스트 제임스 게스트-존 에릭슨이 배역을 맡음-가 공연해주고 있다.

- 클린트 이스트우드 감독의 〈히어애프터 Hereafter〉(2010)에서 'The Adagio sostenuto'이 선곡됐다.

Track listing

1. Piano Concerto No. 2 in C Minor, Op. 18: Moderato
2. Piano Concerto No. 2 in C Minor, Op. 18: Adagio sostenuto
3. Piano Concerto No. 2 in C Minor, Op. 18: Allegro scherzando

〈밀회〉 사운드트랙. ⓒ Eagle-Lion Distributors

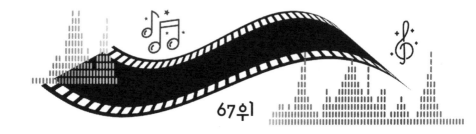

〈불의 전차 Chariots of Fire〉(1981) -
육상 선수의 독실한 종교적 신념 노출시켜준 'Jerusalem'

작곡: 휴버트 패리 Hubert Parry

휴 허드슨 감독의 〈불의 전차〉에서는 반젤리스 테마곡 외에 휴버트 패리의 'Jerusalem'이 종교적 곧은 신념을 갖고 있는 영국 운동선수의 심리를 노출시켜 주는 배경 곡으로 활용되고 있다. ⓒ Twentieth Century-Fox

1. <불의 전차> 버라이어티 평

1919년 유대인 해롤드 아브라함은 케임브리지 대학교에 입학하여 직원들로부터 반유대주의를 경험하게 된다. 하지만 길버트 앤 설리반 클럽에 참여하는 것을 즐기게 된다. 그는 시계가 12시를 가리킬 시간에 대학 안뜰을 달리는 삼위일체 그레이트 코트 런(Trinity Great Court Run)을 완료한 최초의 사람이 된다. 다양한 전국 달리기 대회에서 무패의 연속 우승을 달성한다. 달리기에 집중했지만 길버트와 설리번의 선두 소프라노인 시빌 고든과 사랑에 빠지게 된다.

In 1919, the Jewish Harold Abrahams enters the University of Cambridge where he experiences antisemitism from the staff but enjoys participating in the Gilbert and Sullivan club. He becomes the first person ever to complete the Trinity Great Court Run running around the college courtyard in the time it takes for the clock to strike 12, and achieves an undefeated string of victories in various national running competitions. Although focused on his running.
he falls in love with Sybil Gordon a leading Gilbert and Sullivan soprano.

스코틀랜드인 선교사 부모를 따라 중국에서 태어난 에릭 리델은 스코틀랜드에 있다. 독실한 여동생 제니는 경쟁적인 달리기를 추구하려는 리델의 계획에 동의하지 않고 있다. 그럼에도 불구하고 리델은 중국으로 돌아가 선교사로 일하기 전에 달리기를 하나님께 영광 돌리는 방법이라고 생각하고 있다.
그들이 처음으로 서로 경쟁할 때 리델은 아브라함을 이긴다.
아브라함은 그것을 잘 받아들이지 않는다.
하지만 이전에 접근했던 전문 트레이너 샘 무사비니는 그의 기술을 향상시키기 위해 그를 데려가겠다고 제안한다.

Eric Liddell born in China to Scottish missionary parents is in Scotland.

His devout sister Jennie disapproves of Liddell's plans to pursue competitive running. Still, Liddell sees running as a way of glorifying God before returning to China to work as a missionary. When they first race against each other, Liddell beats Abrahams. Abrahams takes it poorly but Sam Mussabini a professional trainer whom he had approached earlier offers to take him on to improve his technique.

이것은 아마추어가 전문 코치를 고용하여 '장사꾼 역할'을 하는 것이 신사적이지 않다고 주장하는 캠 브리지 대학 주요 인물들로부터 비판을 불러일으킨다. 아브라함은 반유대주의적이고 계급에 기반한 편견에 대한 은폐로 해석하면서 이러한 우려를 일축한다.

This attracts criticism from the Cambridge college masters, who allege it is not gentlemanly for an amateur to 'play the tradesman' by employing a professional coach. Abrahams dismisses this concern interpreting it as cover for antisemitic and class-based prejudice.

리델이 달리기 때문에 실수로 교회 기도회에 빠진다. 제니는 그를 꾸짖으며 그가 더 이상 하나님을 돌보지 않는다고 비난한다.

When Liddell accidentally misses a church prayer meeting because of his running, Jennie upbraids him and accuses him of no longer caring about God.

에릭은 그녀에게 결국 중국 선교부로 돌아가려고 하지만 달릴 때 신성한 영감을 느낀다고 말한다. 뛰지 않는 것은 하나님께 불명예를 돌리는 것이라고 말한다.

Eric tells her that though he intends to return eventually to the China mission. he feels divinely inspired when running and that not to run would be to dishonour God.

영화 제목은 영국 찬송가 'Jerusalem'으로 개작된 윌리암 블레이크 시에서 '내 불의 전차를 가져와!'라는 문구에서 영감을 받았다. 영화가 끝날 때 찬송가가 들려오고 있다. 'chariot(s) of fire' 문구는 성경 열왕기하 2장 11절과 6장 17절에서 가져온 것이다.

The film's title was inspired by the line 'Bring me my Chariot of fire!' from the William Blake poem adapted into the British hymn 'Jerusalem'. the hymn is heard at the end of the film.

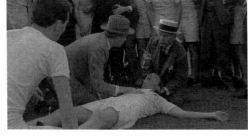

〈불의 전차〉. ⓒ Twentieth Century-Fox

The original phrase 'chariot(s) of fire' is from 2 Kings 2:11 and 6:17 in the Bible.

2. 'Jerusalem'으로 널리 알려진 'And did those feet in ancient time' 해설

'고대에 그들의 발을 들였습니까? And did those feet in ancient time'는 윌리암 블레이크가 서사시 '밀튼: 2권의 서적 시 Milton: A Poem in Two Books' 서문이다. '예언 서 Prophetic Books'로 알려진 저서 모음집 중 하나이다. 표제 페이지의 날짜는 1804년일 것이다. 판이 시작되었지만 시는 1808년에 인쇄되었다.

'And did those feet in ancient time' is a poem by William Blake from the preface to his epic Milton: A Poem in Two Books.

one of a collection of writings known as the Prophetic Books. The date of 1804 on the title page is probably when the plates were begun but the poem was printed 1808.

오늘날 이 곡은 1916년 휴버트 패리 경(卿)이 작곡한 찬송가 'Jerusalem'으로 가장 잘 알려져 있다. 유명한 오케스트라는 에드워드 엘가 경이 작곡했다. 그것은 훨씬 더 길고 범위가 더 크고 또한 블레이크의 'Jerusalem The Emanation of the Giant Albion'이라고 불리는 다른 시와 혼동되어서는 안된다.

Today it is best known as the hymn 'Jerusalem' with music written by Sir Hubert Parry in 1916. The famous orchestration was written by Sir Edward Elgar.

It is not to be confused with another poem much longer and larger in scope and also by Blake called Jerusalem The Emanation of the Giant Albion.

이 시(詩)는 어린 예수가 양철 상인 아리매시아의 조셉과 함께 지금의 영국으로 여행을 간다. 알려지지 않은 시기에 글래스톤베리를 방문했다는 출처가 분명하지 않는 이야기에서 영감을 받은 것으로 추정되고 있다.

대부분 학자들은 이야기의 역사적 진정성을 손에 넣지 않고 거절하고 있다.

The poem was supposedly inspired by the apocryphal story that a young Jesus, accompanied by Joseph of Arimathea, a tin merchant travelled to what is now England and visited Glastonbury during his unknown years.

Most scholars reject the historical authenticity of this story out of hand.

영국 민속학자 A. W. 스미스에 따르면 '예수님이 영국을 방문했다는 구전 전통이 20세기 초반 이전에 존재했다고 믿을 만한 이유가 거의 없다.'라고 말하고 있다. 이 시의 주제는 예수께서 새로운 예루살렘을 세우실 재림을 묘사하는 요한계시록(3:12 및 21:2)과 연결되어 있다.

according to British folklore scholar A. W. Smith, 'there was little reason to believe that an oral tradition concerning a visit made by Jesus to Britain existed before the early part of the twentieth century'

The poem's theme is linked to the Book of Revelation (3:12 and 21:2) describing a Second Coming wherein Jesus establishes a New Jerusalem.

일반적으로 교회, 특히 영국 성공회는 오랫동안 예루살렘을 보편적인 사랑과 평화의 장소인 천국에 대한 은유로 사용해왔다.

Churches in general and the Church of England in particular have long used Jerusalem as a metaphor for Heaven a place of universal love and peace.

시의 가장 일반적인 해석에서 블레이크는 산업 혁명의 '어두운 사탄의 제분소'와 대조적으로 예수 방문이 영국에 잠시 천국을 창조했는지 묻고 있다.

블레이크 시는 그리스도 방문에 대한 역사적 진실을 주장하기보다는 4가지 질문을 던지고 있다.

In the most common interpretation of the poem Blake asks whether a visit by Jesus briefly created heaven in England in contrast to the 'dark Satanic Mills' of the Industrial Revolution. Blake's poem asks four questions rather than asserting the historical truth of Christ's visit.

2절은 하나님의 방문이 있든 없든 영국에서 이상적인 사회를 만들라는 권면(勸勉)으로 해석되고 있다.

The second verse is interpreted as an exhortation to create an ideal society in England whether or not there was a divine visit.

3. 'Chariots of fire' 의미와 유래

'불의 전차'는 '내 불의 수레를 가져와라!' 라는 시의 한 구절이다.

열왕기하 2장 11절에 나오는 구약의 선지자 엘리야가 하늘로 직접 올라가는 이야기를 인용하고 있다. '그들이 계속 가며 말할 때 불의 전차와 불의 말들이 나타나서 둘을 갈라놓았더라'

Chariots of fire, The line from the poem 'Bring me my Chariot of fire!' draws on the story of 2 Kings 2:11 where the Old Testament prophet Elijah is taken directly to heaven. 'And it came to pass, as they still went on, and talked, that, behold, there appeared a chariot of fire, and horses of fire, and parted them both asunder'

〈불의 전차〉. ⓒ Twentieth Century-Fox

'엘리야는 회오리 바람을 타고 하늘로 올라갔다.'

이 구절은 신성한 에너지의 대명사가 되었다. 1981년 영화 〈불의 전차〉 제목에 영감을 주게 된다. 영화는 마지막 장면에서 예루살렘 찬가가 불리어 졌다.

'불의 전차'는 열왕기하 6:17을 가리키고 있다.

'Elijah went up by a whirlwind into heaven' The phrase has become a byword for divine energy and inspired the title of the 1981 film Chariots of Fire in which the hymn Jerusalem is sung during the final scenes.

The plural phrase 'chariots of fire' refers to 2 Kings 6:17.

4. 패리 경(卿) 작곡 'Jerusalem'은 어떤 곡?

블레이크의 시를 합창곡으로 개작하면서 패리 경(卿)은 각각 블레이크의 원래 시의 8행을 차지하는 2연 형식을 전개했다고 한다. 그는 각 절과 코다에 4마디로 된 음악 소개를 추가하여 노래의 멜로디 모티브를 반향 했다. '그들'이라는 단어는 '악마의 맷돌' 이전에 '이들'로 대체된다.

In adapting Blake's poem as a unison song Parry deployed a two-stanza format each taking up eight lines of Blake's original poem. He added a four-bar musical introduction to each verse and a coda echoing melodic motifs of the song. The word 'those' was substituted for 'these' before 'dark satanic mills'

이 곡은 패리의 제자 월포드 데이비스가 지휘를 하게 된다. 하지만 패리는 처음에 정의를 위한 투쟁의 극단적인 애국심에 대해 의심이 있었기 때문에 가사를 설정하는 것을 꺼렸다고 한다. 그러나 로버트 브리지스나 데이비스를 실망시키고 싶지 않았기 때문에 동의하게 된다. 1916년 3월 10일에 그것을 쓰고 데이비스에게 원고를 건네며 '여기 당신을 위한 곡이 있다.'고 말한다.

The piece was to be conducted by Parry's former student Walford Davies but Parry was initially reluctant to set the words as he had doubts about the ultra-patriotism of Fight for Right but not wanting to disappoint either Robert Bridges or Davies he agreed writing it on 10 March 1916 and handing the manuscript to Davies with the comment 'Here's a tune for you, old chap. Do what you like with it'.

데이비스는 나중에 회상한다. 우리는 로얄 칼리지 오브 뮤직의 그의 방에서 함께 원고를 보았다. 나는 그것에 대한 그의 뜻밖의 행복을 생생하게 기억하고 있다. 그는 말을 멈추고 두 번째 연의 음표 D에 손가락을 댔다. '구름이 펼쳐진다.'는 단어가 그의 리듬을 깨는 곳. 나는 그것에 대해 어떤 말도 전달되지 않았다고 생각한다. 하지만 그는 이것이 그가 아끼는 노래의 한 음표이자 한 순간임을 완벽하게 분명히 했다.'

Davies later recalled We looked at the manuscript together in his room at the Royal College of Music and I recall vividly his unwonted happiness over it.

He ceased to speak and put his finger on the note D in the second stanza where the words 'O clouds unfold' break his rhythm. I do not think any word passed about it. yet he made it perfectly clear that this was the one note and one moment of the song which he treasured'

데이비스는 3월 28일 퀸스 홀에서 열리는 콘서트에 맞춰 커웬이 성악을 발표하도록 준비하고 리허설을 시작했다.

그것은 성공적이었고 일반적으로 채택되었다.

Davies arranged for the vocal score to be published by Curwen in time for the concert at the Queen's Hall on 28 March and began rehearsing it.

It was a success and was taken up generally.

그러나 패리는 '권리를 위한 투쟁 Fight for Right'에 대해 다시 불안해 하기 시작한다. 결국에는 프란시스 영허즈번드 경에게 1917년 5월 완전히 지지를 철회하는 편지를 쓴다. 작곡가가 노래를 철회할 수도 있다는 우려도 있었다.

하지만 상황은 여성 참정권 협회(NUWSS) 의해 구조를 받게 된다.

But Parry began to have misgivings again about Fight for Right and eventually wrote to Sir Francis Younghusband withdrawing his support entirely in May 1917. There was even concern that the composer might withdraw the song but the situation was saved by Millicent Fawcett of the National Union of Women's Suffrage Societies (NUWSS).

이 노래는 1917년 참정권 운동가들에 의해 채택된다.

파세트는 패리에게 1918년 3월 13일 참정권 데모 콘서트에서 사용할 수 있는지 묻는다. 원래는 목소리와 오르간을 위한 것이었다.

The song had been taken up by the Suffragists in 1917 and Fawcett asked Parry if it might be used at a Suffrage Demonstration Concert on 13 March 1918. Parry was delighted and orchestrated the piece for the concert. it had originally been for voices and organ.

콘서트가 끝난 뒤 파세트는 작곡가에게 이것이 여성 유권자의 찬송가가 될 수 있는지 물었다. 패리는 답장을 보낸다.

'당신이 제안한 대로 여성 유권자의 찬송가가 되었으면 한다. 사람들은 이 찬송가를 부르는 것을 좋아하는 것 같다. 그리고 투표를 하면 많은 기쁨이 퍼질 것이다. 그래서 그들은 행복하게 결합될 것이다.'

After the concert, Fawcett asked the composer if it might become the Women Voters Hymn. Parry wrote back 'I wish indeed it might become the Women Voters hymn as you suggest. People seem to enjoy singing it. And having the vote ought to diffuse a good deal of joy too. So they would combine happily'

따라서 그는 NUWSS에 저작권을 양도한다. 그 조직이 1928년에 해산되었을 때 패리 집행자들은 저작권을 여성 연구소에 재 할당한다.

1968년에 공개 도메인에 들어갈 때까지 그곳에 남아 있었다.

Accordingly, he assigned the copyright to the NUWSS. When that organisation was wound up in 1928, Parry's executors reassigned the copyright to the Women's Institutes where it remained until it entered the public domain in 1968.

이 노래는 처음에 'And Did That Feet in Ancient Time'이라고 불렸다. 초기 출판된 악보에는 이 제목이 있다.

'Jerusalem'으로 변경은 1918년 참정권 시위 콘서트 시기에 이루어졌을 것으로 보

〈불의 전차〉. © Twentieth Century-Fox

인다. 아마도 오케스트라 악보가 출판되었을 때였을 것이다.

The song was first called 'And Did Those Feet in Ancient Time' and the early published scores have this title.

The change to 'Jerusalem' seems to have been made about the time of the 1918 Suffrage Demonstration Concert, perhaps when the orchestral score was published.

오케스트라 악보에 대한 패리의 필사본에는 이전 제목에 줄이 그어져 있다. 다른 손에는 'Jerusalem'이 삽입되어 있다.

Parry's manuscript of the orchestral score has the old title crossed out and 'Jerusalem' inserted in a different hand

그러나 패리는 항상 첫 번째 제목으로 그것을 언급하고 있다. 그는 원래 첫 번째 구절을 여성 솔로 목소리로 부르도록 의도했다.

하지만 이것은 악보에 표시되어 있다. 현대 공연에서는 드문 일이다.

에드워드 엘가(Edward Elgar) 경은 1922년 리즈 페스티벌(Leeds Festival)에서 사용하기 위해 초대형 오케스트라를 위한 작품을 다시 작곡하게 된다.

However, Parry always referred to it by its first title. He had originally intended the first verse to be sung by a solo female voice. this is marked in the score but this is rare in contemporary performances. Sir Edward Elgar re-scored the work for very large orchestra in 1922 for use at the Leeds Festival.

엘가의 오케스트레이션은 패리의 오케스트레이션을 압도하고 있다.

그 이유는 주로 이것이 'Last Night of the Proms'에 현재 일반적으로 사용되는 버전이기 때문이다. 1950년대 이 이벤트를 소개한 말콤 사전트 경(卿)은 항상 패리 버전을 사용했다고 한다.

Elgar's orchestration has overshadowed Parry's own primarily because it is the version usually used now for the Last Night of the Proms though Sir Malcolm Sargent who introduced it to that event in the 1950s always used Parry's version.

5. ⟨불의 전차⟩에서 사용된 'Bring me my Chariot of fire'

'내 불의 전차를 가져오라'는 영화 제목에 영감을 주게 된다. 교회 신도는 영화가 끝날 때 '예루살렘'을 부르고 부분적으로 오버레이 된 반젤리스 작곡으로 엠브로시안 싱어즈에 의해 수행된 ⟨불의 전차⟩ 사운드트랙 공연으로 나타나고 있다.

'Bring me my Chariot of fire' inspired the title of the film Chariots of Fire.

A church congregation sings 'Jerusalem' at the close of the film and a performance appears on the Chariots of Fire soundtrack performed by the Ambrosian Singers overlaid partly by a composition by Vangelis.

하나의 뜻밖의 감동은 '예루살렘'이 마치 진정한 찬송가인 것처럼 4부 하모니로 노래된다는 것이다. 이것은 진짜가 아니다.

패리 작곡은 한마음 노래-즉, 모든 목소리가 곡을 노래한다-아마도 군중이 그 곡을 '노래할 수 있는' 것으로 만드는 것 중 하나였다.

오르간 반주 또는 오케스트라 이외의 어떠한 화음도 제공하지 않았다.

One unexpected touch is that 'Jerusalem' is sung in four-part harmony as if it were truly a hymn. This is not authentic: Parry's composition was a unison song that is all voices sing the tune-perhaps one of the things that make it so 'singable' by massed crowds and he never provided any harmonisation other than the accompaniment for organ or orchestra.

〈불의 전차〉. © Twentieth Century-Fox

또한 패리 자신의 것 이외의 다른 모습으로 표준 찬송가책에 나타나지 않으므로 영화를 위해 특별히 조화되었을 수 있다.

영화 가 제목은 콜린 웰랜드 찬송가가 나오는 TV 프로그램 'Songs of Praise'를 보고 제목을 변경하기로 결정할 때까지 'Running'이었다.

Neither does it appear in any standard hymn book in a guise other than Parry's own so it may have been harmonized specially for the film.

The film's working title was 'Running' until Colin Welland saw a television programme, Songs of Praise featuring the hymn and decided to change the title.

* 〈불의 전차〉 사운드트랙 목록은 4위 〈불의 전차〉 항목 참조

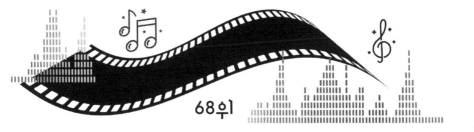

〈스타 트렉 Star Trek〉(1979-2013) -
제리 골드스미스 + 제임스 호너 등
1급 작곡가들이 참여한 우주 항모의 장대한 모험

작곡: 클리프 에델만 Cliff Eidelman + 마이클 지아치노 Michael Giacchino +
제리 골드스미스 Jerry Goldsmith + 제임스 호너 James Horner +
데니스 매카스 Dennis McCarthy + 레오나드 로젠만 Leonard Rosenman

무려 40여년 이상 장수 인기를 누리고 있는 〈스타 트렉〉. 미국 공상
과학 TV 드라마로 무수한 사회, 문화적 이슈를 만들어낸 화제 드라마이다.
ⓒ Paramount Pictures

1. 〈스타 트렉〉 버라이어티 평

〈스타 트렉〉은 진 로든베리가 만든 미국 SF 미디어 프랜차이즈이다. 동명의 1960년대 시리즈로 시작하여 빠르게 전 세계적인 대중문화 현상이 된다. 프랜차이즈는 다양한 영화, TV 시리즈, 비디오 게임, 소설 및 만화책으로 확장된다. 약 106억 달러의 수익을 올리는 〈스타 트렉〉은 역사상 가장 인지도가 높고 수익이 높은 미디어 프랜차이즈 중 하나이다.

Star Trek is an American science fiction media franchise created by Gene Roddenberry which began with the eponymous 1960s series and quickly became a worldwide pop-culture phenomenon. The franchise has been expanded into various films, television series, video games, novels and comic books. With an estimated $10.6 billion in revenue. Star Trek is one of the most recognizable and highest-grossing media franchises of all time.

프랜차이즈는 1966년 9월 8일 미국에서 데뷔한 〈스타 트렉: 오리지날 시리즈 Star Trek: The Original Series〉로 시작하여 NBC에서 3시즌 동안 방영된다. 1966년 9월 6일 캐나다에서는 CTV 네트워크를 통해 처음 방송된다. 23세기 행성 연합이 건조시킨 우주선 USS 엔터프라이즈 호는 '기이한 새로운 세계를 탐험하고, 새로운 삶과 새로운 문명을 찾고, 아무도 가본 적이 없는 곳으로 과감하게 가시오'라는 미션을 수행하게 된다.

The franchise began with Star Trek: The Original Series, which debuted in the US on September 8, 1966, and aired for three seasons on NBC. It was first broadcast on September 6, 1966 on Canada's CTV network. It followed the voyages of the starship USS Enterprise a space exploration vessel built by the United Federation of Planets in the 23rd century, on a mission 'to explore strange new worlds, to seek out new life and new civilizations to boldly go where no man has gone before'

〈스타 트렉〉을 만들 때 로덴베리는 C. S. 포스터의 '호레이쇼 혼블로워' 시리즈 소설, 조나단 스위프트의 1726년 소설 '걸리버 여행기', 1956년 영화 〈금지된 행성〉 및 〈왜곤 트레인〉 등과 같은 텔레비전 서부극에서 영감을 받았다.

In creating Star Trek, Roddenberry was inspired by C. S. Forester's Horatio Hornblower series of novels, Jonathan Swift's 1726 novel Gulliver's Travels, the 1956 film Forbidden Planet and television westerns such as Wagon Train.

〈스타 트렉 캐논〉에는 오리지널 시리즈, 9개의 스핀오프 TV 시리즈 및 영화 프랜차이즈가 포함되고 있다. 추가 각색은 또한 여러 미디어에 존재하고 있다.

오리지널 시리즈가 끝난 후 캐릭터 모험은 22개의 에피소드로 구성된 〈스타 트렉: 애니메이티드 시리즈〉와 6편의 장편 영화에서 계속 되었다.

The Star Trek canon includes the Original Series, nine spin-off television series and a film franchise. further adaptations also exist in several media.

After the conclusion of the Original Series, the adventures of its characters continued in the 22-episode Star Trek: The Animated Series and six feature films.

1980년대 시작된 텔레비전 리바이벌은 3개의 속편 시리즈와 프리퀄 〈스타 트렉: 넥스트 제너레이션〉은 원래 시리즈보다 한 세기 후에 새로운 우주선 엔터프라이즈 승무원의 행적을 따라가고 있다. 〈스타 트렉: 딥 스페이스 나인〉 및 〈스타 트렉: 보이저, 차세대〉와 같은 시대를 배경으로 하고 있다.

그리고 〈넥스트 제너레이션 앤 엔터프라이즈〉는 인간 행성 사이 여행 초기의 오리지널 시리즈 이전으로 설정되고 있다.

A television revival beginning in the 1980s saw three sequel series and a prequel: Star Trek: The Next Generation, following the crew of a new starship Enterprise a century after the original series; Star Trek: Deep Space Nine and Star Trek: Voyager set in the same era as the Next Generation and Enterprise, set before the original series in the early days of human interstellar travel.

〈넥스트 제너레이션 크루의 모험〉은 4편의 추가 장편 영화로 이어진다. 2009년 영화 프랜차이즈는 재부팅을 거쳐 켈빈 타임 라인으로 알려진 대체 연속성을 만들어 낸다. 이 연속성을 바탕으로 3편의 영화가 설정되었다.

The adventures of the Next Generation crew continued in four additional feature films. In 2009, the film franchise underwent a reboot, creating an alternate continuity known as the Kelvin timeline; three films have been set in this continuity.

〈스타 트렉〉. © Paramount Pictures

2017년부터 시작되는 최신 〈스타 트렉〉 텔레비전 리바이벌에는 〈스타 트렉: 디스커버리〉〈피카드〉〈숏 트렉〉〈로워 데크〉및 〈프로디지〉 시리즈가 포함되고 있다. 디지털 플랫폼에서만 독점적으로 스트리밍 되고 있다.

추가 시리즈 〈스타 트렉: 스트레인지 뉴 월드〉는 현재 개발 중이다.

The newest Star Trek television revival, beginning in 2017 includes the series Star Trek: Discovery, Picard, Short Treks, Lower Decks and Prodigy streaming exclusively on digital platforms, with an additional series Star Trek: Strange New Worlds currently in development.

〈스타 트렉〉은 수십 년 동안 컬트적인 현상이었다.

프랜차이즈 팬은 '트레키' 또는 '트레커'라고 한다.

프랜차이즈는 게임, 피규어, 소설, 장난감 및 만화를 포함한 광범위한 파생 상품에 걸쳐있다. 1998년부터 2008년까지 라스 베가스에는 스타 트렉을 테마로 한 구경거리가 있었다.

최소한 두 개의 박물관 소품 전시가 전 세계를 여행하고 있다.

Star Trek has been a cult phenomenon for decades. Fans of the franchise are called 'Trekkies' or 'Trekkers'. The franchise spans a wide range of spin-offs including games figurines, novels, toys and comics. From 1998 to 2008, there was a Star Trek-themed attraction in Las Vegas. At least two museum exhibits of props travel the world.

구성된 언어 '크링곤 Klingon'은 프랜차이즈를 위해 만들어졌다.

스타 트렉에 대한 여러 패러디가 만들어졌다.

이외에도 관객들은 여러 팬 작품을 제작한다.

The constructed language Klingon was created for the franchise.

Several parodies have been made of Star Trek. In addition, viewers have produced several fan productions.

〈스타 트렉〉은 공상 과학 소설을 넘어선 문화적 영향력으로 유명하다.

프랜차이즈는 또한 진보적인 민권 입장으로 유명하다.

오리지널 시리즈에는 미국 텔레비전에서 처음으로 다인종 캐스트 중 하나가 포함되었다.

Star Trek is noted for its cultural influence beyond works of science fiction.

The franchise is also noted for its progressive civil rights stances.

The Original Series included one of the first multiracial casts on US television.

2. 〈스타 트렉〉 사운드트랙 리뷰

〈스타 트렉 앨범〉-프라하 필하모닉 시티-2003년이 되자 실바(Silva) 레이블 가족이 비평가들의 극찬을 받은 SF 영화 음악 컬렉션을 마지막으로 출반한 지 몇 년이 되었다.

The Star Trek Album: (The City of Prague Philharmonic) By 2003.
it had been several years since the Silva family of labels had released their last major, critically acclaimed collection of science fiction film music.

1997년 'Space and Beyond' 앨범 성공 이후, 그들은 시리즈에서 두 개의 속편 세트-1998년과 2000년-를 제작한다.
둘 다 매우 매력적이었다. 3장의 앨범이 진행되는 동안 시티 오브 프라하 오케스트라는 당시 이용 가능한 거의 모든 주요 스타 트랙 음악을 연주한다.
대부분이 해당 시리즈 첫 번째 앨범에 등장했다.
하지만 두 장의 후속 앨범 전체에 걸쳐 추가 된 곡이 흩뿌려졌다.

After the success of their 'Space and Beyond' album in 1997, they produced two sequel sets in the series-in 1998 and 2000-both very attractive. Over the course of those three albums, the City of Prague Philharmonic performed nearly every major piece of Star Trek music available at the time and while most of it appeared on the first album in that series.
there were additional piece sprinkled throughout the two follow-up albums.

이 더블 CD 세트는 모두 흥미로운 선택의 연주를 제공하고 있다.
그 중 일부는 다른 것보다 더 잘 연주되었지만 프라하 음악가의 압도적인 재녹음-항상 선명한 음질과 함께-은 여전히 놀랍다.

All of these double-CD sets offered interesting performances of the selections and while some of them were better performed than others, the overwhelming magnitude of available re-recordings from the Prague musicians–along with their always crisp sound quality–remains staggering.

쿤젤의 텔락 프리젠테이션과 신시네티 팝 그리고 바레세 사라방드에서 출반한 로 얄 스코티시 내셔날 오케스트라 음반을 포 함하여 다양한 컴필레이션에 '스타 트렉' 음악을 녹음한 다른 레이블에서는 이미 '스타 트렉' 녹음을 단일 '파이널 프런티어' 앨범 제공에 압축해 주고 있다.

〈스타 트렉〉. © Paramount Pictures

Other labels that had recorded Star Trek music on their own various compilations including the Telarc presentations of Kunzel and the Cincinnati Pops and Varèse Sarabande releases of the Royal Scottish National Orchestra had already condensed their Star Trek recordings onto single 'final frontier' album offerings.

실바가 프랜차이즈의 자체 녹음으로 동일한 작업을 수행하는 것은 시간 문제 였다. 하지만 다른 두 레이블과 달리 실바는 이미 Star Trek 음악의 녹음을 너무 많이 출시했기 때문에 이제 두 장의 CD 세트가 이 모든 것을 포함해야 했다.

그 결과 'The Star Trek Album'에는 프라하의 모든 이전 녹음, 대부분의 음 향 효과, 처음 10편의 장편 영화와 4개의 TV 프로그램에서 선택을 마무리하기 위한 몇 가지 새로운 선곡 등이 포함되어 있다.

It was only a matter of time before Silva did the same with their own recordings from the franchise but unlike the other two labels, Silva had already released so many recordings of Star Trek music that two-CD sets were now required to feature all of it. The resulting 'The Star Trek Album' contains all of Prague's previous recordings, most of their sound effects and a couple of new cues to round out a selection from the first ten feature films and four television shows.

'Space and Beyond' 앨범에서 프라하는 다른 모든 트랙의 동일한 성능을 제공했지만 해당 컬렉션에 몇 가지 보석이 있다는 점에 유의해야 한다.

골드스미스 작곡의 'Star Trek: The Motion Picture'의 오프닝 타이틀, 호너 작곡의 'Star Trek II: The Wrath of Khan' 서곡, 골드스미스 작곡의 'Star Trek V: The Final Frontier' 엔딩 타이틀, 에델만 작곡의 'Star Trek VI' 엔딩 타이틀에 대한 프라하 녹음 : 'Undiscovered Country'-다른 그룹의 편곡된 모음곡과 달리 리드미컬한 클링온 모티브가 포함되어 있다-등은 모두 우수하고 매우 즐겁고 다른 선택의 대부분은 큰 실수가 없다.

On the 'Space and Beyond' albums, Prague had offered identical performances of all of these other tracks although it should be noted that there are some gems in that collection. The Prague recordings of the opening titles from Goldsmith's Star Trek: The Motion Picture, the overture from Horner's Star Trek II: The Wrath of Khan, the end titles from Goldsmith's Star Trek V: The Final Frontier and end titles from Eidelman's Star Trek VI: The Undiscovered Country—which, unlike other groups arranged suites, does include the rhythmic Klingon motif—are all superior and highly enjoyable and most of the other selections are without major mistakes.

영화 프랜차이즈에 최근 골드스미스 작곡 공연이 추가된 것에 대해 비판을 가한다면, 마지막 3편 영화의 모든 모음곡과 다섯 번째 영화의 모음곡과 그들의 엔딩 크레디트 등이 같은 구조를 갖추고 있다는 사실을 중심으로 돌아가고 있다.

따라서 원래 영화에 대한 골드스미스의 팡파르를 계속해서 듣게 된다.

If a criticism is to be had with the addition of performances of the more recent Goldsmith scores in the film franchise. it revolves around the fact that all of the suites from the last three films as well as the fifth, feature the same structure for their end credits. thus, you end up hearing the Goldsmith's fanfare for the original film over and over and over again.

이 새 앨범 세트를 위해 닉 레인-정기적으로 존 배리 자료를 훌륭하게 편곡하고 지휘-은 'Star Trek: Nemesis'에서 자신의 테마 모음과 주목할 만한 선곡을 개인적으로 편곡해 주고 있다. 이것은 골드스미스 작곡의 오리지널 엔딩 크레디트 형식의 반복 연주 문제를 해결할 뿐만 아니라 레인의 편곡은 'Star Trek: Nemesis'에서 들을 수 있는 최고의 주제 및 액션 음악을 제공하고 있다.

For this new album set, Nic Raine-who regularly does a spectacular job arranging and conducting John Barry material-personally arranged his own suite of themes and noteworthy cues from Star Trek: Nemesis. Not only does this solve the problem of repeat performances of Goldsmith's original end credit suite format but Raine's arrangement presents the best thematic and action music heard in Star Trek: Nemesis.

이번 배경 음악의 8분 모음-오프닝 제목, 마지막에 배 간의 결투, 그리고 엔딩 크레디트 마지막 부분으로 이어지는 목관 악기에 대한 '신존 테마'의 감정적 변형 포함-을 보면 스코어는 시리즈의 걸작이며 골드스미스의 원래 녹음의 단점에도 불구하고 프라하 연주자들은 여기에 놀라운 삶을 불어 넣고 있다.

From the eight-minute suite of this score-including the opening title, the duel between ships at the end and the emotional variant of Shinzon's theme on woodwind leading into the last portion of the end credits.

you'd think that the original score is a masterpiece in the series and despite the shortcomings of Goldsmith's original recording, the Prague performers whip surprising life into it here.

〈스타 트렉〉. © Paramount Pictures

마찬가지로 또 다른 신곡도 활기를 띠고 있다. 타악기 섹션은 'Star Trek III: Search for Spock'-아마도 호너 작곡 버전의 'Klingon 종교 축제일-의 클링곤 Klingon 공격 시퀀스를 위해 냄비와 프라이팬을 두드리는 은제품을 가져왔다.

이전에 프라하의 'Star Trek 셀렉션'에서 생략 되었던 배경 음악이다.

Likewise, the other new recording is also lively. The percussion section brought their silverware to bang on pots and pans for the Klingon attack sequence in Star Trek III: The Search for Spock-Horner's version Klingon religious feast day, perhaps-a score that had previously been omitted from Prague's Star Trek selections.

이 두 가지 선곡을 추가하면 'Star Trek' 음악의 실바와 프라하 프리젠테이션이 완료되고 하나의 훌륭한 세트가 된다. 'Enterprise' 주제가의 연주 버전-또는 그 불운한 프로덕션의 다른 음악 선택-만 녹음될 수 있었다면 이 앨범은 2009년까지 전체 프랜차이즈에 대한 완전한 점검이 되었을 것이다.

The addition of these two cues completes the Silva and Prague presentation of Star Trek music and makes for one fine set. If only an instrumental version of the 'Enterprise' theme song-or perhaps some other selection of music from that ill-fated production-could have been recorded, the album would still have been a complete survey of the entire franchise until 2009.

음향 효과는 무시할 만하며 쿤젤의 유사한 시도만큼 흥미롭거나 쇼에 사실적이지 않다. 앨범의 가장 큰 단점은 선곡이 어떤 이유에서인지 영화와 쇼의 시간 순서가 아니라는 것이다. 그렇지 않으면 '스타 트렉' 제작의 처음 두 시대를 거의 완성하는 두 가지 환상적인 새로운 공연으로 주목할 만한 세트이다.

The sound effects are negligible never as interesting or true to the shows as Kunzel's similar attempts. The greatest fault of the album is that the cues are for some reason not in chronological order of the films and shows.

Otherwise, it's a noteworthy set with two fantastic new performances that almost complete the first two ages of 'Star Trek' production.

Track listing

CD 1

1. Star Trek: The Original Series (Alexander Courage), Original TV Theme
2. Star Trek: The Motion Picture (Jerry Goldsmith), End Title
3. Star Trek: The Motion Picture (Jerry Goldsmith), Klingon Attack
4. Sound Effect: Warp Drive
5. Star Trek II: The Wrath of Khan (James Horner), Overture
6. Star Trek III: The Search for Spock (James Horner), Bird of Prey Decloaks
7. Star Trek IV: The Voyage Home (Leonard Rosenman), End Titles
8. Sound Effect: Away Team
9. Star Trek: First Contact (Jerry Goldsmith), End Title Suite
10. Star Trek: The Next Generation (Ron Jones), Tasha's Farewell from episode

Skin of Evil

11. Star Trek: Deep Space Nine (Dennis McCarthy), Theme, concert version

12. Star Trek: Deep Space Nine (Dennis McCarthy), Suite from episode Life Support

13. Star Trek V: The Final Frontier (Jerry Goldsmith), End Titles

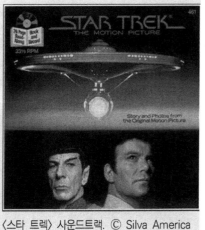

CD 2

1. Star Trek VI: The Undiscovered Country (Cliff Eidelman), End Titles

2. Star Trek: Voyager (Jerry Goldsmith), Theme

3. Sound Effect: Battle Stations

4. Star Trek: Generations (Dennis McCarthy), Overture

〈스타 트렉〉 사운드트랙. ⓒ Silva America

5. Star Trek: Deep Space Nine (Dennis McCarthy), One Last Visit

6. Star Trek: Insurrection (Jerry Goldsmith), End Title Suite

7. Sound Effect: Dogfight in Space

8. Star Trek: The Original Series (Alexander Courage), Suite from The Menagerie

9. Star Trek: Starfleet Academy (Ron Jones), Opening

10. Sound Effect: Crash Landing

11. Star Trek: Nemesis (Jerry Goldsmith), Suite

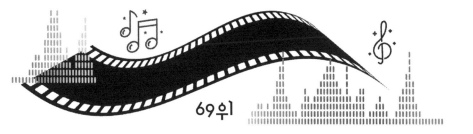

〈슈퍼맨 Superman〉(1978) -

슈퍼 영웅 사연 각인시켜준

존 윌리암스의 웅장한 관현악 리듬

작곡: 존 윌리암스 John Williams

리차드 도너 감독의 〈슈퍼맨〉. 존 윌리암스의 웅장한 배경 음악이 초능력 영웅담이 널리 환대받는 견인차 역할을 해낸다. ⓒ Columbia-EMI-Warner Distributors, Warner Bros

1. 〈슈퍼맨〉 버라이어티 평

〈슈퍼맨〉은 DC 코믹스의 동명 캐릭터를 기반으로 한 1978년 슈퍼히어로 영화이다. 〈슈퍼맨〉 영화 시리즈 첫 번째 작품이다.

Superman is a 1978 superhero film based on the DC Comics character of the same name. It is the first installment in the Superman Film Series.

슈퍼맨(리브)의 기원, 조엘(브란도) 아들인 크립톤의 칼-엘로서의 어린 시절과 시골 마을 스몰빌에서의 젊은 시절 등이 묘사되고 있다. 기자 클라크 켄트로 변장한 슈퍼맨은 메트로폴리스에서 온화한 성격을 갖고 있으며 악당 렉스 루터(진 해크만)와 싸우면서 로이스 레인(마고 키더)과 로맨스를 발전시킨다.

It depicts the origin of Superman (Reeve), including his infancy as Kal-El of Krypton, son of Jor-El (Brando) and his youthful years in the rural town of Smallville. Disguised as reporter Clark Kent.

he adopts a mild-mannered disposition in Metropolis and develops a romance with Lois Lane (Kidder) whilst battling the villainous Lex Luthor (Hackman).

멕시코 출신 프로듀서 일야 살카인드는 1973년 〈슈퍼맨〉 영화에 대한 아이디어를 갖고 있었다. DC Comics와 어려운 과정을 거친 후 살카인드는 캐릭터에 대한 판권을 구입한다. 몇 몇 감독, 특히 가이 해밀턴과 시나리오 작가-마리오 푸조, 데이비드와 레슬리 뉴먼, 로버트 벤튼 등은 리차드 도너가 감독으로 고용되기 전에 프로젝트와 관련을 맺는다.

Ilya Salkind had the idea of a Superman film in 1973 and after a difficult process with DC Comics, the Salkinds bought the rights to the character the following year.

Several directors, most notably Guy Hamilton, and screenwriters-Mario Puzo, David and Leslie Newman, and Robert Benton-were associated with the project before Richard Donner was hired to direct.

탐 맨케비츠는 대본을 다시 쓰기 위해 선발 되었으며 '창의적인 컨설턴트' 크레디트를 받는다. 〈슈퍼맨〉과 속편 〈슈퍼맨 2〉(1980)를 동시에 촬영하기로 결정한다. 주요 촬영은 1977년 3월에 시작하여 1978년 10월에 종료된다.
도너와 제작자 사이에 긴장이 생겼고 속편 촬영을 중단하기로 결정한다.
속편은 75%가 이미 완성되었고 첫 번째 영화는 완성하게 된다.

Tom Mankiewicz was drafted in to rewrite the script and was given a 'creative consultant' credit. It was decided to film both Superman and its sequel Superman II (1980) simultaneously with principal photography beginning in March 1977 and ending in October 1978. Tensions arose between Donner and the producers and a decision was made to stop filming the sequel of which 75 percent had already been completed and finish the first film.

5,500만 달러 예산으로 당시까지 제작된 가장 비싼 영화 〈슈퍼맨〉은 1978년 12월에 개봉하여 비평과 재정적 성공을 거둔다. 전 세계적으로 3억 달러의 흥행 수익을 올리며 개봉된 해 두 번째로 높은 수익을 올리게 된다.

The most expensive film made up to that point with a budget of $55 million.
Superman was released in December 1978 to critical and financial success.
it's worldwide box office earnings of $300 million made it the second-highest-grossing release of the year.

리브의 연기와 존 윌리암스의 배경 음악에 대한 찬사를 받았고 최우수 편집상, 최우수 작곡, 최우수 음향을 포함한 3부문 아카데미상 후보에 올라 시각 효과로 아카데미 특별 업적상을 수상하게 된다.

〈슈퍼맨〉. © Columbia-EMI-Warner Dis-
tributors, Warner Bros

It received praise for Reeve's performance and John Williams musical score and was nominated for three Academy Awards including Best Film Editing, Best Music (Original Score) and Best Sound and received a Special Achievement Academy Award for Visual Effects.

특수 효과와 공상 과학/ 환타지 스토리텔링의 획기적인 사용으로 이 영화의 유산은 할리우드 슈퍼히어로 영화 프랜차이즈의 주류 인기를 예고하게 된다.

Groundbreaking in its use of special effects and science fiction/ fantasy storytelling, the film's legacy presaged the mainstream popularity of Hollywood's superhero film franchises.

2. 〈슈퍼맨〉 사운드트랙 리뷰

도너 감독의 〈오멘〉을 작곡한 제리 골드스미스가 원래 〈슈퍼맨〉 배경 음악을 작곡할 예정이었다.

〈혹성 탈출〉의 제리 골드스미스 작업 일부가 〈슈퍼맨〉 티저 예고편에 사용된다.

하지만 제리는 일정 충돌로 중도 사퇴하고 존 윌리암스가 고용된다.

Jerry Goldsmith who scored Donner's The Omen was originally set to compose Superman. Portions of Jerry Goldsmith's work from Planet of the Apes were used in

Superman's teaser trailer.

He dropped out over scheduling conflicts and John Williams was hired.

윌리암스는 사운드트랙을 녹음하기 위해 런던 심포니 오케스트라를 지휘하게 된다. 음악은 마지막으로 등장한 작품 중 하나였다. 윌리암스의 'Theme from Superman (Main Title)'은 싱글로 발매된다. 미국 빌보드 핫 100에서 81위와 캐쉬 박스에서 69위에 오른다. 윌리암스는 영화가 스스로를 너무 심각하게 받아들이지 않고 연극 캠프의 느낌이 난다는 점을 좋아했다.

Williams conducted the London Symphony Orchestra to record the soundtrack. The music was one of the last pieces to come into place. Williams 'Theme from Superman (Main Title)' was released as a single reaching #81 on the U.S. Billboard Hot 100 and #69 Cash Box. Williams liked that the film did not take itself too seriously and that it had a theatrical camp feel to it.

키더는 레슬리 브리커스가 가사를 쓴 'Can You Read My Mind?'를 부르기로 되어 있었다. 하지만 도너 감독이 그것을 싫어하여 보이스오버가 포함된 작곡으로 변경하게 된다.

Kidder was supposed to sing 'Can You Read My Mind?' the lyrics to which were written by Leslie Bricusse but Donner disliked it and changed it to a composition accompanied by a voiceover.

모린 맥거번은 결국 'Can You Read My Mind?'라는 싱글을 녹음한다.
1979년에 그 노래가 영화 사운드트랙에 나오지는 않았다.
하지만 그 해 빌보드 핫 100(52위)에서 중간 차트 히트가 된다.
미국 성인 현대 차트에서 3주를 머물렀고 해당 캐나다 차트에서는 덜 등장한다.

Maureen McGovern eventually recorded the single 'Can You Read My Mind?' in 1979 although the song did not appear on the film soundtrack.

It became a mid-chart hit on the Billboard Hot 100 that year (#52) spending three weeks at number five on the U.S. Adult Contemporary chart as well as making lesser appearances on the corresponding Canadian charts.

또한 미국 컨트리 차트에서 93위에 오르는 아주 작은 히트를 기록하게 된다. 윌리암스 싱글과 맥거번의 싱글 모두 배경 음악에서 테마 음악을 포함한다. 이 배경 음악으로 존 윌리암스는 아카데미 상 후보에 올랐지만 〈미드나잇 익스프레스〉의 조르지오 모로더 Giorgio Moroder에게 패하고 만다.

It was also a very minor hit on the U.S. Country chart reaching #93. Both Williams and McGovern's singles contained theme music from the score.

The score earned John Williams an Academy Award nomination but he lost to Giorgio Moroder's score for Midnight Express.

사운드트랙은 원래 1978년 12월에 2 LP 세트로 출반된다. 동일한 녹음이 1987년에 처음으로 CD로 발행된다. 'Growing Up' 및 'Lex Luthor's Lair' 트랙이 디스크 녹음 내용에 맞추기 위해 삭제된다.

The soundtrack was originally released as a 2-LP set in December 1978 and the same recording was issued on CD for the first time in 1987 with the tracks 'Growing Up' and 'Lex Luthor's Lair' omitted to fit the recording onto one disc.

존 데브니가 지휘하고 로얄 스코티시 내셔날 오케스트라가 연주한 이 악보의 재녹음은 1998년 바레세 사라방드 레코드를 통해 출반된다. 2000년에는 원래 악보의 확장 판이 라이노 레코드를 통해 2CD 세트로 출시된다.

A re-recording of the score, conducted by John Debney and performed by the Royal Scottish National Orchestra was released by Varese Sarabande records in 1998. In 2000, an expanded edition of the original score was released on a 2-CD set by Rhino Records.

〈슈퍼맨〉. ⓒ Columbia-EMI-Warner Distributors, Warner Bros

2008년 2월, 필름 스코어 먼쓰리는 'Superman: The Music'이라는 제목의 8CD 박스 세트를 출반한다. 여기에는 처음 두 디스크에 새로 복원된 전곡과 디스크 8에 대체 및 소스 선곡이 포함되어 있다. 영화 개봉 40주년 일환으로 2019년 2월 La-La Land Records는 이전에 발행된 대체품과 소스 음악을 포함하여 3장의 디스크 세트로 완전히 확장된 윌리암스 악보 복원 판을 발매한다.

In February 2008, Film Score Monthly released an 8-CD boxed set titled Superman: The Music including a newly restored complete score on the first two discs as well as alternates and source cues on disc 8. As part of the film's 40th anniversary in February 2019 La-La Land Records released the fully expanded restoration of Williams score on a 3-disc set including the previously-issued alternates and source music.

3. 〈슈퍼맨〉 사운드트랙 해설 - 빌보드

영화 〈슈퍼맨〉 오프닝 크레디트에서는 처음 들었던 윌리암스의 '슈퍼맨 테마'가 재사용되고 있다. 켄 톤이 '메트로폴리스 거리'를 표현하기 위해 가볍고 다소 코믹한 선곡을 사용한 〈슈퍼맨 3〉를 제외한 모든 〈슈퍼맨〉 영화 오프닝 음악으로 다양한 편곡이 있다.

Williams 'Superman Theme' which is first heard during the opening credits to the film Superman has been reused with varying arrangements as the opening music for every Superman film except for Superman III, in which Ken Thorne employed a light-hearted somewhat comical cue to represent 'the streets of Metropolis'

그것은 또한 제목 캐릭터가 슈퍼맨 포스터를 보는 장면에서 1984년 영화 〈슈퍼걸〉에 대한 제리 골드스미스의 배경 음악을 참조하고 있다.

It is also referenced in Jerry Goldsmith's score to the 1984 film Supergirl during a scene in which the title character sees a poster of Superman.

2017년 영화 〈저스티스 리그〉에서 대니 엘프만은 캐릭터의 새로운 화신을 위해 윌리암스의 'Superman' 테마와 팀 버튼 감독의 'Batman' 및 'Batman Returns' 테마를 재사용했다. 애로버스의 크로스오버 곡 'Crisis on Infinite Earth'를 작곡한 블레이크 니리는 행진 주제와 브랜든 루스가 'Earth-96'의 〈슈퍼맨〉 역할을 되풀이 하는 'Can You Read My Mind?'를 융합시키고 있다.

In the 2017 film Justice League Danny Elfman reused Williams Superman theme as well as his themes from Tim Burton's Batman and Batman Returns for the new incarnation of the character. Blake Neely, the composer for the Arrowverse crossover 'Crisis on Infinite Earths' incorporated the march theme and 'Can You Read My Mind?' with Brandon Routh reprising his role as the Superman of Earth-96.

* 〈슈퍼맨〉의 라이트모티브(Leitmotifs: 인물, 물건, 사상과 관련된 반복되는 곡조)

1. 'Superman Fanfare'

3화음 기반의 짧은 모티브로 '메인 테마' 직전에 연주되거나 슈퍼맨이 퀵 컷 화면에 나타날 때 단독으로 연주되고 있다.

'Superman March'에서도 여러 번 다시 언급되고 있다.

a short triad-based motif played just before the 'Main Theme' or as a standalone when Superman appears in a quick-cut on-screen.

It is also restated many times in the 'Superman March'

2. 'Superman March' or 'Superman Main Theme'

크레디트를 열고 닫을 때 사용되고 있다.

멜로디 주요 부분인 'A' 테마와 약간 가벼운 분위기로 종종 'March'와 'Fanfare'를 연결하는 'B' 테마의 두 섹션으로 구성되어 있다.

used over opening and closing credits. It consists of two sections an 'A' theme which is the main part of the melody and a 'B' theme which is a bit lighter in mood and which often connects the 'March' to the 'Fanfare'

3. 'Can You Read My Mind' or 치솟는 the soaring 'Love Theme'

일반적으로 로이스와 슈퍼맨-또는 때때로 클라크-이 함께 있을 때 사용되고 있다. 이 주제의 일부는 'Superman March'의 중간에 막간으로 소개되고 있다. 멜로디 가사는 존 윌리암스의 오랜 공동 작업자 레슬리 브리커스가 영화의 확장된 '비행 시퀀스' 동안 노래를 만들 목적으로 작성했다고 한다.

로이스 레인 역을 연기하고 있는 마고 키더는 영화에서 가사를 말하지만 노래 커버 버전은 모린 맥거번, 셜리 베시 등이 음반으로 발표했다.

typically used when Lois and Superman-or sometimes Clark-find themselves alone together. A portion of this theme is introduced as an interlude in the midst of the 'Superman March'. Lyrics for the melody were written by longtime John Williams collaborator Leslie Bricusse for the purpose of having a song during the film's extended 'flying sequence'.

Margot Kidder who plays Lois Lane speaks the lyrics in the film but cover versions of the song have been recorded by Maureen McGovern, Shirley Bassey and others.

4. 'Krypton fanfare'

관객이 클립톤을 확대할 때 사용되며, 다시 고독한 요새 자체 건설 장면에서 함께 사용되고 있다.

used as the viewer zooms in on Krypton and again with the self-construction of the Fortress of Solitude.

5. 'Krypton crystal' motif or the 'Secondary Krypton'

'모티프'는 조-엘이 아들과 함께 지구로 보낸 수정과 슈퍼맨에게 치명적인 방사성 크립토나이트인 크립톤 행성의 물리적 특성과 관련된 신비롭게 들리는 주제이다.

motif is a mysterious-sounding theme associated with the physicality of the planet Krypton both the crystals sent by Jor-El to Earth with his son and the radioactive

〈슈퍼맨〉. ⓒ Columbia-EMI-Warner Distributors, Warner Bros

kryptonite which is deadly to Superman.

6. 'Personal motif'

'팡파르'와 '사랑의 테마'를 음악적으로 연결한 슈퍼맨과 클라크 켄트의 이중성에 관련된 멜로디다.

a melody related to the duality of Superman and Clark Kent which musically connects the 'Fanfare' to the 'Love Theme'

7. 'Smallville' or 'Leaving Home Theme'

'스몰빌 시퀀스'에서 사용된 코플란드 스타일의 곡.

아메리카나 멜로디는 어떤 면에서 행진의 'A' 테마의 더 단순하거나 개발되지 않은 버전이라고 할 수 있다. 이것은 1972년 존 웨인 주연의 서부 영화 〈카우보이〉를 위해 존 윌리암스가 작곡한 주제와 유사하다.

an Coplandesque, Americana melody used during the Smallville sequences which in some ways is a simpler or undeveloped version of the March's 'A' theme.

It bears a similarity to a theme written by John Williams for the 1972 John Wayne western film The Cowboys.

8. 'The March of the Villains' or 'Lex Luthor theme'

악당 렉스 루터(Lex Luthor)와 그의 부하 오티스(Otis)와 관련된 코미디 프로코피예프에서 영감을 받은 행진곡이다.

a comedic Prokofiev-inspired march associated with the villain Lex Luthor and his henchman Otis.

4. 소스 음악 Source music

기존 노래 선택은 〈슈퍼맨〉에 포함 되었으며 사운드트랙 앨범의 어떤 버전에도 포함되지 않았다. 하지만 다른 곳에서는 쉽게 구할 수 있다.

A selection of existing songs were featured in Superman not included on any version of the soundtrack albums but readily available elsewhere:

1. 'Rock Around the Clock'

빌 헤일리와 코멧츠 그룹의 노래는 라디오에서 클라크 켄트 고등학교 급우들이 몰고 있는 'Woodie' 라디오를 틀고 있었을 때 흘러나오고 있다.

이 노래는 이야기의 그 시점에서 아마도 1964년이었을 것이기 때문에 문맥과 맞지 않는 것처럼 보인다. 하지만 이 노래는 1955년에 데뷔했다.

나중에 칼-엘의 선박이 1951년에 추락했다는 것이 확인되고 〈슈퍼맨 3〉에서 클라크가 고등학교를 졸업했다는 것이 확립된다. 그러나 우연하게도-아니면-이 노래는 영화에서 글렌 포드의 마지막 장면을 소개하고 있다.

포드는 1955년 영화 〈블랙보드 정글〉의 주연으로 출연했다.

이 영화에서 그 노래가 두드러지게 등장하고 있다. 덧붙여서, 이 노래는 영화의 텔레비전 버전에서는 사용되지 않았다. 대신 〈캔사스 키드 Kansas Kids〉라는 영화를 위해 작곡되고 녹음된 원본 존 윌리암스 소스 큐를 사용하고 있다.

Bill Haley & His Comets, was playing on the radio of the 'Woodie' being driven by some of Clark Kent's high school classmates. The song seems out of context as it was presumably 1964 at that point in the narrative yet this song debuted in 1955.

It is later established that Kal-El's ship crashed in 1951, and in Superman III it is established that Clark graduates high school in 1965.

However, coincidentally-or not-the song introduces Glenn Ford's final scene in the film. Ford starred in the 1955 film Blackboard Jungle in which that song was prominently featured. Incidentally, this song was not used in the television versions of the film which instead used an original John Williams source cue composed and recorded for the film called 'Kansas Kids'

2. 'Only You'-플래터스 The Platters

10대 클라트 침대 옆 라디오를 틀고 있다가 헛간 아래에 있는 우주선을 발견하게 만드는 소리에 잠에서 깨는 장면에서 흘러나오고 있다.

playing on the teenage Clark's bedside radio when he is awakened by the sound that leads him to the discovery of his spacecraft beneath the barn.

〈슈퍼맨〉. ⓒ Columbia-EMI-Warner Distributors, Warner Bros

3. 앨범 'Even in the Quietest Moments'에 수록된 슈퍼 트램프 Super-tramp 그룹의 1977년 노래 'Give a Little Bit'이 10초 Ten seconds of Supertramp's 1977 song 'Give a Little Bit' from the album Even in the Quietest Moments

절정의 지진 현장 직전에 로이스 레인의 자동차 라디오에서 들려오고 있다.

영화에서 그들의 모습은 명백한 주제적 이유가 없는 것처럼 보이지만, 미묘한 메시지 한두 가지가 있을 수 있다.

그룹 이름에 'Super'가 있는 그룹, 그리고 화면에 들린 단어는 '조금 주세 요… 나는 당신을 위해 내 삶의 약간을 바칠 것입니다.'이다.

heard on Lois Lane's car radio just prior to the climactic earthquake scene.

Its appearance in the film seems to be for no obvious thematic reason though there could be a subtle message or two: The group having 'Super' in its name and the words heard on-screen. 'Give a little bit… I'll give a little bit of my life for you'

5. 영화를 위해 쓰여 진 소스 음악 Source music written for the film

1. 'Luthor's Luau'라고 불리는 하와이 테마의 선곡 A Hawaiian-themed cue called 'Luthor's Luau'

〈슈퍼맨〉이 데뷔한 다음 날 렉스 루터의 비밀 은신처 배경에서 들려 오는 곡은 영화에 사용되지 않은 소스 음악을 추가로 작곡한 존 윌리암스가 작곡했다. 어떤 경우에는 위에 나열된 기존 노래로 대체되었다. 윌리암스 버전 중 일부는 이들 대신에 영화의 확장된 텔레비전 방송 버전에서 사용되고 있다.

heard in the background in Lex Luthor's secret hideaway the day after Superman's debut around the city was composed by John Williams who also wrote additional pieces of source music that were not used in the film. In some cases these were replaced by the existing songs listed above. Some of Williams versions were used in the extended television broadcast versions of the film in place of these.

Track listing

Disc/ Cassette 1

1. Prologue and Main Title
2. The Planet Krypton
3. The Destruction of Krypton
4. Trip to Earth
5. Growing Up
6. Jonathan's Death
7. Leaving Home
8. The Fortress of Solitude

Disc/ Cassette 2

1. The Helicopter Sequence
2. The Penthouse
3. The Flying Sequence
4. The Truck Convoy
5. To the Lair
6. March of the Villains
7. Chasing Rockets
8. Pushing Boulders
9. Flying to Lois
10. Turning Back the World
11. The Prison Yard and End title
12. Love Theme from Sueprman

〈슈퍼맨〉 사운드트랙. ⓒ Warner Bros Records

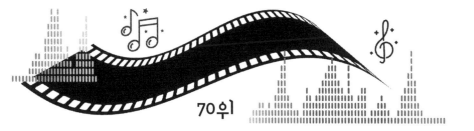

〈샤인 Shine〉(1996) - 라흐마니노프의 '피아노 콘체르토 3번', 피아니스트 데이비드 헬프갓의 곡절 인생 위로

작곡: 세르게이 라흐마니노프 Sergei Rachmaninoff

실존 피아니스트 데이비드 헬프갓의 곡절 많은 인생 여정을 다뤄 공감을 받아낸 〈샤인〉. ⓒ Ronin Films, Fine Line Features

1. <샤인> 버라이어티 평

아버지와 선생님으로부터 주도 당한 피아니스트 데이비드 헬프갓은 쇠약해진다. 몇 년 후 그는 피아노로 돌아와 비평가들의 찬사는 아니더라도 인기를 얻게 된다.

Pianist David Helfgott driven by his father and teachers has a breakdown. Years later he returns to the piano to popular if not critical acclaim.

피아노 신동 데이비드 헬프갓의 음악적 야망은 위압적인 아버지 피터와 마찰을 빚게 된다. 헬프갓은 음악 장학금으로 런던으로 여행을 갔을 때 피아니스트로서의 경력이 꽃을 피우게 된다.

As a child piano prodigy, David Helfgott's musical ambitions generate friction with his overbearing father Peter. When Helfgott travels to London on a musical scholarship his career as a pianist blossoms.

그러나 그의 새로운 명성에 대한 압박은 그의 떠들썩한 어린 시절의 메아리와 결합되어 헬프갓의 잠재된 정신 분열증이 표면으로 끓어오르도록 공모하게 된다. 그리고 그는 다양한 정신 시설을 들락날락하며 수년을 보내게 된다.

However, the pressures of his newfound fame, coupled with the echoes of his tumultuous childhood, conspire to bring Helfgott's latent schizophrenia boiling to the surface and he spends years in and out of various mental institutions.

<샤인>은 정신 쇠약(精神 衰弱)을 겪고 여러 기관에서 보낸 피아니스트 데이비드 헬프갓의 삶을 바탕으로 한 1996년 호주 전기 심리 드라마 영화이다.

Shine is a 1996 Australian biographical psychological drama film based on the life of David Helfgott a pianist who suffered a mental breakdown and spent years in institutions.

영화는 스코트 힉스가 감독했다. 각본은 얀 사르디가 작성했다.

The film was directed by Scott Hicks. The screenplay was written by Jan Sardi.

〈샤인〉은 선댄스 필름 페스티벌을 통해 세계 초연된다. 1997년 주연을 맡은 제프리 러쉬는 제69회 아카데미 시상식에서 남우주연상을 수상한다.

Shine had its world premiere at the Sundance Film Festival.

In 1997, Geoffrey Rush was awarded the Academy Award for Best Actor at the 69th Academy Awards for his performance in the lead role.

2. 〈샤인〉 사운드트랙 리뷰

엄청나게 재능 있고 엄청난 문제를 겪고 있는 호주 피아니스트 데이비드 헬프갓의 전기 〈샤인〉은 헬프갓의 삶의 음악, 특히 라흐마니노프 협주곡 3번의 벅찬 내용을 담고 있다.

The biography of the immensely talented, immensely troubled Australian pianist David Helfgott, 'Shine' is dotted with the music of Helfgott's life especially the daunting Concerto No. 3 of Rachmaninoff.

얼마 전 뉴욕 타임즈에 게재 된 바람이 많이 불고 고결한 작품은 라흐마니노프

3번이 영화를 만들 가치가 있는 충분한 음악 작품이 아니라고 주장하기도 했다.

A windy and high-minded piece in The New York Times the other day asserted that the Rach 3 is not a sufficiently substantial piece of music to merit building a film or for that matter a life around.

오! 나머지 우리들에게는 무지(無知)와 지적인 천박(淺薄)함으로 이 악보는 가장 단단한 사람이나 거의 모든 사람을 감동시키는 피아노 작품에 대한 위대하고 황홀(恍惚)한 낭만적인 표현 중 하나이다.

Oh! For the rest of us, in our ignorance and intellectual shallowness, the piece stands as one of the great, swooning romantic statements for the piano a piece that stirs even the hardest heart or almost.

〈샤인〉 사운드트랙은 대부분 헬프갓 자신이 연주한 쇼팽, 리스트, 슈만 및 기타 저명한 곡들과 함께 협주곡의 일부를 제공하고 있다.
영화 작곡가 데이비드 헬프갓 자신의 음악은 훌륭하다.
그리고 클래식하게 들리려고 하지 않을 만큼 똑똑하다.

The 'Shine' soundtrack offers excerpts of the concerto along with fragments of Chopin, Liszt, Schumann and other eminences, mostly performed by Helfgott himself. Film composer David Hirschfelder's own music is decent and smart enough not to try to sound classical.

〈샤인〉. ⓒ Ronin Films, Fine Line Features

3. 〈샤인〉 사운드트랙 해설 - 빌보드

1997년 시상식 시즌의 뜨거운 센세이션 중 하나는 1996년 말 선댄스 데뷔와 함께 큰 반향을 일으킨 호주 영화 〈샤인〉이다.

뉴 라인과 미라맥스가 전 세계적으로 영화 배급권을 놓고 공개 전쟁을 벌였다.

9개 이상의 호주 영화 연구소 Australian Film Institute 상을 수상한 후, 이 영화는 미국 비평가들에게 좋은 반응을 얻었으며 몇 달 만에 그것은 여러 골든 글로브와 아카데미상을 수상하는데 유리할 것이다.

Among the red hot sensations of the 1997 awards season was Shine, an Australian film that caused such a stir at its Sundance debut in late 1996 that both New Line and Miramax were engaged in open warfare over the right to distribute the film worldwide. After winning no less than nine Australian Film Institute awards, the film struck all the right chords with American critics, and within a few months, it would be favored to win several Golden Globes and Academy Awards as well.

호주 피아니스트 데이비드 헬프갓의 이야기인 〈샤인〉의 아이디어는 영화가 데뷔하기 10년 전에 스코트 힉스 감독에게 떠올랐다. 헬프갓-퍼스 레스토랑에서 완벽한 클래식 레퍼토리를 연주하여 뉴스를 만든-에 대한 신문 기사를 읽은 후 힉스는 콘서트에서 헬프갓을 보기로 주선했다고 한다.

The story of Australian pianist David Helfgott, the idea for Shine came to director Scott Hicks ten years before the film would debut. After reading a newspaper story about Helfgott-who had made news by performing a flawless classical repertoire at a Perth restaurant-. Hicks arranged to see Helfgott in concert.

다음 해에 그는 자신의 이야기를 영화로 상영한다는 아이디어에 대해 헬프갓의 신뢰를 얻기 위해 노력한다. 결국 얀 사르디의 부분적으로 허구화된 시나리오는 모든 관련 이벤트와 등장인물이 포함된 헬프갓을 만족시킨다.

Over the following year, he would endeavor to earn Helfgott's trust in the idea of presenting his story on film and eventually, a partially fictionalized screenplay by Jan Sardi would satisfy Helfgott with all the relevant events and characters included.

아마도 더 중요한 것은 헬프갓이 영화 자체와 후속 앨범에 사용하기 위해 유명한 클래식 레퍼토리 녹음을 위해 공연할 것이라는 점이다.
매우 개인적인 영화인 〈샤인〉은 음악 천재로서의 헬프갓의 발견과 이로 인해 아들의 성공을 통해 대리인으로 살기 위해 노력하는 까다로운 아버지와의 갈등에 대해 자세히 설명해 주고 있다.

Perhaps more importantly, Helfgott would perform for recordings of the famed classical repertoire for use in the film itself and the album that followed.

A highly personal film, Shine details Helfgott's discovery as a musical genius and the conflict this caused with a demanding father who was attempting to live vicariously through his son's success.

결국 가족과 호주와의 유대를 깨고 헬프갓은 런던에서 청년 시절 장학금으로 공부하게 된다. 그곳에서 그는 공연에서 눈에 띄는 성공을 거두었지만 내부적으로 정신적 붕괴를 겪게 된다. 주요 등장인물의 3가지 다른 연령대가 시간 순서가 아닌 순서로 제시되고 있다. 관객이 헬프갓의 여정을 이해하는 데 도움이 되도록 나레이션 없이 이리저리 뛰어다니고 있다.

Eventually breaking his bond with family and Australia Helfgott studies on scholarship as a young man in London where he achieves remarkable success in his performances but suffers an internal, mental breakdown. Three different ages of the primary character are presented in non-chronological order, jumping around without narration to assist the audience in understanding Helfgott's journey.

이것은 이야기에 포함된 연주에 어려운 피아노곡을 전례 없이 통합하는 것과 함께 작곡가 데이비드 허치펠더에게 벅찬 과업을 안겨 주게 된다.

This, along with an unprecedented incorporation of difficult piano pieces into the performances contained in the story, gave composer David Hirschfelder a daunting task.

허치펠더는 〈샤인〉에 대한 그의 노력으로 아카데미 상과 골든 글로브 후보로 지명 되었지만 두 부문 모두 가브리엘 야레의 〈잉글리시 페이션트〉에게 패하게 된다. 독창적인 강조에 대한 그의 실제 기여는 영화를 위해 특별히 편곡되고 연주된 잘 알려진 클래식 작품에 의해 쉽게 왜소해 지게 된다. 영화에서 상영 시간 대부분은 세계에서 가장 연주하기 어려운 곡인 고전 작품이 차지하고 있다. 헬프갓 공연은 종종 온건한 오케스트라가 반주해 주고 있다.

Hirschfelder would be nominated for an Academy Award and a Golden Globe for his efforts in Shine losing in both cases to Gabriel Yared's The English Patient, though his actual contribution of original underscore is easily dwarfed by the well known classical pieces arranged and performed specifically for the film. The majority of running time in the film is occupied by the classical works, many of which the most difficult pieces in the world to play and Helfgott's performances are often accompanied by a moderate orchestra.

〈샤인〉. © Ronin Films, Fine Line Features

솔로 피아노가 전시되는 몇 가지 순간이 있다. 배우 제프리 러시는 영화에서 도전적인 '건반 연기'를 연기하도록 강요당하고 있다. 클래식 피아노 작품 팬에게는 이러한 연주로 인해 방에 있는 다른 사람들이 조용해질 것이다.

헬프갓이 공연한 레스토랑과 매우 흡사하다.

There are several moments when the solo piano is put on display forcing actor Geoffrey Rush to enact some challenging 'keyboard acting' in the picture and for fans of classical piano works, these performances will cause you to hush others in the room much like the restaurants in which Helfgott performed.

〈샤인〉의 성공 비결 중 하나는 허치펠더-지휘자 릭키 에드워즈와 함께-가 고전 작품을 재배열하여 독창적 강조 신호 전체에 걸쳐 매끄럽게 흐르도록 했다는 사실이다.

One of the keys to Shine's success was the fact that Hirschfelder along with conductor Ricky Edwards rearranged the classical works so that they could often flow seamlessly throughout original underscore cues.

예상대로 허치펠더의 30분 정도의 강조는 피아노 중심이다. 종종 기발한 현 및/ 또는 하프가 반주되고 있다. 그의 멜로디적이고 서정적인 선곡은 종종 희망적이고 고양되어 헬프갓의 꿈과 상상력을 나타내고 있다.

배경 음악은 어두운 방향을 취하게 된다.

As you would expect, Hirschfelder's 30 minutes or so of underscore is piano-centered often accompanied by whimsical strings and/ or harp.

His melodic, lyrical cues are often hopeful and uplifting, representing Helfgott's dreams and imagination. The score takes a dark turn

그러나 그의 아버지가 최후통첩을 할 때 허치펠더는 피아노의 깊은 낮은 음역을 두드리고 있다. 또한, 정신 붕괴 시퀀스-라흐마니노프의 3번 및 'Complicato in Israel'에서-는 광범위한 전자 드론 효과로 구두점을 찍고 있다. 때때로 라흐마니노프 언급 중간에 혼합되어 영화에서는 훌륭한 센세이션을 일으키고 있다. 하지만 앨범에서는 분리된 느낌을 제공하고 있다.

however, when his father is makes his ultimatums with Hirschfelder pounding in the deep lower ranges of the piano. Additionally, the mental breakdown sequences in 'The Rach. 3' and 'Complicato in Israel' are punctuated with broad electronic droning effects. sometimes mixed into the middle of a Rachmaninoff statement, providing an excellent sensation in the film but a disjointed one on album.

영화와 별개로, 몇 가지 음향 효과와 캐릭터 보컬이 전체적으로 포함된 〈샤인〉 배경 음악은 영화를 보는 관객들에게 정말 기념품이 되고 있다.

Apart from the film, the Shine score which also includes a few sound effects and character vocals throughout is really a souvenir for viewers of the film.

가장 어려운 클래식 및 20세기 피아노 작품을 훌륭하게 연주하는 팬이라면 적절한 작품의 풍부한 컬렉션을 즐길 수 있다.
영화에 익숙하지 않은 청취자 또는 피아노가 귀찮은 청취자에게는 곡 사이 연결이 거의 없고 앨범이 상당히 지루할 수 있다. 문맥상 주목할 만한 노력이다. 하지만 청중을 대상으로 하는 고도의 목표이다.

Fans of masterful performances of the hardest classical and 20th Century piano works will enjoy the plentiful collection of appropriate pieces. For listeners unfamiliar with the film or for those for whom the piano is an annoyance. there will be little connection between the pieces, and the album could become quite tedious.

A remarkable effort in context but highly targeted in its audience.

4. 라흐마니노프의 '피아노 협주곡 3번 Piano Concerto No. 3 (Rachmaninoff)' 해설

세르게이 라흐마니노프 '피아노 협주곡 3번 라단조 Op. 30'은 1909년 여름에 작곡되었다. 이 작품은 같은 해 11월 28일 뉴욕 시에서 작곡가가 솔리스트로 참여하고 월터 담로시 휘하의 뉴욕 심포니 소사이어티와 함께 초연 된다.

이 작품은 종종 표준 클래식 피아노 레퍼토리에서 가장 기술적으로 어려운 피아노 협주곡 중 하나로 명성이 높다.

Sergei Rachmaninoff's Piano Concerto No. 3 in D minor, Op. 30 was composed in the summer of 1909. The piece was premiered on November 28 of that year in New York City with the composer as soloist accompanied by the New York Symphony Society under Walter Damrosch. The work often has the reputation of being one of the most technically challenging piano concertos in the standard classical piano repertoire.

라흐마니노프는 드레스덴에서 작곡한 협주곡을 1909년 9월 23일에 완성한다.

이 작품과 동 시대에 그의 '피아노 소나타 1번'과 음조 시(音調 詩) '죽은 자의 섬'이 발표된다.

〈샤인〉. © Ronin Films, Fine Line Features

Rachmaninoff composed the concerto in Dresden completing it on September 23, 1909. Contemporary with this work are his First Piano Sonata and his tone poem The Isle of the Dead.

어려움 때문에 협주곡은 많은 피아니스트들에게 존경을 받고 심지어 두려워하기까지 했다고 한다. 이 작품이 헌정 된 피아니스트 요제프 호프만(Josef Hofmann)은 '자신을 위한 것이 아니다.'라고 말하며 공개적으로 연주한 적이 없다. 게리 그라프만(Gary Graffman)은 '아직 너무 어려서 두려움을 알 수 없는' 학생이었을 때 이 협주곡을 배우지 못했다고 한탄했다고 전해진다.

Owing to its difficulty, the concerto is respected, even feared, by many pianists. Josef Hofmann the pianist to whom the work is dedicated never publicly performed it, saying that it 'wasn't for' him. Gary Graffman lamented he had not learned this concerto as a student when he was 'still too young to know fear'

시간 제약으로 인해 라흐마니노프는 러시아에 있는 동안 이 곡을 연습할 수 없었다. 대신, 그는 미국으로 가는 길에 갖고 온 무음 키보드로 그것을 연습한다. 협주곡은 1909년 11월 28일 일요일에 뉴욕 뉴 시어터에서 초연 된다.

Due to time constraints, Rachmaninoff could not practice the piece while in Russia. Instead, he practiced it on a silent keyboard that he brought with him while en route to the United States. The concerto was first performed on Sunday, November 28, 1909 at the New Theatre in New York City.

라흐마니노프는 월터 담로쉬가 지휘하는 뉴욕 심포니 소사이어티의 솔리스트였다. 이 작품은 1910년 1월 16일 '라흐마니노프가 소중히 여기는 경험'인 구스타프 말러 두 번째 공연으로 진행된다.

라흐마니노프는 나중에 리제만에게 리허설을 설명한다.

Rachmaninoff was the soloist, with the New York Symphony Society with Walter Damrosch conducting. The work received a second performance under Gustav Mahler on January 16, 1910 an 'experience Rachmaninoff treasured'.
Rachmaninoff later described the rehearsal to Riesemann.

'그 당시 말러는 내가 니키시와 동급으로 분류할 가치가 있다고 생각한 유일한 지휘자였다.

At that time Mahler was the only conductor whom I considered worthy to be classed with Nikisch.

그는 이미 또 다른 긴 리허설을 거쳤음에도 불구하고 다소 복잡한 반주가 완성될 때까지 협주곡에 전념한다.
말러에 따르면 악보의 모든 세부 사항이 중요했다.
지휘자에게는 너무 드문 태도였다.

He devoted himself to the concerto until the accompaniment which is rather complicated had been practiced to perfection although he had already gone through another long rehearsal. According to Mahler, every detail of the score was important an attitude too rare amongst conductors.

리허설이 12시 30분에 끝날 예정이었음에도 우리는 이 시간을 훨씬 넘어서 연주하고 연주했다. 말러가 1악장을 다시 리허설 하겠다고 했다.
나는 뮤지션들의 항의나 장면을 예상했다.
하지만 성가신 기색은 전혀 눈치 채지 못했다.

Though the rehearsal was scheduled to end at 12:30.

we played and played, far beyond this hour and when Mahler announced that the first movement would be rehearsed again.

I expected some protest or scene from the musicians, but I did not notice a single sign of annoyance.

오케스트라는 이전보다 예리하거나 더 가깝게 감상하면서 1악장을 연주했다.

The orchestra played the first movement with a keen or perhaps even closer appreciation than the previous time'

Track listing

1. With The Help of God, Shine
2. The Polonaise
3. Did He Win?
4. Will You Teach Me?
5. Scales to America
6. Scenes from Childhood-'Almost too Serious'
7. These People are A Disgrace
8. Raindrop Prelude
9. Your Father Your Family
10. Tell Me A Story, Katharine
11. Back Stage
12. Punished for The Rest of Your Life
13. Moments of Genius
14. La Campalesson
15. Letters to Katherine
16. 1st Movement Cadenza from The Rach. 3

17. Night Practice

18. As If There was No Tomorrow

19. The Rach. 3

20. Complicato in Israel

21. Raindrop Reprise

22. Bath to Daisy Beryl

23. Gloria

24. Hungarian Rhapsody No. 2

25. Prelude in C # Minor

26. Flight of The Bumble Bee

27. Rach. 3 Reborn

28. Goodnight Daddy

29. A Loud Bit of Ludwig's 9th

30. Sospiro

31. What's The Matter, David

32. La Campanella

33. Familiar Faces

34. Nulla in Mundo Pax Sincera

〈샤인〉 사운드트랙. ⓒ Philips

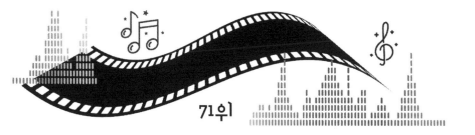

〈엘리자베스 Elizabeth〉(1998) –
최고 통치권자인 영국 엘리자베스 여왕의 애환을
위로해준 엘가 작곡 'Enigma Variations'

작곡 에드워드 엘가 Edward Elgar

인도 출신 세카르 카푸르 감독이 공개한 전기 역사극 〈엘리자베스〉. 엘가 작곡의
'Nimrod from Enigma Variations'이 주제 배경 음악으로 채택되고 있다. ©
PolyGram Filmed Entertainment

1. 〈엘리자베스〉 버라이어티 평

〈엘리자베스〉는 셰카르 카푸르가 감독하고 마이클 허스트가 각본을 맡은 1998년 영국 전기 시대 드라마 영화이다.

영화는 엘리자베스 통치 초기에 그녀를 가둔 이복 여동생 메리 1세가 사망한 후 왕위에 오르는 것을 기반으로 하고 있다. 그녀가 왕좌에 오르면서 그녀는 그녀를 무너뜨리려는 음모와 위협에 직면하게 된다.

Elizabeth is a 1998 British biographical period drama film directed by Shekhar Kapur and written by Michael Hirst. The film is based on the early years of Elizabeth's reign where she is elevated to the throne after the death of her half-sister Mary I who had imprisoned her. As she establishes herself on the throne, she faces plots and threats to take her down.

〈엘리자베스〉는 1998년 9월 8일 제 55회 베니스 국제 영화제에서 초연된다. 10월 23일 영국에서 극장 개봉되었다.

이 영화는 비판적이고 상업적인 성공을 거두었다.

Elizabeth premiered at the 55th Venice International Film Festival on 8 September 1998 and was theatrically released in the United Kingdom on 23 October.

The film became a critical and commercial success.

평론가들은 카푸르의 연출, 의상 디자인, 제작 가치, 특히 블란쳇의 연기는 칭찬 받으면서 그녀가 국제적 인지도를 얻게 된다.

영화는 3천만 달러의 예산 대비 8천 2백만 달러의 수익을 올린다.

Reviewers praised Kapur's direction, costume design, production values and most notably Blanchett's titular performance bringing her to international recognition, while the film grossed $82 million against its $30 million budget.

영화는 제56회 골든 글로브 시상식에서 작품상-드라마 부문을 포함하여 3개 부문에 노미네이트되었으며 블란쳇은 여우주연상을 수상한다.

제71회 아카데미 시상식에서 작품상과 여우주연상(블란쳇)을 포함해 7개 부문에 노미네이트되어 최우수 분장상을 수상한다.

The film received three nominations at the 56th Golden Globe Awards, including for the Best Motion Picture-Drama with Blanchett winning Best Actress.

At the 71st Academy Awards, it received seven nominations including for Best Picture and Best Actress(for Blanchett) winning Best Makeup.

2007년, 블란쳇과 러시는 엘리자베스 통치 후반부를 다룬 카푸르 감독 후속 영화 〈골든 에이지 Elizabeth: Golden Age〉에서 그들의 역할을 다시 수행해 낸다.

In 2007, Blanchett and Rush reprised their roles in Kapur's follow-up film Elizabeth: The Golden Age which covers the later part of Elizabeth's reign.

2. 〈엘리자베스〉 사운드트랙 리뷰

오리지널 스코어는 데이비드 허치펠더가 작곡한다.

The original score was composed by David Hirschfelder.

앨범은 BAFTA 어워드에서 최우수 영화 음악상을 수상한다.

아카데미상에서 최우수 오리지널 드라마틱 작곡 부문 후보에 올랐지만 〈인생은 아름다워〉에서 패배한다.

The album won the BAFTA Award for Best Film Music and was nominated for the Academy Award for Best Original Dramatic Score lost to the score of the film La vita è bella.

진정으로 국제적인 노력을 기울인 작품 〈엘리자베스〉는 인도 감독 셰카르 카푸르의 영어 데뷔작이다.

뛰어난 출연진과 호화로운 제작 가치로 이 영화는 영국 엘리자베스 1세 통치를 단 몇 시간으로 압축하고 있다.

〈엘리자베스〉. ⓒ PolyGram Filmed Entertainment

왕좌에 앉았던 시간에 대한 주요 사실 대부분에 충실하면서도 몇 가지 부문에서는 역사적 요소를 왜곡한 시의적절한 영화이다.

결국 카푸르 영화는 당시 16세기 영국을 배경으로 한 드라마의 물결을 타는 데 성공한다. 영화는 오스카상을 받을 만큼 비평가들의 찬사를 받는다.

A truly international effort in its making, Elizabeth was the English-language debut of Indian director Shakhar Kapur. With a stellar cast and lavish production values, the film condensed the reign of England's Queen Elizabeth I into just a few hours, staying faithful to most of the major facts about her time on the throne while distorting a few historical elements in the interest of a timely movie.

In the end, Kapur's film was successful in riding the wave of dramas set in England's late 16th Century at the time and the film was critically praised enough to merit some Oscar consideration.

후보 중 하나는 호주인 데이비드 허치펠더의 배경 음악이다. 허치쳴더는 몇 년 전에 이미 아카데미에서 〈샤인〉 작곡으로 지명 받은 바 있다.

허치펠더는 관객의 기대를 초월하는 고유한 힘의 감각과 시기 배경 음악의 고정 관념 사이에서 적절한 균형을 유지하면서 순진함, 공포, 힘 및 성의 개념을 시의적절 하게 다루고 있다.

One of it's nominations was for its score by Australian David Hirschfelder who had already been nominated by the Academy for his score for Shine a few years earlier.

Hirschfelder would need to address the concepts of naivete, terror, strength and sex while maintaining a fine balance between period score stereotypes and a unique sense of power that transcends listener's expectations.

그의 호주 앙상블은 현악기, 타악기 및 목소리가 풍부하다. 시대를 더 잘 정의하는 합시코드 및 하프와 같은 악기에 대한 개별 역할은 놀랍게도 거의 없다.

전체 앙상블에는 이러한 특수 악기 중 일부가 포함되어 있다. 상당한 음향 깊이로 행진하고 장난치며, 웅성거리고, 클라이막스로 향하고 있다.

His Australian ensemble is rich in strings, percussion, and voices with surprisingly few individual roles for instruments like the harpsichord and harp which better define the era. The full ensemble does include some of these specialty instruments, and they march, frolic, rumble and climax with significant sonic depth.

그러나 대 악보에 필요한 요소는 모두 담았다.

하지만 본질적으로 왕좌의 적절한 중력을 전달하는 진정한 힘과 본질이 결여되어 있다.

But while it contains all the necessary elements of a grand period score. it essentially lacks a genuine power and essence to convey the proper gravity of the throne.

3. 〈엘리자베스〉 사운드트랙 해설 - 빌보드

〈엘리자베스〉는 주류에 소화할 수 있는 재료를 제공하지 않으면서 아카데미상 유권자들을 사로 잡는 예술적으로 세련된 분위기를 특징으로 하는 스코어 타입이다.

Elizabeth is the type of score that features the artistically stylish atmosphere that woos Academy Award voters without providing any digestible material for the mainstream.

기념비적인 타이틀 테마와 섬세한 사랑 테마로 〈엘리자베스〉는 모든 적절한 재료를 갖고 있다. 하지만, 후자의 테마는 슬프게도 과소평가되어 있다. 전체적으로 배경 음악이 드라마틱 시퀀스의 우아함과 어두운 시퀀스의 공포에 부족하다.

With a monumental title theme and a delicate love theme. Elizabeth has all the right ingredients but the latter theme is sadly underplayed and the score as a whole falls short on elegance in the dramatic sequences and fright in the darker ones.

에드워드 엘가(Edward Elgar)의 '수수께끼 변주곡 Enigma Variations'과 볼프강 아마데우스 모차르트(Wolfgang Amadeus Mozart)의 '레퀴엠 Requiem'을 각색한 곡은 앨범의 마지막 부분에서 더욱 맛있는 청취 경험을 선사하고 있다.
악보는 엄청난 합창과 오케스트라의 힘이라는 제목의 주제로 시작되고 있다.

Adaptations from Enigma Variations by Edward Elgar and a piece from Requiem by Wolfgang Amadeus Mozart reveal themselves at the end of the album to be a more palatable listening experience.

The score opens with it's title theme of immense choral and orchestral power.

'Overture'의 행진은 〈겨울의 라이온〉에 대한 존 배리 작곡의 오프닝 타이틀의 장대한 임팩트를 위해 노력하고 있다.
하지만 선곡에 무서운 불협화음을 의도적으로 삽입한 허치펠더 때문에 동일한 선명도나 충격적인 임팩트를 달성하지 못하고 있다.

The march in 'Overture' strives for the grandiose impact of John Barry's opening titles for The Lion in Winter but never achieves the same clarity or ground-shaking impact because of Hirschfelder's intentional insertion of frightening dissonance into the cue.

스네어 탭과 둔탁한 줄 자르기가 있는 정적인 진행은 그 규모면에서 매력적이다. 그러나 분해되는 불협화음으로의 구불구불한 하강은 궁극적으로 짜증을 불러일으킨다.

It's static progressions with snare taps and dull string chopping are enticing in their magnitude but their meandering descents into disintegrating dissonance are ultimately annoying.

이것은 제리 골드스미스의 〈오멘 The Omen〉-그러나 수반되는 공포는 부족-에 대한 기억을 불러일으키고 있다.
조화롭게 유망한 진행을 초래하는 일부 끔찍한 라틴어 성가에도 불구하고.

This despite some harrowing Latin chanting that will raise memories of Jerry Goldsmith's The Omen-but lacking in the accompanying terror-and some harmoniously promising progressions.

이 타이틀 테마의 반복은 불협화음과 동일한 전투를 특징으로 하고 있다. 즐겁지 않더라도 기억에 남을 구별로 스스로를 언급하고 있다.

Reprises of this title theme feature the same battle with dissonance, pronouncing itself with distinction that is memorable if not enjoyable.

보컬은 몇 년 후 보이체크 킬라르 작곡의 〈나인 게이트〉를 위한 음악을 양식적으로 예시하는 소프라노 연주를 포함하여 나머지 배경 음악에서 더욱 다양해지고 있다.

〈엘리자베스〉. ⓒ PolyGram Filmed Entertainment

The vocals become more diverse in the remainder of the score including soprano performances that would stylistically foreshadow Wojciech Kilar's score for The Ninth Gate a few years later.

그들의 가장 조화로운 모험은 길이를 감안할 때 악보의 하이라이트라고 할 수 있는 'Night of the Long Knives'에서 들을 수 있다.

Their most harmonically pleasing ventures are heard in 'Night of the Long Knives' which may be the highlight of the score given its length.

또한 하이라이트 중에는 허치펠더의 '사랑 테마'를 특징으로 하는 두 개의 선곡이 있다. 두 번째 트랙의 진정으로 어둡고 연상되는 연주는 'B' 변종을 가장 잘 표현한 것이다. 'Arrest'의 타이틀 테마는 미래의 여왕으로서 영화 초반에 그녀의 이복 여동생에 의해 갇히게 될 때 흘러나오고 있다.

Also among the highlights are the two cues that feature Hirschfelder's love theme. The genuinely dark and evocative performance in the second track yields to the score's best rendition of the 'B' variant of the title theme in 'Arrest' as the future queen is confined by her half-sister early in the film.

나머지 배경 음악에 있는 두 개의 선곡은 영화의 춤이나 축하 시퀀스에 사용되고 있다. 'Coronation Banquet'에서 허치펠더의 보다 일반적인 6/8 리듬의 기간 사운드는 가벼운 기타, 하프 및 합시 코드로 연주되고 있다.

Two cues in the remainder of the score are devoted to the dance or celebration sequences of the film. In 'Coronation Banquet' Hirschfelder's more typical period sound in 6/8 rhythm is performed by light guitars, a harp and harpsichord.

이 스네어와 'Rondes'의 다소 평평한 믹스는 특히 고음 악기의 진부하고 스타카토 움직임으로 인해 많은 청취자에게 이러한 선곡을 지루하게 만들고 있다.

A rather flat mix of the snare in this and 'Rondes' will make these cues tedious for many listeners especially with the trite and staccato movements of the treble instruments.

악보의 나머지 부분은 만족스럽게 조화롭다. 하지만 그 우울함 외에는 많은 개성을 형성하지 않고 결국 배경으로 사라지고 있다.

The remainder of the score is satisfyingly harmonious though without forming much of personality outside of its gloominess. it eventually fades to the background.

전반적으로 〈엘리자베스〉는 뛰어난 구경(矩鏡)의 시대 작품의 모든 기본 요소를 갖고 있다. 그러나 악보 내의 각 분위기는 〈겨울의 라이온〉의 웅장한 합창

서곡, 레이첼 포트만의 〈엠마〉와 조지 펜튼 작곡의 〈위험한 미녀〉의 극적인 사랑 주제 등 시대의 다른 악보에서 더 잘 달성 되고 있다.

Overall, Elizabeth has all the basic elements of a period piece of superior caliber but each mood within the score has been achieved better in other scores of the era.

the grand choral overture in The Lion in Winter, the light period dance pieces in Rachel Portman's Emma and the dramatic love theme in George Fenton's Dangerous Beauty.

〈엘리자베스〉의 불협화음, 스타카토 스타일의 거대한 크기가 당신의 애정을 얻을 수 없다면, 이 배경 음악은 기껏해야 여러 가지 잡다한 것이 될 것이다.

If the grand size of Elizabeth's dissonant, staccato style cannot win your affections then this score will be a mixed bag at best.

4. 데이비드 허치펠더는 누구?

〈엘리자베스〉. ⓒ PolyGram Filmed Entertainment

데이비드 허치펠더(David Hirschfelder, 호주 빅토리아 주 발라랫 출신, 1960년 11월 18일-)는 오스트레일리아의 음악가, 영화 음악 작곡가 및 연주자이다.

음악가로서 리틀 리버 밴드와 존 판햄 밴드 멤버로 활동한 바 있다.

〈댄싱 히어로 Strictly Ballroom〉〈오스트레일리아 Australia〉〈레일웨이 맨 The Railway Man〉〈워터 디바이너 The Water Diviner〉 및 〈드레스메이커 The Dressmaker〉 등을 비롯한 많은 영화의 영화 음악을 작곡한다.

David Hirschfelder born 18 November 1960, Ballarat, Victoria is an Australian musician, film score composer and performer.

As a musician he has been a member of Little River Band and John Farnham Band.

He has composed film scores for many films, including Strictly Ballroom, Australia, The Railway Man, The Water Diviner and The Dressmaker.

〈샤인 Shine〉〈엘리자베스 Elizabeth〉 배경 음악 작곡으로 아카데미상 후보에 지명 받는다.

He was nominated for Academy Awards for his scores for Shine and Elizabeth.

러셀 멀케이 감독의 〈인 라이트 플린 In Like Flynn〉(2018), 레이첼 그리피스 감독의 〈라이드 라이크 어 걸 Ride Like a Girl〉(2019) 등이 최신 사운드트랙 작곡을 맡은 작품이다.

5. 엘가 작곡의 'Enigma Variations' 해설

에드워드 엘가는 독창적인 주제에 의한 변주곡 Op. 36, 1898년 10월과 1899년 2월 사이에 수수께끼의 변주곡으로 널리 알려져 있다.

원래 주제에 대한 14개의 변주곡으로 구성된 관현악 작품이다.

에드워드 엘가. © wikipedia

Edward Elgar composed his Variations on an Original Theme, Op. 36, popularly known as the Enigma Variations between October 1898 and February 1899.

It is an orchestral work comprising fourteen variations on an original theme.

엘가는 이 작품에 대해 '내 안에 있는 내 친구들에게' 헌정했다. 각 변형은 그의 가까운 지인 중 한 사람의 음악적 스케치였다고 한다.

묘사된 사람들은 엘가 아내 엘리스, 그의 친구이자 출판업자 어거스터스 J. 재거, 엘가 자신을 포함하고 있다.

1911년 공연에 대한 프로그램 노트에서 엘가는 다음과 같이 썼다.

Elgar dedicated the work 'to my friends pictured within' each variation being a musical sketch of one of his circle of close acquaintances. Those portrayed include Elgar's wife Alice, his friend and publisher Augustus J. Jaeger and Elgar himself.

In a programme note for a performance in 1911 Elgar wrote:

유머 정신으로 시작하여 깊은 진지함으로 이어지는 이 작품에는 작곡가의 친구들의 스케치가 포함되어 있다. 이 인물들은 원래의 주제에 대해 논평하거나 반성하고 각자가 수수께끼의 해결을 시도하는 것으로 이해할 수 있다.

This work, commenced in a spirit of humour & continued in deep seriousness, contains sketches of the composer's friends. It may be understood that these personages comment or reflect on the original theme & each one attempts a solution of the Enigma, for so the theme is called.

스케치는 '초상화'가 아니다. 하지만 각 변형에는 특정 성격이나 두 사람에게만 알려진 어떤 사건에 기초한 뚜렷한 아이디어가 포함되어 있다.

이것이 작곡의 근간이 되고 있다.

그러나 이 작품은 별 다른 고찰을 제외하고는 '하나의 음악'으로 들을 수 있다.

The sketches are not 'portraits' but each variation contains a distinct idea founded on some particular personality or perhaps on some incident known only to two people.

This is the basis of the composition but the work may be listened to as a 'piece of music' apart from any extraneous consideration.

엘가는 자신의 주제를 'Enigma'로 명명하면서 많은 추측을 불러일으킨다.

결정적으로 답변된 적이 없는 도전을 제기한다.

수수께끼는 숨겨진 멜로디를 포함하는 것으로 널리 알려지게 된다.

In naming his theme 'Enigma'.

Elgar posed a challenge which has generated much speculation but has never been conclusively answered. The Enigma is widely believed to involve a hidden melody.

1899년 런던 초연 이후 변주곡은 즉각적인 인기를 얻게 된다.

엘가의 국제적 명성을 확립하게 된다.

After its 1899 London premiere the Variations achieved immediate popularity and established Elgar's international reputation.

Track listing

1. Elizabeth: Overture
2. Love Theme-Arrest

3. Tonight I Think I Die

4. Walsingham

5. Night of The Long Knives adapted from a composition by William Byrd

6. Coronation Banquet

7. Love Theme

8. Aftermath

9. Parliament

10. Rondes from Tielman Susato(1500–1561) 'Dansereye' Rondes I and VII

11. Conspiracy

12. Ballard

13. One Mistress, No Master

14. Nimrod from Enigma Variations by Edward Elgar, Soprano Kim Wheeler

15. Requiem by Mozart, Soprano Kim Wheeler

〈엘리자베스〉 사운드트랙. ⓒ Gramercy Records

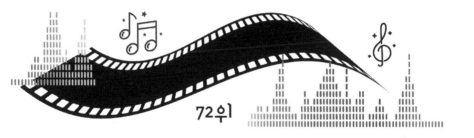

〈갈리폴리 Gallipoli〉(1981) -
장-미쉘 자르 'Oxygène', 1차 대전 당시 서부 호주에서 벌어진 병사 사연 들려줘

작곡: 장-미쉘 자르 Jean-Michel Jarre

피터 위어 감독의 전쟁 극 〈갈리폴리〉. ⓒ Roadshow Film Distributors, Paramount Pictures

1. <갈리폴리> 버라이어티 평

1915년 5월 서부 호주.

18세 목축업자이자 수상 경력에 빛나는 단거리 선수 아치 해밀톤은 호주 제국군에 입대하기를 갈망하고 있다. 그는 삼촌 잭에게 훈련을 받는다.

100야드 이상의 세계 챔피언인 해리 하살레스를 우상으로 여기고 있다.

아치는 괴롭힘을 당하는 농장주 레스 맥칸, 맨발로 달리는 아치, 맨손으로 말을 타고 있는 레스와 함께 경주에서 승리한다.

In Western Australia, May 1915, Archy Hamilton, an 18-year-old stockman and prize-winning sprinter, longs to enlist in the Australian Imperial Force. He is trained by his uncle Jack and idolises Harry Lasalles, the world champion over 100 yards.

Archy wins a race with a bullying farmhand, Les McCann, Archy running bare-foot and Les riding his horse bareback.

프랭크 던(Frank Dunne)은 돈이 부족한 실직한 전직 철도 노동자.

그는 뛰어난 단거리 선수이며 육상 카니발에서 상금을 받기를 희망하고 있다.

그는 또한 자신이 이기기 위해 많은 돈을 걸었다. 아치와 잭 삼촌은 육상 카니발로 여행을 떠난다. 프랭크는 아치가 그를 이기자 놀라고 처음에는 씁쓸하고 그의 내기에서 강탈당했다고 느낀다. 결국 프랭크는 상실감을 극복하고 카페에서 아치에게 다가간다. 아치는 그가 경주에서 얻은 모든 상금을 잭에게 주고 그가 입대하기로 결정했기 때문에 집에 오지 않을 것이라고 말한다.

그들은 둘 다 퍼스로 여행을 가기로 결정하고 그곳에서 입대하게 된다.

Frank Dunne is an unemployed ex-railway labourer who has run out of money.

He's an accomplished sprinter and hopes to win the prize money at the athletics carnival. he also bets a lot of money on himself winning.

Archy and Uncle Jack journey to the athletics carnival. Frank is surprised when Archy defeats him and is bitter at first and feels robbed of his bet.

Eventually Frank approaches Archy in a cafe after getting over his loss.

Archy gives all the prize money he won at the race to Jack and tells him that he will not be coming home for he has decided to enlist.

They both decide to travel to Perth and enlist there.

바톤 소령의 2인자 그레이 중위는 바톤에게 자신이 표식기를 봤다고 말했지만 누가 그에게 말했는지는 기억하지 못한다고 말한다. 프랭크는 소령에게 가드너 장군에게 대령의 머리를 넘기라고 제안한다. 프랭크는 해변에 있는 가드너 본부로 서둘러 간다. 장군은 수블라에서 영국 상륙대가 해변에서 차를 끓이고 있다는 소식을 듣게 된다. 그는 프랭크에게 공격을 재고하고 있다고 말한다.

Lieutenant Gray, Major Barton's second-in-command, admits to Barton that he was the soldier who said that he saw marker flags, though he did not remember who told him. Frank suggests to the Major that he go over the Colonel's head to General Gardner. Frank hurries to Gardner's headquarters down on the beach.

The General is informed that, at Suvla, the British landing party is brewing tea on the beach. He tells Frank that he is reconsidering the attack.

프랭크는 이 소식을 전하기 위해 다시 달려간다. 하지만 전화선이 수리되고 로빈슨 대령은 공격을 계속하라고 명령한다. 바톤은 부하들과 함께 공격에 참여하고 손에 든 참호 권총에서 나와 부하들에게 돌격하라는 신호를 보낸다.

아치는 마지막 웨이브에 합류하여 정상을 넘어가게 된다.

프랭크는 너무 늦게 도착하여 고뇌와 절망의 비명을 지르게 된다.

Frank sprints back to convey this news, but the phone lines are repaired and Colonel Robinson orders the attack to continue.

Barton joins his men in the attack climbs out of the trench pistol in hand and signals his men to charge. Archy joins the last wave and goes over the top.

Frank arrives seconds too late and lets out a scream of anguish and despair.

아치의 동료가 총에 맞아 쓰러지자 그는 소총을 떨어뜨리고 최대한 열심히 달린다.

As Archy's companions are cut down by gun fire he drops his rifle and runs as hard as he can.

〈갈리폴리〉. © Roadshow Film Distributors, Paramount Pictures

마지막 화면은 아치가 100야드 스프린트의 끝에서 테이프를 끊고 뒤로 떨어지는 것처럼 가슴을 가로 지르는 총알에 맞아 머리를 뒤로 젖히는 장면에서 멈춘다.

The final frame freezes on Archy being hit by bullets across his chest head back as if breaking the tape at the finish of a 100-yard sprint and falling backwards.

2. 〈갈리폴리〉 사운드트랙에 선곡된 'Oxygène' 해설

'Oxygène'은 프랑스 전자 음악가이자 작곡가 장-미쉘 자르의 3 번째 스튜디오 앨범이자 사운드트랙으로 사용하기 위한 것이 아닌 그의 첫 번째 앨범이다.

'Oxygène'은 'Oxygène Part I'에서 'Part VI'까지 간단히 번호가 매겨진

6개의 트랙으로 구성되어 있다.

Oxygène is the third studio album by French electronic musician and composer Jean-Michel Jarre and his first album not intended for use as a soundtrack. Oxygène consists of six tracks, numbered simply 'Oxygène Part I' to 'Part VI'.

장 미쉘 자르의 앨범 'Oxygène'. © Disques Dreyfus/ Polydor

이 음반은 1976년 12월 프랑스에서 처음으로 폴리돌 레코드에 라이선스가 부여된 디스크 드레이퍼스 레코드 레이블을 통해 발매된다. 1977년 중반에 국제 음반 시장으로 발매된다.

이 음반은 프랑스 차트 1위, 영국 차트 2위, 미국 차트 78위에 각각 진입한다.

It was first released in France in December 1976, on the Disques Dreyfus record label licensed to Polydor with an international release following in the middle of 1977.

The album reached number one on the French charts number two on the UK charts and number 78 in the US charts.

자르는 다양한 아날로그 신세사이저와 하나의 디지털 신세사이저, 기타 전자 악기 및 효과를 사용하여 임시 홈 녹음 스튜디오에서 앨범을 녹음했다고 한다.

Jarre recorded the album in a makeshift home recording studio using a variety of analogue synthesizers and one digital synthesizer as well as other electronic instruments and effects.

음반은 베스트셀러가 된다. 주류 성공을 달성한 자르의 첫 번째 앨범이 된다. 그 시점 이후로 전자 음악의 발전에 큰 영향을 끼친다.

'70년대 신세사이저 혁명을 이끈' 앨범과 '탄력 있고 버블링 하는 아날로그 시퀀스와 기억에 남는 후크 라인의 감염 조합'으로 묘사된다.

It became a bestseller and was Jarre's first album to achieve mainstream success. It was highly influential in the development of electronic music from that point onward and has been described as the album that 'led the synthesizer revolution of the Seventies' and 'an infectious combination of bouncy, bubbling analog sequences and memorable hook lines'

자르는 4개월 동안 'Oxygène'을 작곡하고 녹음한다. 그의 작업장에 설치된 스튜디오에서 제한된 장비를 사용하여 그의 첫 번째 신세사이저는 '전화 교환 기처럼 보이는' EMS VCS3였다고 한다. 그리고 '스피커에서 나오는 소리를 지연시키기 위해 레복스 Revox 테이프 기계를 사용하는 것이 훌륭한 공간감을 만든다"는 것을 깨달았다. 자르는 잡지 '가디언'과 인터뷰를 통해 '어떤 면에서는 모든 것을 자연 및 환경 문제와 연결하고 싶었다.'라고 말했다.

자르는 'Oxygène (Part II)'를 작성하기 위해 몇 가지 기능키만 갖고 있었던 오래된 멜로트론을 사용했다고 한다.

Jarre composed and recorded Oxygène over a period of four months using limited equipment in a studio set up in his kitchen his first synthesizer was an EMS VCS3 'which looked like a telephone exchange' and realized that 'using a Revox tape machine to delay the sound coming out of a speaker created a great sense of space'

Jarre stated in the magazine The Guardian that 'in a way, I wanted to link everything to nature and environmental issues'. Jarre used his old Mellotron which only had a few functional keys to write 'Oxygène (Part II)'

'Oxygène'(파트 IV)은 록과 슬로우 록을 혼합한 반면 여섯 번째 파트는 룸바와 보사노바를 혼합했다. 앨범 드럼 사운드는 코르기 미니 팝스 드럼 머신에서 동시에 두 개의 프리셋을 사용하여 제작되었다고 한다.

Oxygène (Part IV) mixed Rock and Slow rock while the sixth part mixed rumba with bossa nova. The drum sounds on the album were produced using two presets simulta-neously on a Korg Mini Pops drum machine.

앨범 표지는 원래 1972년에 필로테 잡지를 위해 그리고 미쉘 그랜저의 다른 두 삽화와 함께 그려졌다고 한다. 그런 다음 1974년에서 1975년 사이에 파리 갤러리에서 전시된다. 1976년 자르는 미쉘 그랜저 전시회를 통해 30cm × 40cm 수채화 그림 'Oxygène'을 보았다고 한다.

The album cover was originally drawn for Pilote magazine in 1972 along with two other illustrations by Michel Granger. It was then exhibited in a Paris gallery between 1974 and 1975. In 1976, Jarre saw the 30 cm × 40 cm watercolour painting Oxygène at a Michel Granger exhibition.

자르는 그림을 구입하고 그랜저에게 '앨범 표지로 사용하고 싶다.'고 말한다.

그랜저는 'Oxygene은 우리 행성에 가해지는 피해에 대한 시리즈의 일부였다. 레코드 커버 치고는 꽤 폭력적인 이미지였다.'라고 말했다.

그랜저는 나중에 다음과 같이 말했다.

〈갈리폴리〉. © Roadshow Film Distributors, Paramount Pictures

Jarre bought the painting and told Granger 'he'd love to use it as an album cover'. Granger said that 'Oxygene was part of a series about the damage being done to our planet. It was a pretty violent image for a record cover'. Granger later said.

'그 그림은 내 모든 작업 중 가장 잘 알려져 있다. 나의 모나 리자이다. 하지만 더 이상 내 것이 아니라는 생각이 든다. 장-미쉘 자르 음악을 사랑하는 모든 사람의 것이다.'

'That picture is the best known of all my work. It's my Mona Lisa. But I don't feel like it belongs to me any more. It belongs to anyone who loves the music of Jean-Michel Jarre'

음반은 여러 음반사에서 출반이 거부당한다. 디스크 드레이퍼스는 1976년 12월 5일에 음반을 발매한다. 초기 발매 량은 50,000장이었지만 앨범은 1,500만장이 팔린 것으로 추산되고 있다. 2022년 현재 기준으로 총 1,800만 장이 추정된다. 또한 1977년에는 각각 'Oxygene 2'와 'Oxygene 4'라는 두 곡의 싱글이 발매 된다. 속편 'Oxygène 7-13'이 1997년에 출반된다.

The album was rejected by multiple record labels, yet Disques Dreyfus released the album on 5 December 1976. The initial pressing was 50,000 copies but it is estimated that the album has sold 15 million copies. it is currently estimated that a total of 18 million copies as of 2022. In addition, two singles were released in 1977.
Oxygene 2 and Oxygene 4 respectively. A sequel Oxygène 7-13 was released in 1997

2007년에는 오리지널 앨범 'Oxygène: New Master Recording' 버전이 출반된다. 2016년에는 'Oxygène 3'라는 제목의 또 다른 속편이 출반된다.
같은 해 완전한 3부작이 연속적으로 출반된다.

in 2007 a version of the original album Oxygène: New Master Recording was released and in 2016 another sequel titled Oxygène 3 was released which caused the complete trilogy to be released consecutively that same year.

3. 앨범 'Oxygène'에 대한 음반 비평가들의 평가

1977년 7월 영국에서 발매된 앨범에 대한 반응은 대체로 부정적이었다. 영국 펑크 씬에 더 관심이 많았던 영국 음악 언론은 기타 기반 음악을 지향했다. 대부분 전자 음악에 적대감을 가졌다. NME의 앵거스 맥키넌(Angus MacKinnon)은 이 앨범을 '또 하나의 끝없는 우주 유람선이다. 독일 우주선 탄제린 드림, 슐츠는 1,000년 전에 전자 은하의 이 부분을 매핑 했다. 이 앨범은 격렬하게 파생된 것이다. 대신 주요 영향을 탐색하라' 라는 의견을 내놓는다.

Reaction to the album upon its release in the UK in July 1977 was largely negative. the British music press more interested in the developing UK punk scene was oriented towards guitar-based music and hostile to most electronic music.

Angus MacKinnon of the NME described the album as 'another interminable cosmic cruise. The German spacers Tangerine Dream, Schulze mapped this part of the electronic galaxy aeons ago. The album's infuriatingly derivative. Explore its prime influences instead'

이 앨범을 마이크 올드필드의 작품의 프랑스 버전에 비유하면서 뮤직 위크는 다음과 같이 말했다.

Likening the album to a French version of Mike Oldfield's work, Music Week said.

'불행히도 자르는 자의식적인 음악성 면에서 깊이 있는 작품을 제작했다.
확실히 그의 예술 작품을 소매에 걸고 있다.
올드필드와 달리 그는 결코 물러서지 않고 자신의 창조물을 비웃고 있다.
전체적으로 무겁고 그의 영향은 특히 말러의 기름진 터치와 거의 연속적인
바흐의 토대를 계속해서 휘젓고 있다.'

'Unfortunately Jarre has produced a work that is ponderous in its self-conscious
musicality, he definitely wears his art on his sleeve.
Unlike Oldfield he never stands back and laughs at his own creation.
It is heavy throughout and his influences continually jog the elbow particularly the
lugubrious touches of Mahler and the almost continuous Bach underpinning'

'약간의 관심이 생길 수 있다. 하지만 이 앨범은 우리의 편협하고 음악적으로
반(反) 지적인 앵글로 색슨 섬에 적합하지 않다.'

'Some interest will be generated but the album is not really suited to our insular
and musically anti-intellectual Anglo-Saxon island'

멜로디 메이커의 칼 달라스는 '이 앨범을 처음 들었을 때 너무 싫었다.
너무 단조롭고, 너무 무리하고, 사건이 없는 것 같았다.
더 들어도 보답하고, 또 듣는 것에 보답한다는 것을 인정해야 한다.
처음에 썼던 것처럼 전자식 뮤작이 아니다.'라고 평했다.

Karl Dallas of Melody Maker was kinder towards the album saying that 'the first
time I heard this album I hated it. It seemed so bland, so undemanding, so uneventful.
I've got to admit it repays further listening, and that it is not quite the electronic
Muzak I had written it off as initially'

〈갈리폴리〉. © Roadshow Film Distributors, Paramount Pictures

　가장 긍정적인 평가는 레코드 미러의 로빈 스미스로부터 '그런 음악을 통해 따뜻함을 전달하는 것은 꽤 힘들고 최종 결과는 일반적으로 기발하다. 하지만 장-미쉘 자르는 응집력이 결합된 다양한 윤곽 형식을 제시했다.'고 언급했다.

　The most positive review came from Robin Smith of Record Mirror in which he stated that 'it's pretty tough to communicate warmth through such music and the end result is usually stilted but Jean-Michael Jarre has laid down a variety of forms joined together by cohesive lines'

　올뮤직의 짐 브렌홀츠의 회고적 리뷰에서는 이 앨범이 '원래 전자 음악 앨범 중 하나'이며 '시간의 시험과 디지털 일렉트로니카의 진화를 견뎌냈다.'고 말했다. 이 앨범은 '죽기 전에 꼭 들어봐야 할 앨범 1001 장' 책에 포함 되었다.

　A retrospective review by Jim Brenholts from AllMusic stated that it 'is one of the original e-music albums' and that it 'has withstood the test of time and the evolution of digital electronica'.
　The album was included in the book 1001 Albums You Must Hear Before You Die.

앨범 'Oxygène' Track listing

Side one

1. Oxygène (Part I)
2. Oxygène (Part II)
3. Oxygène (Part III)

Side two

1. Oxygène (Part IV)
2. Oxygène (Part V)
3. Oxygène (Part VI)

* <갈리폴리> 사운드트랙 목록은 11위 <갈리폴리> 목록 참조

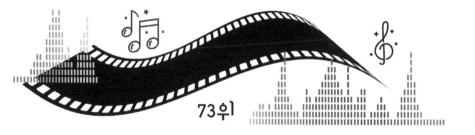

〈대 탈출 The Great Escape〉(1963) -
엘머 번스타인이 박력 있는 관현악 리듬으로 칭송한
연합군 포로의 의지(意志)

작곡: 엘머 번스타인 Elmer Bernstein

존 스터지스 감독의 서사 모험 전쟁 사극 〈대 탈출〉. 엘머 번스타인의 박력 있는 배경 음악이 흥행 열기를 부추겨준다. ⓒ The Mirisch Company, United Artists

1. 〈대 탈출〉 버라이어티 평

실화를 바탕으로 한 탈출 작가 형 포로 연합군이 모두 '탈출 증명' 수용소에 갇히게 된다. 그들의 지도자는 한 번에 수백 명을 방출시키기로 결정한다.

Based on a true story, a group of allied escape artist-type prisoners-of-war are all put in an 'escape proof' camp.
Their leader decides to try to take out several hundred all at once.

영화 전반부는 코미디처럼 상영되고 있다. 죄수들은 대부분 간수들보다 속임수를 써서 탈출 터널을 파내고 있다. 후반부는 비행기, 기차, 보트를 사용하여 점령된 유럽을 탈출하는 하이 어드벤처이다.

The first half of the movie is played for comedy as the prisoners mostly outwit their jailers to dig the escape tunnel. The second half is high adventure as they use planes, trains and boats to get out of occupied Europe.

〈대 탈출〉은 스티브 맥퀸, 제임스 가너 및 리차드 아텐보로가 출연하고 제임스 도날드, 찰스 브론슨이 출연한 1963년 미국의 서사적 모험 서스펜스 전쟁 영화이다.

The Great Escape is a 1963 American epic adventure suspense war film starring Steve McQueen, James Garner and Richard Attenborough and featuring James Donald, Charles Bronson.

파나비전으로 촬영됐다. 영화는 폴 브릭힐(Paul Brickhill)의 1950년 출간한 동명의 논픽션 책을 기반으로 하고 있다. 나치 독일의 사간-현재 폴란드 자간 - 니더 실레지아 지방에 있었던 독일 포로수용소 스탈라그 루프트 3 Stalag

Luft III에서 영연방 전쟁 포로들의 대량 탈출에 대한 직접적인 설명을 담고 있다. 영화는 탈출에 대한 미국인의 개입에 더 초점을 맞추고 있다. 상업적인 매력을 위해 수많은 타협과 함께 탈출 과정을 크게 허구화시킨 버전을 묘사해 주고 있다.

It was filmed in Panavision. The film is based on Paul Brickhill's 1950 non-fiction book of the same name a firsthand account of the mass escape by British Commonwealth prisoners of war from German POW camp Stalag Luft III in Sagan-now Żagań, Poland-in the Nazi Germany province of Lower Silesia. The film depicts a heavily fictionalized version of the escape with numerous compromises for its commercial appeal such as focusing more on American involvement in the escape.

영화는 1963년 6월 20일 런던 웨스트 엔드 오데온 레스터 광장에서 로얄 월드 프리미어를 진행한다.

〈대 탈출〉은 모스크바 국제 영화제에서 맥퀸이 남우 주연상을 수상하는 등 개봉된 해 가장 높은 수익을 올린 영화 중 한 편으로 부상했다. 현재는 고전으로 간주되고 있다.

The film had its Royal World Premiere at the Odeon Leicester Square in London's West End on 20 June 1963. The Great Escape emerged as one of the highest-grossing films of the year winning McQueen the award for Best Actor at the Moscow International Film Festival and is now considered a classic.

〈대 탈출〉은 오토바이 추격과 점프 장면으로도 유명하다. 이 장면은 지금까지 수행된 최고의 스턴트 중 하나로 평가받고 있다.

The Great Escape is also noted for its motorcycle chase and jump scene which is considered one of the best stunts ever performed.

2. 〈대 탈출〉 사운드트랙 리뷰

영화의 상징적인 음악은 엘머 번스타인(Elmer Bernstein)이 작곡했다. 그는 〈대 탈주〉 메인 테마를 기반으로 각 주요 캐릭터에 고유한 음악적 모티브를 부여하고 있다.

The film's iconic music was composed by Elmer Bernstein who gave each major character their own musical motif based on the Great Escape's main theme.

지속적인 인기 덕분에 번스타인은 평생 동안 악보의 로열티로 생활 할 수 있었다.

비평가들은 영화가 수감자들을 인간화하고 관객들에게 사랑받는 따뜻하고 부드러운 주제의 막간과 함께 고무적인 군국주의적 모티브를 사용하기 때문에

〈대 탈출〉. ⓒ The Mirisch Company, United Artists

성공했다고 말하고 있다.

음악은 또한 포로의 용기와 도전을 포착해주고 있다.

It's enduring popularity helped Bernstein live off the score's royalties for the rest of his life. Critics have said the film score succeeds because it uses rousing militaristic motifs with interludes of warmer softer themes that humanizes the prisoners and endears them to audiences.

The music also captures the bravery and defiance of the POWs.

메인타이틀의 애국적인 행진은 이후 영국에서 특히 잉글랜드 축구대표팀의 팬과 같은 스포츠에서 인기를 얻게 된다.

The main title's patriotic march has since become popular in Britain particularly with sports such as fans of the England national football team.

그러나 2016년 엘머 번스타인 아들들은 영국 브렉시트 국민 투표에서 탈퇴 캠페인이 〈대 탈출〉을 주제로 사용한 것을 공개적으로 비판하며 '우리 아버지는 UKIP가 자신의 음악을 그 파티에 사용하는 것을 절대 용납하지 않았을 것'이라며 강력하게 반대한다.

However, in 2016, the sons of Elmer Bernstein openly criticized the use of the Great Escape theme by the Vote Leave campaign in the UK Brexit referendum saying 'Our father would never have allowed UKIP to use his music' because he would have strongly opposed the party.

3. 〈대 탈출〉 사운드트랙 해설 - 빌보드

스터지스 감독은 〈황야의 7인〉을 통해 엘머 번스타인과의 공동 작업에 매우 만족했다. 그가 영화를 작곡할 것이라는 데는 의심의 여지가 없었다.

스터지스는 또한 번스타인의 본능을 믿었다.

그래서 다시 한 번 그에게 작곡에 대한 자유로운 통치권을 주었다고 한다. 스터지스 감독으로부터 이야기에 대한 광범위한 설명을 받은 후 번스타인은 감옥 드라마, 탈출 계획의 지속적인 긴장, 독일인을 앞지르기, 그리고 마지막으로 터널링의 밀실 공포증에 대해 이야기해야 한다는 것을 이해하게 됐다고 한다.

Sturges was very pleased with his collaboration with Elmer Bernstein on 'The Magnificent Seven' and there was never any doubt he would score the film.

Sturges also trusted Bernstein's instincts and so once again gave him free reign to compose. After receiving a broad stroke description of the story from Sturges, Bernstein understood that he needed to speak to the drama of imprisonment, the on-going tension of planning the escape, outwitting the Germans and lastly, the claustrophobia of the tunneling.

하지만 무엇보다도 그는 〈황야의 7인〉으로 했던 일을 다시 해야 했다.

영화 정신을 포착할 기억에 남는 메인 테마를 원했다. 번스타인 관련; 불굴성에 관한 것이다. 그것은 정신에 관한 것이다. 스티브 맥퀸이 연기한 캐릭터에 관한 것이다. 그래서 그는 개념의 걸작으로 영화적 경험에서 가장 기억에 남는 행진 중 하나를 작곡하게 된다. 이 행진은 인류의 집단 양심에 지울 수 없는 흔적을 남긴다. 그 행진은 인간에게 불멸을 가져다주게 된다.

But foremost he needed to reprise what he had done with 'The Magnificent Seven'.

he wanted a memorable main theme to capture the film's spirit. Bernstein related; It's about indomitability. It's about spirit. It's about the character played by Steve McQueen. So in a masterstroke of conception he composed one of the most memorable marches in the cinematic experience one which has made an indelible mark on humanity's collective conscience, earning him immortality.

그의 사운드스케이프를 위해 번스타인은 다음과 같은 놀라운 16가지 테마를 제공하게 된다. 악보의 메인 테마인 대탈주 행진곡. 이것은 비질 힐트 개인 정체성과 관련이 있는 경쾌한 행진을 표현하고 있다. 하지만 또한 캠프 포로의 불굴의 정신으로 초인격적으로 표현되고 있다. 군국주의가 완전히 결여되어 있는 대신 낙관주의, 자신감, 오만함을 제공하고 있다. 행진은 33개의 음표로 길게

늘어서 있다. 작은 드럼 타악기와 함께 튜바-첼로-베이스 케이던스로 설정된 목관악기 또는 호른 애니마토에 의해 추진되고 있다.

승리 테마는 포로의 승리의 순간을 지원하고 호른 브라브라가 자랑스럽게 대답하는 4음 호른 선언을 제공하고 있다. 쿨러 테마는 탈출을 위한 불운한 터널링 노력에 대해 힐트와 아이비스-두더지-의 반복적인 캡처를 지원하고 있다.

For his soundscape Bernstein provided an astounding sixteen themes including.
the Great Escape March which serves as the score's main theme. It emotes as a jaunty march which is associated with Virgil Hilts' personal identity but also trans-personally as the indomitable spirit of the camp's POWs. There is a complete absence of militarism instead offering optimism, confidence and cockiness. The march is long-lined at thirty-three notes and propelled by woodwinds or horns animato set to a tuba-cello-bass cadence along with snare drum percussion. The Victory Theme supports moments of triumph by the POWs and offers a four-note horn declaration answered proudly by horns bravura. The Cooler Theme supports the repeated captures of Hilts and Ives-the mole-for their hapless tunneling efforts to escape.

'레지스탕스 테마'는 메인 타이틀을 시작하는 오프닝 6음 선언에서 파생 되었다.
저항의 정신과 포로의 도피 의무를 형상화한 것이다.
그 조음(調音)은 일반적으로 혼 노빌 horn nobile과 목관 고요한 고요함으로 반

〈대 탈출〉. © The Mirisch Company, United Artists

복되는 6음 구조를 제공하는 임시화되고 있다. '피트 테마'는 베이스 카운터와 함께 차분하게 반복되는 5음 스트링 라인을 제공하고 있다.

그의 차분한 태도와 끊임없이 계산하는 마음을 표현해 주고 있다.

'블라이스 테마'는 이 달콤한 남자의 부드러운 영혼을 완벽하게 포착하는 악보의 가장 아름다운 테마를 제공하고 있다. 우리가 갖고 있는 것은 오보에 독주와 후에 하프로 장식된 독주 플루트의 부드러운 목가적이다.

The Resistance Theme is derived from the opening six-note declarations which launch the Main Title. It embodies the spirit of resistance and duty of POWs to escape.

It's articulation is generally temporized offering a repeating six-note construct by horns nobile and woodwinds tranquillo. Pitt's Theme offers a calm repeating five-note string line with bass counters which speaks to his calm demeanor and ever-calculating mind. Blythe's Theme offers the score's most beautiful theme, which perfectly captures the gentle soul of this sweet man. What we have is a tender pastorale by solo oboe and later solo flute with harp adornment.

'헨들리 테마'는 단호한 현악기, 대위법 목관악기 및 베이스 케이던스로 반복되는 5개 음표 프레이즈를 제공하는 속임수와 재치 있는 '스크라운저'로서 그의 역할을 완전히 수용하고 있다. '아이비스 테마'는 현악 테네로와 하프 장식이 수반되는 솔로 오보에 델리카토를 제공하고 있다.

몸집이 작은 남자는 감옥에 갇힌 상처받은 정신을 갖고 있으며 음악은 스코틀랜드 조국과 자유에 대한 그의 갈망을 말해주고 있다.

Hendley's Theme fully embraces his role as the conniving and resourceful 'Scrounger' offering a repeating five-note phrase by determined strings contrapuntal woodwinds and bass cadence. Ives Theme offers a solo oboe delicato attended by strings tenero and harp adornment. The diminutive man has a wounded psyche from imprisonment and the music speaks to his longing for his Scottish homeland and to be free.

'베린스키 테마'는 거친 베이스 카운터와 함께 클라리넷 또는 현악기 돌로로소에 의해 전달되는 반복적인 4음 구조를 제공하고 있다.

Velinski's Theme offers a repeating four-note construct borne by clarinet or strings doloroso with harsh bass counters.

그는 P.T.S.D., 11개의 탈출 터널을 건설하는 동안 여러 번 산 채로 매장되어 밀실 공포증을 앓고 있다. 그의 주제는 이것을 말해주고 있다.

'세드윅 테마'는 '대 탈출 행진곡'에서 가져온 문구와 유사한 5음 A 및 B 문구의 반복 주기를 제공하고 있다.

He suffers from P.T.S.D., claustrophobic trauma from being buried alive multiple time while building eleven escape tunnels and his theme speaks to this. Sedgwick's Theme offers a repeating cycle of a five-note A and B Phrases which are kindred to phrasing drawn from the Great Escape March.

목관 악기와 순환 현에서 영감을 받아 차분한 여행 모티브를 제공하여 자전거를 자유롭게 탈 수 있도록 지원하고 있다.

Emoted by woodwinds and cyclic strings it offers a calm traveling motif which supports his bicycle ride to freedom.

'터널 테마'는 지하 굴착을 지원하고 있다. 그것은 스네어 드럼, 날카로운 피콜로, 대위법 호른에 의한 3개의 코드로 보강된 현에 의해 전달되는 6음 구조를 제공하고 있다. '탈출 테마'는 실제 탈출을 지원하고 목관악기로 덮인 서스펜스의 현으로 8음 구조를 제공하고 있다. '너티칼 테마'는 베린스키와 딕케스의 강 탈출을 지원하며 악보에서 가장 서정적인 테마 중 하나를 제공하고 있다.

반짝이는 하프 장식이 있는 고요한 현악기가 물결 없는 강물처럼 고요한 음악으로 우리를 우아하게 해주고 있다. '공중 테마'는 헨들리와 블라이스의 탈출 비행을 지원하고 있다. 기쁨으로 울려 퍼지는 따뜻한 현과 따뜻한 프렌치 호른이 전달하는 희망적인 낙관주의로 가득 차 있다.

The Tunnel Theme supports the subterranean digging. It offers a six-note construct carried by strings energico buttressed by snare drums, shrill piccolo with three chords by contrapuntal horns. The Escape Theme supports the actual escape and offers an eight-note construct by strings of suspense cloaked with woodwinds which rises and falls, undulating tension. The Nautical Theme supports Velinski and Dickes river escape in a row boat and offers one of the score's most lyrical themes. Soothing strings tranquillo with shimmering harp adornment grace us with music as serene as the waveless river waters. The Aerial Theme supports Hendley and Blythe's escape flight.

It abounds with hopeful optimism carried by refulgent strings and warm French horns which resound with joy.

'오토바이 테마'는 힐트의 운명을 이끄는 강력한 액션을 제공하고 있다. 대담한 스타카토 혼 피에라멘테는 반복되는 4음 프레이즈 다음에 동일하게 충전된 5음 프레이즈를 나타내고 있다.

The Motorcycle Theme offers an action powerhouse, which propels Hilts ride to destiny. Bold staccato horns fieramente emote a repeating four-note phrase followed by an equally charged five note phrase.

'루거 테마'는 파멸의 작은 북으로 뒷받침되는 위협적인 현이 지탱하는 음울하고 반복되는 3음 구조를 제공하고 있다.

이것은 누구도 그의 진영에서 탈출하지 못하도록 하는 그의 권위와 결의를 나타내고 있다.

확장하여 그의 주제는 포저 대위와 그의 다른 고위 장교들도 지원하고 있다.

Luger's Theme offers a grim, repeating three- note construct borne by menacing strings underpinned by snare drums of doom which speak to his authority and determination to ensure no one escapes from his camp.

〈대 탈출〉. ⓒ The Mirisch Company, United Artists

His theme by extension supports also Captain Posen and his other senior officers.

'수용소 테마'는 수용소, 철조망 울타리 및 경비 타워의 영상을 지원하고 있다. 그 개념은 하프 아르페지오 장식과 함께 마이너 모달 현악 오르막에서 전달되는 황량하고 어두운 사운드스케이프, 절망감을 표현하는 훌륭하고 감동적이다.

The Prison Camp Theme supports visuals of the camp, its barbed wire fencing and guard towers. Its conception is brilliant, emoting feelings of hopelessness, a bleak and dark soundscape borne on minor modal chordal string ascents with harp arpeggio adornment.

'메인타이틀'은 결정적인 배경 음악 하이라이트를 제공하여 번스타인에게 불후의 명성을 안겨주고 있다. 독일 캐러밴이 포로를 새로운 스타래그 루프트 3 Stalag Luft III 수용소로 수송하는 것을 볼 때 오프닝 크레디트의 롤을 지원하고 있다.

우리는 4개의 포르티시모 메이저 모달 코드가 뒤따르는 스네어 드럼으로 지지된 2개의 오름차순 6음 혼 선언 위에 팔을 부르며 대담하게 시작하고 있다.

영화 제목이 표시되고 우리는 튜바-첼로-베이스 케이던스로 설정된 목관악기가 추진하는 경쾌한 대탈출 행진에 들어가게 된다. 이 문장은 변화하는 현이 조화를 이룰 때 튜바 케이던스를 강화하는 작은 드럼으로 되풀이 되고 있다. 이어 자랑스러운 나팔 선언이 시작되면 승리 테마가 시작되고 있다.

'Main Title' offers a defining score highlight which earned Bernstein, immortality. It supports the roll of the opening credits as we see a German caravan transporting POWs to the new Stalag Luft III camp. We open boldly with a call to arms atop two ascending six-note horn declarations buttressed with snare drums followed by four fortissimo major modal chords. the film title displays and we segue into the jaunty Great Escape March propelled by woodwinds set to a tuba-cello-bass cadence.

The statement reprises with snare drums reinforcing the tuba cadence as shifting strings harmonize. proud horns declarations launch the Victory Theme.

다음은 대담하게 울려 퍼지고 포르티시모 메이저 모달 코드로 장식된 도전적인 '쿨러 테마'로 이어지고 있다.

'대탈주 행진곡'이 프렌치 호른을 연주하고 서정적인 대위법 현으로 보강되어 재개되고 있다. 캠프에 도착할 때 작은 드럼 소리로 마무리되는 6음 시작 선언을 시작하는 허세 부리는 메이저 모달 코드가 다시 있다.

We next segue into the defiant Cooler Theme which boldly resounds and is crowned by fortissimo major modal chords. the Great Escape March resumes carried by French horns now augmented by lyrical contrapuntal strings. We again have bravado major modal chords which launch the six-note opening declaration concluding on a diminuendo of snare drums as they arrive at the camp.

Track listing

1. Main Title
2. Premature Plans
3. Cooler And Mole
4. Blythe
5. Discovery
6. Various Troubles
7. On The Road
8. Betrayal
9. Hendley's Risk
10. Road's End
11. More Action
12. The Chase
13. Finale

〈대 탈출〉 사운드트랙. ⓒ Capitol Records

<엑소더스 Exodus>(1960) -

이스라엘 건국 신화, 어네스트 골드 축하 선율 헌정(獻呈)

작곡: 어네스트 골드 Ernest Gold

2,000여년 이상 유랑 민족으로 수난 당했던 이스라엘의 건국 일화를 극화한 <엑소더스>. ©
United Artists

1. 〈엑소더스〉 버라이어티 평

1948년 이스라엘이 건국되면서 이웃 아랍 국가들과 전쟁을 일으키게 된다.

The State of Israel is created in 1948 resulting in war with its Arab neighbors.

주제는 이스라엘 건국이다. 행동은 키프로스에서 하선 중인 이스라엘로 향하는 유대인 이민자들로 가득 찬 배에서 시작되고 있다.

The theme is the founding of the state of Israel. The action begins on a ship filled with Jewish immigrants bound for Israel who are being off loaded on Cyprus.

정보 장교(情報 將校)는 그들을 배에 다시 태우는 데 성공했지만 협상해야 하는 영국인에 의해 항구가 막히게 된다. 영화의 두 번째 부분은 독립이 선언되고 대부분의 이웃 사람들이 그들을 공격하는 이스라엘의 상황에 관한 것이다.

An Intelligence officer succeeds in getting them back on board their ship only to have the harbor blocked by the British with whom they must negotiate.
The second part of the film is about the situation in Israel as independence is declared and most of their neighbors attack them.

〈엑소더스〉는 이스라엘 건국에 관한 1960년 미국의 서사적 역사 드라마 영화이다. 오토 플레밍거가 제작하고 감독한 이 영화는 레온 유리스의 1958년 소설 〈엑소더스 Exodus〉를 기반으로 하고 있다.
각본은 달튼 트럼보가 썼다. 영화에는 앙상블 캐스트가 등장하며 유명한 사운드트랙 음악은 어네스트 골드가 작곡했다.

Exodus is a 1960 American epic historical drama film on the founding of the State of Israel. Produced and directed by Otto Preminger, the film was based on the 1958 novel Exodus by Leon Uris. The screenplay was written by Dalton Trumbo. The film features an ensemble cast and its celebrated soundtrack music was written by Ernest Gold.

종종 '시온주의 서사시'로 특징지어지는 영화는 많은 평론가들에 의해 미국에서 시온주의와 이스라엘에 대한 지원을 자극하는 데 막대한 영향을 미친 것으로 확인되었다.

Often characterized as a 'Zionist epic', the film has been identified by many commentators as having been enormously influential in stimulating Zionism and support for Israel in the United States.

프레밍거의 영화는 소설의 반영국적, 반아랍적 감정을 누그러뜨리는 동안, 영화는 아랍-이스라엘 갈등을 묘사한 것에 대해 여전히 논쟁의 여지가 있다. 프레밍거 감독은 공산주의자라는 이유로 10년 넘게 할리우드 블랙리스트에 올라 가명으로 일해야 했던 시나리오 작가 트럼보를 공개적으로 고용한다.

While Preminger's film softened the anti-British and anti-Arab sentiment of the novel, the film remains contentious for its depiction of the Arab-Israeli conflict. Preminger openly hired screenwriter Trumbo who had been on the Hollywood blacklist for over a decade for being a Communist and forced to work under assumed names.

또한 트럼보가 각본을 맡은 〈스팔타커스〉와 함께 〈엑소더스〉는 미국 영화 산업의 블랙리스트 관행을 종식시킨 것으로 알려져 있다.

Together with Spartacus also written by Trumbo, Exodus is credited with ending the practice of blacklisting in the US motion picture industry.

2. 〈엑소더스〉 사운드트랙 리뷰

영화의 주요 테마는 다른
아티스트들에 의해 널리 녹
음되었다. 페란트 & 테이처
버전은 1961년 1월 빌보드
핫 100에서 2위에 오른다.

The main theme from the
film has been widely recorded
by other artists. A version by
Ferrante & Teicher reached

〈엑소더스〉. ⓒ United Artists

number 2 on the Billboard Hot 100 in January 1961.

다른 버전은 재즈 색소폰 연주자 에디 해리스, 만토바니, 그랜트 그린, 매니
알밤, 앤디 윌리암스, 피터 네로, 코니 프랜시스, 퀸스 존스 등이 녹음한다.
이어 팻 분이 노랫말을 쓴 테마 곡을 1960년대 영국 악기 연주 그룹 이글스와
두프리스가 취입한다.

Other version were recorded by jazz saxophonist Eddie Harris, Mantovani, Grant
Green, Manny Albam, Andy Williams, Peter Nero, Connie Francis, Quincy Jones, the
1960s British instrumental band the Eagles and the Duprees who sang the theme with
lyrics written by Pat Boone.

이 노래를 녹음한 다른 아티스트로는 가스펠 피아니스트 안소니 버거-게이더
보컬 밴드의 'I Do Believe'-에디트 피아프-프랑스어 가사로 부른-, 클래식 피
아니스트 막심 미르비카가 있다. 데이비 그래함은 1963년 앨범 'The Guitar

Player'에서 메인 테마를 재창조했다.

Other artists to record the song include gospel pianist Anthony Burger-in the Gaither Vocal Band's 'I Do Believe', Edith Piaf-who sang French lyrics-and classical pianist Maksim Mrvica. Davy Graham reinvented the main theme on his 1963 album The Guitar Player.

시크릿 칩스 3의 트레이 스프루안스는 2004년 앨범 'Book of Horizons'을 통해 '서핑 밴드와 오케스트라' 주제를 다시 녹음한다. 하워드 스턴은 유대인 생활의 측면을 논의할 때 코미디 효과를 위해 그것을 사용한바 있다.

Trey Spruance of the Secret Chiefs 3 rescored the theme for 'surf band and orchestra' on the album 2004 Book of Horizons. Howard Stern uses it for comedic effect when discussing aspects of Jewish life.

WWF는 레슬러 미스터 퍼펙트의 노래로 메인 테마를 사용한다. 3명의 리드 기타리스트가 이보우 eBows를 사용하여 테마를 조화롭게 연주해 주었던 1970년대 남부 록 밴드 블랙 오크 아칸사스에 의해 라이브로 연주되었다.
이들 밴드는 버디 홀리 노래 'Not Fade Away'를 편곡해서 들려준바 있다.

The WWF used the main theme as wrestler Mr. Perfect's song. A portion of the theme was played live by 70s Southern rock band Black Oak Arkansas whose three lead guitarists used eBows to play the theme in harmony embedded into an arrangement of the Buddy Holly song 'Not Fade Away'

아놀드 슈월제네거는 보디빌딩 경력 대부분을 통해 자신의 포즈 행진 테마로 사용한바 있다.

Arnold Schwarzenegger used the theme for his posing routine throughout much of his bodybuilding career.

〈엑소더스〉 테마는 다양한 힙-합 뮤지션 노래 샘플로 활용된다.
아이스-T 앨범 'The Seventh Deadly Sin'에 수록된 'Ice's Exodus'을 비
롯해 나스의 앨범 'Stillmatic' 수록 곡 'You're Da Man', 뮤지션 TI의 앨범
'King'에 수록 된 싱글 'Bankhead' 등을 통해 활용됐다.

Different samples of the Exodus theme have been used in several hip-hop songs
including Ice-T's song 'Ice's Exodus' from the album The Seventh Deadly Sin, Nas's
song 'You're Da Man' from the album Stillmatic and T.I's song 'Bankhead' from the
album King.

메인타이틀 일부는 작곡가 존 윌리암스가 편곡한 몽타주에 포함되어 2002년
아카데미 시상식에서 공연되었다.
아티스트 니나 팔레이는 'This Land is Mine'(2012)이라는 가사를 따서 만
든 단편 애니메이션에서 주제가 전체를 풍자적인 효과로 사용한 바 있다. 이 작
품은 성지를 통제하기 위한 수 천 년 동안의 폭력적인 투쟁을 묘사해주고 있다.

A portion of the main title was included in a montage arranged by composer John
Williams and performed at the 2002 Academy Awards ceremony.
The artist Nina Paley used the entire theme song to satirical effect in her animated
short titled after the lyrics 'This Land is Mine' (2012) which depicts thousands of
years of violent struggles to control the Holy Land.

〈엑소더스〉 공식 사운드트랙에는 나오지 않지만 쇼팽의 '녹턴'이 연주되고
있을 때 서덜랜드 장군과 키티 프리몬트가 유대인과 팔레스타인의 미래에 대해
논의하고 있는 장면이 보여 진다.

Although it does not appear on the official soundtrack for Exodus, a Chopin nocturne plays while General Sutherland and Kitty Fremont discuss the future of Jews and Palestine.

3. <엑소더스> 사운드트랙 해설 - 빌보드

프레밍거 감독은 그의 영화를 작곡하기 위해 일찍 골드를 데려온다. 그는 그와 함께 여행했고 촬영하는 동안 키프로스와 이스라엘에 거주한다. 작곡가 골드는 자신의 배경 음악에 정확한 사운드를 제공하기 위해 노력했다. 그래서 대부분의 레반트 토착 악기를 연구했다고 한다.

Preminger brought Gold in early to score his film. He traveled with him and resided in both Cyprus and Israel during filming. Gold sought to provide an authentic sound for his score and so researched most of the indigenous instruments of the Levant.

불행히도 프레밍거는 그 어떤 것도 갖지 못했고 서양 오케스트라의 전통적인 사운드를 주장하게 된다. 그럼에도 불구하고 골드는 봉고, 탬버린, E-플랫 클라리넷 및 고음 리코더의 사운드를 그의 사운드스케이프에 주입한다. 배경 음악 작곡 측면에서도 그는 영화의 감성적인 핵심과 7개의 추가 테마와 모티브를 완벽하게 담아낸 놀라운 메인 테마를 만들어낸다.

Unfortunately, Preminger would have none of it and insisted on the traditional sound of the Western orchestra. Never the less, Gold did manage to infuse the sounds of the bongo, tambourine, E-flat clarinet and a treble recorder into his soundscape.

In terms of the score, he created an astounding main theme which perfectly cap-

tured the film's emotional core as well as seven
additional themes and a motif.

실로, 전설이 된 'the Exodus Theme'는 영
화 음악 역사상 가장 위대한 테마 중 하나로 기
록된다.

〈엑소더스〉. ⓒ United Artists

Indeed, the Exodus Theme which has passed into
legend earns it place in history as one of the greatest themes in film score art.

6개의 프렌치 호른 솔렌 꼭대기에 따뜻하게 선언된 호른의 풍부하고 현악기
가 많은 테마는 떨림과 눈물을 가져오는 감동적인 영적 힘으로 공명하고 있다.
'It's A Phrase'는 대위법적인 프렌치 호른과 함께 무성한 현이 전달하는 솔
직한 베어링을 갖고 있다. B 프레이즈는 대위법으로 연결된 프렌치 호른 라인으
로 연결되는 현악 소페렌자와의 투쟁에 대해 이야기하고 있다.
이 주제는 구성 면에서 훌륭하고 감정적 힘으로 심오하다.

Warmly declared atop six French horns solenne the horn rich and string-laden
theme resonates with a stirring spiritual power which brings a quiver and a tear.
It's A Phrase has a forthright bearing carried by lush strings nobile with contra-
puntal French horns while the B Phrase speaks to the struggle with strings soffer-
enza that are also joined by a contrapuntal French horn line.
This theme is brilliant in its construct, and profound with its emotive power.

'Ari 테마'는 트럼펫이 주도하고 작은 드럼으로 추진되는 마르시아 마르지알
레로 표현되고 있다.
그는 자신을 자신의 백성을 조상의 고향으로 인도할 전사로 생각하고 있다.

'키프로스 테마'는 탬버린 악센트와 봉고 퍼커션으로 가득 찬 호화롭고 이국적인 자유로운 춤을 제공하고 있다. 먼저 나누어진 현으로, 다음으로 나누어진 목관 악기로, 우리는 멜로디가 영원히 끝나지 않기를 바랄 뿐이다.

Ari's Theme emotes as a trumpet led and snare drum propelled marcia marziale. He sees himself as a warrior who will deliver his people to their ancestral homeland. The Cyprus Theme offers a sumptuous and exotic free-flowing dance replete with tambourine accents and bongo percussion. First carried by divided strings then divided woodwinds. we just do not want the melody to ever end.

'유대인 테마'는 단순함에서 훌륭하다. 5음으로 된 오스티나토는 해결을 추구하고 있다. 하지만 결코 해결하지 못하므로 유대인의 역사적 투쟁과 그들의 마음속에 있는 이스라엘을 암시해주고 있다. 'Karen 테마'는 가사가 없는 노래로 표현하고 있다. 아코디언은 멜로디를 전달하며 부드러우면서도 다하우에서 어머니와 형제를 잃은 슬픔을 발산해 주고 있다.

The Jewish Theme is brilliant in its simplicity, a five-note ostinato that seeks, yet never achieves resolution thus alluding to the historic struggle of the Jewish people and what lies in their hearts Israel. Karen's Theme emotes for as a wordless song. An accordion carries its melody and although tender. it exudes sadness as she lost her mother and brothers at Dachau.

'Irgun 테마'는 목관 악기와 트레몰로 현에 의해 완전히 반복되는 6음표 모양을 제공하고 있다. 이것은 그들의 어두운 목적을 말해주고 있다. 무성한 사랑 테마는 현악기와 목관악기의 숭고한 결합을 제공하고 있다. 그 구절은 여름 산들바람에 나뭇잎처럼 오르락내리락하고 있다.

The Irgun Theme offers a stark repeated six-note figure by woodwinds and tremolo strings which speaks to their dark purpose.

The lush Love Theme offers a sublime joining of strings and woodwinds whose phrases rise and fall like leaves in a summer breeze.

형제의 모티브는 아리 아버지 바락과 그의 삼촌 아키바의 이별에 대해 이야기 해주고 있다. 목관 악기에 의해 감동을 받은 6음으로 된 진술은 결코 설득력 있는 진술로 합쳐지지 않고 있다.

대신 진행 중인 논쟁을 반영하는 미해결 상태로 남아 있다.

The Brother's Motif speaks to the estrangement of Ari's father Barak and his uncle Akiva. Emoted by woodwinds, its six-note statement never coalesces into to a cogent statement instead remaining unresolved reflective of their on-going dispute.

마지막으로 하티브카 주제(희망)는 1888년경 사무엘 코헨이 각색한 이 전통적인 유대인 민요로 표현되고 있다. 그 음표에서 우리는 깊이 변치 않는 믿음과 애통하는 엄숙함을 느끼게 된다.

멜로디 표현은 마이너 모달이지만 틱바테누와 하티크바라는 단어가 울려 퍼지고 있다. 멜로디 라인에 극적인 에너지를 제공하는 낭만적인 옥타브 도약과 결합하여 장조로의 변조 전환 형태로 영원한 희망이 샘솟고 있다.

Lastly we have the Hativkah Theme (The Hope) is expressed by this traditional Jewish folk song adapted by Samuel Cohen circa 1888. Within its notes We feel a deep abiding faith and mournful solemnity.

Although the melody is minor modal in its expression hope springs eternal in the form of a modulating shift to major key as the words Tikvatenu and Hatikva resound, both joined with a romantic octave leap, which provides dramatic energy to the melodic line.

〈엑소더스〉. ⓒ United Artists

제임스 피츠패트릭(James Fitz-patrick)과 태들로(Tadlow) 음악은 〈엑소더스〉를 위한 어네스트 골드(Ernest Gold)의 배경 음악을 훌륭하게 재녹음한 것이다.

골드는 다양한 형태와 탁월한 상호작용을 통해 다양한 훌륭한 주제와 주제를 제공해 주고 있다.

그의 주요 'Exodus Theme'는 전설로 전해져 영화 음악 예술에서 가장 훌륭한 것 중 한 곡으로 자리 잡고 있다.

James Fitzpatrick and Tadlow music provide a sterling rerecording of Ernest Gold's score for Exodus. Gold provides us with a multiplicity of fine themes and motifs, which he renders in different forms and exceptional interplay. His main Exodus Theme has passed into legend and stands as one of the finest in film score art.

이 상징적인 주제는 대중문화에 반향을 일으킨다.

그리고 오늘날까지 지속되고 있는 미국 대중 이스라엘에 대한 호의적이고 지지적인 견해를 형성하는데 크게 기여해준다.

This iconic theme resonated with popular culture and largely contributed to forging a favorable and supportive view of Israel by the American public which has persisted to this day.

황금시대가 저물어가는 해에 쓰인 이 뛰어난 악보는 영화의 내러티브를 완벽하게 포착한 감동적이고 영감을 주는 음악을 제공하고 있다.

장면마다 완벽한 결혼과 음악과 이미지의 시너지 효과가 있었고, 이것은 골드의 솜씨 숙달에 대한 증거였다.

Folks, this exceptional score written in the waning year of the Golden Age offers stirring and inspired music that perfectly captured the film's narrative.

Scene after scene there was a perfect marriage and synergy of music and imagery a testimony to Gold's mastery of his craft.

4. 다양하게 편곡 발표된 'Theme of Exodus'

영화 메인 테마 'The Theme of Exodus'는 널리 리믹스 되어 수많은 아티스트들이 커버로 발표한다.

The main theme from the film 'Theme of Exodus' has been widely remixed and covered by many artists

1. 커버 버전 Cover Versions 사례들

- 하드 록 기타리스트 레슬리 웨스트는 초기 밴드 바그런트와 후속 밴드에서 이 노래를 연주했다.

Hard rock guitarist Leslie West performed the song with his earliest band The Vagrants and also in subsequent bands.

- 밴드 스카타라이츠는 1982년 앨범 'Forging Ahead'에서 배드 매너스가 커버한 테마의 스카 버전을 녹음한다.

The band The Skatalites recorded a ska-version of the theme which was covered by Bad Manners on the 1982 album Forging Ahead.

- 피아니스트 조지 그릴리(George Greeley)는 1961년 워너 브라더스 (Warner Bros)를 통해 발매한 앨범 'Popular Piano Concertos of Famous Film Themes'을 통해 10 1/2분 콘서트 버전을 녹음한다.

Pianist George Greeley recorded a 10 1/2 minute concert version on his 1961 Warner Bros album Popular Piano Concertos of Famous Film Themes.

- 다른 아티스트로는 피아노 연주자 안소니 버거가 앨범 'the Homecoming'을 통해 싱글 'I Do Believe'를 연주해 주고 있다. 디스코 버전 'Exo-Disco'는 휴이 루이스 앤 더 아메리칸 익스프레스가 발표한다.

Other artists included piano player Anthony Burger for the Homecoming titled 'I Do Believe', a disco version titled 'Exo-Disco' by Huey Lewis & the American Express

- 미국 음악가 모비는 자신의 2000년 곡 'Porcelain'에서 'Fight for Survival' 트랙 4마디 스트링 섹션을 샘플링, 반전 및 반복해 주었다.

American musician Moby sampled reversed and looped a 4-bar string section from the track 'Fight for Survival' on his 2000 song Porcelain

Track listing

1. Prelude
2. Summer in Cyprus
3. Escape/ The General

4. Ari

5. On the Beach

6. The Tent-Karen/Lorries/The Convoy

7. The Star of David

8. Odenheim's Death/Karen's Story

9. Approaching Haifa/The Oath

10. Kitty

11. Akiva's Hideout

12. Love is Where You Find It/The Valley of Jezreel

13. Yad El/He is Dead

〈엑소더스〉 사운드트랙. © Tadlow Music

14. Goodbye/Intermission Music – Fight for Survival

15. Karen's Father (In Jerusalem)

16. Akiva's Arrest

17. Execution Chamber/Don't Let My Brother Die

18. Acre Prison/The Chess Game (Conspiracy)

19. D-Day/The Bombs (Prison Break)

20. The Arsenal

21. The Operation

22. Children on the Hill

23. Dawn/Finale – The Fight for Peace

24. Exit Music – Hatikvah

25. This Land is Mine written by Ernest Gold and Pat Boone)

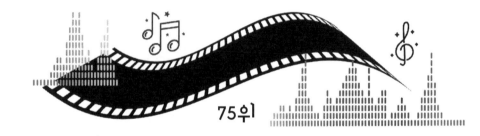

75위

<오션스 11 Ocean's Eleven>(2001) -

신출귀몰한 절도범 행각에 관심을 촉발시켜준

드뷔시의 'Clair de lune'

작곡 클로드 드뷔시 Claude Debussy

스티븐 소더버그 감독이 선보인 강도 모험 액션극 <오션스 11>. © Warner Bros Pictures

1. 〈오션스 11〉 버라이어티 평

대니 오션과 그의 10명의 공범자들은 동시에 3개의 라스 베가스 카지노를 강탈할 계획을 꾸민다.

Danny Ocean and his ten accomplices plan to rob three Las Vegas casinos simultaneously

대니 오션스는 역사상 가장 큰 강도 사건을 기록하고 싶어 한다. 그는 프랭크 캐튼, 러스티 라이안 및 라이너스 캘드웰을 포함한 11명의 멤버 팀을 결합시킨다. 그들의 목표는? 벨라지오, 미라지, MGM 그랜드 등 테리 베네딕트 소유의 모든 카지노이다. 그들은 1억 5천만 달러를 갖고 비밀리에 들어갈 계획이기 때문에 쉽지 않을 것이다.

Danny Ocean wants to score the biggest heist in history. He combines an eleven member team including Frank Catton, Rusty Ryan and Linus Caldwell. Their target? The Bellagio, the Mirage and the MGM Grand. All casinos owned by Terry Benedict. It's not going to be easy as they plan to get in secretly and out with $150 million.

〈오션스 11〉은 스티븐 소더버그가 감독하고 테드 그리핀이 각본을 맡은 2001년 미국 강도 코미디 영화이다.

Ocean's Eleven is a 2001 American heist comedy film directed by Steven Soderbergh and written by Ted Griffin.

〈오션스〉 프랜차이즈 첫 번째 작품은 1960년 개봉한 동명의 랫 팩 영화를 리메이크한 것이다.

The first installment of the Ocean's franchise, it is a remake of the 1960 Rat Pack film of the same name.

이야기는 친구 대니 오션(조지 클루니)와 러스티 라이언(브래드 피트)가 오션의 전 부인 테스(줄리아 로버츠) 연인인 카지노 소유주 테리 베네딕트(앤디 가르시아)로 부터 1억 6천만 달러의 강도를 계획하는 행적을 따라가고 있다.

The story follows friends Danny Ocean (Clooney) and Rusty Ryan (Pitt) who plan a heist of $160 million from casino owner Terry Benedict (García), the lover of Ocean's ex-wife Tess (Roberts).

개봉 당시 영화는 흥행성과 비평가들 사이에서 성공을 거두었다.
2001년 5번째로 높은 수익을 올린 영화였으며 전 세계적으로 4억 5천만 달러의 수익을 올린다.
소더버그는 2004년 〈오션스 12〉와 2007년 〈오션스 13〉을 구성하는 2편의 속편을 감독한다. 2018년에 여성 주연으로 스핀 오프 〈오션스 8〉이 공개된다.

Upon release, the film was a success at the box office and with critics.
it was the fifth highest-grossing film of 2001 with a worldwide gross of $450 million. Soderbergh directed two sequels Ocean's Twelve in 2004 and Ocean's Thirteen in 2007 which make up the Ocean's Trilogy.
Ocean's 8 a spin-off with an all-female lead cast was released in 2018.

2. 〈오션스 11〉 사운드트랙 리뷰

1960년대 호감 가는 범죄극 〈오션스 11〉.

2000년대 맥락에서 같은 유머와 캐릭터 매력으로 리메이크 될 수 있을지 의심 가는 사람이 있다면 스티븐 소더버그 감독은 리메이크로 그런 우려에 응답한다. 10년 동안에 여러 속편으로 이어지게 된다.

If anyone had any doubt about whether the likable 1960 crime caper Ocean's Eleven could be remade with the same sense of humor and character appeal in the context of the 2000's director Steven Soderbergh answered those concerns with a remake so well executed that it led to multiple sequels later in the decade.

〈오션스 11〉의 전제에는 실제로 깊이가 없다.
고도의 정교함과 교활한 창의성을 지닌 도둑.
라스 베가스에서 가장 뚫을 수 없는 금고 중 하나인 우연히 범죄자의 전 아내와 데이트 마피아 강자가 소유하게 된 금고 중 하나를 강탈하기 위해 거래

〈오션스 11〉. © Warner Bros Pictures

에서 매우 독특한 전문 분야를 가진 다른 도둑 그룹을 소집하게 된다.

There really isn't much depth to the premise of Ocean's Eleven a master thief of high sophistication and devious creativity assembles a group of other thieves most with a very unique specialty in the trade to rob one of the most impenetrable vaults in Las Vegas one that happens to be owned by a mafia strongman who is dating the criminal's former wife.

강도 행각의 실제 준비와 완료는 실제로 영화의 요점이 아니다. 오히려 관련된 남자들의 성격과 서로의 상호 작용이 〈오션스 11〉의 초점이 되고 있다.

The actual preparation for and completion of the heist are not really the point of the film. Rather, the personalities of the men involved and their interaction with each other is the focus of Ocean's Eleven.

조지 클루니가 그의 가장 순박하고 놀라울 정도로 매력적인 역할 중 하나를 맡은 영화의 성공 비결은 거물급 배우들의 캐스팅이다. 이 개념은 선과 악의 일반적인 정의를 뒤집고 관객들에게 기발하지만 전문적인 도둑으로 완전히 사랑하여 프로덕션의 성격을 좋아하지 않을 수 없게 만든다.

A stellar cast of big names is key to the success of this film anchored by George Clooney in one of his most suave and surprisingly engrossing roles.
The concept flips the usual definitions of good and evil and so thoroughly endears viewers to the quirky but professional thieves that you can't help but like the personality of the production.

소더버그는 스토리텔링의 후퇴적 스타일과 원본 영화의 기억을 확고하게 되살리는 영상으로 음악적 분위기를 복고적인 톤으로 삽입하고자 했다.

With the throwback style of storytelling and visuals firmly resurrecting memories of the original film.
Soderbergh sought to insert a musical ambience equally retro in tone.

〈오션스 11〉에서 라이센스가 부여된 노래를 사용하는 것도 매력의 일부이다. 하지만 원래 악보의 경우 아일랜드 DJ이자 믹싱 마스터 데이비드 홈즈에게 의지한다. 데이비드 홈즈는 1998년 〈조지 크루니의 인질 Out of Sight〉에서 성공적으로 공동 작업했다. 2000년 영화에서 그의 이름을 사용했다. 배경 음악 장면은 정확히 이러한 형태의 레트로 펑크 및 재즈와 거의 완전히 연관되었다.

His use of licensed songs in Ocean's Eleven is part of its appeal, though for the original score. he turned to Irish DJ and mixing master David Holmes with whom he had collaborated successfully for Out of Sight in 1998 and whose name in the 2000's film score scene was associated almost completely with precisely this form of retro funk and jazz.

그렇긴 해도 1970년대 가장 힙한 사운드를 홈즈가 부활시킨 것은 〈오션스 11〉과 마찬가지로 시원한 분위기와 완벽하게 작동한다는 것은 의심의 여지가 없다.

That said, there is no doubt that Holme's resurrection of the most hip sounds of the 1970's functions perfectly for the similarly cool atmosphere of Ocean's Eleven.

이 영화를 위한 홈즈의 음악 구조는 결코 복잡하지 않다. 더 큰 악기 깊이를 특징으로 하는 공연조차도 많은 발전 없이 여전히 루프를 반복하고 있다.
대신 이 악보의 매력은 악기의 감각과 개별 연주에 있다.
하몬드 오르간, 비브라폰 및 기타 장르 요소의 도움을 받는 라운지 밴드 악기는 단순하고 반복적인 진행에서도 필요한 분위기를 제공하고 있다.

The structures of Holme's music for this film aren't complicated by any means.
Even the performances featuring greater instrumental depth still repeat loops without much development. The attraction of this score instead rests in the flair of the instrumentation and the individual performances. Lounge band instruments, aided by Hammond organ, vibraphone and other elements of the genre offer the necessary ambience even in simple, looped progressions.

악보 후반부에서 가장 눈에 띄는 것은 그룹이 벨라지오 분수 앞에서 자신의 업적을 숙고하는 마지막 장면 위에 베르가메스크 모음곡의 고전 클로드 드뷔시의 작품 'Clair de Lune'을 사용한 것이다.

Later in the score, Most striking is the use of the classical Claude Debussy piece 'Clair de Lune' from Suite Bergamesque over the concluding scene in which the group contemplates its accomplishments in front of the Bellagio fountain.

필라델피아 오케스트라의 이 유연하고 낭만적인 현악 연주는 낭만적인 목소리로 범죄의 웅대한 범위를 말해주고 있다.
그 배열은 기억 속 홈즈의 독창적인 작업을 흐리게 하고 있다.

This fluid, romantic string performance by the Philadelphia Orchestra speaks to the grand scope of the crime in a romantic voice and its employment overshadows Holme's original work in memory.

〈오션스 11〉 소매 앨범 발매는 악보 애호가들에게는 실망스러울 것이다.
하지만 제품에는 엘비스 프레슬리를 추모하는 비원본 노래를 포함하여 영화에서 들리는 모든 필수 요소가 포함되어 있다.

The retail album release for Ocean's Eleven will be frustrating for enthusiasts of the score though the product does contain all of the essential pieces heard in the film, including non-original songs that don't fail to honor Elvis Presley.

더 길고 더 중요한 몇 가지 선곡을 제외하고 대부분 악보는 영화의 대화와 혼합되어 있다. 때로는 음악만 감상하려고 하면 선곡이 약간 무의미해질 정도로 너무 길어지고 있다.

Most of the score, with the exception of a few of the longer, more important cues is mixed with dialogue from the film.

sometimes to such great lengths that the cues become a bit pointless if you're attempting to appreciate the music alone.

〈오션스 11〉. ⓒ Warner Bros Pictures

〈오션스 11〉대본은 앨범이 영화의 만족스러운 기념품이 될 만큼 충분히 즐겁다.

그러나 순수주의자들은 홈즈의 배경 음악만 있는 34 트랙, 48분 워너 브라더스 어워드 프로모션을 선호할 것이다.

The script of Ocean's Eleven is enjoyable enough that the album becomes a satisfying souvenir from the film though purists will prefer a 34-track, 48-minute Warner Brothers awards promo with only Holme's score.

그러나 음악이 너무 반복적이기 때문에 소매 형식은 실제로 청취 경험을 향상시킬 수 있다.

Since the music is so repetitious, though, the retail format may actually improve the listening experience.

3. 클로드 드뷔시의 'Clair de Lune' 해설

'베르가마스크'는 클로드 드뷔시의 '피아노 모음곡'이다. 1890년경 28세의 나이로 작곡을 시작했지만 1905년 출판 직전에 크게 수정을 가한다.

bergamasque is a piano suite by Claude Debussy. He began composing it around 1890, at the age of 28 but significantly revised it just before its 1905 publication.

3악장 'Clair de lune' 인기는 작곡가의 가장 유명한 피아노 작품 중 하나로 만들었다.

The popularity of the 3rd movement 'Clair de lune' has made it one of the composer's most famous works for piano.

작곡가는 처음에 이 비교적 초기 피아노 작곡이 자신의 성숙한 스타일이 아니었기 때문에 사용하기를 꺼렸다고 한다.

하지만 1905년에 드뷔시가 그 사이 15년 동안 얻은 명성을 감안할 때 성공할 것이라고 생각한 출판사의 제안을 수락하게 된다.

모음곡이 1890년에 얼마나 쓰여 졌고 1905년에 얼마가 쓰여 졌는지는 알려져 있지 않다. 그러나 드뷔시가 적어도 두 곡의 이름을 변경한 것은 분명하다.

The composer was initially unwilling to use these relatively early piano compositions because they were not in his mature style but in 1905 he accepted the offer of a publisher who thought they would be successful given the fame Debussy had gained in the intervening fifteen years. While it is not known how much of the Suite was written in 1890 and how much was written in 1905.

it is clear that Debussy changed the names of at least two of the pieces.

'Passepied'는 'Pavane'이라는 제목으로 처음 작곡된 반면, 'Clair de lune'은 원래 'Promenade sentimentale'이라는 제목으로 작곡되었다.

이 이름은 폴 발레리 시에서 따왔다고 한다.

'Passepied' had first been composed under the title 'Pavane' while 'Clair de lune' was originally entitled 'Promenade sentimentale'.
These names come from poems by Paul Verlaine.

'베르가마스크 모음곡 3악장' 제목은 베를렌의 시 'Clair de lune'에서 따온 것이다. 시작 연의 베르가 마스크를 참조하고 있다.

The title of the third movement of Suite bergamasque is taken from Verlaine's poem 'Clair de lune' which refers to bergamasks in the opening stanza.

4. 〈오션스 11〉에서 사용되고 있는 여러 팝 음악들

1. Cha Cha Cha performed by Jimmy Luxury and The Tommy Rome Orchestra
2. The Projects (P Jays) performed by Handsome Boy Modeling School featuring De La Soul and Del
3. Papa Loves Mambo performed by Perry Como
4. Take My Breath Away performed by Berlin
5. Spirit in the Sky performed by Norman Greenbaum
6. Blues in the Night performed by Quincy Jones
7. Caravan performed by Arthur Lyman
8. A Little Less Conversation performed by Elvis Presley
9. Gritty Shaker performed by David Holmes
10. Spanish Flea performed by Powerpack Orchestra

11. Misty performed by Liberace

12. Dream, Dream, Dream performed by Percy Faith and His Orchestra

13. Moon River performed by Liberace

14. Theme From A Summer Place written by Max Steiner

15. Theme For Young Lovers performed by Percy Faith and His Orchestra

16. 69 Police performed by David Holmes, remix of the Le Orme song Ad Gloriam

17. Clair de Lune written by Claude Debussy and arranged by Lucien Cailliet, performed by The Philadelphia Orchestra, conducted by Eugene Ormandy

Track listing

1. Theme for Young Lovers Performed by The Percy Faith Orchestra
2. Boobytrapping
3. The Projects Performed by Handsome Boy Modelling School Feat Trugoy & Del / The Projects (PJays)
4. The Plans
5. Papa Loves Mambo Performed by Perry Como
6. Ruben's In
7. Lyman Zerga
8. Caravan Composed by Duke Ellington, performed by Arthur Lyman
9. Gritty Shaker
10. Planting The Seed
11. Pickpockets
12. A Little Less Coversation Performed by Elvis Presley

13. Dream, Dream, Dream Performed by The Percy Faith Orchestra

14. Stealing The Pinch

15. Blues in The Night Performed by Quincy Jones

16. Tess

17. Hookers

18. $160 Million Chinese Man

19. 69 Police

20. Clair De Lune from Suite Bergamasque Composed by Claude Debussy, performed by The Philadelphia Orchestra

21. A Song for Young Lovers (Reprise) Performed by The Percy Faith Orchestra

〈오션스 11〉 사운드트랙. ⓒ Warner Bros

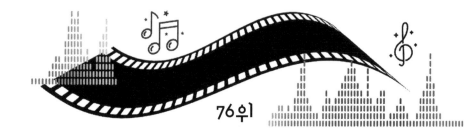

76위

〈내일을 향해 쏴라 Butch Cassidy and the Sundance〉 (1969) - 인간미 넘치는 두 무법자의 행각 그리고 버트 바카락의 낭만적 리듬

작곡: 버트 바카락 Burt Bacharach

폴 뉴먼, 로버트 레드포드 황금 컴비의 히트작 〈내일을 향해 쏴라〉. ⓒ 20th Century Fox

1. <내일을 향해 쏴라> 버라이어티 평

한 세기(世紀) 전환기 미국 서부.

로버트 르로이 파커와 해리 롱가보는 가명인 부치 캐시디(Butch Cassidy)와 선댄스 키드(Sundance Kid)로 더 잘 알려져 있다. 파트너이자 틀림없이 이 지역에서 가장 유명한 무법자이자 은행이나 기차를 지키는 이들이다.

파트너십 내에서 버치는 두뇌, 선댄스는 활기찬 용사이다.

그들은 무법자 신분에도 불구하고, 그들을 알고 있는 사람들, 심지어 그들의 소위 말하는 많은 사람들에 의해 다정한 듀오로 여겨지고 있다.

버치는 와이오밍 산맥에 있는 자신의 은신처 이름을 따서 명명된 '홀 인 더 월 갱 The Hole in the Wall Gang'을 엮이고 있다.

주로 그가 그들을 모두 모은 사람이었기 때문에 사실상의 지도자다.

In the turn of the century American west, Robert LeRoy Parker and Harry Longabaugh are better known by their aliases, Butch Cassidy and the Sundance Kid partners and arguably the most renowned outlaws in the area, they who hold up banks or trains. Within the partnership, Butch is the brains, Sundance the shooting brawn.

Despite their outlaw status, they are seen as an affable duo by those that know them even by many of their so called adversaries. Butch has compiled the Hole in the Wall Gang named after his hide-out in the Wyoming mountains and is its de facto leader primarily because he was the one who brought them all together.

그러나 시간이 지남에 따라 버치와 선댄스는 변화하는 환경으로 인해 작업이 점점 더 어려워지고 있음을 깨닫고 무리 내 다른 사람들도 버치의 리더십에 의문을 제기하게 된다.

But as time goes on, Butch and Sundance are finding that changing circumstances are making their work more and more difficult which leads to others within the gang questioning Butch's leadership.

갱단의 일 중 하나가 기차를 붙잡고 말을 탄 6명의 무리가 갱단 전체가 아니라 버치와 선댄스만 그들을 쫓는다.
듀오는 최종 목표를 찾기 위해 여섯 남자가 누구인지 알아내야 한다.

Following one of the gang's jobs holding up a train, a posse of six men on horseback are after them not the gang as a whole but rather only Butch and Sundance. The duo have to figure who the six men are to find out their end goal.

탈출을 시도하면서 공식적으로 선댄스의 여자 친구이자 학교 교사 에타 플레이스의 도움을 받게 된다.

In trying to get away, they are assisted by their friend, schoolteacher Etta Place who is officially Sundance's girlfriend.

그녀는 두 사람이 먼저 서로를 보았기 때문에 버치 대신 결국 선댄스를 선택하게 된다. 버치와 선댄스 부하들이 임무를 수행하기 위해 얼마나 멀리 갈 것인지 배운다. 차례로 버치와 선댄스는 또한 삶과 생활 방식을 보존하기 위해 얼마나 멀리 갈 것인지를 알게 될 것이다.

She ended up with Sundance instead of Butch only because the two of them saw each other first. Butch and Sundance will learn how far the posse will go to get what they were tasked to do and in turn Butch and Sundance will also learn how far they will go to preserve their lifestyle as well as their lives.

〈내일을 향해 쏴라〉는 조지 로이 힐이 감독하고 윌리엄 골드만이 각본을 맡은

1969년 미국 서부 영화이다.

Butch Cassidy and the Sundance
Kid is a 1969 American Western film
directed by George Roy Hill and
written by William Goldman.

느슨하게 사실에 기반을 둔 영
화는 와일드 웨스트 무법자 로버
트 르로이 파커로 알려진 부치 캐

〈내일을 향해 쏴라〉. ⓒ 20th Century Fox

시디(폴 뉴먼)와 그의 파트너 해리 롱가보 선댄스 키드(로버트 레드포드)의 이
야기를 다루고 있다.

일련의 기차 강도 사건 후 미군 범인 추격대를 무너뜨리려고 한다.

Based loosely on fact, the film tells the story of Wild West outlaws Robert LeRoy
Parker known as Butch Cassidy (Paul Newman) and his partner Harry Longabaugh, the
Sundance Kid (Robert Redford) who are on the run from a crack US posse after a string
of train robberies.

두 사람과 선댄스 연인 에타 플레이스(캐서린 로스)는 범인 추격대를 피하기
위해 볼리비아로 도피한다.

The pair and Sundance's lover Etta Place (Katharine Ross) flee to Bolivia to escape
the posse.

미국 영화 연구소는 〈내일을 향해 쏴라〉를 'AFI의 100년...100 영화-10주년
기념판 목록에서 73번째로 위대한 미국 영화로 선정한다.

The American Film Institute ranked Butch Cassidy and the Sundance Kid as the

73rd-greatest American film on its AFI's 100 Years...100 Movies-10th Anniversary Edition-list.

2. 〈내일을 향해 쏴라〉 사운드트랙 리뷰

시나리오 작가 윌리암 골드만에게 〈내일을 향해 쏴라〉는 열정적인 프로젝트였다. 그는 1950년대 후반 캐시디와 롱가보의 이야기를 처음 접한다.
남자들에게 매료되었고 큰 화면으로 가져와야 할 이야기라고 느낀다.

For screenplay writer William Goldman Butch Cassidy and the Sundance Kid was a passion project.
He first came upon the story of Cassidy and Longbaugh in the late 1950s was fascinated by the men and felt it was a story that needed to be brought to the big screen.

영화는 상업적으로 큰 성공을 거두었다.
아카데이 어워드에서 작품, 감독, 음향, 촬영, 각본 등 7개 부문 후보에 지명받아 각본, 촬영, 주제가, 작곡 등 4개 부문을 수상한다.

The film was a massive commercial success and received critical acclaim being nominated for seven Academy Award nominations including; Best Picture, Best Director, Best Sound, Best Cinematography, Best Screenplay, Best Film Score and Best Song.
It won four awards for Best Screenplay, Best Cinematography, Best Film Score and Best Song.

힐 감독은 음악이 두 주인공의 태도와 일치하기를 원했기 때문에 전통적인 서부극 방식 대신 그의 영화에 동시대 음악을 사용하기로 결정했다고 한다.

이 때문에 당시 팝 아이콘이었던 버트 바카락이 영화의 배경 음악 작곡에 참여하게 된다.

Hill decided on a contemporaneous score for his film in lieu of a traditional Western approach as he wanted the music to match the demeanor of the two principle characters. As such, Burt Bacharach who was a pop icon at the time was brought in to score the film.

힐 감독은 대사가 있는 장면에서 음악이 재생되는 것을 원하지 않았기 때문에 처음부터 배경 음악은 제한된다. 마지막으로 그와 골드만은 3곡의 음악 막간을 영화에 삽입하기로 결정했다고 한다.

The score was constrained from the onset as director Hill did not want music to play during scenes with dialogue. Lastly, he and Goldman decided that three musical interludes would be inserted into the film.

그래서 바카락은 영화를 위해 쓴 26분의 음악 중 결국 12분의 음악만 사용되었다고 한다.

노래를 위해 바카락은 작사가 할 데이비드를 보컬에는 B. J. 토마스를 영입한다.

So of the 26 minutes of music Bacharach wrote for the film in the end, only twelve minutes of music was used! For the songs, Bacharach brought in lyricist Hal David and for vocals B. J. Thomas.

초기에 바카락은 영화가 인물 중심적이라는 것을 이해한다.

그의 음악은 3명의 주인공 사이에 존재하는 역학에 대해 이야기해야 했다.

그가 모든 면에서 성공했다고 생각하며 그의 노래 중 일부는 상징적이지 않았다.

결국 그는 작곡과 주제가 등으로 2개의 오스카상을 수상하게 된다.

Early on, Bacharach understood that the film was character driven and so his music needed to speak to the dynamics that existed between the three main characters. he succeeded on all counts and some of his songs have no become iconic. In the end, he won two Oscars for Best Score and Best song.

CD 앨범은 영화에서 작곡의 위치와 일치하지 않으므로 올바른 순서로 제공하고 있다. 'Sundance Kid'는 스코어 하이라이트이다. 훌륭하고 경쾌하며 나른한 보사노바처럼 흐르며 바카락의 재능을 완벽하게 보여주고 있다.

The CD album is not congruent with the score's placement in the film, so We will present it in the correct sequence.
'The Sundance Kid' is a score highlight, wonderful, light-hearted and flows like a languid bossa nova which perfectly showcases Bacharach's talent.

오프닝 크레디트를 재생하기 위한 것이었다.
유감스럽게도 그 중 많은 부분이 잘렸다.
이것은 창의적인 실수라고 생각한다.

〈내일을 향해 쏴라〉. ⓒ 20th Century Fox

It was intended to play over the Opening Credits. Regretfully, much of it was truncated which We believe was a creative mistake.

'On A Bicycle Built For Joy'는 부치가 에타와 선댄스를 깨우고 그녀가 재미있고 즐거운 자전거 타기에 함께하기 위해 밖으로 나오는 것을 보는 첫 번째 뮤지컬 막간을 지원해 주고 있다. 부치의 어린애 같은 장난기를 훌륭하게 지원하는 슬랩스틱 오케스트라 막간이 있다.

'On A Bicycle Built For Joy' supports the first musical interlude where we see Butch waking Etta and Sundance and she coming outside to join him on a fun and playful bicycle ride. we have a slapstick orchestral interlude which wonderfully supports Butch's child-like playfulness.

우리는 노래의 내러티브 흐름을 다시 시작하여 매우 만족스러운 결론에 도달하고 있다. 우리는 바카락이 순간의 정신을 완벽하게 포착했다고 믿고 있다. 가장 흥미로운 점은 뒤늦게 영화에 삽입하기로 결정한 이 기발한 곡이 단숨에 성공했다는 점이다. 팝 센세이션을 일으키며 4주 동안 차트 1위에 오른다.

we resume the song's narrative flow coming to a very satisfying conclusion. We believe Bacharach perfectly captured the spirit of the moment. Most interesting is that this quirky song which was a late decision to be inserted into the film was an instant success. It went on to become a pop sensation, soaring to #1 in the charts for four weeks.

'The Old Fun City'는 볼리비아 여행의 출발지 뉴욕 시를 여행하는 세피아 사진의 몽타주를 보여 주는 장면에서 흘러나오고 있다. 3명이 즐기며 유명 인사들처럼 생활하는 모습을 보게 된다. 여러 면에서 이 자유분방하고 경쾌한 패시지 음악은 흥겹게 춤을 추는 듯한 감성을 자아내고 있다.

'The Old Fun City' plays during a montage of sepia photos of our trio traveling through New York City their embarkation point for their trip to Bolivia. We see our trio enjoying themselves and living a celebrity life. In many ways this free-flowing and upbeat passage music emotes with a happy-go-lucky dance-like sensibility.

찰스톤-1920년대 미국 찰스턴에서 시작된 사교 춤-과 같은 품질이 있어 매우 즐겁다. 우리는 부치와 에타가 그들을 볼리비아로 데려가는 증기선에서 함께 천천히 춤을 추는 것을 볼 때 천천히 그리고 부드러운 춤으로 전환되고 있다. 우리는 그들이 볼리비아 기차역에 기차로 도착하는 것으로 결론을 내린다.

There is a Charleston-like quality to it which makes this very enjoyable.
we slow and transition to a tender dance as we see Butch and Etta slow dancing together on the steamship taking them to Bolivia.
We conclude with them arriving by train at the train station in Bolivia.

'South American Getaway'는 3명이 언덕으로 도망치는 볼리비아 강도 몽타주를 지원해 주는 곡으로 사용되고 있다.
바카락은 재즈 왈츠, 느린 삼바 및 브라질 팝의 퍼레이드로 장면을 틀에 박히지 않고 당김음이 된 무언의 보컬을 지원해주고 있다.

'South American Getaway' supports the Bolivian robbing montage where our trio is seen fleeing into the hills.
Bacharach scores the scene unconventionally with a parade of jazz waltzes, slow sambas and Brazilian pop which are propelled by bubbling, syncopated wordless vocals.

장면 전환은 우리를 새로운 은행 강도로 안내하고 있다. 음악 다운은 흐름을 유지하는 싱코페이트된 가사 없는 팝과 함께 슬로우 댄스로 바뀌고 있다.
그들이 은행을 털고 쫓기면서 음악은 다시 한 번 템포를 높이고 강도의 몽타주를 지원하고 있다.

a scene change take us to a new bank robbery and the music down shifts into a slow dance with the syncopated wordless pop sustaining its flow.

As they rob the bank and are pursued the music shifts up-tempo once again and supports a montage of robberies.

우리는 3명의 훌륭한 식사를 하고 그들의 새로운 부와 지위를 즐기면서 천천히 춤을 추며 끝을 맺고 있다.

We close on a slow dance as we see our trio fine dining, and enjoying their new wealth and status.

'Raindrops Keep Falling on My Head'는 영화에서 사용된 슬랩스틱 오케스트라 막간 버전이 없는 노래를 제공하고 있다.

다른 세 곡의 선곡은 모두 영화에서 제거 된다. 'Raindrops Keep Falling on My Head'는 팝 스타일의 오케스트라 버전을 제공하고 있다.

'Raindrops Keep Falling on My Head' offers the song without the slapstick orchestral interlude version that was used in the film and the three other cues were all excised from the film. 'Raindrops Keep Falling on My Head' presents the orchestral version of the song in pop style.

'Come Touch The Sun'는 춤을 추는 듯한 서정성이 돋보이는 잔잔한 곡이다. 트럼펫 독주 멜로디가 특징이다. 'Not Goin Home Anymore'는 에타의 테마를 의도한 피아노 연주에 부드러운 멜로디를 선사하고 있다.

'Come Touch The Sun' is a gentle piece that emotes with a dance-like lyricism and features a solo trumpet carrying the melody.

'Not Goin Home Anymore' offers a tender melody, which is carried by piano which was intended to be Etta's Theme.

〈내일을 향해 쏴라〉. ⓒ 20th Century Fox

이 12분짜리 배경 음악 만큼이나 유쾌한 대중문화와 노래와 영화에 대한 대중의 사랑이 우승에 일조했다고 생각한다. 이 해에는 조르쥬 들르뤼의 〈천일의 앤〉, 존 윌리암스의 〈리버스〉, 어네스트 골드의 〈산타 비토리아의 비밀〉, 제리 필딩의 〈와일드 번치〉 등 경쟁이 다소 약했다고 말하는 것으로 충분하다.

As delightful as this 12-minute score is. We believe that popular culture and the public's love of both the song and the film contributed to it wining.

It suffices to say that the competition that year was rather weak; Anne of the Thousand Days by Georges Delerue, The Reivers by John Williams, The Secret of Santa Vittoria by Ernest Gold and The Wild Bunch by Jerry Fielding.

감독이 부과한 제약을 감안할 때 바카락은 뛰어난 다재다능함과 창의성을 보여주었다고 생각한다. 이것은 재미있는 배경 음악, 걱정 없는, 가벼운 마음, 그리고 확실히 덜 가본 길이다.

Given the constraints imposed by the director, We believe Bacharach showed great versatility and creativity.

This is a fun score, care free, light-hearted and definitely the road less traveled.

3. 〈내일을 향해 쏴라〉를 통해 빅히트된 'Raindrops Keep Falling on My Head'는 어떤 노래?

'Raindrops Keep Fallin on My Head'는 1969년 영화 〈내일을 향해 쏴라〉를 위해 버트 바카락과 할 데이비드가 작곡한 노래이다.

'Raindrops Keep Fallin on My Head' is a song written by Burt Bacharach and Hal David for the 1969 film Butch Cassidy and the Sundance Kid.

'행복이 나를 맞이할 날이 머지않아'라는 것을 깨닫고 곤경과 고민을 이겨내는 사람의 모습을 훈훈한 가사로 표현해주고 있다.

The uplifting lyrics describe somebody who overcomes his troubles and worries by realizing that 'it won't be long till happiness steps up to greet me'

B. J. 토마스가 불러 준 싱글은 미국, 캐나다, 노르웨이 차트 1위, 영국 싱글 차트 38위에 오른다. 1970년 1월 빌보드 핫 100에서 4주 동안 1위를 차지한다. 1970년대 첫 미국 1위 히트곡이기도 하다. 노래는 또한 빌보드 성인 컨템포러리 차트에서 7주 동안 머문다. 빌보드는 이 곡을 1970년 4위곡으로 선정한다.

The single by B. J. Thomas reached No. 1 on charts in the United States, Canada and Norway and reached No. 38 in the UK Singles Chart. It topped the Billboard Hot 100 for four weeks in January 1970 and was also the first American No. 1 hit of the 1970s. The song also spent seven weeks atop the Billboard adult contemporary chart. Billboard ranked it as the No. 4 song of 1970.

빌보드 잡지에 따르면 토마스의 싱글은 1970년 3월 14일까지 200만 장 이상 팔렸고 8트랙과 카세트 버전도 차트에 올랐다고 한다.

According to Billboard magazine, Thomas single had sold over 2 million copies by March 14, 1970 with eight-track and cassette versions also climbing the charts.

오스카 주제가상, 바카락은 작곡상을 수상한다.

It won an Oscar for Best Original Song. Bacharach also won Best Original Score.

노래는 B. J. 토마스가 7개의 테이크로 녹음한 후 바카락은 처음 6개 테이크에 불만을 표시했다고 한다. 노래의 영화 버전에서 토마스는 후두염에서 회복 중이었다. 이로 인해 7인치 릴리스에서 보다 목소리가 더 허스키하게 들렸다. 영화 버전은 폴 뉴먼이 자전거 스턴트를 수행하는 동안 더블 타임에 별도의 보드빌 스타일의 연주곡으로 선보이고 있다.

The song was recorded by B. J. Thomas in seven takes, after Bacharach expressed dissatisfaction with the first six. In the film version of the song, Thomas had been recovering from laryngitis which made his voice sound huskier than in the 7-inch release. The film version featured a separate vaudeville-style instrumental break in double time while Paul Newman performed bicycle stunts.

레이 스티븐스는 처음에 영화를 위해 녹음할 기회를 제공받았지만 거절한다. 그는 이 노래 대신 크리스 크리스토퍼슨이 작곡한 'Sunday Morning Coming Down'을 녹음하기로 결정했다고 한다.

Ray Stevens was first offered the opportunity to record it for the film but turned it down. He chose instead to record the song 'Sunday Morning Coming Down' written by Kris Kristofferson.

밥 딜런 또한 노래를 취입할 기회가 있었지만 그 역시 거절했다고 한다.

노래 속 트럼펫 솔로는 척 핀들 리가 연주해 주고 있다.

Bob Dylan is supposed to have been approached for the song but he reportedly declined too. The trumpet solos in the song are performed by Chuck Findley.

Track listing

1. The Sundance Kid
2. Raindrops Keep Falling on My Head written by Burt Bacharach and Hal David, performed by B. J. Thomas
3. Not Goin Home Anymore
4. South American Getaway
5. Raindrops Keep Falling on My Head-Instrumental
6. On A Bicycle Built for Joy written by Burt Bacharach and Hal David, performed by B. J. Thomas
7. Come Touch the Sun
8. The Old Fun City (N.Y. Sequence)
9. Not Goin Home Anymore-Reprise

〈내일을 향해 쏴라〉 사운드트랙. A & M Records

〈제네비에브 Genevieve〉(1953) - 영국 코미디 진가 펼쳐 주는데 일조하고 있는 하모니카 연주 달인 래리 아들러

작곡: 래리 아들러 Larry Adler

자동차 경주 대회에 참석한 이들의 행적을 코믹하게 펼쳐주고 있는 〈제네비에브〉. 조지 거쉰과 연주 호흡을 맞추었던 하모니카 전문 연주자 래리 아들러가 사운드트랙을 맡고 있다. ⓒ The J. Arthur Rank Organisation, Universal-International

1. 〈제네비에브〉 버라이어티 평

〈제네비에브〉는 헨리 코넬리어스가 제작 및 감독하고 윌리엄 로즈가 각본을 맡은 1953년 영국 코미디 영화이다.

존 그레그손, 다이나 쉐리단, 케네스 모어 및 케이 켄달이 주연을 맡고 있다. 두 커플이 베테랑 자동차 랠리에 코믹하게 연루되어 있다.

Genevieve is a 1953 British comedy film produced and directed by Henry Cornelius and written by William Rose. It stars John Gregson, Dinah Sheridan, Kenneth More and Kay Kendall as two couples comedically involved in a veteran automobile rally.

두 대의 베테랑 자동차와 그들 팀원이 연례 런던에서 브라이튼까지 베테랑 자동차 달리기 대회에 참가하고 있다. 젊은 변호사 알란 맥킴(존 그레그손)과 아내 웬디(다이나 쉐리단)는 1904년 형 다락크를 운전하고 있다.

그들 친구 암브로스 클레버하우스(케네스 모어)를 비롯해 뻔뻔스러운 광고 세일즈맨, 그의 최신 여자 친구, 패션 모델 로잘린드 피터스(캐이 켄달) 그리고 그녀의 애완동물 세인트 버나드 등은 1905년 스파이크를 타고 있다.

Two veteran cars and their crews are participating in the annual London to Brighton Veteran Car Run. Alan McKim (John Gregson), a young barrister and his wife, Wendy (Dinah Sheridan), drive Genevieve a 1904 Darracq. Their friend Ambrose Claverhouse (Kenneth More) a brash advertising salesman, his latest girlfriend, fashion model Rosalind Peters (Kay Kendall), and her pet St. Bernard ride in a 1905 Spyke

브라이튼으로의 여행은 클레버하우스에게 순조롭게 진행된다. 하지만 맥킴의 여행은 몇 가지 고장으로 복잡하고 매우 늦게 도착하게 된다. 알란이 피케 기간 동안 평소 호화로운 호텔에서 숙박을 취소하자, 그들은 웬디가 기분이 좋지 않음에도 불구하고 지저분하고 허름한 호텔에서 밤을 보내게 된다.

The journey to Brighton goes well for Claverhouse but the McKims trip is complicated by several breakdowns and they arrive very late. As Alan cancelled their accommodation in their usual plush hotel during a fit of pique, they are forced to spend the night in a dingy run-down hotel leaving Wendy feeling less than pleased.

두 대의 자동차는 런던 남부 교외를 질주하고 있다.

그러나 몇 야드 밖에 남지 않은 상태에서 제네비에브는 무너지고 ㅁ나다.

엠브로스의 차가 추월하려고 할 때 타이어가 트램 라인에 끼이게 되자-런던의 트램 네트워크는 1952년에 폐쇄 되었지만 영화가 같은 해에 만들어졌을 때 많은 트랙이 여전히 증거였다-다른 방향으로 운전하게 된다.

제네비에브의 브레이크가 실패하고 차는 웨스트민스터 다리 위로 몇 야드를 굴러 내기에서 승리하게 된다.

The two cars race neck-and-neck through the southern suburbs of London.

But with only a few yards to go, Genevieve breaks down. As Ambrose's car is about to overtake it, its tyres become stuck in tramlines-London's tram network had closed in 1952 but many of the tracks were still in evidence when the film was made that same year-and it drives off in another direction. The brakes on Genevieve fail and the car rolls a few yards onto Westminster Bridge thus winning the bet.

2. <제네비에브> 사운드트랙 리뷰

<제네비에브>는 누구가 아니라 무엇이다.

쌍 기 통, 10/12 마력 다락크 모터카는 1904년 파리에서 제작되었다.

1945년 이스트 런던 울타리에서 튀어나온 것을 발견한 이 차는 지역 집행관에 의해 더 이상의 녹과 어둠 속에서 구조되어 원래의 영광으로 재건된다.

곧 모든 시간의 가장 인기 있는 영국 코미디 중 하나의 스타가 된다.

Genevieve is not a who, it's a what. A twin-cylinder, 10/12 horsepower Darracq motocar built in Paris in 1904. Found sticking out of a hedge in East London in 1945 the car was rescued from further rust and obscurity by a local bailiff, rebuilt to its original glory and soon became the star of one of the most popular British comedies of all time.

1954년 영화는 런던에서 브라이튼까지 제네비에브의 연간 달리기와 달리기를 중심으로 돌아가는 미친 빈티지 자동차 애호가에 관한 것이다.

The 1954 film concerns Genevieve's yearly run from London to Brighton and the crazy vintage car enthusiasts whose lives revolve around the run.

〈제네비에브〉. © The J. Arthur Rank Organisation, Universal-International

영화는 누구 자동차가 웨스트민스터 다리를 먼저 건널 수 있는지에 대한 터무니없는 내기로 에고와 질투가 끓어오르면서 6인조-차를 세는 경우-피트 스톱과 함정을 따라가고 있다.

The film follows the sextet's-if you count the cars-pit stops and pitfalls as egos and jealousies boil over into a ridiculous bet over whose car can make it across Westminster Bridge first.

영화는 처음부터 끝까지 색다른 스토리와 수상한 캐스팅으로 즐거움을 선사하고 있다.

From start to finish the film is a delight with its offbeat storyline and winning cast.

배경 음악은 하모니카 거장 래리 아들러가 작곡했다. 스코어 일부가 더 완벽하게 조정되지만 영화 대부분은 단순히 하모니카와 피아노로 배경 음악이 구성되어 있다. 하모니카를 위한 악보라고 할까? 아름답게 작동하고 있다.

The score was composed by harmonica virtuoso Larry Adler. Though portions of the score are more fully orchestrated, most of the film is simply scored for harmonica and piano. A score for harmonica and it works beautifully.

4곡의 주요 테마는 오프닝 타이틀에 대한 제네비에브 왈츠로 시작되고 있다. 이것은 영화 전반에 걸쳐 지배적인 주제이다.

The four main themes begin with Genevieve's waltz over the opening titles. This is the predominant theme throughout the film.

엠브로스는 하모니카의 경우 적절하게 건방진 선율을, 그의 호화로운 성격을 위한 현악기를 제공하고 있다. 알란과 웬디를 위한 부드러운 발라드는 나중에 펄시 페이스와 그의 오케스트라에 의해 음반으로 취입된다.

Ambrose is given am appropriately cocky melody for harmonica and strings for his pompous character. The tender ballad for Alan and Wendy was later recorded by Percy Faith and his orchestra.

다른 주요 테마는 웨스트민스터 다리로 돌아가는 여행이 경주로 바뀌면서 속도를 적절하게 끌어올리는 런던-브리튼 달리기의 경쾌한 곡이다. 가장 즐거운 음악적 순간 중 하나는 레이스 마지막 구간에서 누가 선두에 있느냐에 따라 제네비에브와 엠브로스 발리를 앞뒤로 움직이는 테마 일부에서 발생하고 있다.

The other main theme is the upbeat tune for the London-Brighton run which fittingly picks up speed as the trip back to Westminster Bridge turns into a race. One of the most delightful musical moments occurs during the final leg of the race as snippets of the themes for Genevieve and Ambrose volley back and forth depending on who is in the lead.

스코어는 놀랍게도 오스카상 후보에 지명 받았다.
그러나 후보는 아들러가 아니라 영화음악 감독 무어 매티슨에게 돌아갔다.
그의 이름은 블랙리스트에 포함되어 영화의 미국 프린트에서는 삭제된다.

The Score was surprisingly, yet deservedly, nominated for an Oscar. Yet the nomination went to the film's music director Muir Mathieson not Adler whose name had been taken off American prints of the picture due to his inclusion on the Blacklist.

1986년 6월이 되어서야 아카데미 이사회는 아카데미 기록을 업데이트해서 매티슨이 주장한 적이 없는 아들러에게 적절한 크레디트를 제공하게 된다.
매티슨 이름은 지명에서 제거되고 아들러 이름이 삽입된다.
30여년이 넘는 시간이 지나 아들러는 마침내 후보 증명서를 받게 된 것이다.

It wasn't until June 1986 before the Academy's Board of Governors had Academy records updated to give Adler his proper credit which Mathieson had never claimed. Mathieson's name was removed from the nomination and Adler's inserted.

Over thirty years later, Adler finally received his nomination certificate.

미국 스크린 크레디트와 오스카상 인정만큼 훌륭했다.

하지만 아들러는 그렇게 나쁘지 않았다.

〈제네비에브〉를 매우 빠듯한 예산으로 촬영했기 때문에 아들러는 명목상 작곡가의 수수료를 포기하고 대신 프로듀서 지분의 2.5%를 요구했다고 한다.

아들러는 '대단한 것도 아니고 그렇게 들리지도 않는다.'라고 말했다.

As nice as the American screen credit and the Oscar recognition would have been Adler didn't make out too badly. Since Genevieve was filmed on a very tight budget.

Adler waived what would have been his nominal composer's fee and demanded 2.5% of the producer's share instead. As Adler said 'It doesn't sound like much and it wasn't'

3. 〈제네비에브〉 사운드트랙 작곡 래리 아들러 Larry Adler는 누구?

래리 아들러(Larry Adler, 본명 로렌스 세실 아들러 Lawrence Cecil Adler, 1914년 2월 10일-2001년 8월 6일 사망, 향년 87세).

작곡가, 배우, 음악인. 1931년-2001년까지 활동한다. 가장 널리 알려진 직함은 미국 하모니카 연주자 an American harmonica player.

조지 거신 George Gershwin, 랄프 본 윌리암스 Ralph Vaughan Williams, 말콤 아놀드 Malcolm Arnold, 다리우스 밀하우드 Darius Milhaud, 아서 벤자민 Arthur Benjamin 등과 팀웍을 맞추어 연주 활동을 지속해 나간다.

팝 가수 스팅 Sting, 엘튼 존 Elton John, 케이트 부시 Kate Bush, 세리 매튜스 Cerys Matthews 공연에 찬조 공연자로 음악 재능을 발산한다.

아들러는 장 베르거의 하모니카 협주곡 'Caribbean'(1941), 시릴 스코트의 'Serenade'-하모니카와 피아노 연주곡, 1936년 발표-등을 통해 하모니카 연주자로 명성을 구축해 나간다.

아들러는 고전 음악가 바흐와 비발디의 바이올린 협주곡과 같은 다른 악기를 위한 곡의 필사본을 연주해서 주목을 받아낸다. 그는 시드니 심포니와 함께 비발디의 바이올린 협주곡 A단조를 연주해서 갈채를 받아낸다.

그가 하모니카 편곡에서 연주한 다른 작품으로는 바르톡 Bartók, 베토벤 Beethoven의 'G in Minuet', 드뷔시 Debussy, 팔라 Falla, 거쉰의 'Rhapsody in Blue', 모차르트의 'Oboe Quartet에서 느린 악장, K. 470' 라벨 Ravel의 'boléro' 등이 있다.

* 미국 음반 시장에서 사운드트랙 미발매.

하모니카 연주자 겸 사운드트랙 연주가로 명성을 얻은 래리 아들러. ⓒ wikipedia.org

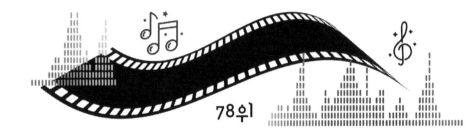

78위

〈잉글리시 페이션트 The English Patient〉(1996) -
가브리엘 야레, 환상적 리듬 통해 영국인 환자가
펼쳐주는 운명적 러브 스토리 펼쳐쥐

작곡: 가브리엘 야레 Gabriel Yared

안소니 밍겔라 감독의 유려한 영상과 공감 가는 연기력이 돋보였던 〈잉글리시 페이션트〉. 가브리엘 야레가 들려주는 배경 음악도 1품 멜로극을 만드는데 일조하고 있다. ⓒ Miramax Films, Buena Vista International

1. 〈잉글리시 페이션트〉 버라이어티 평

〈잉글리시 페이션트〉는 모든 날짜, 등장인물 관계 및 사건 등이 의도적으로 여유로운 속도로 펼쳐지는 느린 영화일 수 있다. 하지만 강렬하게 감동적이고 아름답게 촬영되며 매력적이다. 영화는 놀랍게 보이며 특히 디저트 장면은 〈아라비아의 로렌스〉가 갖고 있었던 장엄한 전면적 느낌을 연상시켜 주고 있다.

촬영 기법은 믿을 수 없을 정도로 아름답고 의상과 풍경은 놀랍도록 호화로우며 시대를 매끄럽게 불러일으키고 있다.

The English Patient may be a slow movie with all the dates, character relationships and events unfolding at a purposefully leisurely pace but it is also intensely moving beautifully shot and compelling. The film looks stunning, the dessert scenes especially are reminiscent of the epic sweeping feel that Lawrence of Arabia had.

The cinematography is incredibly beautiful and the costumes and scenery are wonderfully lavish and evoke the period seamlessly.

〈잉글리시 페이션트〉는 특히 엔딩 크레디트에서 정말 잊혀지지 않고 가슴 아픈 배경 음악을 갖고 있다. 적절한 음악 선택으로 완성되고 있다. 영화는 또한 시적이고 생각을 불러일으키는 대본을 갖고 있다. 캐릭터의 곤경을 훌륭하게 전달하는 매력적인 이야기와 매우 재능 있는 고인(故人)이 된 안소니 밍겔라의 탁월한 지시와 항아리가 아니라 강화하는 플래시백으로 훌륭하게 완성되었다.

The English Patient has a truly haunting and heart-wrenching score particularly in the end credits complete with some fitting music choices. The film also has a poetic and thought-provoking script, a compelling story that conveys the characters predicaments wonderfully complete with flashbacks that enhance rather than jar and superb direction by the late and very talented Anthony Minghella.

〈잉글리시 페이션트〉역시 강렬한 감정적 임팩트를 갖고 있다. 특히 영화가 끝난 후에도 계속 눈물이 날 정도로 절묘한 분위기를 연출하고 있다.

캐릭터는 생각하는 것보다 더 풍부하고 복잡하다. 특히 알마시는 매우 괴로워하고 고통스러워하며 믿을 수 없을 정도로 미묘한 방식으로 처리되고 있다.

The English Patient has a strong emotional impact as well, the climatic sequence in particular moved our to tears that stayed long after the movie was over.

The characters are richer and more complex than one might think, Almasy especially is very haunted and pained and dealt with in an incredibly subtle way.

연기는 이러한 캐릭터를 완벽하게 정의해주고 있다. 랄프 파인즈는 그의 가장 훌륭하고 복잡한 연기 중 하나에서 절대적으로 훌륭하며 크리스틴 스코트 토마스는 그와 위대한 연기 호흡을 펼쳐주고 있다. 그에 의해 동굴에서 나오는 것은 극단적인 파토스 중 하나이다. 줄리엣 비노쉬도 똑같이 영향을 미치고 있다. 윌렘 대포우와 케빈 횟틀리는 그 어느 때보다 강하다.

The acting does perfect justice to these characters, Ralph Fiennes is absolutely brilliant in one of his best and more complex performances and Kristen Scott Thomas shows a great chemistry with him the scene where she is carried out of the cave by him is one of extreme pathos. Juliette Binoche is equally affecting and Willem Dafoe and Kevin Whately are as strong as ever.

2. 〈잉글리시 페이션트〉 사운드트랙 리뷰

가브리엘 야레는 1996년 가장 찬사를 받은 드라마 중 하나의 사운드트랙의 음악을 대부분 작곡했다. 이 음반에서는 세인트 마틴 아카데미와 멤버 중 존 콘스타블-피아노 솔로-마사 세베스티엔-보컬-도 함께 공연해 주고 있다.

Gabriel Yared composed most of the music for the soundtrack of one of 1996's most acclaimed dramas which was largely performed by the Academy of St. Martin in the Fields; John Constable-on solo piano-and Marta Sebestyen-vocals-are also featured.

야레 작곡의 배경 음악은 대부분 전형적인 와이드 스크린 서사시이며 특별한 것은 없다. 더 흥미로운 것은 헝가리 포크 가수 세베스티엔의 이따금 공헌이다. 베니 굿맨, 엘라 피츠제랄드 및 프레드 아스테어 등의 몇 가지 시대적 팝/ 재즈 컷이 전체적으로 산재되어 있다. 오케스트라 연주 작품과 불편하게 병치되어 있는 디스크 보다 화면에서 더 효과적일 가능성이 크다.

Yared's score is mostly typical wide-screen epic stuff--nothing special.
More interesting are Hungarian folk singer Sebestyen's occasional contributions.
A few period pop/ jazz cuts by Benny Goodman, Ella Fitzgerald and Fred Astaire are interspersed throughout and are most likely more effective on screen than on disc where they juxtapose uncomfortably with the orchestral instrumental pieces.

3. 〈잉글리시 페이션트〉 사운드트랙 해설 - 빌보드

레바논 출신 작곡가 가브리엘 야레는 〈잉글리시 페이션트〉 이전에 할리우드 영화를 작곡한 적이 없었다. 하지만 그 결과 많은 명성과 아카데미상, 엄청난 음반 판매를 달성하게 된다. 어째서인지 그는 그 이후로 비슷한 높은 수준의 영화를 너무 많이 끌어 들이지 못한 것 같다. 이것이 바로 영화 음악의 신비이다.

Lebanese composer Gabriel Yared had never scored a Hollywood film before The English Patient but achieved much fame, an Academy Award and massive record sales as a result of doing so.

For some reason he doesn't seem to have managed to attract too many movies of similar high standards since then such are the mysteries of film music.

〈잉글리시 페이션트〉. ⓒ Miramax Films, Buena Vista International

안소니 밍겔라 감독의 아름다운 영화는 데이비드 린 감독의 서사극 특히 〈아라비아의 로렌스〉에 귀를 기울이게 한다. 그러나 야레의 배경 음악은 모리스 자르의 고전적인 감성에서 더 이상 떨어지지 않고 있다.

자르가 이야기에 내재된 설정과 흥분을 강조한 반면 야레는 영화를 작곡하는 매우 존 배리 스타일 방식에서 매번 인간적인 요소를 선택하고 있다.

이것은 언제 어디서나 이야기될 수 있는 시대를 초월한 음악이다.

Anthony Minghella's beautiful film hearkens back to the David Lean epics especially Lawrence of Arabia. Yared's score couldn't be further from the sensibilities of Maurice Jarre's classic, however. Whereas Jarre accentuated the setting and the excitement inherent in the tale, Yared opts for the human element every time in what is a very John Barryeque way of scoring a film.

this is timeless music which could be for a story told anywhere any time.

그것은 영화에 배경 음악을 매기는 매우 영리한 방법이다.

다양한 테마가 전체적으로 뒤섞여 있다. 각각은 다소 소박하지만 매우 아름답다.

메인 테마는 오프닝 트랙에서 보컬 마사 세베스티엔의 짧은 솔로 후에 소개되고 다음 몇 트랙 각각은 새로운 테마를 제공하고 있다.

It's a very intelligent way of scoring the film. Various themes intermingle throughout each is somewhat low-key, but very beautiful.

The main theme is introduced after a brief solo from vocalist Marta Sebestyen in the opening track and each of the next few tracks gives us a new theme.

우리가 가장 좋아하는 것은 아마도 단순히 멋진 바이올린 독주인 'I'll Always Go Back to the Church'일 것이다. 'Let Me Come In!'의 피아노 테마 또한 아련하게 아름다운 멜로디를 갖고 있다.

9분 짜리 'Convento di Sant' Anna'에서 놀라운 효과로 반복되고 있다.

our favourite is probably 'I'll Always Go Back to that Church' a simply gorgeous violin solo. The piano theme in 'Let Me Come In!' also has an achingly-beautiful melody and is repeated to wonderful effect in the nine-minute 'Convento di Sant' Anna'

전체에 걸쳐 강조점은 미묘함에 있다.

이것은 많은 현대 청취자들이 악보에 그다지 집착하지 않을 것이라고 확신한다.

그러나 이것은 완벽하게 작동하는 악보이다.

The emphasis throughout is on subtlety which means I'm sure that many modern-day listeners will not be quite so caught up in the score but this is a score that works perfectly.

밍겔라 영화는 진정으로 놀라운 우여곡절을 소개하고 있다.

야레는 일관된 분위기를 제공하고 있다.

그리고 관객을 특정 캐릭터에 대해 지나치게 동정하게 만들지 않고 변화할 수 있는 모든 것에 대해 사랑은 남아 있음을 강조함으로써 균형을 맞춰야 했다.

Minghella's film introduces genuinely surprising twists and turns throughout and Yared needed to counterbalance that by providing a consistent mood and never drawing the viewer into too much sympathy for any particular character but just to emphasize that for all that can change, love remains.

환타지 레코드 앨범은 영화에서 두드러지게 사용된 일부 소스 음악-바흐의 'Goldberg Variations'의 Aria 포함-과 함께 대부분의 악보를 포함하여 넉넉한 러닝 타임을 갖고 있다. 해리 라비노위치가 지휘한 세인트 마틴 아카데미 공연은 어쩐지 어떤 영화보다 더 느낌과 감동이 있는 것 같다.
키스 그란트의 녹음은 최고 수준이다.

Album from Fantasy Records has a generous running time including most if not all of the score along with some source music used prominently in the film-including the Aria from Bach's Goldberg Variations. Performance by the Academy of St Martin in the Fields conducted by Harry Rabinowitz seems somehow to have more feeling and emotion than some film scores and Keith Grant's recording is top-notch.

〈아라비아의 로렌스〉 혹은 〈늑대와 춤〉 또는 이와 유사한 서사극과 같은 킬러 테마로 여러분을 사로잡을 수는 없다. 하지만 시간이 지나면서 〈잉글리시 페이션트〉도 지금과 같은 방식으로 고려될 것이라고 확신한다. 모던 클래식으로.

It doesn't grab you with a killer theme like Lawrence of Arabia or Dances with Wolves or similar epics but We are sure The English Patient will over time be considered in just the same way as those scores are now. A modern classic.

* 〈잉글리시 페이션트〉 사운드트랙 목록은 55위 〈잉글리시 페이션트〉 항목 참조

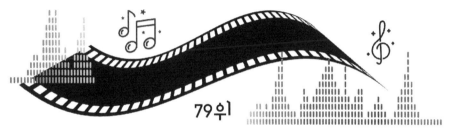

〈파리, 텍사스 Paris, Texas〉(1984) -
라이 쿠더의 슬라이드 기타 리듬에 서려 있는
현대인들의 처절한 고독감

작곡: 라이 쿠더 Ry Cooder

빔 벤더스 감독의 〈파리, 텍사스〉. 처연한 슬픔이 서려있는 라이 쿠더의 기타 배경
음악이 로드 무비의 진가를 새겨주는데 일조하고 있다. ⓒ 20th Century Fox

1. 〈파리, 텍사스〉 버라이어티 평

4년 동안 행방불명된 목적 없는 방랑자 트래비스 헨더슨은 사막을 떠돌며 사회, 자신, 자신의 삶, 가족과 다시 연결해야 한다.

Travis Henderson an aimless drifter who has been missing for four years wanders out of the desert and must reconnect with society, himself, his life and his family.

〈파리, 텍사스〉는 빔 벤더스가 감독하고 해리 딘 스탠튼, 딘 스톡웰, 나스타샤 킨스키, 오로르 클레망 및 헌터 카슨 등이 출연하고 있는 1984년 로드 무비이다.
L. M. 키트 카슨과 극작가 샘 쉐퍼드가 각본을 썼다.
라이 쿠더가 배경 음악을 작곡했다.
영화는 프랑스와 서독의 공동 제작으로 미국에서 로비 뮬러가 촬영했다.

Paris, Texas is a 1984 road movie directed by Wim Wenders and starring Harry Dean Stanton, Dean Stockwell, Nastassja Kinski, Aurore Clément and Hunter Carson. The screenplay was written by L. M. Kit Carson and playwright Sam Shepard while the musical score was composed by Ry Cooder. The film is a co-production between companies in France and West Germany and was shot in the United States by Robby Müller.

줄거리는 해리성 둔주에서 신비롭게 사막을 방황한 후 그의 형(스톡웰)과 7세 아들(카슨)과 재회하려고 시도하는 방랑자 트래비스(스탠튼)에 초점을 맞추고 있다. 아들과 재회한 후 트래비스와 소년은 트래비스의 오랫동안 실종된 아내 (킨스키)를 찾기 위해 미국 남서부를 통해 여행을 시작하게 된다.

The plot focuses on a vagabond named Travis (Stanton) who after mysteriously wandering out of the desert in a dissociative fugue attempts to reunite with his brother (Stockwell) and seven-year-old son (Carson).

After reconnecting with his son, Travis and the boy end up embarking on a voyage through the American Southwest to track down Travis long-missing wife (Kinski).

1984년 칸 영화제에서 공식 심사위원단으로부터 황금 종려상을 받았다.
FIPRESCI 상과 에큐메니칼 심사위원상을 수상한다.
다른 영예와 비평가들의 찬사를 받는다.

At the 1984 Cannes Film Festival, it won the Palme d'Or from the official jury, as well as the FIPRESCI Prize and the Prize of the Ecumenical Jury.
It went on to other honors and critical acclaim.

2. 〈파리, 텍사스〉 사운드트랙 리뷰

언뜻 보기에 〈파리, 텍사스〉-라이 쿠더의 많은 레코드와 마찬가지로-1 차원적인 것으로 보인다. 하지만 자세히 살펴보면 결국 지금까지 개봉 된 영화 중 가장 흥미롭고 연상시키는 사운드트랙 중 하나로 자리잡고 있다.

At the first glance, 'Paris, Texas' appears-like a lot of Ry Cooder records-to be a one dimensional affair but upon closer inspection eventually settles into being one of films most interesting and evocative soundtracks ever released.

1984년 빔 벤더스 감독은 라이랜드 쿠더의 기타 재능에 사로잡혀 영화 〈파리, 텍사스〉 작곡을 위해 그에게 접근한다.
반쯤 마른 저지대, 백악질 암석으로 둘러싸인 파리의 마을과 끝없는 철로가 있는 고립감은 성공과 실패의 가능성으로 이어지는 것처럼 보였다.

In 1984 director Wim Wenders was caught by Ryland Cooder's talents on the guitar and approached him for the scoring of the film Paris, Texas.

The town of Paris surrounded by half-parched low-scrubland, white-chalky rock and a sense of isolation with it's endless railroad lines leading to possibilities of success or failure seemed easy for Cooder to emulate.

그의 주요 영향 중 하나-블라인드 윌리 존슨의 'Dark Was the Night'-를 선택하여 작품의 본체를 구성함으로써, 그는 실종된 아버지, 그의 전 아내/ 연인, 그리고 그의 아들 사이의 정서적 붕괴를 포착하는 동시에 풍경 영화의 영리한 사용에 음악적 날씨의 감각을 형성하게 된다.

By choosing one of his major influences-Blind Willie Johnson's 'Dark Was the Night'-to form the body of the work, he captures the emotional decay between a missing father, his former wife/ lover and his son while also forming a sense of musical weather to the films clever use of landscape cinematography.

〈파리, 텍사스〉. ⓒ 20th Century Fox

이 효과는 거친 병목 현상, 반향적인 하모니 및 매우 암시적인 울음 멜로디의 황량한 혼합이다.

때로는 밋밋하고 때로는 겹겹이; 특히 아방가르드 같은 톤의 순간에 즉흥적으로 보이는 것처럼 보인다.

이 때문에 일부가 끝나는 곳은 고사하고 어디에서 시작하는지 묘사하기 어렵다.

The effect is a desolate blend of abrasive bottleneck work, echoic harmony and highly suggestive weeping melodies. Sometimes bland, other times layered; it's hard to depict where some of these start, let alone end, as they are seemingly improvisational especially during moments of avant-garde-like tones.

실험의 항구에 도착하기 전에 그는 견고하지만 물론 미끄러지는 음향 지형 위에 형성된 'Paris, Texas'와 'Brothers'로 놀랍도록 영화의 설정을 시작하고 있다.

Before reaching the port of experimentation, he initiates the setting of the film amazingly with 'Paris, Texas' and 'Brothers' formed upon solid, yet of course sliding acoustic terrain.

덜 미묘할수록 'Nothing Out There'라는 제목의 기질이 더 잠정적이다. 나중에 풍경과 영화에서 두 번째 인물로서의 위치에 대해 관객에게 상기시켜 주고 있다.

Less subtle is the more tentative in temperament 'Nothing Out There' entitled as such to remind the audience later on about the landscape and its place as a secondary character in the film.

또한, 그는 나중에 대부분의 다른 트랙에서 이 동일한 캐릭터를 선택하고 있다. 스페인어로 순수한 감정적 향수를 불러일으키는 8행의 주연 배우 해리 딘 스탠튼의 포함을 목격하는 'Canción Mixteca'에서와 같이 실험이 발생할 수 있도록 하고 있다. 쿠더와 함께 현을 부드럽게 연주하면서.

Additionally, he picks apart this same character later on in most of the other tracks allowing for experimentation to occur such as in 'Canción Mixteca' which witnesses the inclusion of main actor Harry Dean Stanton vocalizing eight lines of pure emotional nostalgia in Spanish accompanied with Cooder picking gently on the strings.

나중에, 메인 테마의 침체기를 갖고 놀고 난 뒤 쿠더의 음악은 'I Knew This People'에서 중단된다. 완전히 두 주인공 간의 대화 시퀀스로 대체 되고 있다.

Later, after toying with the main theme's doldrums, Cooder's music is ceased in 'I Knew These People' replaced entirely by a sequence of dialogue between two main characters.

대화는 어색한 침묵의 멈춤 사이에 있는 사실적인 위치 때문에 잊혀지지 않고 있다. 쿠더는 시간이 지나면 페이드 인으로 이러한 구멍을 쉽게 채우고 있다. 이것은 그 자체로 영화와 음악 모두에 강력한 순간이 되고 있다.

The conversation is haunting for its matter-of-fact position amongst pauses of awkward silence. Cooder effortlessly fills these holes after some time by fading in which by itself is a powerful moment for both the film and the music.

'Dark Was the Night'는 이러한 우울함을 해결하고 있다.
하지만 같은 오리지널 테마를 사용하여 생각보다 설득력이 없다.

'Dark Was the Night' resolves this melancholy but not as you'd think using the same original theme only more convincingly.

이 작품은 깊이와 반복성이 분명히 부족하기 때문에 기억하기가 더 쉽다.
그러나 경험은 음악 자체 영향을 받아 인지적 경관 발달 감각이 형성되어야 함을 기억해야 한다.

While it's easier to remember this work for its apparent lack of depth and repetitiveness one must also remember that the experience should be forged under the influence of the music itself a sense of cognitive landscape development.

영화의 풍경 없이 그 자체로 작품으로 즐기기에 충분한 순간이 있다.
그러나 여전히 집에서 가장 잘 즐길 수 있다는 사실에 어느 정도 효과가 있다.

It has enough moments to be enjoy as a work of its own, without the movies scenery to accompany it but still does owe some of its effectiveness to the fact that it's best enjoyed in the home setting.

3. 〈파리, 텍사스〉 사운드트랙 해설 - 올뮤직 Allmusic.com

빔 벤더스 영화 〈파리, 텍사스〉의 이미지와 사막 그 자체를 암시하는 라이 쿠더의 음악은 어쿠스틱 기타의 영혼에 대한 평화롭고 시적인 여정이다.
'Paris, Texas' 'Brothers' 'Nothing Out There' 등은 기타 소리와 스크래칭 앰비언트 효과의 명상적인 혼합으로 앨범을 열고 있다.

Suggestive of both the imagery of Wim Wender's movie Paris, Texas and the desert itself Ry Cooder's score is a peaceful poetic journey into the soul of an acoustic guitar. 'Paris, Texas' 'Brothers' and 'Nothing Out There' open the album as meditative blends of guitar twang and scratching ambient effects.

〈파리, 텍사스〉. ⓒ 20th Century Fox

노래는 예쁘고 느린 곳에서 움직이고 있다. 오프닝 트랙은 쿠더가 기타 줄을

잡아당겨 그 소리가 허공에 진동하게 하는 것을 보게 된다.

그가 악보 전반에 걸쳐 반복적으로 되돌아오는 모티브다.

The songs move at a pretty, slow place and the opening track sees Cooder plucking his guitar's strings and letting that sound vibrate into thin air.

it's a motif that he returns to repeatedly throughout the score.

고요함과 메아리치는 날카로운 음향 효과에 약간의 유머와 신비로움이 있다.

'Cancion Mixteca'에는 스페인어로 노래하는 해리 딘 스탠튼의 기억에 남는 보컬이 포함되어 있다.

There's a bit of both humor and mystery to the stillness and the echoing, edgy sound effects that crop up. 'Cancion Mixteca' includes a memorable turn on vocals by Harry Dean Stanton, singing in Spanish.

'No Safety Zone'은 노래가 전통적인 노래보다 분위기 설정자로서 더 잘 작동하고 있다. 이 때문에 일시적인 실험적인 기타 연주와 함께 윤리 면에서 거의 완전히 주변적이다. 'I Knew These People'는 쿠더의 침울한 기타가 들어오기 전에 영화에서 대화의 확장된 부분으로 시작되고 있다.

'No Safety Zone' is almost completely ambient in its ethics with fleeting experimental guitar playing as the song works more as a mood-setter than a traditional song. 'I Knew These People' begins with an extended segment of dialogue from the film before Cooder's somber guitar creeps in.

대화 효과는 트랙을 훌륭하고 예술적인 진술로 만들고 있다.

그러나 그 순간은 앨범 트랙보다 영화 맥락에서 더 잘 작동하고 있다.

대화는 스탠튼과 나스타샤 킨스키가 연기한 캐릭터가 특히 감동적인 만남을 갖는 장면에서 비롯되고 있다.

The effect of the dialogue makes the track a fine artistic statement but the moment works better in the context of the movie than as a track on an album. The dialogue comes from a scene where the characters played by Stanton and Nastassja Kinski have a particularly emotional meeting.

대부분 배경 음악은 섬세하고 놀랍도록 아름답다. 전반적인 감각은 쿠더가 여유롭고 감정적인 움직임에 손을 뻗고 있다는 것이다.
스코어는 슬프면서도 고요하고 고요하며 고양되고 있다.
쿠더는 어코스틱 음악이 들을 수 있는 것처럼 현대적이고 세련된 음악을 만들고 있다. 앨범은 이질적이면서 동시에 유기적이다.

The majority of the score is delicate and stunningly pretty. The overall sense is that Cooder was reaching for spare, emotional movements. The score is stark, quiet and as uplifting as it is sad. Cooder makes the music sound as modern and stylish as acoustic music can sound. The album is at once alien and organic.

'I Knew This People'에는 〈파리, 텍사스〉 대화가 포함되어 있다.
이 때문에 영화를 본 사람들에게 가장 좋은 배경 음악을 주고 있다.
하지만 앨범만으로도 음원을 경험한 사람들에게는 여전히 강력하고 대단히 감동적인 여정이다.

Since 'I Knew These People' includes dialogue from Paris, Texas the score works best for people who have seen the movie but it's still a powerful and immensely evocative journey for those whose experience with the material is the album alone.

4. 〈파리, 텍사스〉 사운드트랙 해설 - 빌보드

우리 영혼 깊은 곳까지 도달한 몇 안 되는 영화 중 하나.
감정의 소용돌이에 휘말리며, 영화 길이도 모른 채 2시간이 넘는 시간을 보냈다는 표현이 가장 적절할 것 같다.

One of the very few films that reached deep into our soul. Being in a whirlwind of emotions. this would probably be the most appropriate term for what We experienced for over two hours without even realizing the length of the movie.

기억과 언어를 잃은 트레비스를 처음 본 순간부터 이것이 특별한 경험이 될 것이라는 것이 분명했다. 그리고 그 기대는 이루어졌다.
과거 그림자에서 벗어나 새로운 마음의 평화를 찾기 위해 노력하는 한 남자에 대한 매우 강력하고 인간적이며 심오한 이야기다.

From the first moment We saw Trevis who had lost his memory and speech.
it was clear to our that this was going to be an extraordinary experience.
And that expectation came true. A very powerful, human and profound story about a man trying to escape from the shadows of his past to find the new peace of mind.

영화에 대한 우리의 감정을 담을 단어가 부족하다.
한심하게 들릴지 모르지만 우리는 깊은 감동을 받았다. 영화에서 사랑은 고통스러운 사랑, 질투하는 사랑, 용서하는 사랑, 그리고 궁극적으로 다른 사람의 행복을 위해 자신을 희생하는 사랑의 다양한 형태를 취하고 있다.

We am short of words to capture our feelings about the movie. We know, it sounds pathetic but We were deeply moved. In the movie, love takes many forms painful love, jealous love, forgiving love and finally the ultimate one, the love of sacrificing oneself for the sake of another's happiness.

트레비스 얼굴과 제인의 얼굴이 겹치는 거울에 비친 대화인 엔딩 장면은 우리에게 잊혀지지 않는 지문을 남긴다.

〈파리, 텍사스〉. ⓒ 20th Century Fox

라이 쿠더가 제공하는 놀라운 분위기, 멋진 장면으로 이루어진 완벽한 촬영 및 잊을 수 없는 사운드트랙이 있는 멋진 영화이다. '절대 잊지 못할 영화'라고 말했다.

The ending scene, which is a conversation reflected at a mirror where Trevis face overlaps with Jane's left unforgettable fingerprint on our.

A wonderful movie with an amazing atmosphere, perfect cinematography with its great shots and last but not least the unforgettable soundtrack provided by Ry Cooder. 'A movie that will never leave our mind'

영화를 보든 안 보든 10곡의 사운드트랙을 들으면서 듣는 사람을 감싸 안는 감정을 위의 내용이 아주 잘 설명하고 있다. 기타 작업은 여유가 있다.

속도는 매우 느리다. 모티프는 마치 뜨거운 사막 바람의 돌풍처럼 돌아와 응집력 있는 전체로 느슨하게 연결되고 있다.

The above describes very well the feelings that embrace the listener during listening to the ten tracks of the soundtrack. no matter whether you have seen the movie or not. The guitar work is spare, the pace is extremely slow, the motifs return as if in gusts of a hot desert wind and loosely connect into a cohesive whole.

고독하고 매혹적인 음악, 사막의 모래, 광활한 황무지의 푸른 하늘을 배경으로 타오르는 태양, 백악질 산의 파노라마, 희망과 절망을 느낄 수 있다.

The music feels lonesome and spellbinding, you can feel the desert sand, the burning sun against the blue sky of the vast wasteland, the chalky panorama of the mountains, the hope and the despair.

기타 픽업과 마이크는 진동하는 현의 모든 뉘앙스를 녹음하고 녹음-예술적 가치는 제외-은 병목 기타 사운드에 대한 미세한 연구로 끝나고 있다.

The guitar pick up and microphones recorded every single nuance of vibrating strings and the recording-apart from its artistic value-ends up as an microscopic study of the bottleneck guitar sound.

사실 여기에서 기타가 주연이다. 조력자로 보이는 라이 쿠더가 아니라 주연이다. 그렇기 때문에 다른 두 명의 공헌 음악가인 짐 딕킨슨과 데이비드 린드레이는 대부분 눈에 띄지 않고 있다.

Actually the guitar is the main performer here. not Ry Cooder who seems to be a facilitator not the main person. That is why the other two contributing musicians Jim Dickinson and David Lindley remain mostly unnoticed.

'Nothing Out There'와 같은 곡들은 섬세한 사운드와 뛰어난 다이내믹 레인지로 진정한 오디오 애호가를 위한 것이다.

The pieces like Nothing Out There are a real audiophile treat with its detailed sound and a great dynamic range.

9번 트랙은 그다지 흥미롭지 않다. 'I Knew This People'은 대화로, 녹음

파일처럼 들리는 강력한 내러티브이다. 배경에 두드러진 테이프 노이즈가 있어 매우 사실적이고 현장에 존재하고 있다. 사진 없이 영화를 보는 것과 같다.

The track #9 is not less interesting.

We Knew These People is a dialogue, a strong narrative that sounds as a filed recording, with prominent tape noise in the background which makes very authentic and present in the room. It is like watching a movie without picture.

Track listing

1. Paris, Texas
2. Brothers
3. Nothing Out There
4. Canción Mixteca
5. No Safety Zone
6. Houston in Two Seconds
7. She's Leaving the Bank
8. On the Couch
9. I Knew These People
10. Dark Was the Night

〈파리, 텍사스〉 사운드트랙. ⓒ Warner Bros

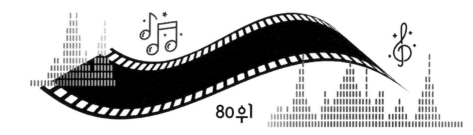

〈북북서로 진로를 돌려라 North by Northwest〉(1959) - 버나드 허만, 신경 거슬리는 현악 리듬 통해 스파이 스릴러 진수 펼쳐

작곡: 버나드 허만 Bernard Herrmann

알프레드 히치콕 감독의 스파이 스릴러 〈북북서로 진로를 돌려라〉. 콤비 작곡가 버나드 허만이 날카로운 현악 리듬으로 배경 음악을 꾸며주고 있다. ⓒ Metro-Goldwyn-Mayer

1. <북북서로 진로를 돌려라> 버라이어티 평

뉴욕의 한 광고 임원은 외국 스파이 집단에 의해 정부 요원으로 오인 받는다. 도주하다가 충성심이 의심되기 시작하는 한 여성에게 빠지게 된다.

A New York City advertising executive goes on the run after being mistaken for a government agent by a group of foreign spies and falls for a woman whose loyalties he begins to doubt.

매디슨 애비뉴의 광고맨 로저 손힐은 조지 카플란이라는 남자로 오인되어 스파이의 세계로 빠져들게 된다.

Madison Avenue advertising man Roger Thornhill finds himself thrust into the world of spies when he is mistaken for a man by the name of George Kaplan.

외국 스파이 필립 반담과 그의 심복 레너드가 그를 제거하려 한다. 하지만 손힐이 사건을 이해하려고 했을 때 그는 살인 혐의를 받게 된다.

Foreign spy Philip Vandamm and his henchman Leonard try to eliminate him but when Thornhill tries to make sense of the case, he is framed for murder.

이제 경찰을 피해 시카고로 향하는 20세기 리미티드에 탑승하게 된다. 그곳에서 아름다운 금발의 이브 켄달을 만나 정부 당국자를 피하도록 도와준다.

Now on the run from the police, he manages to board the 20th Century Limited bound for Chicago where he meets a beautiful blond, Eve Kendall who helps him to evade the authorities.

이브는 그가 생각했던 순진한 구경꾼이 아니라는 사실을 알게 되자 그의 세상은 다시 뒤집어지게 된다. 그러나 모든 것이 보이는 것과는 달리 러시모어 산 정상에서 극적인 구조와 탈출로 이어진다.

His world is turned upside down yet again when he learns that Eve isn't the innocent bystander he thought she was. Not all is as it seems however, leading to a dramatic rescue and escape at the top of Mt. Rushmore

〈북북서로 진로를 돌려라〉는 알프레드 히치콕이 제작 및 감독한 1959년 미국 스파이 스릴러 영화이다.

North by Northwest is a 1959 American spy thriller film produced and directed by Alfred Hitchcock.

각본은 '모든 히치콕 영화를 끝내는 히치콕 영화'를 쓰고 싶어 했던 어네스트 리만이 맡았다.

The screenplay was by Ernest Lehman who wanted to write 'the Hitchcock picture to end all Hitchcock pictures'

〈북북서로 진로를 돌려라〉는 잘못된 신원 파악에 대한 이야기다.
미스터리한 조직 요원에 의해 무고당한 한 남자.
정부 기밀이 포함된 마이크로 필름을 미국으로 밀반출하려는 계획을 저지하는 것을 차단하려는 미스테리한 조직 요원에 의해 추적을 당하게 된다.

North by Northwest is a tale of mistaken identity, with an innocent man pursued across the United States by agents of a mysterious organization trying to prevent him from blocking their plan to smuggle microfilm out of the country which contains government secrets.

이것은 버나드 허만의 배경 음악과 그래픽 디자이너 서울 바스의 오프닝 타이틀 시퀀스를 특징으로 하는 여러 히치콕 영화 중 한 편이다. 오프닝 크레디트에서 키네틱 타이포그래피의 확장된 사용을 특징으로 하는 최초의 영화이다.

This is one of several Hitchcock films which feature a music score by Bernard Herrmann and an opening title sequence by graphic designer Saul Bass and was the first to feature extended use of kinetic typography in its opening credits.

〈북북서로 진로를 돌려라〉는 1950년대 히치콕 표준 영화 중 한 편으로 목록에 오르고 있다. 종종 역사상 가장 위대한 영화 중 한 편으로 기록되고 있다.

North by Northwest is listed among the canonical Hitchcock films of the 1950s and is often listed among the greatest films of all time.

첫 상영 후 뉴요커와 뉴욕 타임즈 평론가들은 즉시 코미디 적이고 세련된 자기 패러디의 걸작으로 환호를 보낸다.

After its first screening, reviewers for The New Yorker and The New York Times immediately hailed it as a masterpiece of comedic, sophisticated self-parody.

2. 〈북북서로 진로를 돌려라〉 사운드트랙 리뷰

버나드 허만은 이전에 4편의 영화에서 히치콕 감독과 협력하게 된다.

〈북북서로 진로를 돌려라〉. ⓒ Metro-Goldwyn-Mayer

히치콕에 대한 버나드 허만의 최고 영화 음악은 〈북북서로 진로를 돌려라〉 〈버티고〉 및 〈사이코〉이다. 〈북북서로 진로를 돌려라〉를 위해 허만은 체이스, 서스펜스 및 러브 음악 등 3가지 유형의 음악을 작곡하게 된다. 특히 낭만주의 음악은 19세기 후반 전형적인 낭만주의 음악에 그 기원을 두고 있다.

Bernard Herrmann collaborated with Hitchcock on four movies before. Bernard Herrmann's best scores for Hitchcock are 'North by Northwest' 'Vertigo' and 'Psycho'. For 'North by Northwest' Herrmann composed three types of music: chase, suspense and love music. Especially the romantic music has its origin in the typical romantic music of the late nineteenth century.

허만이 추가하고 이것이 이 악보를 특별하게 만드는 것은 많은 양의 타악기이다. 허만은 베이스로 사용되는 판당고(Fandango), 일반적으로 기타, 캐스터네츠(castanets) 또는 박수 소리가 동반되는 일반적으로 3배의 음보(音譜)인 스페인 커플 댄스를 사용하고 있다.

What Herrmann added and this makes this score special is the high amount of percussion instruments. Herrmann used as a base a Fandango, a Spanish couple dance that is usually in triple metre, traditionally accompanied by guitars, castanets or hand-clapping.

이 에너지 넘치는 트랙은 전체 음악과 영화의 톤을 설정하고 있다. 여기에 메인타이틀이 있다. 일부 사람들은 이것이 뉴욕의 혼란스러운 삶을 음악적으로 표현한 것이라고 말하고 있다.

This energetic track sets the tone for the whole music and the movie. Here is the main title, some people say it is also a musical expression of the chaotic life in New York.

'러브 테마'는 허만의 최고 중 한 곡이다. 이 서정적인 테마는 기차 식사 시퀀스에서 가장 먼저 들을 수 있다. 우리는 에바 마리 세인트의 열렬한 팬은 아니다. 우리는 그레이스 켈 리가 완벽한 히치콕 여배우였다고 생각하고 있다. 허만의 '러브 테마'는 오보에와 클라리넷의 상호작용으로 구성되어 있다. 이들 사이는 현악기 지원을 받고 있다. 리듬은 기차의 움직임을 뮤지컬로 바꾸고 있다.

The love theme is one of Herrmann's best and you hear this lyrical theme first in the train dining sequence. We have to say We are not a big fan of Eva Maria Saint. We think Grace Kelly was the perfect Hitchcock actress. Herrmann's love theme consists of an interplay between the oboe and the clarinet and this inter gets supported by strings. The rhythm transforms the movement of a train into musical.

오랫동안 악보의 팬들은 로리 존슨이 지휘한 버전으로 그것을 얻을 수 있었다. 이 음반 녹음을 허만의 원래 녹음과 비교하면 항상 허만이 지휘한 악보를 구입하는 것이 얼마나 중요한지 깨닫게 된다.

For a long time, fans of the score were just able to get it in a version conducted by Laurie Johnson but if you compare this recording with Herrmann's original one, you realize how important it is to buy always a score conducted by Herrmann himself.

우리는 대결의 마지막 트랙을 언급하고 싶다. 허만은 특히 마틴 랜도우가 가까이 와서 그랜트의 손을 밟는 장면에서 서스펜스를 구축하기 위해 오케스트라의 모든 힘을 다시 사용하고 있다.

We just want to mention the last tracks for the showdown. Herrmann uses again the full power of the orchestra to build up suspense, especially in the scene when Martin Landau comes closer and steps on Grant's hand.

타악기는 이 장면에서 서스펜스를 높이는 데 완벽하게 사용되고 있다. 관객을 감정적으로 끌어들이는 매우 효과적인 방법이 되고 있다.

The percussion is perfectly used to increase the suspense in this scene, a highly effective way to get the audience emotionally involved.

전반적으로 〈북북서로 진로를 돌려라〉는 고전 영화 음악이다. 그리고 좋은 배경 음악은 다음과 같아야 한다. 영화의 감정을 뒷받침하는 놀라운 점, 시대를 초월한 음악적 접근 방식 그리고 언제 들어도 잊혀지지 않는 메인 테마와 스타일로 구성되어 있다.

Overall, you can say that 'North by Northwest' is a classic film music score and like a good score should be: astonishing in supporting the emotions of the movie, timeless in its musical approach and composing style and with a main theme that you will never forget when you hear it.

정말 놀라운 영화 음악! 히치콕과 허만 모두 자신의 유익한 협력이 더 오랜 기간 지속되는 것을 방해하는 큰 자존심을 갖고 있었던 것은 매우 유감이다.

Really amazing movie music! It is so regrettable that both Hitchcock and Herrmann had such a big ego preventing their fruitful collaboration lasting for a longer period of time.

3. 〈북북서로 진로를 돌려라〉 사운드트랙 해설 – 빌보드

작곡가로서 허만은 길게 흐르는 멜로디 라인으로 감정을 표현하는 것을 피했다.

대신 그가 악보 전체에 변조한 간결한 짧은 프레이즈를 사용하고 있다.

As a composer, Herrmann eschewed emoting with long flowing melodic lines, embracing instead the use of succinct short phrasing which he modulated throughout the score.

〈북북서로 진로를 돌려라〉. ⓒ Metro-Goldwyn-Mayer

배경 음악은 4가지 주요 주제와 모티브로 구성되어 있다.
메인 테마는 스코어를 뒷받침하고 영화의 액션 시퀀스를 지원하고 있다.
구성은 멜로디 라인의 유사성이 없다.
그 대신 강렬한 휘젓기와 경쟁적인 반음계 하모닉 진행에 의존하고 있다.

The score features four major themes and a motif.
The Main Theme underpins the score and supports the film's action sequences.
It's construct lacks any semblance of a melodic line instead relying on intense churning and competing chromatic harmonic progressions.

두 번째 테마는 오보에와 클라리넷 사이의 서정적인 상호 작용으로 구성된 우아한 '사랑 테마'이다. 지지하는 현을 따라 흐르고 있다.
세 번째 테마는 이름에서 알 수 있듯이 영화를 채우는 긴장된 서스펜스 장면을 지원하는 데 사용되는 서스펜스 테마이다.
그것은 훨씬 더 빠른 템포에 있지만 유명한 'Dies Irae'와 잠시 유사하다.

The second theme is the elegant Love Theme which consist of a lyrical interplay between an oboe and clarinet which flow over supportive strings.

The third theme is the Suspense Theme which as its name implies is used to support the tense suspense scenes that fill the film. It bears a fleeting resemblance to the famed Dies Irae although at a much more rapid tempo.

구성이 단순한 이 테마는 3음 톤 베이스 라인을 통해 연주되는 기본 악기와 오케스트레이션을 변경하는 반복되는 16개의 음표 라인으로 신속하게 표현되고 있다. 다음은 길을 잃거나 방황하며 겉보기에 무작위로 보이는 아르페지오 형태로 표현되는 'Roger 테마'이다.

Simple in construct, this theme is emoted with rapidity as a repeating sixteen note line of shifting primary instruments and orchestrations that play over a tritone bass line. Next we have Roger's Theme, which emotes as a lost wandering and seemingly random arpeggio figure.

이 주제는 허만이 로저 내부 혼란을 반영하기 위해 만들었다는 점에서 훌륭하게 구상되었다고 할 수 있다.

This theme is brilliantly conceived in that Herrmann created it to reflect the internal perplexity of Roger.

마지막으로 상승 또는 하강 반음으로 표현되는 반복되는 2음 셀로 구성된 서스펜스 모티프가 있다.

Lastly we have the Suspense Motif which consists of a recurring two-note cell that emotes as a rising or falling half step.

'서곡/ 메인 타이틀'은 오프닝 타이틀과 혼돈스럽고 혼잡한 뉴욕 거리의 오프닝 장면을 통해 극적인 힘을 발휘하고 있다. 이것은 악보 하이라이트이자 걸작의 단서이자 허만의 천재성에 대한 지속적인 증언이라고 할 수 있다.

'Overture/ Main Title' plays with dramatic power through the opening titles as well as the opening scenes of the chaotic and congested New York streets. It is a score highlight, a masterpiece cue and enduring testimony to Herrmann's genius.

의심할 여지없이 영화 역사상 가장 극적이고 복잡하며 강력한 오프닝 중 한 곡이다. 구성 면에서 완전히 모더니즘적인 이 작품은 반복되는 2 소절 숫자 위에 겹쳐지는 경쟁적 모티브와 리드미컬하게 적대적인 모티브 사이의 반복적인 충돌에서 강렬한 운동 효과를 얻고 있다.

It is without a doubt one of the most dramatic, complex and powerful openings in the history of film. Completely modernist in construct, it derives its intense kinetic potency from a recurring clash between competing and rhythmically antagonistic motifs that are overlaid a repeating two-measure figure.

가장 흥미롭고 독창적인 것은 첫 번째 주제가 마이너 모달이고 두 번째 모달이 각각 다른 템피(3/4 및 6/8)로 연결되어 있다는 것이다. 이 선곡은 복잡성이 놀랍다. 우리가 영화 음악을 사랑하는 이유를 확인시켜 주고 있다.

Most interesting and ingenious is that the first motif is minor modal, the second major modal with each articulated with different tempi 3/4 and 6/8 respectively. This cue is just stunning in its complexity and affirms why We love film music.

'The Streets'를 통해 허만은 그의 서스펜스 테마를 소개하고 있다.
이 주제는 속사포 목관악기, 호른, 현악기가 반복되고 때때로 경쟁적인 프레이즈를 특징으로 하고 있다. 선곡은 영화에서 떨어지고 있다.

In 'The Streets' Herrmann introduces his Suspense Theme which features repeating and at times competing phrases of rapid-fire woodwinds, horns and strings. The cue was dropped from the film.

〈북북서로 진로를 돌려라〉. © Metro-Goldwyn-Mayer

'Kidnapped'는 두 남자에게 호텔 바에서 손힐을 납치하는 내용을 담고 있다.

현악기와 바순을 위한 뛰어난 필기감이 특징인 정말 특별한 톤의 선곡이다. 불길하고 어두운, 우리는 처음에는 현악기로, 나중에는 불길한 바순 메아리가 있는 목관악기로 로저 테마의 반복되는 변형을 듣게 된다.

'Kidnapped' features Thornhill kidnapped from the hotel bar by two men.
It is really an extraordinary tonal cue which features excellent writing for strings and bassoon. Ominous and dark, we hear a repeating variant of Roger's Theme, first on strings and later by woodwinds with foreboding bassoon echoes.

바순 카운터로 가득 찬 불안한 구불구불한 스트링 라인은 이 신호를 어두운 결론으로 이끌고 있다. 'The Door'는 로저가 자신의 운명이 불확실한 타운젠드 영지도서관에 갇혀 있음을 보여주고 있다.

음소거 된 혼 카운터와 깊은 저음 공명이 있는 바이올린에서 느낄 수 있는 아르페지오가 있는 로저 테마의 애절한 변형이 특징이다.

A disquieting serpentine string line replete with bassoon counters carries this cue to a dark conclusion. 'The Door' reveals Roger locked in the library of the Townsend estate uncertain of his fate.

It features a plaintive variant of Roger's Theme with the arpeggio emoted on violins with muted horn counters and a deep bass resonance.

우리는 로저가 대량의 버번 음료를 강제로 먹인 다음 무대 사고를 위해 어두운 시골길로 데려가는 'Cheers'로 이어지고 있다. 선곡은 거친 저음과 호른 악센트에 의해 상쇄되는 위협적인 바이올린 오스티나토를 특징으로 하고 있다. 추가적인 피치카토 스트링 텍스처는 이 선곡의 복잡성을 더해주고 있다.

we segue into 'Cheers' where Roger is forced fed a massive Bourbon drink and then taken to a dark country road for a staged accident.

The cue features a menacing violin ostinato countered by harsh bass and horn accents. Additional pizzicato strings textures add to the complexity of this cue..

'The Wild Ride'는 말장난이다. 술에 취한 로저는 위험한 바다 절벽 길을 따라 자신의 차를 열렬히 추격하는 납치범들을 피한다. 메인 테마의 확장된 표현을 도입하는 팀파니에서 시작된다. 이것은 추격을 추진하고 서곡의 놀랍고 충돌하는 스타카토 복잡성으로 렌더링되고 있다.

'The Wild Ride' is one hell of a ride pun intended! A drunken Roger manages to escape his captors who hotly pursue his car along a treacherous sea cliff road.

It opens on timpani that introduce an extended expression of the Main Theme which propels the pursuit and is rendered with all the stunning and clashing staccato complexity of the Overture.

추격이 추격하는 경찰차와의 충돌로 끝나는 'Car Crash'로 신호를 마무리하고 있다. 선곡은 튜바와 동족의 낮은 음역 호른으로 대조되는 어둡게 반복되는 베이스 프레이즈의 충돌을 특징으로 하고 있다.

We conclude the cue with 'Car Crash' where the chase ends in a crash with a pursuing police car. The cue features a clash of dark repeating bass phrases countered by tuba and kindred low register horns.

허만은 단순함으로 많은 것을 해냈다!
'The Return'은 그의 이야기의 진실성을 확인하기 위해 판사 명령에 따라 로저와 형사들이 타운센드 부동산으로 돌아오는 것을 보여주고 있다.
로저 테마의 가장 흥미로운 변형을 특징으로 하고 있다. 하프 악센트가 있는 베이스와 반대되는 중간 레지스터 스트링의 내림차순 아르페지오가 있다.

Herrmann accomplishes so much with simplicity! 'The Return' reveals Roger and detectives returning to the Townsend estate at a judge's order to verify the veracity of his story. It features a most interesting variant of Roger's Theme with a descending arpeggio of mid register strings countered by bass with harp accents.

우리는 평판이 좋지 않은 로저가 벌금을 지불하고 그의 속임수를 끝내라는 조언을 받는 'Two Dollars'로 이어지고 있다. 우리는 메인 테마의 B 모티프의 기발한 변형을 듣게 된다. 처음에는 목관악기가 프레이즈를 전달하지만 현과 호른으로 옮겨가는 더 위협적인 분위기를 만들고 있다.

We segue into 'Two Dollars' where a discredited Roger is advised to pay the fine and end his charade. We hear a quirky variant of the B Motif of the Main Theme.
At first woodwinds carry the phrasing but the transfer to strings and horns create a more menacing mood.

'The Elevator'는 로저가 추격자들로부터 엘리베이터를 타고 도망치는 모습을 담고 있다. 메인 테마의 B 모티프 목관악기와 현의 상호 작용은 순간의 긴장을 반영하여 서서히 상승하는 아르페지오로 변형되고 있다.

'The Elevator' features Roger fleeing from his pursuers in an elevator.

Interplay by woodwinds and strings of the B Motif of the Main Theme slowly transforms into an ascending arpeggio mirroring the tenseness of the moment.

〈북북서로 진로를 돌려라〉. ⓒ Metro-Goldwyn-Mayer

'The U.N'은 로저가 추격하는 부하들과 함께 타운젠드와 맞서기 위해 택시를 타고 UN으로 가는 것을 보여주는 팽팽한 선곡이다.

베이스 카운터가 있는 반복되는 오름차순 중간 레지스터 문자열 구문이 특징이다. 우리는 로저가 타운센드와 그의 추격자들에 대해 가까이 있는 'Information Desk'로 이동하게 된다.

'The U.N' is a tense cue that reveals Roger taking a taxi to the U.N. to confront Townsend with his henchmen in pursuit. It features a repeating ascending mid register string phrase with bass counter. we segue into 'Information Desk' where Roger inquires about Townsend and his pursuers close in.

이제 베이스 카운터와 혼 액센트가 있는 현의 내림차순 아르페지오로 렌더링되는 로저의 테마가 들리고 있다. 그의 주제는 잔잔한 목관악기의 막간이 중단될 때까지 가차 없이 계속되었다가 스스로 표현을 시작하게 된다.

이것은 허만이 어떻게 긴장을 뿌리는지 보여주는 좋은 사례가 되고 있다.

We hear Roger's Theme, now rendered as a descending arpeggio of strings with bass counters and horn accents. His theme continues relentlessly until an interlude of plaintive woodwinds interrupts and then takes up the phrasing themselves. This is a fine example again of how Herrmann sows tension.

'The Knife'는 강렬한 필력이 가미된 다이내믹 텐션 선곡이다. 우리는 진짜 레스터 타운센드가 부하에게 살해당하고 로저가 떨어지는 시체와 칼을 움켜잡을 때 누명을 씌우는 것을 보게 된다. 우리는 공포를 불러일으키는 뿔 나팔 소리로 시작하며, 목관악기와 뿔피리를 번갈아가며 3번 더 반복된다.

'The Knife' is a dynamic tension cue with some fierce writing! We see the real Lester Townsend killed by a henchman and Roger framed when he grabs the falling body and knife. We open with a phrase of blaring horns evoking horror which is then repeated three additional times by alternating woodwinds and horns.

로저가 달아나면서 우리는 현악기 꼭대기에서 혼 카운터와 함께 비행 음악을 시작한다. 이것은 음악을 앞으로 나아가게 하는 소용돌이치는 메인 테마의 치열한 변형으로 안내하고 있다. 그러나 신호는 절정에 이르지 않고 대신 황량한 디미누엔도처럼 소멸되고 있다.

As Roger flees we then launch into flight music atop strings agitato with horn counters which usher in a fierce variant of the swirling Main Theme that propels the music forward. Yet the cue does not culminate, instead dissipating as a bleak diminuendo.

이 짧은 신호에는 놀라운 힘과 기술이 담겨 있다! 'Interlude'에서 우리는 로저와 이브가 그녀의 방에서 낭만적인 순간을 공유하는 것을 보게 된다. 허만은 오보에와 클라리넷을 위한 서정적 듀엣으로 전달되는 경이로운 목관 악기의 목관 분위기를 엮어내는 부드러우면서도 리드미컬한 러브 테마를 소개하고 있다.

There is amazing potency and skill packed into this short cue!

In 'Interlude' we see Roger and Eve share a romantic moment in her room. Herrmann introduces the gentile yet rhythmic Love Theme which weaves a wondrous woodwind infused pastoral ambiance carried by a lyrical duet for oboe and clarinet.

주목할 점은 그가 1953년작 'White Witch Doctor' 녹턴에서 처음 들은 목관 교를 이번에는 완전히 테마로 확장했다는 점이다.

Of note is that he reprises the woodwind bridge first heard in the Nocturne of 'White Witch Doctor'(1953) this time expanding it fully into a theme.

'Detectives'는 영화에서 편집된 서스펜스 선곡이다. 내림차순 베이스 카운터가 있는 중간 레지스터 스트링 오스티나토를 제공하고 있다. 'Conversation Piece'에서 이브가 로저와 시시덕거린다는 식당으로 기어를 변경하고 장면을 변경하고 있다. 우리는 호화로운 현악에 굴복하기 전에 클라리넷에 의해 결합되는 독주 오보에에 의해 경이롭게 전달되는 목가적인 사랑 주제를 듣게 된다.

'Detectives' is a suspense cue that was edited out of the film. It offers a mid register string ostinato with descending bass counters. we shift gears and change scenes to the dining car where Eve flirts with Roger in 'Conversation Piece'.
We hear the idyllic Love Theme borne wondrously by solo oboe which is joined by clarinet before yielding to sumptuous strings.

그 층 안에서 우리는 이 작품에 스며드는 슬픔, 쓰디쓴 달콤함을 감지하게 된다. 사랑 주제는 오보에, 동족 목관 악기, 그리고 마지막으로 현악기로 되풀이하는 'Duo'로 이어지고 있다. 이것은 가장 즐거운 신호이자 좋은 휴식이다.

Within its layers We detect a tinge of sadness that permeates, a bitter sweetness to this piece. 'Duo' that reprises the Love Theme on oboe, kindred woodwinds and fi-

〈북북서로 진로를 돌려라〉. ⓒ Metro-Goldwyn-Mayer

nally strings. This was a most pleasant cue and a nice respite.

'The Station'은 로저와 이브가 기차역에 도착하는 장면에서 흘러나오고 있다.

이제 절제된 사랑 테마의 미묘한 분위기를 듣게 된다.

경찰이 미친 듯이 로저를 찾는 동안 우리는 서스펜스 테마와 메인 테마의 B 모티브의 열광적인 상호작용을 듣는다.

'The Station' plays as Roger and Eve arrive at the train station. We hear the subtle ambiance of a now understated Love Theme. As police frantically search for Roger we hear a frenetic interplay of the Suspense Theme and B Motif of the Main Theme.

'The Crash'는 화면에서 강력하게 폭발하면서 상당한 벽을 쌓게 된다.

메인 테마의 강력한 렌더링은 로저를 죽이려고 하는 농작물 살포자가 비행기를 연료 트럭에 충돌시키는 이 긴장된 장면에 생기를 불어넣고 있다.

'The Crash' packs quite a wallop as it explodes powerfully on the screen.

A potent rendering of the Main Theme animates this tense scene where we see a crop duster who has been trying to kill Roger crash his plane into a fuel truck.

'The Cafeteria'는 로저가 마운트 러시모어 카페테리아에서 필립과 이브와 대면하는 팽팽한 선곡이다.

목관 악기와 피치카토 현이 곧 결합되는 첼로로 돌아가는 로저 테마가 특징이다.

'The Cafeteria' is a tense cue where Roger confronts Phillip and Eve in the Mount Rushmore cafeteria. It features Roger's Theme which returns on celli that are soon joined by woodwinds and pizzicato strings.

〈북북서로 진로를 돌려라〉 사운드트랙. © Intrada Records

'The Flight/ The Ledge'에서 우리는 허만이 다양한 시프트 스트링 리듬, 효과 및 기술을 활용하여 그의 서스펜스 테마를 표현하는 것을 듣게 된다.
로저가 이브에게 가려고 그가 포로 상태에서 탈출할 때이다.

In 'The Flight/ The Ledge' we hear Herrmann emoting his Suspense Theme by utilizing a wide array of various shift string rhythms, effects and techniques as Roger escapes his captivity to go to Eve.

이브와 로저가 차를 타고 탈출한 다음 'The Gates'에서 도보로 탈출하면서 허만은 그의 역동적인 액션 배경 음악이 웅장하게 표시되는 피날레의 맹공격을 시작하게 된다. 우리는 서스펜스 테마와 메인 테마의 B 모티프의 날카로운 호른과 스타카토 같은 타악기가 지배적인 상호 작용을 듣게 된다.

As Eve and Roger escape in a car and then on foot in 'The Gates' Herrmann begins the onslaught of the finale where his dynamic action scoring is on grand display.
We hear sharp horns and a staccato-like percussive dominated interplay of the Suspense Theme and B Motif of the Main Theme.

Track listing

1. Overture/ Main Title

2. The Streets

3. Kidnapped

4. The Door/ Cheers

5. The Wild Ride/ Car Crash

6. The Return/ Two Dollars

7. The Elevator

8. The U.N./ Information Desk

9. The Knife

10. Interlude

11. Detectives/ Conversation Piece/ Duo

12. The Station/ The Phone Booth/ Farewell

13. The Crash/ Hotel Lobby

14. The Reunion/ Goodbye/ The Question

15. The Pad & Pencil/ The Auction/ The Police

16. The Airport

17. The Cafeteria/ The Shooting

18. The Forest

19. The Flight/ The Ledge

20. The House

21. The Balcony/ The Match Box

22. The Message/ The T.V./ The Airplane

23. The Gates/ The Stone Faces/ The Ridge/ On the Rocks/ The Cliff/ Finale

24. It's a Most Unusual Day (Source)

25. Rosalie (Source)

26. In the Still of the Night (Source)

27. Fashion Show (Source)

28. The Crash (Alternate)

〈브래스드 오프 Brassed Off〉(1996) –

영국 탄광 노동자들의 음악 열정을 드러낸

'Pomp and Circumstance No. 1'

작곡: 에드워드 엘가 Edward Elgar

거친 탄광 노동자들의 음악 열정을 담아 공감을 얻어낸 영국산 코미디 〈브래스드 오프〉. ⓒ Film Four Distributors

1. <브래스드 오프> 버라이어티 평

<브래스드 오프>는 마크 허만이 각본 및 감독을 맡은 1996년 영국 코미디 드라마 영화이다.

Brassed Off is a 1996 British comedy-drama film written and directed by Mark Herman.

영화는 광산이 폐쇄된 후 콜리너리 브라스 밴드가 직면한 문제를 다루고 있다. 사운드트랙은 그림소프 콜리어리 밴드 Grimethorpe Colliery Band에서 제공한다. 줄거리는 탄광 폐쇄에 반대하는 그림소프 자신들의 투쟁을 기반으로 하고 있다. 브라스 밴드와 그들의 음악을 홍보하는 역할로 일반적으로 매우 긍정적인 평가를 받았다.

The film is about the troubles faced by a colliery brass band, following the closure of their pit. The soundtrack for the film was provided by the Grimethorpe Colliery Band and the plot is based on Grimethorpe's own struggles against pit closures.

It has been generally very positively received for its role in promoting brass bands and their music.

영화 일부는 영국의 석탄 산업의 종말로 인한 자살의 엄청난 증가와 상황에서 희망을 유지하기 위한 투쟁을 언급해주고 있다.

Parts of the film make reference to the huge increase in suicides that resulted from the end of the coal industry in Britain and the struggle to retain hope in the circumstances.

미국에서 이 영화는 단순히 맥그리거와 피츠제랄드의 캐릭터가 등장하는 로맨틱 코미디로 홍보되었다.

In the United States, the film was promoted simply as a romantic comedy involving McGregor and Fitzgerald's characters.

영화는 1984=1985년 영국의 전국광산노조(National Union of Mineworkers)가 1년 동안 파업을 한 뒤 10년 후를 배경으로 하고 있다. 영국 탄광 민영화 이전에 광산 폐쇄의 물결이 일어나게 된다. 1984-1985년 노동 투쟁 이후 자원이 고갈되고 부채에 시달리면서 광부들은 정부 정책에 대한 저항을 계속할 수 없게 된다. 많은 사람들이 장기 파업 이후 빚을 지고 있었다. 해고 자금이 제공되는 동안 해고 자금을 받을 준비가 되어 있었다.

The film is set ten years after the year-long strike in 1984-85 by the National Union of Mineworkers in Britain. Before the privatisation of British Coal, a wave of pit closures took place. Depleted of resources and in debt following the labour militancy of 1984-85 the miners were unable to continue a resistance against the policies of the government. Many had been in debt ever since the long strike and were prepared to take redundancy money whilst it was on offer.

국립 탄광 협회는 강제 해고로 즉시 탄광을 폐쇄할지 아니면 탄광을 민영화해야 하는지를 결정하기 위해 검토 절차를 거치는 것을 결정하기 위한 비공개 투표를 마련한다.

The National Coal Board arranged private ballots to determine between closing a pit immediately with compulsory redundancies or taking a pit to a review procedure to determine whether the pit should be privatised.

광부들은 자신들의 직업을 위해 싸우는 전통이 있었다.

하지만 민영화를 추진함으로써 제안된 중복 자금을 잃을 위험이 있기 때문에 대부분 투표에서 채굴장 폐쇄와 중복에 찬성하는 것으로 바뀌게 된다.

Although miners had a tradition of fighting for their jobs, the risk of losing the redundancy money on offer by going forwards to privatisation swung the votes in most ballots to be in favour of pit closure and redundancy.

이전에 자랑스러웠던 광산 공동체에서 희망, 자부심, 투지의 상실은 '화난'을 의미하는 잉글랜드 북부에서 사용되는 표현인 'brassed off'라는 개념의 기초가 된다.

The loss of hope, pride and fighting spirit in what were previously proud mining communities was the basis for the idea of being 'brassed off' an expression used in the North of England, meaning 'angry'

〈브래스드 오프〉. ⓒ Film Four Distributors

1993년 초부터 광부들의 아내 그룹이 런던의 무역 산업 부 Department of Trade and Industry 외부와 일부 탄광 문 밖에서 천막 시위를 한다.

이것은 영화에서 묘사되고 있다.

일부는 1984-1985 파업에서 'Here We Go!'와 'Shut the pit!'을 불렀던 광산 노동자들의 묵직한 반응과 대조를 이루고 있다.

Beginning in early 1993, groups of miners wives camped outside some pits gates and outside the Department of Trade and Industry in London. This is referred to in the film. It contrasts with the muted response from the mineworkers, some of whom sang

Shut the pit! to the tune of the song Here We Go! from the 1984-85 strike.

2. 〈브래스드 오프〉 사운드트랙 리뷰

〈브래스드 오프〉를 기억에 남게 만드는 것은 브라스 밴드 음악의 아름다움만이 아니다. 피트 포스틀스웨이트는 음악에 너무 빠져서 그의 밴드가 광산 폐쇄가 1881년에 처음 연주된 밴드에 어떤 영향을 미칠지 알 수 없다고 생각하는 사람으로서 완전히 믿을 수 있다. 그가 'Concierto de Aranjuez' 공연을 통해 그들을 지휘할 때 포스틀스웨이트는 음악에 대한 열정을 현실로 만들어내고 있다.

그는 공동체가 분열되고 있는 상황에서도 우리를 하나로 묶는 것 중 하나가 바로 이것이라고 상기시켜주고 있다. 마크 허만은 자신의 영화에서 그 점을 강조하고 있다. 하지만 이것을 믿을 수 있게 만든 사람은 피트 포스틀스웨이트이다.

It is not only the beauty of the music of the brass bands that makes Brassed Off so memorable. Pete Postlethwaite is completely believable as a man so consumed by the music that his band think him unable to see how the closure of the mine might affect a band that first played in 1881. When he conducts them through a performance of Concierto de Aranjuez, Postlethwaite makes the passion for the music seem real. It is, he reminds us, one of the things that bring us together even as communities are being torn apart. Mark Herman makes that point in his film but it is Pete Postlethwaite who makes it so believable.

사운드트랙은 훌륭하다. 하지만 대부분의 경우 많은 일을 하도록 요구되지는 않는다. 대화는 항상 명확하고 음악, 특히 'Danny Boy'는 훌륭하게 들리지만 불평할 배경 소음은 거의 없다. 브라스 밴드의 따뜻한 음악을 너무 잘 전달하고 실망시키지 않는 것이 〈브래스드 오프〉의 가장 큰 시험이었다. 'Danny Boy'는 훌륭하게 들리고 있다. 'Concierto de Aranjuez'도 마찬가지다. 짐 카터 지휘로 연주되는 'William Tell' 서곡은 그 부분을 보고 소리를 내고 있다.

The soundtrack is fine but isn't called upon to do very much for the most part. The dialogue is always clear and there's very little background noise to complain about while the music, particularly Danny Boy, sounds wonderful. That was Brassed Off's biggest test, to convey the warm music of the brass band so well and it doesn't disappoint. Danny Boy sounds superb but so too does the Concierto de Aranjuez and with Jim Carter conducting so well, the William Tell Overture looks and sounds the part.

3. 〈브래스드 오프〉 사운드트랙 해설 - 빌보드

〈브래스드 오프〉는 1년 후인 1997년에 개봉된 더 인기 있는 〈풀 몬티 The Full Monty〉와 동일한 주제를 일부 다루고 있다. 하지만 사운드트랙은 정반대이다. 〈브래스드 오프〉는 광산이 폐쇄될 것으로 보이자 생계 위기에 직면한 요크셔 석탄 광부 그룹의 이야기를 들려주고 있다. 일상적인 모습을 유지하기 위해 광부들은 콜리리 밴드에서 연주하며 이러한 공연은 사운드트랙의 대부분을 구성하며 전통적인 금관악대 음악, 편곡-로드리고의 'Concierto de Aranjuez'가 솔로 플뤼겔호른을 대체하고 있다-오케스트라 선곡 등으로 구성되어 있다.

자극적이고 감동적인 사운드트랙은 광산이 폐쇄되었을 때 살아남기 위해 고군분투했던 실제 앙상블인 그림소프 콜리어리 밴드 Grimethorpe Colliery

Band에서 음악을 연주하기 때문에 더욱 신랄하다.

Brassed Off covers some of the same subject matter as the more popular The Full Monty released a year later in 1997 but the soundtracks are polar opposites. Brassed

〈브래스드 오프〉. ⓒ Film Four Distributors

Off tells the story of a group of Yorkshire coal miners who face an end to their live-lihood when it appears their mine is going to be shut down.

To keep some semblance of normalcy in their lives, the miners play in the colliery band and these performances make up the bulk of the soundtrack, a mix of traditional brass-band music, transcriptions-Rodrigo's Concierto de Aranjuez with a solo flügel-horn replacing the guitar-and orchestral selections.

Alternately rousing and touching, the soundtrack is all the more poignant because the music is played by the Grimethorpe Colliery Band, a real-life ensemble that strug-gled to survive when its mine was closed.

훌륭한 영화 〈브래스드 오프〉 사운드트랙 그 이상이다.

오케스트라 음악이 얼마나 훌륭한지 보여주는 놀랍고도 훌륭한 입문서이다.

More than just the soundtrack to an excellent movie, 'Brassed Off!' stands on its own as a stunning and superb introduction to just how good orchestral music can be.

이 음반에 수록된 19곡은 'Danny Boy'의 조용하고 위엄 있는 아름다움부터 'Colonel Bogey'-영화 〈콰이 강의 다리〉 행진곡으로 더 잘 알려져 있다-의 밝고 쾌활함과 따뜻함에 이르기까지 다양하다.

The 19 pieces on this record range from the quiet dignified beauty of 'Danny Boy' to the bright cheerfulness and warmth of 'Colonel Bogey'–better known as the marching song from the motion picture The Bridge on the River Kwai.

그리고 우리는 당신이 'William Tell Overture'가 이렇게 연주되는 것을 한 번도 들어본 적이 없다고 장담한다. 실제 교향악 콩쿠르에서 실제로 연주되는 것은 아닐지 모르지만 이 앨범의 몇 가지 하이라이트 중 한 곡이다.

And We guarantee that you've never heard the 'William Tell Overture' played like this before. Although perhaps not something that would actually be performed at a real symphonic competition. it is one of several highlights of this album.

다른 것들은 우아하고 경쾌한 'Floral Dance'와 극적으로 장엄한 'En Aranjuez Con Tu Amor'를 포함해야 할 것이다.
특히 후자의 작품에 대한 역할은 독주 플루겔호른에서 전체 악기 섹션의 전체 반주에 이르기까지 감동적인 스윕으로 지금까지 본 것 중 가장 표현력이 뛰어나다.

Others would have to include the elegant and jaunty 'Floral Dance' and the dramatically magnificent 'En Aranjuez Con Tu Amor'.
The dynamics on the latter work, in particular, with its stirring sweep from a solo flugelhorn to full accompaniment by the entire instrumental section are among the most expressive We've ever noticed anywhere.

그런 다음 눈에 띄는 작은 놀라움도 있다. 'Death or Glory'는 이 컬렉션을 시작하기 위해 거의 머리를 맞대고 있다. 'Cross of Honor'와 'Jerusalem' 등은 많은 매력과 정신으로 멋지게 취급되고 있다. 그리고 수없이 많은 공식 행사와 졸업식에서 제공되는 'Pomp and Circumstance'를 몇 번이나 들었지만 그것은 여기에서 하는 경쾌한 은혜와 마주한 적이 없다.

Then there are the little surprises that stand out as well. 'Death or Glory' practically hits you over the head to start this collection. 'Cross of Honor' and 'Jerusalem' are nicely handled with plenty of charm and spirit. And as many times as We've listened to 'Pomp and Circumstance' offered up at countless formal ceremonies and graduations. it's never come across with the airy grace that it does here.

또한 'All Things Bright and Beautiful' 'Florentiner March' 'Clog Dance' 등에도 그들의 순간이 있다. 더 짧은 곡 중 일부는 분명히 충전제이다. 예를 들어 'Aforementioned Essential Items'은 'A Sad Old Day'처럼 끔찍하게 들리고 있다.

'Honest Decent Human Beings'에 대한 지휘자 연설이 영화에서 감동적이었던 것처럼 동일한 음반에 있는 해당 제목의 짧은 트랙이 부족하다.

'All Things Bright and Beautiful' 'Florentiner March' and the 'Clog Dance' have their moments, too. Some of the shorter numbers are obviously filler, though. For instance 'Aforementioned Essential Items' sounds an awful lot like 'A Sad Old Day' and as moving as the conductor's speech about 'Honest Decent Human Beings' was in the film, the brief track of that title on the record lacks the same power.

사실, 이 자료를 감상하는 가장 좋은 방법은 쇼를 먼저 보는 것이다. 그림소프 콜리어리 밴드는 이들 노래들이 마치 어제 작곡된 것처럼 신선하고 독창적인 것처럼 보이게 하는 놀라운 일을 해냈다. 특정 곡은 영화에 등장한 장면의 맥락에서 기억할 수 있을 때 특히 효과적이다.

In fact, the best way to appreciate this material may be to see the show first. The Grimethorpe Colliery Band has done an incredible job of making these songs seem as fresh and original as if they were written yesterday but certain numbers are especially effective when you can recall them in the context of the scene where they appeared in the movie.

〈브래스드 오프〉. © Film Four Distributors

그러나 앨범 대부분의 음악은 혼자서도 자신이 하는 일을 분명히 사랑하는 훌륭하고 섬세한 사람들이 연주할 때 클래식 작곡이 얼마나 깊은 감동을 줄 수 있는지 보여주기에 충분히 강력하다.

Even alone, however, most of the music on this album is strong enough to show you just how deeply heartfelt a classical composition can be when it is played by an accomplished and sensitive group of people who clearly love what they are doing.

우리는 이전에 자신을 브라스 밴드의 팬이라고 생각한 적이 없었다.

이전에 그림소프 콜리어리 밴드에 대해 들어본 유일한 시간은 로이 하퍼의 1975년 위대한 록 작품 'HQ'-그들이 'When an Old Cricketer Leaves the Crease'의 백업을 제공-이다.

We never considered myself much of a fan of brass bands before and the only time We'd ever heard of the Grimethorpe Colliery Band previously was on Roy Harper's great 1975 rock opus 'HQ'-where they provided backup for 'When an Old Cricketer Leaves the Crease'.

이들 석탄 광부에게는 영혼이 있다.

꼭 〈브래스드 오프〉를 확인하시오. 당신은 실망하지 않을 것이다.

These coal miners have soul. By all means, check out 'Brassed Off!'.
You won't be disappointed.

Track listing

1. Death or Glory by Grimethorpe Colliery Band
2. A Sad Old Day by Trevor Jones
3. Floral Dance by Grimethorpe Colliery Band
4. Aforementioned Essential Items by Trevor Jones
5. En Aranjuez Con Tu Amor by Paul Hughes
6. Years of Coal by Trevor Jones
7. March of The Cobblers by Grimethorpe Colliery Band

〈브래스드 오프〉 사운드트랙. © RCA Victor

8. There's More Important Things in Life by Trevor Jones
9. Cross of Honor by Grimethorpe Colliery Band
10. Jerusalem by Grimethorpe Colliery Band
11. Florentiner March by Grimethorpe Colliery Band
12. Danny Boy by Grimethorpe Colliery Band
13. We'll Find A Way by Trevor Jones
14. Clog Dance by Grimethorpe Colliery Band
15. Colonel Bogey by Grimethorpe Colliery Band
16. All Things Bright and Beautiful by Grimethorpe Colliery Band
17. William Tell Overture by Shaun Randall
18. Honest Decent Human Beings by Trevor Jones
19. Pomp and Circumstance by Grimethorpe Colliery Band

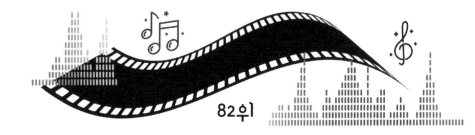

〈센스 앤 센서빌리티 Sense and Sensibility〉(1995) - 스코틀랜드 피아노 연주자 패트릭 도일이 들려주는 19세기 영국 여성들의 일상

작곡 패트릭 도일 Patrick Doyle

중국 출신 이안 감독이 각색한 19세기 영국 여성들의 소소한 일상극 〈센스 앤 센서빌리티〉. 케네스 브래너 콤비 작곡가 패트릭 도일이 배경 음악 연주자로 초빙 받았다. ⓒ Sony Pictures Releasing

1. 〈센스 앤 센서빌리티〉 버라이어티 평

〈센스 앤 센서빌리티〉는 이안 감독의 1995년 시대극 영화. 제인 오스틴의 1811년 동명 소설을 원작으로 했다. 엠마 톰슨이 엘리노 대시우드 역과 각본, 주연을 맡았다. 케이트 윈슬렛은 엘리노 여동생 마리안느 역을 연기하고 있다.

Sense and Sensibility is a 1995 period drama film directed by Ang Lee and based on Jane Austen's 1811 novel of the same name.
Emma Thompson wrote the screenplay and stars as Elinor Dashwood while Kate Winslet plays Elinor's younger sister Marianne.

이야기는 부유한 영국 귀족 가문의 일원인 다시우드 자매가 갑작스러운 빈곤 상황에 대처해야 하는 과정을 따라가고 있다.
그들은 결혼을 통해 재정적 안정을 찾아야만 한다.
휴 그랜트와 앨런 릭맨이 각각의 구혼자 역할을 하고 있다.

The story follows the Dashwood sisters, members of a wealthy English family of landed gentry as they must deal with circumstances of sudden destitution.
They are forced to seek financial security through marriage.
Hugh Grant and Alan Rickman play their respective suitors.

오스틴의 소설을 오랫동안 숭배해 온 프로듀서 린제이 도란은 톰슨을 고용하여 각본을 썼다. 그녀는 5년 동안 수많은 수정본의 초안을 작성했다.
다른 영화 사이의 대본 작업과 영화 자체 제작 작업을 계속했다고 한다.

Producer Lindsay Doran, a longtime admirer of Austen's novel, hired Thompson to write the screenplay. She spent five years drafting numerous revisions continually working on the script between other films as well as into production of the film itself.

스튜디오는 최초 시나리오 작가 톰슨이 공인 작가라는 사실에 긴장했다고 한다. 하지만 컬럼비아 픽쳐스는 영화 배급에 동의한다. 처음에는 다른 여배우가 엘리노 역을 연기하도록 하려고 했지만 톰슨이 그 역할을 맡도록 설득되었다고 한다.

Studios were nervous that Thompson a first-time screenwriter was the credited writer but Columbia Pictures agreed to distribute the film. Though initially intending to have another actress portray Elinor, Thompson was persuaded to take the role.

톰슨의 각본은 대시우드 가족의 부(富)를 과장하여 현대 관객에게 그들의 후기 빈곤 장면을 더 분명하게 보여주고 있다.
또한 남성 리드의 특성을 변경하여 현대 관객들에게 더 매력적으로 만들었다.

Thompson's screenplay exaggerated the Dashwood family's wealth to make their later scenes of poverty more apparent to modern audiences. It also altered the traits of the male leads to make them more appealing to contemporary viewers.

엘리노와 마리안느의 다른 특성은 이미지와 고안된 장면을 통해 강조 되었다.
이 안 감독은 1993년 영화 〈결혼 피로연〉 작업과 도란이 이 영화가 더 많은 관객에게 어필하는 데 도움이 될 것이라고 믿었기 때문에 감독으로 선정된다.
리는 1, 600만 달러의 예산을 받았다.

Elinor and Marianne's different characteristics were emphasised through imagery and invented scenes. Lee was selected as director both for his work in the 1993 film The Wedding Banquet and because Doran believed he would help the film appeal to a wider audience. Lee was given a budget of $16 million.

〈센스 앤 센서빌리티〉는 1995년 12월 13일 미국에서 개봉된다.
전 세계적으로 1억 3,500만 달러를 벌어들인 상업적 성공을 거둔 영화는 개봉 당시 압도적으로 긍정적인 평가를 받았다. 1995년 영국 아카데미 영화상에서 3개의 상과 11개의 후보 지명을 포함하여 많은 찬사를 받는다.

Sense and Sensibility was released on 13 December 1995, in the United States.
A commercial success, earning $135 million worldwide, the film garnered overwhelmingly positive reviews upon release and received many accolades including three awards and eleven nominations at the 1995 British Academy Film Awards.

작품상과 여우주연상을 포함해 7개의 아카데미상 후보에 올랐다.
톰슨은 각색상을 받았다.
그녀는 연기와 각본으로 모두 아카데미상을 수상한 유일한 인물이 된다.

It earned seven Academy Awards nominations, including for Best Picture and Best Actress.

〈센스 앤 센서빌리티〉. ⓒ Sony Pictures Releasing

Thompson received the award for Best Adapted Screenplay, becoming the only person to have won Academy Awards for both acting and screenwriting.

〈센스 앤 센서빌리티〉는 오스틴의 작품에 대한 인기 부활에 기여한다.
유사한 장르의 더 많은 작품이 제작된다.
그것은 모든 시대의 최고의 오스틴 각색 중 한 편으로 계속 인식되고 있다.
또한 1990년대 최고의 영화 중 한 편으로 인정받고 있다.

Sense and Sensibility contributed to a resurgence in popularity for Austen's works and has led to many more productions in similar genres. It persists in being recognised as one of the best Austen adaptations of all time and also one of the best films of the 1990s

2. <센스 앤 센서빌리티> 사운드트랙 리뷰

<센스 앤 센서빌리티>는 엠마 톰슨, 알란 릭맨, 휴 그랜트, 케이트 윈슬렛 및 톰 윌킨슨 등이 출연한 1995년 동명 영화의 오리지널 사운드트랙이다.

원래 배경 음악은 톰슨의 친구이자 이전의 많은 영화에서 그녀와 함께 작업한 스코틀랜드 작곡가 패트릭 도일이 작곡했다. 이 안 감독은 도일에게 영화에 등장하는 사회의 감정적 억압을 반영하는 부드러운 곡을 만들도록 지시했다.

도일은 이후 영화 줄거리에 따라 '때때로 감정이 폭발하는' '억압된' 음악을 만들었다고 한다.

Sense and Sensibility is the original soundtrack of the 1995 film of the same name starring Emma Thompson, Alan Rickman, Hugh Grant, Kate Winslet and Tom Wilkinson.

The original score was composed by the Scottish composer Patrick Doyle, a friend of Thompson's who had worked with her on many previous films.

Director Ang Lee tasked Doyle with creating a gentle score reflecting the emotional suppression of the society featured in the film.

Doyle subsequently created a score which he described as 'suppressed' with 'occasional outbursts of emotion' in keeping with the film's storyline.

배경 음악은 도일이 두 편의 시(詩)에서 각색한 마리안 대시우드의 캐릭터가 불러주고 있는 2곡도 포함되어 있다. 그의 악보로 작곡가는 아카데미 최우수 음악상과 BAFTA 최우수 영화 음악상 후보에 처음으로 지명된다.

The score also includes two songs sung by the character of Marianne Dashwood which Doyle adapted from two poems.

His musical score earned the composer his first nominations for the Academy Award for Best Original Score and the BAFTA Award for Best Film Music.

도일은 루이스 엔리케 바칼로프의 이태리 영화 〈일 포스티노〉의 배경 음악으로 인해 모두 수상에 실패하고 만다. 소니 뮤직 엔터테인먼트는 1995년 12월 12일 〈센스 앤 센서빌리티〉 사운드트랙을 발매한다.

도일은 〈센스 앤 센서빌리티〉 및 기타 소설을 기반으로 한 영화에서 작업한 덕분에 문학적 각색을 작곡한 작품으로 가장 잘 알려지게 된다.

He lost both awards to Luis Enríquez Bacalov's score of the Italian film Il Postino. Sony Music Entertainment released the soundtrack to Sense and Sensibility on 12 December 1995. Due to his work in Sense and Sensibility and other films based on novels, Doyle has become best known for his work composing literary adaptations

영화 원곡은 스코틀랜드 작곡가 패트릭 도일이 작곡한다. 도일은 배우 케네스 브래너 및 엠마 톰슨의 친구였다. 〈헨리 5세〉(1989) 및 〈헛 소동〉(1993) 등을 포함하여 브래너가 감독한 많은 영화에서 영화 음악을 작업한다.

톰슨은 그녀가 각본과 주연을 맡은 1995년 영화 〈센스 앤 센서빌리티〉 배경 음악을 위해 도일을 고용했다고 한다.

The film's original score was written by the Scottish composer Patrick Doyle. Doyle was friends with actors Kenneth Branagh and Emma Thompson and had worked on many films directed by the former, including Henry V (1989) and Much Ado About Nothing (1993). Thompson hired him to score the 1995 film Sense and Sensibility in which she was writing and starring.

도일은 나중에 이 영화에 대해 '더 숨막히는 소리가 난다.
음악은 화면에서 일어나는 일과 일치하도록 억제되어야 했다.
당신은 이 중산층 영어 모티브를 가지고 있었고 음악과 함께 때때로 감정의 폭발을 일으켰을 것'이라고 설명한다.

영화 주인공 중 한 명인 마리안 대시우드는 영화에서 강조되는 특징인 음악을 그녀의 주요 표현 수단으로 사용하고 있다.

그녀는 촬영이 시작되기 전에 도일이 작곡한 2곡을 불러주고 있다.

Doyle later described the film as 'more stifled; the music had to be suppressed to match what was happening onscreen. You had this middle-class English motif, and with the music you would have occasional outbursts of emotion'.

Marianne Dashwood, one of the film's protagonists uses music as her primary expressive outlet, a characteristic that is emphasised in the film.

She sings two songs which Doyle composed before filming began.

〈센스 앤 센서빌리티〉. ⓒ Sony Pictures Releasing

이 안 감독은 노래가 이야기의 이중성을 전달하는 데 도움이 되었다고 느꼈다.

첫 번째 노래의 가사는 'Weep You No More Sad Fountains'라는 제목의 존 도우랜드의 17세기 시(詩)에서 가져왔다고 한다.

오스틴 전문 학자 슈 파릴에 따르면 서정적인 내용은 마리안의 순수함, 낭만적인 전망, 자연과의 연결을 나타내고 있다고 설명해주고 있다.

Ang Lee felt the songs helped convey the duality of the story.

The first song's lyrics were taken from a 17th-century poem by John Dowland entitled 'Weep You No More Sad Fountains'.

It's lyrical content represents Marianne's innocence, romantic outlook and connection to nature, according to the Austen scholar Sue Parrill.

노래 멜로디는 영화 시작과 스토리 전환을 표시하는 특정 지점에서도 나타나고 있다.

The song's melody also appears in the beginning of the film and during certain points of the story marking transition.

그녀의 구혼자 브랜든 대령에게 배운 마리안의 두 번째 노래는 벤 존슨의 시를 각색한 것이다. 꿈에서 사랑을 발견하고 욕망과 죄책감으로 가득 차 있다는 내용을 담고 있다. 노래가 영화 후반부에 불리워지면서 이 안은 그것이 마리안의 '성숙한 수용'을 묘사했다고 느꼈다고 한다.

Marianne's second song, which she learns from her suitor Colonel Brandon is adapted from a poem by Ben Jonson and refers to discovering love in a dream and being filled with feelings of desire and guilt. As the song is sung later in the film.

Ang Lee felt it portrayed Marianne's 'mature acceptance'

극적인 소프라노 제인 이글렌도 클로징 크레디트에서 노래를 불러주고 있다. 이야기가 결말에 이르면서 도일의 음악은 점차 젊음과 순수함을 묘사하는 것에서 성인으로 변모하고 있다. 마리안이 열병(熱病)에서 살아남은 후 배경 음악은 '성숙함과 정서적 카타르시스'를 나타내는 것으로 이동하고 있다.

The dramatic soprano Jane Eaglen also sang the song in the closing credits.

As the story reaches its conclusion, Doyle's music gradually changes from depicting youth and innocence to adulthood. after Marianne survives a fever, the score shifts to representing 'maturity and an emotional catharsis'

웹사이트 'Den of Geek'의 글렌 채프만은 다양한 영화에서 도일의 작업에 대한 리뷰에서 '〈센스 앤 센서빌리티〉 배경 음악 자체는 영화 맥락에서 잘 작동하고 적절하게 로맨틱하다. 그러나 그의 데뷔와 같은 진정한 독창적인 것이 아니라 그를 지명한 것이 이런 스코어라는 것이 유감이다.'라는 의견을 썼다.

In a review of Doyle's work in various films, Glen Chapman of the website Den of Geek wrote that 'the Sense and Sensibility score itself works fine within the context of the film, and is suitably romantic but it's a shame that it's a score like this that got him a nomination and not a truly original one like his debut'

마찬가지로 올뮤직 AllMusic 작가 다릴 카터는 이 영화가 도일의 최고 작품이라고 생각하지 않으며 '대부분 그의 이전 곡의 멜로디 구절을 재활용하고 있다. 그럼에도 불구하고 〈센스 앤 센서빌리티〉는 오케스트레이션에 유쾌한 낭만주의가 있고 유명인의 보컬 솔로가 있다. 소프라노 제인 이글렌은 꽤 좋다.'고 설명해 주고 있다.

Similarly, AllMusic writer Darryl Cater did not feel the film represented Doyle's best work explaining that 'most of it simply recycles melodic phrases from his previous stuff. Nonetheless, Sense and Sensibility has a pleasant romanticism in its orchestrations and the vocal solos by renowned soprano Jane Eaglen are quite good'

'데일리 텔레그라프'에 기고한 알란 티치마시는 이 악보를 '맛있는 걸작'이라고 부르며 영화 음악 팬에게 추천한다. 내셔널 퍼블릭 라디오의 리안 한센과 앤디 트루듀는 '제한된 감정에 대한 악보 묘사가 소설의 점진적인 스토리텔링 스타일을 정확하게 반영한다고 느꼈다.'고 말했다.

Writing for The Daily Telegraph, Alan Titchmarsh called the score a 'delicious masterpiece' and recommended it to film music fans. National Public Radio's Liane Hansen and Andy Trudeau felt the score's portrayal of restricted emotion was an accurate reflection of the novel's gradual storytelling style.

그들은 〈센스 앤 센서빌리티〉 음악을 〈헨리 5세〉를 위한 도일의 배경 음악과 비교했다.

전자는 악기를 덜 소유하고 더 그리워하고 감상적으로 들린다고 설명해 주었다.

They compared the music in Sense and Sensibility to Doyle's score for Henry V and described the former as possessing less instrumentation and sounding more wistful and sentimental.

이 배경 음악은 영화와 오스틴 학자들도 검토했다고 한다.

슈 패릴은 사운드트랙에 대해 '놀라운' 것으로 묘사했다.

하지만 캐스린 L. 샹크 리빈은 영화의 음악적 진정성 측면이 '사운드트랙의 전반적인 풍부함 때문에 희생 되었다.'고 느꼈다고 말했다.

The score has also been reviewed by film and Austen scholars. Sue Parrill described the soundtrack as 'stunning' though Kathryn L. Shanks Libin felt that aspects of the film's musical authenticity were 'sacrificed to the general richness of the sound-track'

토마스 S. 히색은 사운드트랙이 '가벼운 감정과 슬픈 감정을 모두 포함하고 있다.'고 관찰하면서 이것은 '도일의 가장 고전적인 영향을 받은 배경 음악'이라고 지칭해준다.

부분적으로 〈센스 앤 센서빌리티〉에서 도일의 작업으로 인해 그는 문학 영화 각색을 작곡하는 작업으로 가장 잘 알려지게 된다.

Thomas S. Hischak referred to it as 'Doyle's most classically influenced score' observing that the soundtrack 'encompasses both lighthearted and sorrowful emotions'. Due in part to Doyle's work in Sense and Sensibility, he has become best known for his work composing literary film adaptations.

3. 〈센스 앤 센서빌리티〉 사운드트랙 해설 - 빌보드

〈센스 앤 센서빌리티〉. © Sony Pictures Releasing

이전에 영화 〈헨리 5세〉 〈헛 소동〉 〈데드 어게인〉 등을 통해 친구 엠마 톰슨과 함께 작업한 작곡가 패트릭 도일은 〈센스 앤 센서빌리티〉 음악을 제작하기 위해 고용된다.

기존 음악을 선택하거나 새롭고 '부드러운' 멜로디를 작곡하라는 감독 요청에 도일은 영화 사건을 반영한 배경 음악을 작곡하게 된다.

Composer Patrick Doyle who had previously worked with his friend Emma Thompson in the films Henry V, Much Ado About Nothing and Dead Again was hired to produce the music for Sense and Sensibility.

Asked by the director to select existing music or compose new 'gentle' melodies, Doyle wrote a score that reflected the film's events.

도일은 '당신은 이 중산층 영어 모티브를 갖고 있었고 음악과 함께 때때로 감정 폭발을 일으켰을 것이다.'는 설명을 해주고 있다.

도일은 이야기가 '성숙함과 감정적 카타르시스' 중 하나로 진행됨에 따라 배경 음악이 '조금 더 어른스러워진다.'고 풀이해 준다.

He explained 'You had this middle-class English motif, and with the music you would have occasional outbursts of emotion'.

Doyle explains that the score 'becomes a little more grown-up' as the story progresses to one of 'maturity and an emotional catharsis'

이 배경 음악은 낭만적인 요소를 포함하고 있다.
내셔널 퍼플릭 라디오에서는 '부드러운 방식으로 함께 혼합되는 악기'가 있는 '감정의 제한된 나침반'으로 설명해 주었다.

The score contains romantic elements and has been described by National Public Radio as a 'restricted compass of emotion' with 'instruments that blend together in a gentle sort of way'

그들은 또한 이야기 반영으로 배경 음악이 '조금 안타까운…그리고 감상적'이라고 언급해 주고 있다.

They also noted that as a reflection of the story, the score is a 'little wistful… and sentimental'

영화에서 마리안은 2곡을 부르고 있다.
가사는 17세기 시에서 따온 것이다. 이 감독은 2곡이 소설과 대본 모두에서 볼 수 있는 '이원성의 비전'을 전달한다고 믿었다고 한다.
그의 견해에 따르면 2번째 곡은 '우울한 느낌'과 얽힌 마리안의 '성숙한 수용'을 표현한 것이라고 한다.

Two songs are sung by Marianne in the film with lyrics adapted from seventeenth-century poems. Lee believed that the two songs conveyed the 'vision of duality' visible both in the novel and script. In his opinion, the second song expressed Marianne's 'mature acceptance' intertwined with a 'sense of melancholy'

마리안의 첫 번째 노래 'Weep You No More Sad Fountains' 멜로디가 오

프닝 크레디트에 등장하는 반면, 그녀의 2번째 노래 멜로디는 엔딩 크레디트에서 다시 등장하고 있다.

이번에는 극적인 소프라노 제인 이글렌이 부른 것이다.

노래는 촬영이 시작되기 전에 도일이 작곡했다고 한다.

작곡가는 그의 배경 음악 작곡으로 첫 아카데미상 작곡상 후보에 지명 받는다.

The melody of 'Weep You No More Sad Fountains' Marianne's first song appears in the opening credits while her second song's melody features again during the ending credits. this time sung by dramatic soprano Jane Eaglen.

The songs were written by Doyle before filming began.

The composer received his first Academy Award nomination for his score.

Track listing

1. Weep You No More Sad Fountains Performed by Jane Eaglen
2. A Particular Sum
3. My Father's Favourite
4. Preying Penniless Women
5. Devonshire
6. Not A Beau for Miles
7. All The Better for Her
8. Felicity
9. Patience
10. Grant Me an Interview
11. All The Delights of The Season
12. Steam Engine
13. Willoughby
14. Miss Grey

15. Excellent Notion

16. Leaving London

17. Combe Magna

18. To Die For Love

19. There is Nothing Lost

20. Throw The Coins

21. The Dreame Performed by Jane Eaglen

〈센스 앤 센서빌리티〉 사운드트랙. © Sony Music Entertainment

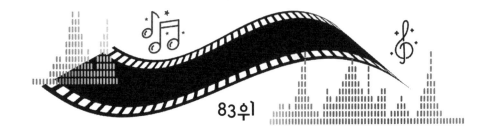

83위

<로미오와 줄리엣 Romeo and Juliet>(1968) -
니노 로타가 애조 띈 가락으로 들려주는 비극적 연인 사연

작곡 니노 로타 Nino Rota

셰익스피어 비극을 극화해준 <로미오와 줄리엣>. 니노 로타가 들려주는 애절한 배경 음악이 히트작이 되는데 공헌한다. © Paramount Pictures

1. <로미오와 줄리엣> 버라이어티 평

다툼을 벌이던 두 젊은 가족이 만나면서 금지된 사랑이 싹트게 된다.

When two young members of feuding families meet forbidden love ensues.

중세 도시 베로나에서 강력한 몬태규 가문과 카플렛 가문 사이의 맹렬한 불화를 배경으로 윌리엄 셰익스피어의 영원한 10대 사랑 이야기가 펼쳐지고 있다.

Against the backdrop of a venomous feud between the powerful clans of the Montagues and the Capulets in the medieval city of Verona.
William Shakespeare's eternal story of teenage love unfolds.

젊음의 오만함이 매력적인 젊은 몬태규(Montague).
그를 무장시키고 카플렛의 반짝이는 가면무도회에 초대받지 못한 채 불굴의 용기로 로미오(Romeo)를 무장시킨다.
섬세한 검은 머리 카플렛 가문의 줄리엣(Juliet)과의 짧지만 스릴 넘치는 만남.
이들은 열렬한 열정과 열정을 위한 잔혹한 낭만적 비극의 길을 닦게 된다.

As youth's insolence arms the charming young Montague Romeo with dauntless courage to come uninvited to the Capulet's scintillating masked ball, a brief but thrilling encounter with the delicate dark-haired Capulet Juliet will pave the way for an ardent passion and a cruel romantic tragedy.

하나님 앞에서 별을 초월한 연인들은 위험한 상황에도 불구하고 끝없는 헌신을 맹세하게 된다. 그러나 운명의 잔혹한 책략 앞에서 인간은 무력하다.
로미오와 줄리엣은 함께 할 운명인가?

Before God, the star-crossed lovers have sworn never-ending devotion despite their perilous plight. however before the grim machinations of fate man stands powerless. Are Romeo and Juliet destined to be together?

〈로미오와 줄리엣〉은 윌리암 셰익스피어의 동명 희곡을 바탕으로 한 1968년 시대 로맨스 비극영화이다. 프랑코 제피렐 리가 감독과 공동 각색을 맡은 영화는 레오나드 파이팅이 로미오역으로, 올리비아 핫세가 줄리엣으로 출연하고 있다. 로렌스 올리비에가 영화 프롤로그와 에필로그를 말해주고 있다.

스크린에 나오지 않고 있는 배우 안토니오 피에데리치는 몬태규 경을 목소리 연기로 더빙해 주었다. 마일로 오셔, 마이클 요크, 존 매커너리, 브루스 로빈슨, 로버트 스티븐스 등이 출연하고 있다.

Romeo and Juliet/ Romeo e Giulietta is a 1968 period romantic tragedy film based on the play of the same name by William Shakespeare. Directed and co-written by Franco Zeffirelli, the film stars Leonard Whiting as Romeo and Olivia Hussey as Juliet. Laurence Olivier spoke the film's prologue and epilogue and dubs the voice of the actor Antonio Pierfederici who played Lord Montague but was not credited on-screen. The cast also stars Milo O'Shea, Michael York, John McEnery, Bruce Robinson and Robert Stephens.

개봉 당시 셰익스피어 희곡을 영화화한 것 중 가장 재정적으로 성공한 이 작품은 10대들에게 인기가 많았다. 부분적으로는 원작에 등장하는 인물의 나이와 비슷한 배우를 기용한 최초 영화였기 때문이다. 몇몇 평론가들도 이 영화에 대해 열광적으로 환영했다.

The most financially successful film adaptation of a Shakespeare play at the time of its release. it was popular among teenagers partly because it was the first film to use actors who were close to the age of the characters from the original play. Several critics also welcomed the film enthusiastically.

아카데미 촬영상-파스퀴리노 드 산티스-과 최우수 의상 디자인상-다닐로 도나티-을 수상한다. 또한 최우수 감독상과 최우수 작품상 후보로 지명된다.

It won Academy Awards for Best Cinematography (Pasqualino De Santis) and Best Costume Design (Danilo Donati). it was also nominated for Best Director and Best Picture.

파이팅과 핫세는 모두 골든 글로브 어워드에서 가장 떠오르는 신인상을 수상한다.

Whiting and Hussey both won Golden Globe Awards for Most Promising Newcomers.

2. 〈로미오와 줄리엣〉 사운드트랙 리뷰

니노 로타가 작곡한 영화 배경 음반은 2번 발매된다.

Two releases of the score of the film composed by Nino Rota, have been made.

영화의 'Love Theme from Romeo and Juliet'은 특히 British Broadcasting Corporation(BBC)의 디스

〈로미오와 줄리엣〉. © Paramount Pictures

크 자키 사이몬 베이츠의 라디오 쇼 'Our Tune'을 통해 널리 전파된다.

또한 1969년 6월 미국에서 악기 연주곡이 1위를 차지한 헨리 맨시니의 매우 성공적인 버전을 포함하여 다양한 버전의 테마가 녹음 및 출반된다.

The film's 'Love Theme from Romeo and Juliet' was widely disseminated, notably in 'Our Tune' a segment of the British Broadcasting Corporation (BBC)s disc jockey Simon Bates's radio show. In addition, various versions of the theme have been recorded and released including a highly successful one by Henry Mancini whose instrumental rendition was a Number One success in the United States during June 1969.

노래에는 두 가지 다른 세트의 영어 가사가 있다.

There are two different sets of English lyrics to the song.

영화 버전은 유진 월터가 가사를 쓰고 글렌 웨스턴이 노래한 'What is a Youth?'이다. 이 버전은 전체 스코어/ 사운드트랙 등으로 발매된다.

The film's version is called 'What is a Youth?' featuring lyrics by Eugene Walter and sung by Glen Weston. This version has been released on the complete score/ soundtrack release.

래리 쿠식과 에디 스나이더의 가사가 있는 'A Time for Us'라는 대체 버전이다. 이 버전은 자니 마티스, 앤디 윌리암스 및 셜리 베시 등의 1968년 앨범 'This is My Life'에 녹음 되었다.

An alternate version called 'A Time for Us' featuring lyrics by Larry Kusik and Eddie Snyder. This version has been recorded by Johnny Mathis, Andy Williams and Shirley Bassey for her 1968 album This is My Life.

조시 그로반은 'A Time for Us'의 이태리 버전 'Un Giorno Per Noi'를 공연
한다. 영국 출신 클래식 테너인 조나단 안톤은 2016년 8월 발매한 2번째 솔로
앨범 'Believe'의 트랙 중 하나로 'Un Giorno Per Noi'를 불렀다.

Josh Groban performed 'Un Giorno Per Noi' an Italian version of 'A Time for Us'.
Jonathan Antoine, classically trained tenor from Great Britain performed 'Un
Giorno Per Noi' as one of the tracks on his second solo album 'Believe' which was re-
leased in August 2016.

3번째 버전은 'Ai Giochi Addio'이다. 엘사 모란테가 가사를 쓰고 영화에서
민스트럴 역을 연기하던 브루노 필리피니가 이태리어 버전으로 불러주고 있다.
루치아노 파바로티 및 나타샤 마시와 같은 오페라 가수가 공연해 주었다.

A third version is called 'Ai Giochi Addio' featuring lyrics by Elsa Morante and sung
in the italian version by Bruno Filippini who plays the minstrel in the film has been
performed by opera singers such as Luciano Pavarotti and Natasha Marsh.

3. 〈로미오와 줄리엣〉 사운드트랙 해설 – 빌보드

1968년 영화 〈로미오와 줄리엣〉 사운드트랙은 니노 로타가 작곡하고 지휘했다.
그것은 원래 9곡의 리스트가 포함된 LP 레코드로 출반된다.
특히 니노 로타가 작곡하고 유진 월터가 작사하고 글렌 웨스톤이 연주한 노래
'What is Youth'가 있다.

The soundtrack for the 1968 film Romeo and Juliet was composed and conducted
by Nino Rota. It was originally released as a vinyl record containing nine entries, most

notably the song 'What is a Youth' composed by Nino Rota written by Eugene Walter and performed by Glen Weston.

악보는 1968년 이태리 국립 영화 기자 신디케이트의 실버 리본상을 수상했다. 다른 두 가지 상-1968년 BAFTA 최우수 영화 음악상 및 1969년 골든 글로브상 최우수 오리지널 스코어상-후보로 올랐다.

The music score won a Silver Ribbon award of the Italian National Syndicate of Film Journalists in 1968 and was nominated for two other awards BAFTA Award for Best Film Music in 1968 and Golden Globe Award for Best Original Score in 1969.

사운드트랙은 앞표지에서 'Original Soundtrack Recording'이라고 하며 영화 자체에 대한 추가 크레디트가 있다.
사운드트랙의 여러 다른 판(版)에는 다른 커버가 있다.

〈로미오와 줄리엣〉. ⓒ Paramount Pictures

The soundtrack is referred to as 'Original Soundtrack Recording' on the front cover with further credits to the film itself. Several other editions of the soundtrack feature different covers.

원래 트랙 목록에는 국가, 노래 스내치, 무도회 작곡과 산책하는 트롬본 연주자를 위한 작곡이 포함되어 있다.
네오 엘리자베스 시대 발라드 'What is a Youth'는 로미오와 줄리엣이 처음 만나는 카플렛 무도회에서 디에게시스-영화에 나오는 이야기-일부로 트루바두르 캐릭터에 의해 연주되고 있다.

The original track list includes anthems, song snatches, compositions for the ball and for a strolling trombone player. The neo-Elizabethan ballad 'What is a Youth' is performed by a troubadour character as part of the diegesis during the Capulet's ball at which Romeo and Juliet first meet.

'What is a Youth' 원래 가사는 다른 셰익스피어 희곡, 특히 〈12 야(夜)〉와 〈베니스의 상인〉 노래에서 차용했다.
로타의 원본 원고는 유실된 것으로 알려져 있다.
하지만 '사랑 주제'에는 G 단조의 원본 공개키가 있는 것으로 알려져 있다.

The original lyrics of 'What is a Youth' are borrowed from songs in other Shakespearean plays particularly Twelfth Night and The Merchant of Venice.
Although Rota's original manuscript is believed to be lost. the love theme is known to have an original published key of G minor.

'Romeo's theme'는 '현악이 있는 솔로 잉글리시 호른이 처음 연주하는 느린 속도의 단조 아이디어'로 언급되고 있다.

Romeo's theme was described as 'a slow-paced minor key idea, first played by a solo English horn with strings'

로미오가 가족과 함께 춤추는 줄리엣을 보는 장면에서 테마는 트레몰로 현을 배경으로 솔로 오보에가 울리고 있다.

In the scene, where Romeo sees Juliet dancing with her family, the theme is sounded by a solo oboe over a background of tremolo strings.

1968년 빌보드는 이 배경 음악에 대해 '훌륭하고 감동적'이라고 묘사했다.

현대적인 피드백도 할리우드 리포터의 존 마호니가 제공했다.

그는 '유진 월터 가사가 있는 시대별 발라드 'What is a Youth'가 카플렛 파티에서 두 연인의 만남을 위한 설정'이라고 언급해 주었다.

In 1968 Billboard described the score as 'brilliant and moving'.

Contemporary feedback was also provided by John Mahoney from The Hollywood Reporter who described the score as 'one of the best and strongest components' noting that 'a period ballad with lyric by Eugene Walter 'What is a Youth' provides the perfect setting for the meeting of the two lovers at the Capulet party'

뒤이어 영문학과 셰익스피어 문학 학자인 질 L. 레벤슨 교수는 로타 악보가 '연인 관계에 대한 감정을 고조 시켰다. 그들의 진실성을 거의 나타내지 않았다.'고 썼다.

Subsequently Professor of English and Shakespearean literature scholar Jill L. Levenson wrote that Rota's score 'heightened the sentiment of the lover's relationship doing little for their verisimilitude'

BBC는 〈로미오와 줄리엣〉 모음곡은 로타의 고전적인 배경을 바탕으로 한 화려한 교향곡이다. 사랑스러운 백조를 위한 사나운 사냥용 뿔피리, 깨어난 소녀를 위한 애도의 류트라는 무성한 주제로 꾸며져 있다.'는 리뷰를 밝힌다.

According to a BBC review 'the suite from Romeo and Juliet is a florid symphony drawing on Rota's classical background for its lush themes swaggering hunting horn for the amorous swain, mournful lute for the awakening girl'

'Love Theme'는 사이먼 베이츠가 진행하는 영국 라디오의 오랜 특집인 'Our Tune' 이야기의 배경 음악을 제공한다.

The Love Theme provides the background to the narrative of Our Tune a long-standing feature on British radio hosted by Simon Bates.

〈로미오와 줄리엣〉. ⓒ Paramount Pictures

1968년 이래로 'What is a Youth'의 수많은 편곡이 발매되었다.

특히 'A Time for Us'와 'Ai Giochi Addio'는 다양한 아티스트가 연주한다.

사운드트랙의 오리지널 레이블인 캐피탈 레코드는 이후에 오리지널 스코어에서 영감을 받은 3개의 다른 사운드트랙 앨범을 출반한다. 첫 번째 곡의 인기에 힘입어 캐피탈 레코드는 영화 전체 보컬과 음악 트랙이 담긴 4장의 레코드 세트를 출반한다.

Since 1968 numerous arrangements of 'What is a Youth' have been released, most notably 'A Time for Us' and 'Ai Giochi Addio'. both performed by various artists. The soundtrack's original label Capitol Records subsequently released three other soundtrack albums inspired by the original score. The popularity of the first of them led Capitol Records to release a four-record set of the film's entire vocal and music tracks.

2002년 6월 25일, 프라하 시립 필하모닉 오케스트라는 실바 아메리카 레이블을 통해 사운드트랙을 편곡하여 발매한다.

On June 25, 2002 the City of Prague Philharmonic Orchestra released their own arrangement of the soundtrack on the Silva America label.

다른 편곡은 앙드레 류, 헨리 맨시니-1969년 10위권 히트-제트 스트림 오케스트라 등이 발표한다. 라나 델 레이의 2014년 앨범 'Ultraviolence'에 수록된 싱글 'Old Money'에서는 'What is a Youth'의 샘플이 포함된다.

Other arrangements were made by André Rieu, Henry Mancini–a top ten hit in 1969–Jet Stream Orchestra and others. Lana Del Rey's song 'Old Money' from her 2014 album Ultraviolence contains samples from 'What is a Youth'

4. 'Love Theme from Romeo and Juliet' 해설

'Love Theme from Romeo and Juliet'는 'A Time for Us'로도 알려져 있다. 헨리 맨시니가 편곡한 연주곡이다.

1969년 동안 미국에서 1위 팝 히트 곡이었다. 1969년 6월 28일 빌보드 핫 100 싱글 차트에서 1위를 차지해 2주 동안 차트에 머물렀다.

'Love Theme from Romeo and Juliet' also known as 'A Time for Us' is an instrumental arranged by Henry Mancini. It was a number-one pop hit in the United States during the year 1969. It topped the Billboard Hot 100 singles chart on June 28, 1969 and remained there for two weeks.

Track listing

Side One

1. Prologue

2. What is a Youth

3. The Balcony Scene

Side Two

1. Romeo & Juliet Are Wed

2. The Death of Mercutio and Tybalt

3. Farewell Love Scene

4. The Likeness of Death

5. In Capulet's Tomb

6. All Are Punished

〈로미오와 줄리엣〉 사운드트랙. © Capitol

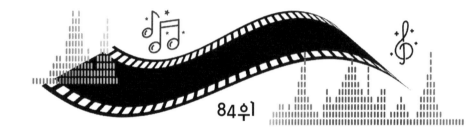

〈10〉(1979) - 모리스 라벨의 'Boléro',

여체 미학 칭송 곡으로 적극 활용

작곡: 모리스 라벨 Maurice Ravel

모델 출신 연기자 보 데릭의 성인 코미디 〈10〉. 라벨의 'Boléro'가 주제곡으로 차용돼 뜨거운 반응을 불러일으킨다. ⓒ Warner Bros

1. 〈10〉 버라이어티 평

부유하고 유명한 작곡가 조지 웨버.

42번째 생일 파티에서 여배우인 여자 친구 사만다 테일러가 주최한 깜짝 파티에서 조지는 자신이 나이를 잘 못 먹고 있다는 사실을 알게 된다.

During a surprise 42nd birthday party for the wealthy and famous composer George Webber thrown by his actress girlfriend Samantha Taylor, George finds that he is coping badly with his age.

조지는 차에서 결혼을 앞둔 신부를 보고 즉시 그녀의 아름다움에 사로잡히게 된다. 그녀를 따라 교회로 가던 그는 경찰 순찰차와 충돌하고 벌에 쏘이고 결혼식을 거의 방해할 뻔 한다.

From his car, George glimpses a bride on her way to be married and is instantly obsessed with her beauty. Following her to the church, he crashes into a police cruiser is stung by a bee and nearly disrupts the wedding ceremony.

조지는 결혼식을 집전한 목사를 방문하고 그 여자가 저명한 비벌리힐즈 치과 의사 딸 제니 마일스라는 것을 알게 된다. 그날 밤 늦게 샘과 조지는 자신이 여성을 대하는 태도와 이웃의 친밀한 행위를 염탐하는 습관에 대해 논쟁을 벌이게 된다.

George visits the reverend who performed the wedding and learns that the woman is Jenny Miles daughter of a prominent Beverly Hills dentist.

Later that night, Sam and George argue over his treatment of women and his habit of spying on the intimate acts of a neighbor

〈10〉은 블레이크 에드워즈가 각본, 제작 및 감독했다.

더들리 무어, 줄리 앤드류스, 로버트 웨버, 보 데릭이 출연한 1979년 미국 로맨틱 코미디 영화이다.

개봉 당시 유행을 선도하는 영화로 여겨져 그 해 최고 흥행작 중 한 편이 된다.

10 is a 1979 American romantic comedy film written produced and directed by Blake Edwards and starring Dudley Moore, Julie Andrews, Robert Webber and Bo Derek.

It was considered a trendsetting film at the time of its release and became one of the year's biggest box-office hits.

영화는 한 번도 만난 적 없는 젊은 여자에게 반해 버린 중년 남자가 멕시코에서 벌어지는 코믹한 추격전과 만남을 따라가고 있다.

The film follows a middle-aged man who becomes infatuated with a young woman whom he has never met leading to a comic chase and an encounter in Mexico.

2. <10> 사운드트랙 리뷰

영화는 당시 음악이 여전히 저작권 보호를 받고 있던 모리스 라벨(Maurice Ravel)의 1악장 오케스트라 작품인 '볼레로Boléro'에 새로운 명성을 가져다 주었다. 영화 결과로 '볼레로' 판매는 약 100만 달러의 로열티를 발생시킨다.

라벨은 그가 죽은 지 40년 후에 가장 많이 팔린 클래식 작곡가로 등극된다.

데릭은 1984년 볼레로라는 이름의 영화에 출연했다.

작품의 새로운 인기를 활용한 제목이었다.

The film also brought renewed fame to the one-movement orchestral piece Boléro by Maurice Ravel whose music was still under copyright at the time.

As a result of the film, sales of Boléro generated an estimated $1 million in royalties and briefly made Ravel the best-selling classical composer 40 years after his death.

Derek appeared in a 1984 film named Bolero, titled to capitalize upon the piece's renewed popularity.

3. <10> 공개 이후 폭발적 호응을 얻었던 'Boléro'는 어떤 곡?

'볼레로'는 프랑스 작곡가 모리스 라벨(1875-1937)의 1악장 관현악 작품이다.

원래 러시아 여배우이자 댄서 아이다 루빈스테인의 의뢰를 받고 발레로 작곡된다.

1928년에 초연된 이 작품은 라벨의 가장 유명한 작품이 된다.

블레이크 에드워즈 감독의 〈10〉. ⓒ Warner Bros

Boléro is a one-movement orchestral piece by the French composer Maurice Ravel (1875-1937). Originally composed as a ballet commissioned by Russian actress and dancer Ida Rubinstein, the piece which premiered in 1928 is Ravel's most famous composition.

'볼레로' 이전에 라벨은 대규모 발레(1909-1912년 발레 뤼스를 위해 작곡된 'Daphnis et Chloé'와 같은-발레 모음곡(예: Ma mère l'oye의 두 번째 오케스트라 버전, 1912), 움직임 댄스 조각-예: La valse, 1906-1920) 등을 작곡한다.

Before Boléro, Ravel had composed large-scale ballets such as Daphnis et Chloé, composed for the Ballets Russes 1909–1912, suites for the ballet (e.g. the second orchestral version of Ma mère l'oye, 1912) and one-movement dance pieces for example La valse, 1906–1920.

무대 무용 공연을 위한 이러한 작곡 외에도 라벨은 초기 성공인 1895년 'Menuet' 부터 스타일이 변경된 춤을 작곡하는데 관심을 보인다.
1899년 'Pavane-Le Tombeau de Couperin'과 같은 그의 보다 성숙한 작품, 댄스 모음곡 형식을 취하고 있다.

Apart from these compositions intended for a staged dance performance, Ravel had demonstrated an interest in composing restyled dances from his earliest successes the 1895 Menuet and the 1899 Pavane to his more mature works such as Le Tombeau de Couperin which takes the format of a dance suite.

'Boléro'는 춤 동작을 재창조하고 재창조하는 것에 대한 라벨의 집착을 잘 보여주고 있다. 병으로 인해 은퇴하기 전에 그가 작곡한 마지막 작품 중 하나이기도 하다. 두 곡의 피아노 협주곡과 노래 주기 'Don Quichotte à Dulcinée'는 '볼레로'를 따라 완성된 유일한 작곡이다.

Boléro epitomizes Ravel's preoccupation with restyling and reinventing dance movements. It was also one of the last pieces he composed before illness forced him into retirement. The two piano concertos and the song cycle Don Quichotte à Dulcinée were the only completed compositions that followed Boléro.

이 작품의 기원은 댄서 아이다 루빈스테인의 의뢰로 시작되었다.
아이다 루빈스테인은 라벨에게 아이작 알베니즈의 피아노 곡 'Iberia' 세트에서 6곡의 오케스트라 편곡을 만들어달라고 요청했다고 한다.

The work had its genesis in a commission from the dancer Ida Rubinstein who asked Ravel to make an orchestral transcription of six pieces from Isaac Albéniz's set of piano pieces, Iberia.

편곡 작업하는 동안 라벨은 스페인 지휘자 엔리케 페르난데즈 아르보스가 이미 악장을 편성했으며 저작권법으로 인해 다른 편곡이 이루어지지 않는다는 정보를 받게 됐다고 한다.

While working on the transcription, Ravel was informed that Spanish conductor Enrique Fernández Arbós had already orchestrated the movements and that copyright law prevented any other arrangement from being made.

아르보스가 이 소식을 들었을 때 그는 기꺼이 자신의 권리를 포기하고 라벨이 작품을 편성하도록 허용하겠다고 말한다.
그러나 라벨은 대신 자신의 작품 중 하나를 편성하기로 결정했다고 한다.

When Arbós heard of this, he said he would happily waive his rights and allow Ravel to orchestrate the pieces.
But Ravel decided to orchestrate one of his own works instead.

그런 다음 그는 다시 마음을 바꾸어 '볼레로'라는 음악 형식과 스페인 무용을 기반으로 완전히 새로운 작품을 쓰기로 결정하게 된다.

He then changed his mind again and decided to write a completely new piece based on the musical form and Spanish dance called bolero.

세인트 장-드-뤼즈에서 휴가를 보내던 라벨은 친구 구스타브 사마줄에게 피아노에 가서 한 손가락으로 멜로디를 연주해주며 '이 테마가 집요한 퀄리티를 가지고 있는 것 같지 않아? 그리고 아무 전개도 없이 그것을 여러 번 반복하면서 내가 할 수 있는 한 점차 오케스트라를 증가시켜'라고 말한다.

While on vacation at St Jean-de-Luz, Ravel went to the piano and played a melody with one finger to his friend Gustave Samazeuilh saying 'Don't you think this theme has an insistent quality? I'm going to try and repeat it a number of times without any development gradually increasing the orchestra as best I can'

반복에 대한 이러한 비정상적인 관심은 진행성 실어증의 발병으로 인해 발생했다고 암시된다.

It has been suggested that this unusual interest in repetition was caused by the onset of progressive aphasia.

아이드리스 샤에 따르면, 주요 주제는 서피 훈련을 위해 작곡되고 사용되는 멜로디에서 채택 되었다고 한다.

According to Idries Shah, the main theme is adapted from a melody composed for and used in Sufi training.

1928년 11월 22일 파리 오페라에서 브론니슬라바 니진스카 안무와 알렉산드르 베노이스의 디자인과 시나리오로 초연되었을 때 이 작품은 놀라운 성공을 거두게 된다.

The composition was a sensational success when it premiered at the Paris Opéra on 22 November 1928 with choreography by Bronislava Nijinska and designs and scenario by Alexandre Benois.

오페라 오케스트라는 발터 스트라람이 지휘한다.

원래 어네스트 안세르멧은 전체 발레 시즌을 지휘하기로 계약했지만 음악가들은 그의 밑에서 연주하기를 거부한다.

The orchestra of the Opéra was conducted by Walther Straram.

Originally, Ernest Ansermet had been engaged to conduct the entire ballet season but the musicians refused to play under him.

루빈스테인과 니진스카의 시나리오가 프리미어 프로그램에 인쇄된다.

A scenario by Rubinstein and Nijinska was printed in the program for the premiere.

〈10〉. © Warner Bros

스페인의 한 선술집 천장에 매달린 놋쇠 램프 아래에서 사람들이 춤을 춘다. 동참해 달라는 환호에 여자 무용수가 긴 탁자 위로 뛰어 오르며 걸음걸이가 더욱 활기를 띄게 된다.

Inside a tavern in Spain, people dance beneath the brass lamp hung from the ceiling.

to the cheers to join in, the female dancer has leapt onto the long table and her steps become more and more animated.

그러나 라벨은 작업에 대한 다른 개념을 갖고 있었다고 한다.

그가 선호하는 무대 디자인은 배경에 공장이 있는 야외 설정으로 음악의 기계적 특성을 반영하는 것이었다고 알려진다.

But Ravel had a different conception of the work.

his preferred stage design was of an open air setting with a factory in the background reflecting the mechanical nature of the music.

'볼레로'는 대부분 오케스트라가 연주를 거부할 것이라고 예측한 작곡가를 매우 놀라게 한 라벨의 가장 유명한 작곡이 된다.

Boléro became Ravel's most famous composition much to the surprise of the composer who had predicted that most orchestras would refuse to play it.

그것은 일반적으로 순수 오케스트라 작품으로 연주되며 드물게 발레로 상연되고 있다. 초연 공연의 외설일 가능성이 있는 이야기에 따르면, 한 여성이 라벨이 미쳤다고 소리치는 소리가 들렸다고 한다.
이 말을 전해들은 라벨은 그녀가 그 작품을 이해했다고 말했다고 한다.

It is usually played as a purely orchestral work only rarely staged as a ballet.
According to a possibly apocryphal story from the premiere performance a woman was heard shouting that Ravel was mad. When told about this, Ravel is said to have remarked that she had understood the piece.

이 악보는 1929년 파리에 위치한 회사 두란드에 의해 처음 출판된다. 피아노 독주와 피아노 듀엣-두 사람이 한 피아노에서 연주-을 위한 편곡이 이루어진다.
나중에 라벨은 1930년에 출판된 두 대의 피아노를 위한 버전을 편곡한다.

The piece was first published by the Parisian firm Durand in 1929.
Arrangements were made for piano solo and piano duet-two people playing at one piano-and later, Ravel arranged a version for two pianos published in 1930.

첫 번째 녹음은 1930년 1월 8일에 그라모폰 회사를 위해 피에로 코폴레인 파리에 의해 이루어진다. 라벨은 녹음 세션에 참석한다.

The first recording was made by Piero Coppolain Paris for the Gramophone Company on 8 January 1930. Ravel attended the recording session.

다음 날 그는 폴리돌 레코드를 위한 녹음에서 라무렉스 오케스트라를 지휘하게 된다. 같은 해 세르지 쿠세비츠키는 보스톤 심포니 오케스트라와 윌렘 멩겔버그는 콘서트게보우 오케스트라와 추가 녹음을 했다고 한다.

The next day, he conducted the Lamoureux Orchestra in his own recording for Polydor. That same year, further recordings were made by Serge Koussevitzky with the Boston Symphony Orchestra and Willem Mengelberg with the Concertgebouw Orchestra.

라벨은 자신의 작업에 대해 엄격한 비평가였다. '볼레로'를 작곡하는 동안 그는 호아킨 닌에게 작품에 대해 '형식이 없고, 적절하게 말하면, 발전이 없고, 변조가 없거나 거의 없다.'고 말했다고 한다.

1931년 데일리 텔리그라프와

⟨10⟩. © Warner Bros

인터뷰에서 그는 작업에 대해 다음과 같이 말했다.

Ravel was a stringent critic of his own work.

During the composition of Boléro, he said to Joaquín Nin that the work had 'no form, properly speaking, no development no or almost no modulation'.

In a 1931 interview with The Daily Telegraph, he spoke about the work as follows.

'그것은 매우 특별하고 제한된 방향의 실험을 구성하며 실제로 달성하는 것과 다른 또는 그 이상을 달성하는 것을 목표로 하는 것으로 의심 되어서는 안 된다.

첫 공연을 하기 전에 나는 내가 쓴 곡이 17분 동안 지속되며 전체가 '음악 없는 오케스트라 조직'으로 구성된 작품이라는 취지의 경고를 보냈다.

하나는 매우 길고 점진적인 크레센도였다.

대조가 없고 계획과 실행 방식 외에는 실질적으로 발명이 없다.'

'It constitutes an experiment in a very special and limited direction and should not be suspected of aiming at achieving anything different from or anything more than. it actually does achieve. Before its first performance. I issued a warning to the effect that what I had written was a piece lasting seventeen minutes and consisting wholly of 'orchestral tissue without music' of one very long gradual crescendo.

There are no contrasts and practically no invention except the plan and the manner of execution'

1934년에 콘스탄트 람베르는 그의 책 'Music Ho!'를 통해 다음과 같이 썼다.

In 1934, in his book Music Ho! Constant Lambert wrote.

'작곡가가 하나의 댄스 리듬으로 작곡을 계속할 수 있는 시간에는 분명한 한계가 있다. 이 한계는 라벨이 La valse의 끝과 Boléro의 시작 부분에서 분명히 도달했다.'

'There is a definite limit to the length of time a composer can go on writing in one dance rhythm. this limit is obviously reached by Ravel towards the end of La valse and towards the beginning of Boléro'

Track listing

1. He Pleases Me Sung by Julie Andrews
2. Don't Call It Love Music by Henry Mancini
3. It's Easy to Say Sung by Dudley Moore and Julie Andrews
4. I Have an Ear for Love Sung by Max Showalter
5. It's Easy to Say Performed by Dudley Moore
6. Boléro Music by Maurice Ravel
7. Laura Written by David Raksin
8. Happy Birthday Written by Mildred J. Hill and Patty S. Hill

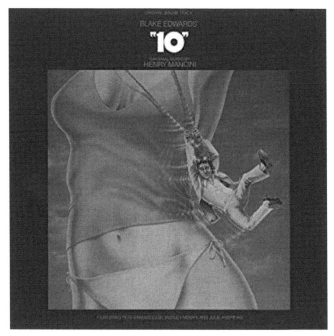

〈10〉 사운드트랙. © Real Gone Music

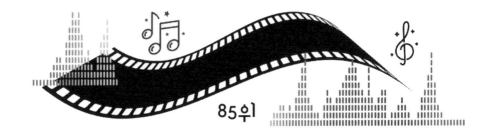

85위

〈디 아워스 The Hours〉(2002) -

필립 글래스의 피아노 선율에 담겨져 있는

버지니아 울프를 둘러싸고 있는 3명의 여성들의 삶

작곡 필립 글래스 Philip Glass

스티븐 달드리 감독이 선보인 여류 작가 버지니아 울프를 둘러싸고 있는 3명의 여인의 일상.
© Paramount Pictures, Buena Vista International

1. 〈디 아워스〉 버라이어티 평

〈디 아워스〉는 2002년 미국의 심리 드라마 영화이다. 스티븐 달드리가 감독하고 메릴 스트립, 줄리안 무어, 니콜 키드먼이 출연하고 있다. 데이비드 헤어 각색은 마이클 커닝햄의 1999년 퓰리처상 수상 동명 소설을 기반으로 하고 있다.

줄거리는 버지니아 울프의 1925년 소설 〈댈러웨이 부인〉에 의해 서로 연결된 삶을 살아가는 서로 다른 세대의 세 여성에 초점을 맞추고 있다.

The Hours is a 2002 American psychological drama film directed by Stephen Daldry. The screenplay by David Hare is based on Michael Cunningha's 1999 Pulitzer Prize-winning novel of the same name.

The plot focuses on three women of different generations whose lives are interconnected by the 1925 novel Mrs Dalloway by Virginia Woolf.

뉴요커 클라리사 본(메릴 스트립)은 2001년 AIDS에 걸린 오랜 친구이자 시인 리차드(해리스)를 위해 시상식을 준비하고 있다. 불행한 결혼 생활과 어린 아들을 두고 있는 로라 브라운(무어)은 1950년대 임신한 캘리포니아 주부이다.

그리고 1920년대 영국의 버지니아 울프(니콜 키드먼)는 소설을 쓰는 동안 우울증과 정신병으로 고생하고 있다.

The women are Clarissa Vaughan (Streep), a New Yorker preparing an award party for her AIDS-stricken long-time friend and poet Richard (Harris) in 2001.

Laura Brown (Moore), a pregnant 1950s California housewife in an unhappy marriage with a young son and Virginia Woolf (Kidman) herself in 1920s England who is struggling with depression and mental illness while trying to write her novel.

영화는 2002년 크리스마스에 로스 엔젤레스와 뉴욕 시에서 개봉된다. 2일

후 2002년 12월 27일 미국과 캐나다에서 한정 공개된다.

The film was released in Los Angeles and New York City on Christmas Day 2002 and was given a limited release in the United States and Canada two days later on December 27, 2002.

영화는 2003년 1월까지 북미에서 널리 개봉되지 않았다. 그 해 발렌타인데이에 영국 영화관에서 개봉된다. 영화에 대한 비평가들의 반응은 긍정적이었다. 아카데미 어워드에서 작품상을 비롯해 9개 부문 후보에 지명 받았고 니콜 키드만은 여우주연상을 수상한다.

It did not receive a wide release in North America until January 2003 and was then released in British cinemas on Valentine's Day that year. Critical reaction to the film was positive with nine Academy Award nominations for The Hours including Best Picture and a win for Nicole Kidman for Best Actress.

2. <디 아워스> 사운드트랙 리뷰

영화의 모든 음악이 특별히 그것을 위해 작곡된 것은 아니다.

오페라 '사타그라파 Satyagraha'의 'Protest' 주제를 포함하여 글래스 초기 음악 등 그리고 프란츠 카프카는 자신의 앨범 'Solo Piano'에서 싱글 'Metamorphosis Two'에서 영감을 얻었다.

영화 마지막에 별도로 등장하고 크레디트를 받게 된다.

Not all of the music in the film was composed specifically for it. earlier music by Glass including the "Protest" theme from his opera Satyagraha and the Franz Kafka inspired 'Metamorphosis Two' from his album Solo Piano were also featured and credited separately at the end of the film.

마이클 리즈맨과 니코 멀리는 피아노 솔로의 사운드트랙을 편곡한다.
이 배경 음악은 2003년 대부분 트랙을 포함하는 64페이지 분량의 책으로 출판된다. 'For Your Own Benefit' 'Vanessa and the Changelings' 및 'The Kiss' 등은 제외.

Michael Riesman and Nico Muhly arranged the soundtrack for piano solo.
This score was published in 2003 as a 64-paged book containing most of the tracks excluding 'For Your Own Benefit' 'Vanessa and the Changelings' and 'The Kiss'

2012년 네덜란드 여류 하프 연주자 라비니아 메이저는 필립 글래스가 승인한 'Metamorphosis / The Hours' 앨범에서 영화 6개 트랙을 발매한다.

In 2012, Dutch harpist Lavinia Meijer released 6 tracks from the film on her album of Philip Glass approved transcriptions 'Metamorphosis / The Hours'

필립 글래스(Philip Glass)의 영화 음악은 BAFTA 최우수 영화 음악상을 수상한다.
아카데미상 최우수 오리지널 스코어 부문과 골든 글로브상 최우수 오리지널 스코어 부문 후보에 지명 받는다.
사운드트랙 앨범은 그래미 어워드 영화, 텔레비전 또는

〈디 아워스〉 © Paramount Pictures, Buena Vista International

기타 비주얼 미디어 부문 후보에 지명 받는다.

The film's score by Philip Glass won the BAFTA Award for Best Film Music and was nominated for the Academy Award for Best Original Score and the Golden Globe Award for Best Original Score.

The soundtrack album was nominated for the Grammy Award for Best Score Soundtrack Album for a Motion Picture, Television or Other Visual Media.

3. <디 아워스> 사운드트랙 해설 - 빌보드

성공적인 사운드트랙 비결은 그것이 영화의 가치를 떨어뜨리지 않아야 한다는 것이다. 그것은 하늘의 씻김처럼 배경에 있어야 한다.

The secret of a successful soundtrack is that it shouldn't detract from the film. it should be there, in the background contextualising like a wash of sky.

이것이 바로 이 사운드트랙이 원래의 역할을 하는 것이다. 그래서 성공적이다. 필립 글래스(Philip Glass) 트레이드마크인 미니멀리즘, 바이올린과 피아노가 모네처럼 반짝이는 시간의 초월성은 시간에 의해 분리되고 있다.
하지만 매우 유사한 이야기로 연결된 세 여성의 삶의 병치를 용이하게 하고 있다. 하지만 필름이 벗겨지면 어떻게 될까?

That's exactly what this soundtrack does in its original role. so it's successful. The timelessness of Philip Glass's trademark minimalism violins and piano shimmering like a Monet serves well to ease the juxtaposition of three womens lives separated by time but joined by very similar stories. But what happens when the film is taken away?

트랙에는 영화를 직접적으로 언급하는 구역질나는 이름이 있다.

'Escape!' 'Tearing Herself Away' 'Why Does Someone Have To Die?'

작곡가와 음악가에게 유용할 수 있지만 음악을 자신의 방식으로 받아들이고 싶은 사람에게는 유용하지 않다.

the tracks are given nauseating names which refer directly to the film.
'Escape!' 'Tearing Herself Away' and 'Why Does Someone Have To Die?'.
Useful for the composer and musicians maybe but not to someone who may want to take the music on its own terms.

'Vanessa and The Changelings'는 거의 모든 트랙을 대표하고 있다. 두 개의 음표를 계속해서 연주하는 낮은 현으로 시작하고 있다. 이 중에서 두 개의 음이 반복되는 것을 기반으로 더 길고 지속적인 곡이 회전하고 있다.

'Vanessa and the Changelings' is representative of practically every track.
It starts with low strings playing two notes over and over.
Out of this spins a longer sustained tune also based around two notes repeating.

녹음하는 동안 악기는 차례로 배경의 일부가 되어 빗방울과 같은 리듬을 선택하거나 오래 지속되는 멜로디를 연주하고 있다.

Throughout the recording the instruments take turns in being part of the backdrop picking out rhythms like raindrops or playing long sustained melodies.

'An Unwelcome Friend'의 피아노 파트는 그 명료함과 단순함에 상당히 놀랍다. 하지만 단순함과 우아함이 하루 종일 순서이다. 일부 청취자는 피터 그리너웨이의 영화, 특히 〈피아노〉를 위해 작곡된 동료 미니멀리스트 니만의 사운드트랙을 상기할 것이다.

그러나 니만은 단조로움을 깨기 위해 요란한 색소폰 소리를 갖고 있다.

The piano part in 'An Unwelcome Friend' is quite startling in its clarity and simplicity but simplicity and grace are the order of the day throughout.

Some listeners will be reminded of the soundtracks of fellow minimalist Nyman written for Peter Greenaway's films, in particular The Piano.

But Nyman has the raucous sounds of saxophones to break up the monotony.

〈디 아워스〉 ⓒ Paramount Pictures, Buena Vista International

그것은 모두 약간 너무 멋지고 형식적이다. 마치 3명의 여성에 관한 영화가 전통적으로 여성스러운 사운드를 모두 갖춰야 하는 것처럼 현악, 피아노, 하프보다 더 여성스러울 수는 없다.

글래스는 드라마와 긴장, 행복과 슬픔을 음악에 구축하기 위해 수세기 동안 사용되어 온 것들과 책의 모든 트릭을 사용하고 있다.

It's all a bit too nice and formulaic. As if a film about three women has to have all the traditionally feminine sounds and you can't get more feminine than strings, piano and harp. Glass uses all the tricks in the book for building drama and tension happiness and sadness within music. ones that have been used for centuries.

때로는 사운드트랙이 자체적으로 작동하고 때로는 작동하지 않고 있다.

이것은 목욕을 하거나 와인을 마시며 책을 읽거나 영화를 보면서 들을 수 있는 것이다.

Sometimes, soundtracks work on their own and sometimes they don't.
This one is something to listen to whilst in the bath or drinking wine and reading a book or watching a film.

4. 〈디 아워스〉 사운드트랙 해설 – 롤링 스톤

영화 음악계에서 필립 글래스는 다소 이례적인 어느 정도의 '역 속물주의' 희생자이다. 고전 작곡가로서 그의 영화 음악 작업 중 일부는 동시대 사람들과 같은 감정의 깊이가 부족하다. 그가 이런 식으로 글을 쓸 수 없기 때문이 아니라 그가 여전히 클래식 음악 세계에서 높은 지위를 유지하고 있는 것처럼 보이기 때문이다. 고전적인 글리터라티가 선호하는 '감정보다 기술' 관점을 수용하고 있다. 따라서 〈디 아워스〉는 지금까지 그의 영화 중 가장 감동적인 곡이라는 사실을 알게 된 것은 놀라운 일이다. 슬프게도, 그것은 그가 쓴 다른 모든 악보와 대체로 비슷하게 들리며 거의 머리카락을 뽑고 싶을 정도로 반복되고 있다.

In film music circles, Philip Glass is the victim of a certain degree of 'reverse-snobbishness that is rather unusual. As a classical composer, some of his film music work lacks the same depth of emotion as those by his contemporaries not because he cannot write in this way but because as he still maintains a high standing in the classical music world. he seems to embrace the 'technique over emotion' standpoint favored by the classical glitterati. It is surprising therefore to discover that The Hours is by far his most emotional film score to date. Sadly, it sounds broadly like every other score he has written and is repetitive to a point where you almost want to pull out your hair.

글래스 음악은 광범위하게 현악과 피아노를 위한 작업이다.

현은 음색 레이어와 음악적 기초를 제공하고 피아노는 대부분 주제 콘텐츠를 맨 위에 제공하고 있다.

악보 전체에 걸쳐 마이클 리즈만의 거장 연주가 진행을 지배하고 있다.

음계를 오르고, 스타카토 템포를 치며, 기복이 있고, 맥동하고, 욱신거리고 계단식으로 되어 거의 최면에 가까운 분위기를 만들어 내고 있다.

앨범 노트에서 소설가 마이클 커닝햄이 글래스의 음악을 들으면서 〈디 아워스〉를 썼다는 것과 그가 글래스와 버지니아 울프 사이에 맺은 연관성을 읽는 것은 흥미로웠다. 그리고 계속해서 어딘가에 미니멀리즘 농담이 있다.

Glass's music is broadly a work for strings and piano with the strings laying tonal layers and musical foundations and the piano providing the majority of the thematic content over the top. Throughout the score the virtuoso performance of Michael Riesman dominates proceedings, climbing scales batting out staccato tempos, undulating, pulsating, throbbing and cascading, creating an almost hypnotic mood.

It's interesting to read in the album notes that novelist Michael Cunningham wrote The Hours while listening to Glass's music and the associations he makes between Glass and Virginia Woolf herself.

how the music has no beginning and no end instead existing as its own entity and going on and on and on. There's a minimalism joke in there somewhere.

주목 할만한 트랙에는 느리고 거의 나른한 해리 분위기가 있는 'Something She Has To Do'가 있다. 이런 종류의 음악은 실제로 우리를 다소 차갑게 만든다.

마치 글래스가 감정적 내용보다 수학적 정확성과 기계적 구조에 더 관심이 있는 것처럼 장면의 강도를 포착하는 대신 추상적인 분리가 있는 것 같다.

마찬가지로 'For Your Own Benefit'에는 약간 어두운 코드가 특징인 보이체크 킬라르의 미니멀한 분위기가 있다.

Tracks of note include 'Something She Has To Do' which has a slow almost languid air of disassociation about it. This kind of music actually leaves our somewhat cold instead of capturing the intensity of the scene. it instead seems to have an abstract detachment as though Glass were more interested in mathematical precision and mechanical structure than emotional content. Similarly 'For Your Own Benefit' has the minimalist air of Wojciech Kilar about it featuring slightly darker chords.

'Tearing Herself Away' 는 글래스가 높은 드라마에 가장 가깝다. 그의 오케스트라를 더 빠른 템포로 던지고 있다. 우울한 피아노 클러스터와 물결치는 스트링 프레이즈가 전면에 나오고 있다. 존 윌리암스가 〈A I〉를 위해 썼던 것을 생각나게 한다.

〈디 아워스〉 ⓒ Paramount Pictures, Buena Vista International

'Escape!'는 글래스의 액션 음악으로 〈아이즈 와이드 셧〉에서 들리는 것과 크게 다르지 않다. 신중한 템포와 피아노 3중항의 열광적인 충돌로 갑자기 폭발하는 불길한 피아노 코드가 있다.

'Tearing Herself Away' is the closest Glass gets to high drama, pitching his orchestra a faster tempo with brooding piano clusters and undulating string phrases coming to the fore reminding our of that which John Williams wrote for A.I. Artificial Intelligence. 'Escape!' is Glass's action music with a careful tempo and ominous piano chords that suddenly burst forth into a frenetic collision of piano triplets not too dissimilar to those heard in Eyes Wide Shut.

Track listing

1. The Poet Acts
2. Morning Passages
3. Something She Has to Do
4. For Your Own Benefit
5. Vanessa and the Changelings
6. I'm Going to Make a Cake
7. An Unwelcome Friend
8. Dead Things
9. The Kiss
10. Why Does Someone Have to Die?
11. Tearing Herself Away
12. Escape!
13. Choosing Life
14. The Hours

〈디 아워스〉 사운드트랙. ⓒ Nonesuch

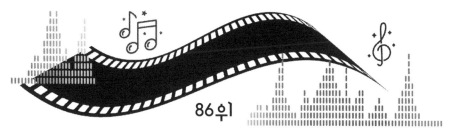

86위

<미드나잇 카우보이 Midnight Cowboy>(1969) -
존 배리, 남창(男娼)과 얍삽한 사기꾼의
이질적 동반 관계 들려 줘

작곡: 존 배리 John Barry

영국 감독 존 슐레진저가 꼬집은 미국 청년 2명의 애환을 다룬 <미드나잇 카우보이>. 존 배리가
사운드트랙 선율을 구성했다. ⓒ United Artists

1. 〈미드나잇 카우보이〉 버라이어티 평

〈미드나잇 카우보이〉는 제임스 레오 헐리히의 1965년 동명 소설을 바탕으로 한 1969년 미국 버디 드라마 영화이다.

영화는 존 슐레진저가 감독하고 더스틴 호프만과 존 보이트가 주연을 맡았다. 왈도 솔트가 각색을 하고 실비아 마일즈, 존 맥기버, 브렌다 바카로, 밥 발라반, 제니퍼 솔트, 버나드 휴스가 작은 역할을 맡고 있다. 뉴욕 시를 배경으로 한 〈미드나잇 카우보이〉는 순진한 성 노동자 조 벅(보이트)와 병든 사기꾼 엔리코 랏조 리쪼(호프만) 등 두 사기꾼 사이의 있을 법하지 않은 우정을 묘사해 주고 있다.

Midnight Cowboy is a 1969 American buddy drama film, based on the 1965 novel of the same name by James Leo Herlihy. The film was written by Waldo Salt directed by John Schlesinger and stars Dustin Hoffman and Jon Voight with notable smaller roles being filled by Sylvia Miles, John McGiver, Brenda Vaccaro, Bob Balaban, Jennifer Salt and Barnard Hughes. Set in New York City, Midnight Cowboy depicts the unlikely friendship between two hustlers.

naïve sex worker Joe Buck (Voight) and ailing con man Enrico Ratso Rizzo (Hoffman).

오프닝 장면은 1968년 텍사스 주 빅 스프링에서 촬영되었다.
'유정(油井)이 없으면...얻으시오!'라고 적힌 길가 광고판.
조 벅을 태운 뉴욕 행 버스가 텍사스를 지나갈 때 보여지고 있다.
1960년대 후반과 1970년대에 걸쳐 미국 남서부에서 흔히 볼 수 있었던 그러한 광고는 에데 칠레스의 '웨스트 컴퍼니 오브 노스 아메리카'의 홍보로 활용된다.

The opening scenes were filmed in Big Spring, Texas in 1968.

A roadside billboard, stating 'If you don't have an oil well...get one!' was shown as the New York-bound bus carrying Joe Buck rolled through Texas.

Such advertisements, common in the Southwestern United States in the late 1960s and through the 1970s promoted Eddie Chiles's Western Company of North America.

영화에서 조는 브로드웨이 남동쪽 모퉁이와 맨해튼 미드타운의 웨스트 44번가에 있는 클라리지 호텔에 머물고 있다.

그의 방에서는 타임 스퀘어 북쪽이 내려다보이고 있다. D. H. 버햄과 컴퍼니가 설계하고 1911년에 개장한 이 건물은 1972년에 철거된다.

In the film, Joe stays at the Hotel Claridge at the southeast corner of Broadway and West 44th Street in Midtown Manhattan. His room overlooked the northern half of Times Square. The building designed by D. H. Burnham & Company and opened in 1911 was demolished in 1972.

뉴욕 장면 전체에 걸쳐 3번 등장하고 있는 모티브는 1740 브로드웨이에 있는 'Mutual of New York(MONY)' 건물 정면 상단에 있는 표지판이었다.

조의 'money'라는 단어의 잘못된 철자가 간판의 철자와 일치했을 때 사교계 명사 셜리와 함께 스크리배지 Scribbage 장면으로 확장되고 있다.

A motif featured three times throughout the New York scenes was the sign at the top of the facade of the Mutual of New York (MONY) Building at 1740 Broadway.

It was extended into the Scribbage scene with Shirley the socialite when Joe's incorrect spelling of the word 'money' matched that of the signage.

뉴욕 거리의 회색빛 베테랑을 연기한 더스틴 호프만은 극중 로스 엔젤레스 출신이다. 조 벅(Joe Buck)에 대한 그의 묘사에도 불구하고, 뉴욕에서는 절망적으로 그의 요소에서 벗어난 캐릭터이다.

하지만 존 보이트는 용커스 출신 뉴요커이다.

Dustin Hoffman who played a grizzled veteran of New York's streets is from Los Angeles. Despite his portrayal of Joe Buck a character hopelessly out of his element in New York Jon Voight is a native New Yorker hailing from Yonkers.

〈미드나잇 카우보이〉. ⓒ United Artists

보이트는 조 벅을 연기한 대가로 영화배우 조합(Screen Actors Guild) 최저 임금인 '등급'을 받았다고 한다. 그 배역을 얻기 위해 기꺼이 양보했다. 해리슨 포드는 조 벅 역할을 위해 오디션을 봤다.

Voight was paid 'scale' or the Screen Actors Guild minimum wage, for his portrayal of Joe Buck, a concession he willingly made to obtain the part. Harrison Ford auditioned for the role of Joe Buck.

제42회 아카데미 시상식에서 작품상, 감독상, 각색상 등 3개 부문을 수상한다. 〈미드나잇 카우보이〉는 최고의 작품상을 수상한 유일한 X 등급 영화이다.

At the 42nd Academy Awards, the film won three awards. Best Picture, Best Director and Best Adapted Screenplay.
Midnight Cowboy is the only X-rated film ever to win Best Picture.

그 이후로 이 영화는 미국 영화 연구소 American Film Institute가 선정한 역사상 가장 위대한 100대 미국 영화 목록에서 36위에 지명 받는다. 2007년 업데이트 된 버전에서는 43위에 오른다.

It has since been placed 36th on the American Film Institute's list of the 100 greatest American films of all time and 43rd on its 2007 updated version.

2. <미드나잇 카우보이> 사운드트랙 리뷰

최고의 영화 배경 음악 작곡가 존 배리의 공헌과 1960년대 후반 록의 흥미로운 기이한 부분에 대한 평균 이상의 사운드트랙이다.

A well-above-average soundtrack both for the contributions of top film scorer John Barry and some interesting odds and ends of late-60s rock.

배리가 작곡한 5곡은 적절하게 분위기 있고 기억에 남는 나른하고 우울한 멜로디와 투츠 실레만 스타일의 하모니카가 있는 'Midnight Cowboy' 테마가 두드러지고 있다.

앨범은 그룹, 레슬리 밀러 및 엘리펀트 메모리 등의 록으로 채워져 있다. 이것은 레슬리 밀러의 'He Quit Me'가 당시 알려지지 않은 워렌 지본에 의해 작성되었지만 대부분 배경 파티 장면에 적합한 시대 음악이다.

엘리펀트 메모리의 7분짜리 'Old Man Willow'는 기발하고 초현실적인 1960년대 후반 사이키델리아의 매혹적인 악보를 담고 있는 트리피 오르간과 여성 보컬이 특징이다.

Barry's five compositions are suitably atmospheric the standout being the 'Midnight Cowboy' theme with its memorable languid melancholy melody and Toots Thielemans-style harmonica.

The album is filled out by rock from the Groop, Leslie Miller and Elephants Memory which is mostly period music suitable for background party scenes though Leslie Miller's 'He Quit Me' was written by a then-unknown Warren Zevon.

Elephants Memory's seven-minute 'Old Man Willow' though an enchanting slice of whimsical and surreal late-1960s psychedelia with trippy organ and female vocals.

엘리펀트 메모리는 1970년대 초반 존 레논의 백업 밴드로 잠시 활동한 것으로 대부분 알려져 있다.

하지만 이것은 플라스틱 오노 밴드 보다 얼티메이트 스피내치에 훨씬 가깝다.

Elephants Memory is mostly known for briefly serving as John Lennon's backup band in the early 1970s but this is a lot closer to Ultimate Spinach than the Plastic Ono Band.

존 배리는 배경 음악을 작곡하여 그래미에서 최우수 연주 주제상을 수상했지만 화면 크레디트는 받지 못한다. 프레드 닐이 불러주는 노래 'Everybody's Talkin''은 해리 닐슨이 남성 부문 최우수 컨템포러리 보컬 퍼포먼스 부문 그래미상을 수상한다. 슐레진저는 이 노래를 주제로 선택한다.

이 노래는 1막을 강조해 주고 있다. 주제로 고려된 다른 노래로는 닐슨의 'I Guess the Lord Must Be in New York City'과 랜디 뉴먼의 'Cowboy'가 있다. 밥 딜런은 주제곡으로 'Lay Lady Lay'를 썼지만 제시간에 끝내지 못한다. 영화 메인 테마 'Midnight Cowboy'에는 투츠 실레만의 하모니카가 등장한다.

하지만 앨범 버전에서는 토미 레일 리가 연주해주고 있다.

사운드트랙 앨범은 1969년 United Artists Records에서 발매된다.

John Barry composed the score winning a Grammy for Best Instrumental Theme though he did not receive an on-screen credit. Fred Neil's song 'Everybody's Talkin'' won a Grammy Award for Best Contemporary Vocal Performance Male for Harry Nilsson. Schlesinger chose the song as its theme and the song underscores the first act. Other songs considered for the theme included Nilsson's own 'I Guess the Lord Must Be in New York City' and Randy Newman's 'Cowboy'. Bob Dylan wrote 'Lay Lady Lay' to serve as the theme song, but did not finish it in time. The movie's main theme 'Midnight Cowboy' featured harmonica by Toots Thielemans but on its album version it was played by Tommy Reilly. The soundtrack album was released by United Artists Records in 1969.

3. 〈미드나잇 카우보이〉 사운드트랙 해설 – 빌보드

〈미드나잇 카우보이〉는 관객들에게 강렬한 인상을 남긴 영화 중 한 편이다.

이야기는 단순하다.

하지만 감동적이며 배경은 거슬리지 않고 사실적이며 인물들은 입체적이고 훌륭하게 묘사되어 있다.

〈미드나잇 카우보이〉. ⓒ United Artists

영화 전체에 걸쳐 지리적, 역사적 배경-1960년대 후반에 확고하게 뿌리를 두고 있지만 이상하게도 시대를 초월-에서 비롯되고 있다. 그러나 그 영혼에 스며드는 음악 덕분에 부분적으로 설명하기 어려운 특정 분위기가 있다.

Midnight Cowboy is one of those movies which leaves a strong impression on its audience. The story is simple yet touching the background is realistic without being obtrusive and the characters are three dimensional and superbly portrayed.

Throughout the movie is a certain ambience which is difficult to describe coming in part from the geographical and historical setting-firmly rooted in the late 60s yet strangely timeless-but also due in no small part to the music which seems to permeate its soul.

이 음악의 원동력은 다름 아닌 바로 본드 영화로 당시 가장 유명했던 영국 작곡가 존 배리다.

이것은 실제보다 큰 액션 영화에서 크게 벗어나는 것처럼 보이며 그의 창의성의 또 다른 측면을 보여주고 있다.

The driving force being this music is none other than John Barry the British composer most famous at that time for his work on the Bond films.

This seems like a huge departure from those larger-than-life action movies and shows another facet to his creativity.

배리는 사운드트랙을 만드는데 두 가지 역할을 수행한다.

그는 영화 전반에 걸쳐 사용될 기존 음악을 선택하고 오리지널 음악을 작곡하는 책임을 맡은 음악 감독관이었다. 분명히 이 두 구성 요소는 완전한 사운드트랙을 만들기 위해 서로를 보완해야 했다.

Barry had two roles to fulfil in the creation of this soundtrack. He was the Music Supervisor responsible for choosing the pre-existing music which would be used throughout the movie and also responsible for composing its original music.

Obviously these two components had to complement each other so as to create the complete soundtrack.

메인 곡 'Everybody's Talkin'은 존 슐레진저 감독에 의해 처음 확인되었다.

이것이 발견된 것이다. 모든 면에서 영화에 딱 들어맞았다.

컨트리 느낌이 나는 초기 기타 리듬은 카우보이의 기원을 암시해 주고 있다.

The main song 'Everybody's Talkin' was first identified by director John Schlesinger and what a find this was. It was perfect for the movie in every sense.

The initial guitar rhythm with its hints of country suggests the cowboy's origins

현재 팝송에도 '샘플링'되어 있다. 메인 타이틀 가사는 도시에서만 느낄 수 있는 소외감을 전달하고 있다. 후렴 구 '태양이 비치는 곳으로 가자!'는 랏소의 야망에 완벽하게 맞아 떨어지고 있다. 랏소는 더스틴 호프만의 캐릭터이다. 플로리다의 따뜻한 기후로 탈출하고 있다.

it has been 'sampled' for a current pop song too.
the main title lyric conveys the feeling of alienation you can only feel in a city, and the chorus 'going where the sun shines!' perfectly fits Ratso's ambitions Ratso being Dustin Hoffman's character to escape to the warmer climate of Florida.

다른 곡들은 배리가 선별한 것이다. 전형적인 1960년대 키치의 다양한 면모를 보여주고 있다. 대부분의 경우 이 모든 것이 영화를 위해 다시 녹음되었다. 이것은 노래를 영화에 맞추는 일반적인 관행과는 확연히 다른 것이다.
대사와 장면 사이에 노래가 잘려지고 희미해지는 뒷전이 아니라 글러브처럼 영화에 딱 들어맞고 있다.

The other songs were selected by Barry and show various facets of typical 60s kitsch. In most cases these were all re-recorded for the film which is tellingly different from the normal practice of fitting songs to film.
Instead of being an afterthought where the songs are cut and faded around dialogue and cuts between scenes. they fit the picture like a glove.

배리 자신의 음악 기여 중심에는 영화 후반부에 점점 더 많이 등장하는 고통스러울 정도로 아름다운 〈미드나잇 카우보이〉 테마이다. 어떻게든 배리는 희망과 위엄을 완전히 잃지 않고 우울한 분위기를 포착해 주고 있다.

Central to Barry's own music contribution is the achingly beautiful Midnight Cowboy theme which features increasingly in the second half of the movie. Somehow

Barry captured a mood that is melancholy without completely losing hope and dignity.

조 벅-존 보이트가 연기하고 있는 카우보이 자신-은 아름다운 여성이 자신의 서비스에 대한 비용을 지불하기를 기다리고 있다는 희망을 갖고 뉴욕으로 여행을 하고 있다. 이 주제는 이 완전한 순진함을 인정하면서도 그 인간적 결점을 아낌없는 동정으로 받아들이고 있다.

Joe Buck-the cowboy himself played by Jon Voight-travelled to New York full of hope that beautiful woman were just waiting to pay for his services.

The theme acknowledges this complete naivety, yet accepts its human failings with unreserved sympathy.

〈미드나잇 카우보이〉. © United Artists

영화의 여러 지점에서 반복적으로 사용되는 장치는 일부는 회상, 일부는 현재의 반영, 일부는 미래에 대한 희망과 두려움인 백일몽 시퀀스이다.

A recurring device used at several points in the film is the daydream sequence which is part flashback, part reflections of the present and part hopes and fears for the future.

때때로 이러한 백일몽(白日夢)은 악몽과 매우 유사하다.

때로는 완전한 도피적 환상이다. 대부분 꿈은 중앙 카우보이에 속하고 있다.

하지만 랏소 자신에게는 'Florida Fantasy'가 있다.

Sometimes these daydreams closely resemble nightmares and sometimes they are complete escapist fantasies. Most of the dreams belong to the central cowboy but Ratso himself too has his 'Florida Fantasy'

전체적인 음악적 느낌의 중요한 측면은 하모니카의 사운드로 제공되고 있다. 이 사운드는 'Joe Buck Rides Again' 트랙과 메인 미드나이트 카우보이 테마 모두의 중심이다. 'Everybody's Talkin' 타이틀 곡-두 곡의 메인타이틀 테마를 깔끔하게 통합-의 적어도 한 버전에서 막간을 제공하고 있다.

A vital aspect of the overall musical feel is provided by the sound of a harmonica. This sound is central to both the Joe Buck Rides Again track and the main midnight cowboy theme and also provides an interlude in at least one version of the 'Everybody's Talkin' title song which neatly unifies the two main title themes.

영화 사운드트랙의 하모니카 연주자는 다름 아닌 투츠 셀레만 이었다. 그는 벨기에 태생의 재즈 거장이다. 미국으로 건너가 많은 위대한 재즈 맨들과 함께 일했다.

The harmonica player on the film's soundtrack was none other than Toots Thielemans the Belgian born jazz virtuoso who had moved to the US where he worked with many of the Jazz Greats.

〈미드나잇 카우보이〉는 그의 독특한 재능이 영화에 사용된 최초의 경우 중 하나이다. 하지만 확실히 그의 마지막은 아니다. 투츠는 몇 가지만 들자면 존 윌리암스 작곡의 'Sugarland Express', 프랑스인들이 선호하는 장-클로드 페티의 'Jean de Florette', 퀸시 존스의 'The Getaway', 토마스 뉴먼의 'Fried Green Tomatoes', 제임스 뉴튼 하워드의

'French Kiss' 등에서 함께 연주했다.

Midnight Cowboy was one of the first occasions where his unique talents were used on film but certainly not his last. He also played for John Williams on 'Sugarland Express', Jean-Claude Petit on French favourite 'Jean de Florette', Quincy Jones on 'The Getaway', Thomas Newman on 'Fried Green Tomatoes' and James Newton Howard on 'French Kiss' to name only a few.

블루스와 록 음악에 사용되는 보다 친숙한 하모니카 사운드와 달리 셀레만-때때로 셀만으로 표기-은 클래식 및 재즈 음악과 관련된 반음계 하모니카를 연주해 주었다.

Unlike the more familiar harmonica sound used in blues and rock music Thielemans-sometimes spelt Thielman-played the chromatic harmonica more associated with classical and jazz music.

영화 사운드트랙에서 'Toots'가 연주되는 동안 앨범 발매에서 듣게 될 하모니카 연주자는 캐나다 거장 연주자 토미 레일리이다.
이 악기와 관련된 유일한 다른 이름은 클래식 자동차 랠리 영화음악 〈제네비에브〉를 작곡하고 연주한 래리 아들러이다.

While 'Toots' played on the film soundtrack.
the harmonic player you will hear on the album release is the Canadian virtuoso player Tommy Reilly whose skill on this instrument some regard as the best ever.
The only other comparable name associated with this instrument is Larry Adler who composed and played the music for 'Genevieve' the classic car rally movie.

사운드트랙 앨범 전체 길이는 40분 미만으로 상당히 짧다.

아마도 이러한 이유로 일반적으로 매우 저렴하게 또는 저렴한 패키지의 일부로 선택할 수 있다.

그러나 어떤 사운드트랙 컬렉션도 그것 없이는 완성될 수 없으므로 기분이 좋을 때마다 재생할 수 있다.

The overall length of the soundtrack album is quite short at less than 40 minutes and perhaps for this reason it can usually be picked up very cheaply or as part of a bargain pack. Yet no soundtrack collection can be complete without it so that it can be played whenever the mood strikes you.

Track listing

1. Everybody's Talkin Sung by Nilsson
2. Joe Buck Rides Again
3. A Famous Myth Sung by The Groop
4. Fun City
5. He Quit Me Sung by Leslie Miller
6. Jungle Gym at The Zoo Sung by Elephants Memory
7. Midnight Cowboy
8. Old Man Willow Sung by Elephants Memory
9. Florida Fantasy
10. Tears and Joys Sung by The Groop
11. Science Fiction
12. Everybody's Talkin Sung by Nilsson

〈미드나잇 카우보이〉 사운드트랙. ⓒ Capitol Records

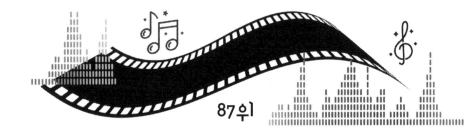

〈트루리, 매드리, 딥프리 Truly, Madly, Deeply〉(1990) –

환타지 코미디 배경 곡으로 차용된

바흐의 'Brandenburg Concerto No. 3',

작곡: 요한 세바스티안 바흐 Johann Sebastian Bach

안소니 밍겔라 감독이 선보인 환타지 코미디 〈트루리, 매드리, 딥프리〉. ⓒ The Samuel Gold-wyn Company

1. <트루리, 매드리, 딥프리> 버라이어티 평

통역사 니나는 최근 남자 친구이자 첼리스트 제이미의 죽음 때문에 큰 슬픔에 잠겨 있다. 절망의 위기에 처한 제이미는 '유령'으로 다시 나타나 두 사람은 재회한다. 니나는 황홀하다.

Nina, an interpreter is beside herself with grief at the recent death of her boyfriend Jamie a cellist. When she is on the verge of despair, Jamie reappears as a 'ghost' and the couple are reunited. Nina is ecstatic.

그러나 제이미는 그녀에게 직장에 있는 동안의 일에 대해 이야기하고 한 대화에서는 그녀가 주변의 삶을 포용해야 한다고 제안 한다.

그 중 하나는 죽은 아이에 대한 공원의 추모 명판과 그것을 읽는 부모가 자녀를 안아주고 싶은 즉각적이고 강력한 필요성을 느끼는 방법에 관한 것이다.

But Jamie tells her about his days while she is at work and one dialogue suggests she should embrace the life around her.

one of these is about a memorial plaque in a park about a dead child and how parents who read it feel an immediate, compelling need to hug their children.

돌아온 제이미는 또한 자신이 그녀를 짜증나게 했다는 사실을 그녀에게 상기시킨다. 유령이 되어 중앙난방을 숨 막히는 수준으로 높이고, 가구를 이리저리 옮긴다. 비디오를 보기 위해 '유령 친구'를 다시 초대하는 등 그녀가 거의 참을 수 없는 행동을 드러낸다.

이런 것들은 그녀를 화나게 하고 그들의 관계는 악화되고 만다.

The returned Jamie also reminds her that he also irritated her and as a ghost he manifests behaviours she'd have little patience for turning up the central heating to stifling levels, moving furniture around and inviting back 'ghost friends' to watch videos. This infuriates her and their relationship deteriorates.

그녀는 마음에 드는 심리학자 마크를 만나지만 제이미의 계속되는 존재 때문에 그와 엮이기를 꺼리게 된다. 니나는 계속해서 제이미를 사랑하지만 자기중심적인 행동에 갈등을 겪는다. 결국 '항상 이랬나'라고 큰 소리로 묻는다. 니나의 반대에도 불구하고 제이미는 그녀가 계속 나아갈 수 있도록 떠나기로 결정한다.

She meets Mark a psychologist to whom she is attracted but she is unwilling to become involved with him because of Jamie's continued presence.

Nina continues to love Jamie but is conflicted by his self-centered behaviour and ultimately wonders out loud 'Was it always like this?'.

Over Nina's objections, Jamie decides to leave to allow her to move on.

영화가 끝나갈 무렵 제이미는 니나가 떠나는 것을 보고 그의 동료 유령 중 한 명이 '글쎄?'라고 묻는다. 제이미는 '그렇게 생각한다...네!'라고 대답한다.

이 시점에서 영화의 핵심 개념이 명확해진다. 제이미는 니나에 대한 이상적인 기억을 훼손하여 그를 극복하도록 특별히 도운 것이다.

Towards the end of the film, Jamie watches Nina leave and one of his fellow ghosts asks 'Well?' and Jamie responds 'I think so… Yes'. At this point the central conceit of the movie has become clear. Jamie came back specifically to help Nina get over him by tarnishing her idealized memory of him.

〈트루리, 매드리, 딥프리〉는 영국 BBC의 '스크린 투 Screen Two' 시리즈를 위해 제작한 1990년 영국 환타지 드라마 영화이다. 안소니 밍겔라가 각본과 감독을 맡았다. 줄리엣 스티븐슨과 알란 릭맨이 출연하고 있다.

Truly, Madly, Deeply is a 1990 British fantasy drama film made for the BBC's Screen Two series. The film written and directed by Anthony Minghella stars Juliet Stevenson and Alan Rickman.

2. 〈트루리, 매드리, 딥프리〉 제작 일화

밍겔라 감독은 스티븐슨이 그녀의 모든 재능을 표현하기 위한 수단으로 각본을 썼다고 한다.

'그녀는 피아노를 치고, 춤을 좋아하고, 그녀가 요구하는 클래식 부분에서는 일반적으로 표현할 수 없는 기발한 면을 갖고 있다.'고 말했다.

Minghella said he wrote the script specifically as a vehicle for Stevenson to express all her talents. She plays piano, likes dancing and has a quirky side to her which she usually can't express in the classical parts she is asked for.

〈트루리, 매드리, 딥프리〉. ⓒ The Samuel Goldwyn Company

제목은 주인공들이 번갈아가며 서로에게 도전하고 서로의 애정의 깊이를 묘사하는 일련의 부사에 추가하는 단어 게임에서 따왔다고 한다.

The title comes from a word game played by the main characters in which they challenge each other to by turns repeat and add to a series of adverbs describing the depths of their mutual affection.

영화의 가제목은 '첼로'였다. 영화 속 첼로뿐만 아니라 이태리어로 천국을 뜻하는 '시엘로cielo'에서 따왔다고. 영화는 TV용으로 제작되었으며 단돈 65만 달러에 28일 촬영 일정으로 제작되었다.

The working title for the film was 'Cello' a reference not only to the cello within the film but also to the Italian word 'cielo' for heaven. The film was made-for-TV and produced in a 28-day shooting schedule for just $ 650,000.

런던과 브리스톨에서 촬영됐다. 외부 촬영은 하이게이트와 사우스 뱅크에서 진행됐다. 스티븐슨은 2012년에 이 영화가 그녀 경력에서 가장 좋아하는 역할이라고 말했다. 촬영은 마치 파티 같았다는 의견을 밝혔다.

It was shot on location in London and Bristol, with external shots in Highgate and on the South Bank. Stevenson said in 2012 that it was the favourite role of her career commenting that the shoot was like a party.

3. 바흐의 'Brandenburg Concertos' 해설

바흐가 1721년 작곡한 것으로 알려진 '브란데브루그 협주곡' 초기 악보. © wikipedia

요한 세바스티안 바흐의 '브란덴부르크 협주곡'(BWV 1046-1051)은 1721년에 바흐가 브란덴부르크-슈베트의 후작인 크리스티안 루트비히에게 선물한 6개의 기악 작품 모음집이다.

원래 프랑스어 제목인 'Six Concerts

à plusieurs instrument'는 여러 악기에 대한 6개의 협주곡을 지칭하고 있다. 그 중 일부는 여러 솔로 악기를 조합한 것이 특징이다. 바로크 시대 최고의 관현악 작곡으로 널리 알려져 있다.

The Brandenburg Concertos by Johann Sebastian Bach (BWV 1046–1051) are a collection of six instrumental works presented by Bach to Christian Ludwig, Margrave of Brandenburg-Schwedt in 1721. The original French title, Six Concerts à plusieurs instruments names six concertos for several instruments. Some of them feature several solo instruments in combination. They are widely regarded as some of the best orchestral compositions of the Baroque era.

바흐는 음악을 필사자에게 맡기지 않고 스스로 작곡했다고 한다. 그는 카펠메이스터가 코텐 Köthen에서 근무하는 동안 여러 해에 걸쳐 작곡한 협주곡 중에서 6곡을 선택했다. 아마도 다시 웨이마르에서 근무할 때(1708-1717)까지 확장되었을 것이다. 바흐가 후작에 헌정한 것은 1721년 3월 24일이다. 프랑스어 원문을 번역한 바흐 헌정의 첫 문장은 다음과 같다.

Bach wrote out the music himself rather than leaving it to a copyist. He appears to have selected the six pieces from concertos he had composed over a number of years while Kapellmeister at Köthen and possibly extending back to his employment at Weimar (1708–17). Bach's dedication to the Margrave was dated 24 March 1721. Translated from the original French, the first sentence of Bach's dedication reads.

'나는 몇 년 전에 당신의 왕의 명령에 따라 당신의 왕비가 들을 수 있는 행운을 가졌습니다. 그 때 내가 알았듯이, 당신의 왕은 하늘이 음악을 위해 나에게 준 작은 재능에 대해 약간의 기쁨을 느꼈습니다. 폐하의 휴가, 폐하께서는 나의 작곡의 일부를 전하께 보내라는 명령으로 나를 기리기 위해 작정하셨습니다.

As I had the good fortune a few years ago to be heard by Your Royal Highness at Your Highness's commands and as I noticed then that Your Highness took some pleasure in the little talents which Heaven has given me for Music and as in taking Leave of Your Royal Highness. Your Highness deigned to honour me with the command to send Your Highness some pieces of my Composition.

나는 폐하의 가장 은혜로운 명령에 따라 여러 악기에 적용한 현재 협주곡으로 폐하께 가장 겸손한 의무를 다하는 자유를 얻었습니다.

모든 사람이 그분이 음악 작업에 대해 갖고 있는 것으로 알고 있는 그 분별력 있고 민감한 취향의 엄격함으로 그들의 불완전성을 판단하지 말고, 오히려 자비로운 배려를 받아들이도록 가장 겸손하게 간청합니다. 그에게 보여 주십시오.'

I have in accordance with Your Highness's most gracious orders taken the liberty of rendering my most humble duty to Your Royal Highness with the present Concertos which I have adapted to several instruments; begging Your Highness most humbly not to judge their imperfection with the rigour of that discriminating and sensitive taste which everyone knows Him to have for musical works but rather to take into benign Consideration the profound respect and the most humble obedience which I thus attempt to show Him'

여러 악기-Concerts avec plusieurs instruments-에 대한 협주곡을 작곡한 바흐의 언급은 절제된 표현이다. 바흐는 크리스토프 울프가 언급한 것처럼 '대담한 조합으로 오케스트라 악기의 가장 넓은 스펙트럼'을 사용했다.

'6개의 협주곡 중 하나가 모두 작곡에 있어 선례를 남겼다. 모든 협주곡은 평행을 이루지 못했다.' 하인리히 베셀러는-특별한 경우를 위해 재작성 된 첫 번째 협주곡을 제외하고-필요한 전체 병력은 바흐가 쾨텐에서 처분할 수 있었던 17명의 연주자와 정확히 일치한다고 언급했다.

Bach's reference to his scoring the concertos for 'several instruments'–Concerts avec plusieurs instruments–is an understatement. Bach used the 'widest spectrum of orchestral instruments...in daring combinations' as Christoph Wolff has commented. 'Every one of the six concertos set a precedent in scoring, and every one was to remain without parallel'. Heinrich Besseler has noted that the overall forces required–leaving aside the first concerto, which was rewritten for a special occasion–tallies exactly with the 17 players Bach had at his disposal in Köthen.

Track listing

1. Skrwawione Serce (Bleeding Heart) by Traditional Polish folk song
2. A Case of You Composed by Joni Mitchell
3. The Sun Ain't Gonna Shine Anymore Composed by Bob Crewe & Bob Gaudio, Sung by Alan Rickman and Juliet Stevenson
4. Tangled Up in Blue Composed by Bob Dylan
5. Raining in My Heart Composed by Felice Bryant and Boudleaux Bryant
6. Sonata No. 3 for Cello Viol de Gamba & Piano, 2nd Movement Brandenburg Concerto No. 3, 1st Movement, Sarabande, Keyboard Concerto No. 7, Andante Written by Johann Sebastian Bach, Arranged by Barrington Pheloung

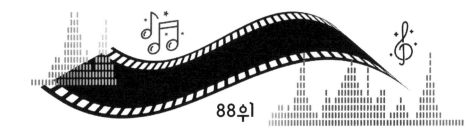

<호빗: 뜻밖의 여정 The Hobbit: An Unexpected Journey>(2012) - 캐나다 출신 작곡가 하워드 쇼어, 호빗 모험담 심포니 선율로 묘사

작곡: 하워드 쇼어 Howard Shore

피터 잭슨 감독이 <반지의 제왕> 시리즈 프리퀄로 공개한 <호빗: 뜻밖의 여정>. 심포니 사운드 대가 하워드 쇼어를 다시 초빙해 사운드트랙을 맡겼다. ⓒ Warner Bros. Pictures

1. 〈호빗: 뜻밖의 여정〉 버라이어티 평

호빗 빌보 배긴스는 마지못해 씩씩한 난쟁이 무리와 함께 산의 고향과 용 스마우그의 금을 되찾기 위해 외로운 산으로 향하게 된다.

A reluctant Hobbit, Bilbo Baggins, sets out to the Lonely Mountain with a spirited group of dwarves to reclaim their mountain home, and the gold within it from the dragon Smaug.

〈호빗: 뜻밖의 여정〉은 피터 잭슨이 감독한 2012년 서사적 하이 판타지 어드벤처 영화이다. J. R. R. 톨킨의 1937년 소설 〈호빗〉을 바탕으로 한 3부작 영화의 첫 번째 작품이다.

〈스마우그의 폐허〉(2013)와 〈다섯 군대의 전투〉(2014)가 뒤를 이어 공개된다. 이들은 잭슨 감독의 영화 〈반지의 제왕〉 3부작 프리퀄 역할을 하고 있다.

The Hobbit: An Unexpected Journey is a 2012 epic high fantasy adventure film directed by Peter Jackson. It is the first instalment in a three-part film adaptation based on J. R. R. Tolkien's 1937 novel The Hobbit. It is followed by The Desolation of Smaug (2013) and The Battle of the Five Armies (2014) and together.
they act as a prequel to Jackson's The Lord of the Rings film trilogy.

영화 각본은 잭슨과 그의 오랜 협력자인 프란 월시와 필리파 보옌스 그리고 2010년 프로젝트를 떠나기 전에 원래 이 영화를 감독하도록 선택된 길레르모 델 토로가 집필했다.

The film's screenplay was written by Jackson, his longtime collaborators Fran Walsh and Philippa Boyens and Guillermo del Toro who was originally chosen to direct the film before leaving the project in 2010.

이야기는 〈반지의 제왕〉 주요 사건보다 60년 앞선 중간계를 배경으로 하고 있다. 영화 일부는 톨킨의 〈왕의 귀환〉 부록에서 각색되었다.

The story is set in Middle-earth sixty years before the main events of The Lord of the Rings, and portions of the film are adapted from the appendices to Tolkien's The Return of the King.

〈호빗: 뜻밖의 여정〉은 빌보 배긴스(마틴 프리만)의 이야기다. 마법사 간달프(이안 맥켈렌)의 설득으로 토린 오켄실드(리차드 아미타지)가 이끄는 13명의 난쟁이와 함께 용 스마우그로부터 외로운 산을 되찾기 위한 수색(搜索)에 동행하게 된다.

An Unexpected Journey tells the tale of Bilbo Baggins (Martin Freeman) who is convinced by the wizard Gandalf (Ian McKellen) to accompany thirteen Dwarves led by Thorin Oakenshield (Richard Armitage) on a quest to reclaim the Lonely Mountain from the dragon Smaug.

〈호빗: 뜻밖의 여정〉은 2012년 11월 28일 뉴질랜드에서 초연된다. 〈반지의 제왕: 왕의 귀환〉이 개봉된 뒤 거의 9년 후인 2012년 12월 12일에 국제 흥행가에서 개봉된다. 영화는 박스 오피스에서 10억 1700만 달러 이상을 벌어들였다. 〈반지 원정대〉와 〈두 개의 탑〉을 모두 제치고 2012년 4번째로 높은 수익을 올린 영화가 되었다.

An Unexpected Journey premiered on 28 November 2012 in New Zealand and was released internationally on 12 December 2012, almost 9 years after the release of The Lord of the Rings: The Return of the King. The film grossed over $1.017 billion at the box office surpassing both The Fellowship of the Ring and The Two Towers nominally becoming the fourth highest-grossing film of 2012.

비평가들로부터 엇갈린 평가를 받은 아카데이 어워드에서 시각 효과, 프로덕션 디자인, 메이크업 및 헤어스타일에 대한 3개 부문 후보에 지명 받는다.

Receiving mixed reviews from critics, the film was nominated for three Academy Awards for Best Visual Effects, Best Production Design and Best Makeup and Hairstyling.

2. 〈호빗: 뜻밖의 여정〉 사운드트랙 리뷰

〈호빗: 뜻밖의 여정〉의 배경 음악은 하워드 쇼어가 작곡, 편곡, 지휘 및 제작했다. 런던 필하모닉 오케스트라, 런던 보이스, 티핀 보이스 합창단이 공연해 주고 있다. 그리고 여러 보컬 솔리스트가 출연하고 있다.

배경 음악은 〈반지의 제왕〉

〈호빗: 뜻밖의 여정〉. ⓒ Warner Bros. Pictures

3부작의 많은 주제를 반복하고 있다.

하지만 쇼어의 디에제틱 'Misty Mountains' 노래의 오케스트라 설정을 포함하여 수많은 새로운 주제를 도입하고 있다.

The musical score for An Unexpected Journey was composed, orchestrated, conducted and produced by Howard Shore. It was performed by the London Philharmonic Orchestra, London Voices and Tiffin Boys Choir and featured several vocal soloists.

The score reprised many themes from the Lord of the Rings trilogy but also introduced numerous new themes including Shore's orchestral setting of the diegetic 'Misty Mountains' song.

3. 〈호빗: 뜻밖의 여정〉 사운드트랙 해설 - 빌보드

〈호빗〉 영화 시리즈 음악은 〈반지의 제왕〉 영화 3편을 모두 작곡한 하워드 쇼어가 작곡하고 제작했다. 배경 음악은 〈반지의 제왕〉 악보의 스타일을 이어 가고 있다.

광대한 앙상블, 다양한 음악 형식과 스타일, 다수의 리트모티브와 다양한 특이한 악기를 활용하여 중간계 영화에 대한 작곡가 쇼어의 전체적인 음악을 더해 주고 있다.

The music of The Hobbit film series is composed and produced by Howard Shore who scored all three The Lord of the Rings films to which The Hobbit trilogy is a prequel.

The score continues the style of The Lord of the Rings score and utilizes a vast ensemble, multiple musical forms and styles, a large number of leitmotives and various unusual instruments, adding to Shore's overarching music of the Middle-earth films.

쇼어는 65 곡의 새로운 음악 테마와 반지의 제왕의 50여 곡의 테마를 재현한 9시간 이상의 음악을 작곡한다.

Shore composed over nine hours of music featuring 65 new musical themes and reprising 50 themes from The Lord of the Rings.

쇼어는 대규모 교향악단, 추가 무대 '밴드'-다양한 비(非) 오케스트라 악기가 등장-여러 합창단 및 여러 성악 독주자로 구성된 거대한 앙상블을 위해 음악을 스케치하고 편곡한다.

Shore sketched and orchestrated the music for an immense ensemble consisting of a large symphony orchestra, additional stage 'bands'-featuring various non-orchestral instruments-multiple choirs and several vocal soloists.

〈반지의 제왕〉을 위한 작곡만큼 비판적으로 성공하지는 못했다.

하지만 쇼어 음악은 재정적 성공을 유지하여 여러 국가의 상위 10개 앨범 차트에서 정점을 찍었다. 이어 다양한 상 후보에 지명 받는다.

'Misty Mountains'은 가장 많은 인기를 얻는다.

While not as critically successful as his compositions for The Lord of the Rings, Shore's score remained a financial success peaking in the top ten album charts in multiple countries and garnering various award nominations and his setting of the 'Misty Mountains' tune becoming very popular.

그 이후로 이 배경 음악은 오케스트라와 독주자를 위한 4악장 교향곡으로 연주되고 있다. 악보와 그 제작은 스마우그의 폐허의 비하인드 스토리를 위해 제작된 1시간 길이 다큐멘터리 영화의 주제였다.

2017년 말 음악학자 더그 아담스의 전용 책에 게재된다.

The score has since been performed as a symphonic piece in four movements for orchestra and soloist. The score and its production were the subject of an hour-long documentary film created for the behind-the-scenes features of The Desolation of Smaug, and is to be featured in a dedicated book by the musicologist Doug Adams, set completed in late 2017.

〈반지의 제왕〉 영화 시리즈 음악에 이어 3가지 악보를 추가하게 된다.
하워드 쇼어는 중간계 영화를 위한 160곡 이상의 주제를 작곡하게 된다.
영화 역사상 가장 큰 주제 컬렉션을 만들었으며 음악 작곡의 모든 주기에 대해
가장 큰 컬렉션 중 하나를 만들게 된다.

With these three scores added to the music of The Lord of the Rings film series,
Howard Shore has composed over 160 leitmotifs for the Middle-earth films, creating
by far the largest collection of themes in the history of cinema and one of the biggest
collections for any cycle of musical compositions.

작곡가 하워드 쇼어는 〈반지의 제왕〉 영화음악에서 그의 접근 방식을 계속하
게 된다. 9시간 동안 사용되는 64-70곡의 식별된 라이트모티프-〈반지의 제
왕〉에서 새로 재해석 된 테마를 3편의 배경 음악 중 10곡 이상 포함하지 않음-
를 썼다고 한다. 〈반지의 제왕〉의 반복되는 주제와 결합하여 3가지 악보는 각각
에 약 60 곡 이상의 라이트모티프가 사용되고 있다.
길이가 짧기 때문에 〈반지의 제왕〉 악보보다 다소 밀도가 높다. 3부 작의 메인
테마는 샤이어 테마이다. 개별 에피소드의 주요 테마는 순서대로 'the Com-
pany theme' 'Smaug's theme' 그리고 'the Erebor theme' 등이다.

The composer Howard Shore continued his approach from the music of The Lord of
the Rings films and wrote 64-70 identified leitmotifs-not including ten or more newly
reprised themes from the Lord of the Rings-that are used throughout the nine hours
of the three scores. Combined with recurring themes from the Lord of the Rings.
there are about sixty or more leitmotifs used through each of the three scores
which given their shorter length makes them somewhat more dense than even The
Lord of the Rings scores. The main theme of the trilogy is The Shire theme.
The main themes of the individual episodes are in order the Company theme,

Smaug's theme and the Erebor theme.

〈뜻밖의 여정〉 오프닝은 또한 시리즈의 '서곡' 역할을 하고 있다. 많은 주요 주제와 전체 오케스트라의 힘과 색상을 소개하고 있다.

반면에 'The Battle of the Five Armies'는 〈반지의 제왕〉 3부작에 대한 다리 역할을 해내고 있다.

〈호빗: 뜻밖의 여정〉. © Warner Bros. Pictures

The opening of An Unexpected Journey also serves as an 'overture' of the series, introducing many of the principal themes and the full orchestral forces and colors while The Battle of the Five Armies serves as a bridge to the Lord of the Rings trilogy.

쇼어는 또한 〈반지의 제왕〉의 되풀이되지 않는 음악을 다시 논의해서 이후 'Durin's Folk' 'Map of the the Lonely Mountain' 'Bilbo's Birthday' 'Smoke Rings' 'Gandalf's Fireworks' 'Eagles' 'Flaming Red Hair' 등 9가지 테마로 바꾸었다.

Shore also revisited pieces of none recurring music from the Lord of the Rings, turning them into themes after the fact Durin's Folk, Map of then Lonely Mountain, Bilbo's Birthday, Smoke Rings, Gandalf's Fireworks, Eagles, Flaming Red Hair.

'Bilbo's Adventure'는 기존 샤이어 소재를 기반으로 한 이 멜로디는 오프닝 크레디트와 동시에 앨범에 등장하며 사실상 빌보의 주요 멜로디 표현이자 첫 번째 악보의 주요 테마 중 한 곡이다.

Bilbo's Adventure based on the existing Shire material, this melody appears on the album as early as the opening credits and serves as the de facto main melodic representation of Bilbo and one of the main themes of the first score.

이후 두 항목에는 덜 자주 등장하지만 빌보의 주제는 가장 지속적으로 남아 있게 된다. 주제는 '매우 존경할 만한 호빗'에서 공식적으로 제시된다. 동료 주제는 'Erebor'에서 제시되는 영웅적인 변형으로 바뀌게 된다.

It appears less frequently in the two later entries, but remains the most persistent of Bilbo's themes. The theme is presented formally in 'A very respectable Hobbit' and in a heroic variation that turns into a theme for the company in 'Erebor'

'Bilbo's Theme'는 Bilbo의 또 다른 중심 주제이다. 이 주제는 완성된 영화 와 사운드트랙에 이어 미묘하게 암시된 부분에서 과소평가 되었다.

Bilbo's Theme Another central theme for Bilbo. This theme was underplayed in the finished film and following soundtrack installments, where its only hinted subtly.

'Bilbo's Theme (Tookish Side)는 빌보의 축약되지 않은 테마의 일부로 시 작하고 있다. 하지만 다른 키와 다른 오케스트레이션으로 설정되고 있다. 일반적으로 호른 또는 리코더용으로 설정. 그리고 그 스타일은 난쟁이 음악을 더 밀접하게 연상시키고 있다. 빌보의 외향적인 면이 그를 더 잘 활용함에 따라 곧 별도로 나타나기 시작하고 있다.

Bilbo's Theme (Tookish Side) This theme starts as part of Bilbo's unabridged theme but it is set in a different key and different orchestration. usually set for horn or recorder and its style more closely recalls the Dwarvish music. It soon begins to appear separately as Bilbo's more outgoing side gets the better of him.

'Fussy Bilbo'는 빌보가 난쟁이 생활 방식에 어려움을 겪고 자신의 안전지대에서 벗어나서 살아갈 때 나타나고 있다. 주제는 왈츠 시간에 보다 고전적인 방식으로 작성됐다. 대체로 후기 낭만주의 스타일 배경 음악에서 벗어나고 있다.

Fussy Bilbo Appears as Bilbo struggles with the Dwarves lifestyle and lives out of his comfort zone. The theme is written in a more classical vein in waltz time which puts it outside of the score's largely late-romantic style.

'Erebor theme'는 3개의 호른을 사용하는 상승 모티프와 내림 차순 B 프레이즈이다. 에레보의 회복을 예고하는 'Erebor 테마'의 더 긴 변형도 있다. 그것은 궁극적으로 디에제적으로 'the Battle of the Five Armies'에서 나팔을 불어 부르는 노래로 연주되고 있다.

Erebor theme A rising motif using three horn-calls, followed by a descending B-phrase. There is also a longer variation on the Erebor theme which heralds the reclaiming of Erebor. It is ultimately played diegetically as a dirge on a blowing horn in the Battle of the Five Armies.

'Arkenstone theme'는 'Arkenstone의 모티브'이며 합창단으로 시작하여 비올라 그림으로 이어지고 있다. 지도와 토린이 그것을 되찾기 위해 사용하는 핵심에도 적용되고 있다.

Arkenstone theme the motif for the Arkenstone begins with a choral cluster and follows with a viola figure. It is also applied to the map and the key that Thorin uses to reclaim it.

'Thorin's theme'는 에레보와 관련이 있다. 하지만 토린과 빌보의 연결을 암시하는 샤이어 테마처럼 더 단계적이다. 토린의 테마에는 여러 변형이 있다.

토린이 아조그가 전투에서 죽었다고 주장한다. 이러한 때에 영화에 나타나는 하나의 변형과 그의 테마와 에레보 테마의 하이브리드다.

Thorin's theme is related to Erebor but more stepwise like the Shire theme hinting at Thorin's connection to Bilbo. There are several variations on Thorin's theme. one variation which appears in the film when Thorin claims Azog died in combat and a hybrid of his theme and the Erebor theme.

<호빗: 뜻밖의 여정>. ⓒ Warner Bros. Pictures

그러나 가장 뚜렷한 변형은 토린이 빌보가 도망쳤다고 생각한 후 'Brass Buttons' 끝 부분에서 테마의 하모니가 코러스에 의해 흥얼거릴 때이다.

The most distinct variation however is when the harmony of the theme is hummed by a chorus at the end of 'Brass Buttons' after Thorin thinks Bilbo had run away.

이 변형은 아마도 'Thorin's Pride'의 주제로 'Out of the Frying Pan'에 나타나듯이 토린이 영화 끝에서 아조그를 청구할 때 전체 합창단이 부르는 노래이다.

This variation was to return sung by the full choir as Thorin charges Azog in the end of the film as it appears in 'Out of the Frying Pan' perhaps as a theme for Thorin's Pride.

토린 오켄실드의 음악 테마. 관련된 에레보르 테마를 기반으로 하지만 샤이어 음악처럼 좀 더 단계적이어서 빌보가 그의 삶에 미칠 영향을 암시해 주고 있다.

The musical theme of Thorin Oakenshield.

It is based on the related Erebor theme but is more stepwise like the Shire music, hinting at the effect that Bilbo will have on his life.

4. 〈호빗: 뜻밖의 여정〉 사운드트랙 작곡 일화

〈호빗: 뜻밖의 여정〉은 1999년 〈스타 워즈 에피소드 1: 보이지 않는 위험 Star Wars: The Phantom Menace〉에서 조지 루카스가 가르친 모든 교훈을 고려할 때 영화 관객과 영화 음악 수집가는 기억해야 할 모든 것을 잊어버리게 된다. 2012년 피터 잭슨의 중간 계(界) 복귀가 다가오기 전에 영화에서 세간의 이목을 끄는 3부작 프리퀄이다.

The Hobbit: An Unexpected Journey: How can it be given all the lessons taught by George Lucas with Star Wars: The Phantom Menace in 1999 that movie-goers and film score collectors have forgotten everything they needed to remember about high profile trilogy prequels in cinema prior to approaching Peter Jackson's return to Middle Earth in 2012.

〈보이지 않는 위험〉을 앞두고 엄청난 화제를 불러 일으켰음에도 불구하고 이 영화는 특히 이 개념의 가장 열렬한 광신자들 사이에서 관객의 기대에 부응할 수 있는 아주 먼 기회를 놓치지 않았다.

Despite the extraordinary buzz generated ahead of The Phantom Menace, the film never stood a remote chance of meeting audience expectations especially amongst the most die-hard fanatics of the concept.

〈스타 워즈〉세계에 대한 비전은 대체로 부정적으로 죽음에 대한 비판을 받았다. 존 윌리암스의 견고하고 종종 훌륭한 자료를 보여주었음에도 불구하고 그 음악은 동일한 기대와 영화의 성급한 녹음 배경 음악의 도살로 인해 마지막 순간 편집 위상이 떨어지게 된다.

It's vision of the Star Wars universe was critiqued to death, largely negatively, and its music, despite exhibiting solid, often brilliant material by John Williams, was reduced in stature by both those same expectations and a butchering of the recorded score in the film's hasty, last-minute edits.

13년을 빨리 감고 그 정확한 시나리오는 〈호빗: 뜻밖의 여정〉의 공개와 함께 반복된다. 2001년부터 2003년까지 오리지널 〈반지의 제왕〉 3부작의 거의 모든 측면의 전설적인 위상은 잭슨과 J.R.R. 톨킨의 개념 적응은 먼저 〈호빗〉에 할애된 한 쌍의 영화를 발표하게 된다. 그 다음에는 세 편의 영화를 발표한다.

Fast forward thirteen years and that exact scenario has repeated itself with the release of The Hobbit: An Unexpected Journey. The legendary status of nearly every aspect of the original The Lord of the Rings trilogy of 2001 to 2003 spawned a demand for continued, across-the-board excellence when Jackson and the studios behind the J.R.R. Tolkien concept adaptations announced first a pair of films devoted to The Hobbit, then three.

거의 유머러스하게 예측할 수 있는 방식으로 불가피한 프로덕션 문제가 발생하게 된다. 일부는 스튜디오 재정적 문제로 인해 발생했고 다른 일부는 일정이 맞지 않아 프로젝트 디렉터 길레르모 델 토로가 연출을 포기하면서 발생하게 된다.

In almost humorously predictable fashion, there were inevitable production problems, some resulting from studio financial woes and others caused by conflicting scheduling and the loss of Guillermo del Toro as the director for the projects.

그 과정에서 다소 늦게 두 편의 영화는 3편으로 분할되어 적응의 속도에 혼란을 일으키게 된다. 잭슨은 원래 톨킨 이야기 일부를 거칠게 꾸몄다고 한다.
그렇게 함으로써 3편 영화 중 첫 번째 영화 〈뜻밖의 여정〉은 스토리텔링에 시달리게 됐다고 한다.

The split of the two films into three rather late in the process caused havoc in the pacing of the adaptation forcing Jackson to wildly embellish portions of the original Tolkien tale and in so doing causing the first entry in the three films, An Unexpected Journey, to languish in its storytelling.

비평가들은 널리 불만을 품은 리뷰에서 개념의 쇠퇴에 대해 한탄을 보낸다.
관객들은 영화를 전임자들이 누리던 재정 강국으로 끌어올리지 못했다. 상대적으로 말해서 인플레이션을 감안할 때 말이다. 사실, 전편은 2012년 다른 고수익 영화와 일치시키기 위해 고군분투 했다.

Critics lamented the decline of the concept in widely disgruntled reviews. Audiences did not elevate the film to the fiscal powerhouse status enjoyed by its predecessors relatively speaking given inflation, in fact, the prequel struggled to match the other higher-grossing films of 2012.

〈호빗: 뜻밖의 여정〉. © Warner Bros. Pictures

잭슨과 작곡가 하워드 쇼어의 재회에 열광한 영화 음악 팬들은 2005년 〈킹콩〉 리메이크에 대한 결별을 감안할 때 보장되지 않은 재결합에 열광을 보낸다. 영화 후반 작업 문제로 인해 명백해진 도전에 직면했고, 방정식에 일반적인 불만을 더했다.

Film score fans, ecstatic for a reunion between Jackson and composer Howard Shore that was not guaranteed given their split over the 2005 remake of King Kong were confronted by challenges made obvious by the film's post-production troubles adding their general discontent to the equation.

배경 음악은 당시 시험에 관계없이 그 해 최고의 스코어로 남아 있다. 〈뜻밖의 여정〉에도 동일한 교훈이 적용되고 있다. 아마도 영화 음악 커뮤니티가 이러한 상황을 주류 시청자 및 수상 그룹보다 더 잘 인식하는 것이 적절할 것이다. 〈반지의 제왕〉 3곡에 대해 너무 많은 내용이 문서화 되어 있어 〈뜻밖의 여정〉 창작 과정에서 초기에 명확성이 없었기 때문에 결정에 대한 마음의 고통과 끝없는 질문으로 인해 의심할 여지없이 지저분했다. 하지만 여전히 기본적으로 효과적인 최종 사운드트랙이 영화를 위해 탄생하게 된다.

The score remains regardless of its trials at the time among the best of its year. All the same lessons apply to An Unexpected Journey and perhaps it is fitting that the film music community has recognized these circumstances better than mainstream viewers and awards groups. So much has been documented about the three scores for The Lord of the Rings that the initial absence of such clarity in the creative process for An Unexpected Journey caused heartache and endless questions about the decisions that led to an undoubtedly messy but still basically effective final soundtrack for the picture.

이전 3부작에 대한 쇼어의 인기 있는 뮤지컬 태피스트리가 부조리할 정도로 미세하게 조정된 반면 〈뜻밖의 여정〉은 질문과 도전을 제기한다는 점에서 놀라움을 선사하고 있다.

Whereas Shore's popular musical tapestry for the prior trilogy was finely tuned to the point of absurdity, An Unexpected Journey surprises in that it raises questions and challenges at all.

시간은 이러한 수수께끼에 대한 답을 말해줄 예정이다.

하지만 그날까지 쇼어의 중간 계 사운드 애호가들은 처음으로 무의미한 주제 속성이 이 우주의 부적절한 위치로 추적된 이유를 궁금해 하고 있다.

Time is destined to tell the answers to these conundrums but until that day enthusiasts of Shore's sound for Middle Earth are left for the first time wondering why senseless thematic attributions were tracked into inappropriate places in this universe.

절대적인 확신은 아니다. 하지만 이러한 호기심에 대한 쇼어의 승인은 가치가 있다. 상상하기 어렵지 않고 원본 앨범 출시를 기반으로 쇼어가 〈호빗〉을 위해 제공하려는 음악적 여정을 실제로 감상할 수 있다.

잭슨과 그의 남은 멤버들이 늦게까지 일을 재정비하고 애정을 재확인하기 위한 쇼어의 이전 업적은 특히 〈반지의 제왕〉 배경 음악 1부와 3부에서 가끔 기괴한 자료를 재녹음하여 최종 사운드트랙의 가치를 훼손시킨다.

While not an absolutely certainty, the absolution of Shore for these curiosities is likely merited. it is not difficult to imagine and based upon the original album releases actually appreciate the musical journey that Shore intended to provide for The Hobbit.

only for Jackson and his remaining crew's late efforts to rearrange their work and reaffirm their affection for. Shore's prior achievements to sully the final soundtrack with re-recordings of occasionally bizarre material from especially the first and third The Lord of the Rings scores.

모든 베테랑 작곡가들은 거부와 막판 재녹음을 처리했다. 하지만 쇼어가 이러한 맥락에서 어려운 재배열 세트를 처리할 것으로 예상한 사람은 거의 없었다. 아마도 〈킹 콩〉 관계 문제는 실제로 몇 년 동안 남아 있었고 다시 한 번 추악한 면을 불러일으키게 된다.

All veteran composers have dealt with rejections and last-minute re-recordings but few expected Shore to deal with such daunting sets of rearrangements in this context. Perhaps relationship issues from King Kong did indeed linger through the years and rear their ugly heads once again.

〈뜻밖의 여정〉에 대한 톨킨의 이야기 초기 요소에 대한 잭슨의 부풀려진 흥미로운 결과 중 하나는 쇼어가 그렇지 않은 경우 예상했던 것보다 캐릭터 및 개념 주제에 대한 탐색의 더 많은 길을 제시했다는 것이다.

One of the intriguing consequences of Jackson's bloating of the early elements of Tolkien's story for An Unexpected Journey is that Shore was presented with more avenues of exploration for character and concept themes than one might otherwise have expected.

기본적인 이야기는 그대로 유지되고 있다. 마법사 간달프는 호빗 빌보 배긴스를 설득하여 13명의 난쟁이 무리와 함께 스마우그로부터 왕국을 되찾기 위해 여행을 떠나게 된다. 사악한 용은 난쟁이를 보물과 고향에서 쫓아낸다. 여정을 따라 그들은 적어도 관객에게는 오래되고 새로운 장애물에 부딪히게 된다. 그 중 일부는 어색한 특수 효과를 나타내고 관객을 접선으로 끌어 들이는 것은 단순히 두 편의 영화가 아닌 3부작의 존재를 정당화하려는 의미였다고 한다.

The basic story is intact, Gandalf the wizard convincing hobbit Bilbo Baggins to ac-
company a group of thirteen dwarfs on their journey to reclaim their kingdom from
Smaug, the evil dragon displacing the dwarves from their treasure and home. Along
their journey, they run into a number of obstacles old and new for audiences, at least
some of which exhibiting awkward special effects and taking viewers on tangents
meant to simply justify the existence of a trilogy rather than a duo of films.

결국, 난쟁이, 호빗, 마
법사는 반지 원정대의 끝
에서와 매우 흡사한 친교
를 형성하여 다음 모험을
예고하는 모습을 바라보
게 된다.

〈호빗: 뜻밖의 여정〉. © Warner Bros. Pictures

By the end, the dwarves,
the hobbit and the wizard form a fellowship much like that at the end of The
Fellowship of the Ring gazing off to a preview of the next leg of their adventure.

동일한 중간계 환경에 존재했음에도 불구하고 스토리의 풍부한 추가 요소를
통해 쇼어는 이전 3부작에서 팬이 좋아하는 다양한 테마를 다시 방문할 수 있을
뿐만 아니라 최소한 몇 가지 경우에는 이 첫 번째 분량에서 완전히 이해하기 위
해 의도하지 않은 12곡의 새로운 정체성을 도입할 수 있었다고 한다.

Despite existing in the same Middle Earth environment the story's wealth of addi-
tional elements allowed Shore to not only revisit a variety of fan favorite themes from
the previous trilogy but introduce a dozen new identities that at least in a few cases

were not intended to make full sense in this first installment.

쇼어가 이 개념을 위해 자신의 작업에 전념했는지 의심하는 사람이 있다면, 최소한 재작성 프로세스가 시작되기 전에 그가 의도한 대로 〈반지의 제왕〉 테마 적용을 분석하기만 하면 된다.

If anyone doubted Shore's dedicated to his craft for this concept all you have to do is analyze the application of the themes from The Lord of the Rings at least as he intended before the re-write process started.

쇼어는 〈뜻밖의 여정〉에 대해 12곡 이상의 새로운 아이디어를 제공하게 된다. 그 중 많은 부분이 배경 음악을 시작하는 길고 인상적인 'My Dear Frodo' 선곡에 도입되고 있다.
'Misty Mountains' 테마는 즉시 들리는 테마는 아니다.
하지만 다른 3부작의 원래 항목에 대해 'Fellowship 테마'가 했던 것처럼 결국 이 영화를 제공하게 된다.

Shore does offer up more than a dozen new ideas for An Unexpected Journey many of them introduced in the lengthy and impressive 'My Dear Frodo' cue that opens the score. The 'Misty Mountains' theme is not among those that is immediately heard though it eventually comes to serve this film much like the Fellowship theme did for the original entry in the other trilogy.

일부 서클에서는 'Dwarven Company Theme'라고도 한다. 난쟁이 모험에 대한 이 일반적인 정체성은 뉴질랜드 그룹 '플랜 9'가 작성했다.

Referred to as the 'Dwarven Company Theme' in some circles, this general identity for the adventure of the dwarves was written by New Zealand group 'Plan 9'.

쇼어는 자신의 멜로디 영역을 보호하는 작곡가 유형이 아니다. 다른 작가들의 기여를 환영할 뿐만 아니라 이 프랜차이즈에서 그는 그들의 아이디어를 효과적으로 적용하고 있다.

Shore is not the type of composer to be protective of his melodic domain and not only does he welcome contributions by other writers but in this franchise. he has adapted their ideas effectively.

웡웡거리고 거의 들리지 않는 'Misty Mountains'에서 처음 들어본 이 견고한 아이디어는 'The World is Ahead' 'Over Hill' 및 'Roast Mutton'의 한 버전에서 엄청난 금관악기 해석을 받아들이고 있다.

Heard first in the hummed and barely audibly sung 'Misty Mountains'. the robust idea receives tremendous brass interpretations in 'The World is Ahead' 'Over Hill' and one version of 'Roast Mutton'

그것은 영화의 첫 번째 예고편에서 사용된 후 인기를 얻게 된다. 결국 닐 핀의 'Song of the Lonely Mountain' 삽입 및 공연의 기초로 발전하게 된다.

It became popular after its usage in the film's first trailer and eventually evolved into the basis for the "Song of the Lonely Mountain" interpolation and performance by Neil Finn (which will be addressed later in this review).

〈뜻밖의 여정〉에서 샤이어에 대한 상당한 양의 주제 자료를 확장하는 것은 빌보를 위한 3가지 주제이다. 하지만 불행히도 그들 중 어느 것도 들려오는 아름다운 '빌보의 노래' 멜로디와 직접적인 관련이 없다.

Extending out of the significant amount of returning thematic material for the Shire in An Unexpected Journey are three themes for Bilbo unfortunately none of them related directly to the pretty 'Bilbo's Song' melody heard.

이 주제의 언급 중 가장 잘 표현된 부분은 'Dreaming of Bag End' 전체이다. 이전 3부작의 호빗들이 집에서 더 멀리 여행하면서 느꼈던 그리움을 완벽하게 반영하고 있다. 좀 더 만연하고 약간 성가시게 만드는 것은 캐릭터와 관련된 유머를 나타내는 Bilbo에 대한 쇼어의 두 번째 주제이다.

The best presented of this theme's statements comes in the entirety of 'Dreaming of Bag End'. it's progressions perfectly reflecting the yearning that the hobbits in the previous trilogy felt as they travelled further from home.

More prevalent and a tad irritating is Shore's secondary theme for Bilbo, one representing the humor associated with the character.

〈호빗: 뜻밖의 여정〉. © Warner Bros. Pictures

'A Very Respectable Hobbit' 에서 기존 샤이어 음원과 함께 배치하는 것이 좋을 것 같다.

그러나 작곡가는 나중에 에레보 정체성과 현명하게 연결된 두 개의 문구가 있는 아이디어 'The World is Ahead' 초기에 빌보 모험 테마의 힌트를 사용하여 이 이상한 실수를 보상하고 있다.

It is better placed with existing Shire material in 'A Very Respectable Hobbit'.

The composer compensates for this strange misstep however, with hints of a Bilbo adventure theme early in 'The World is Ahead' an idea with two phrases smartly connected to the later Erebor identity.

확장된 'My Dear Frodo'에서 소개된 〈뜻밖의 여정〉 주제 ID 중에는 난쟁이 왕국 에레보에 대한 빠른 관심을 불러일으키는 요소가 있다.

Among the thematic identities for An Unexpected Journey introduced in the expansive 'My Dear Frodo' is a quick call of attention to the dwarves kingdom of Erebor.

〈뜻밖의 여정〉의 다양한 악당들에 대해 쇼어는 악에 대한 주제 구조를 이 이야기에서도 어렴풋이 나타나는 모르도르의 정체성과 어떤 식으로든 연결하는 습관을 이어가고 있다.

For the various villains of An Unexpected Journey, Shore continues his habit of connecting the structures of his themes of evil in some way to the identity of Mordor, which looms even in this story.

〈반지의 제왕〉의 경우와 마찬가지로 쇼어는 중요하고 반복적인 주제 설명에 의존하지 않는 시간을 위해 이 프리퀄 스코어에서 최고의 순간을 지켜주고 있다. 이들 중 일부는 'My Dear Frodo' 후반부에 존재하고 있다. 이때 작곡가는 이전 3부작의 'Moria' 선곡의 개성을 높은 여성 환상과 병치된 만연한 덫에 대한 훨씬 더 공격적인 깊은 남성 성가 세트로 확장해 주고 있다.

As was the case with The Lord of the Rings, Shore saves some of his best moments in this prequel score for times when he does not rely upon major, repetitive thematic statements. A few of these exist late in 'My Dear Frodo' at which time the composer extends the personality of the 'Moria' cue from the prior trilogy into an even more aggressive set of deep male chants over rampant snare juxtaposed from high female fantasy singing at times.

그 선곡의 마지막 2분은 난쟁이의 상실에 대한 합창 애도를 제공하고 있다.

특히 여성 목소리가 낮아지고 스마우그 테마의 힌트가 신랄한 대위법으로 사용되어 매우 매력적이다.

The last two minutes of that cue provide choral lamentation for the dwarves loss that is very compelling, especially with the descending female voices and hints of the Smaug theme used as poignant counterpoint.

〈뜻밖의 여정〉에서 개별적으로 주목할 만한 대부분의 선곡은 후반부에 발생하고 있다. 이와 함께 외적으로 장엄할 필요 없이 이 분야에서 쇼어의 위대함을 상기시켜주고 있다.

Most of the individually remarkable cues in An Unexpected Journey occur in its latter half, together reminding of Shore's greatness in this arena without the need for outward grandeur.

Track listing

Disc/ Cassette 1

1. My Dear Frodo
2. Old Friends
3. An Unexpected Journey
4. Axe or Sword?
5. Misty Mountains by Richard Armitage & the Dwarf Cast
6. The Adventure Begins
7. The World is Ahead
8. An Ancient Enemy
9. Radagast the Brown
10. Roast Mutton

11. A Troll-hoard

12. The Hill of Sorcery

13. Warg-scouts

Disc/ Cassette 2

1. The Hidden Valley

2. Moon Runes

3. The Defiler

4. The White Council

5. Over Hill

6. A Thunder Battle

7. Under Hill

8. Riddles in the Dark

9. Brass Buttons

10. Out of the Frying-Pan

11. A Good Omen

12. Song of the Lonely Mountain by Neil Finn

13. Dreaming of Bag End

〈호빗: 뜻밖의 여정〉 사운드트랙. ⓒ Decca Records

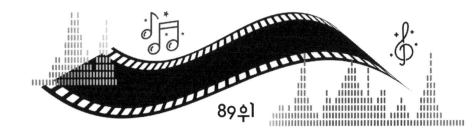

〈타이타닉 Titanic〉(1997) - 제임스 호너,

합창과 셀틱 악기 그리고 일렉트릭 사운드로

인류 최악의 해양 재난 사고 재현(再現)

작곡: 제임스 호너 James Horner

제임스 카메론 감독이 인류 최악의 재난 사고에 가상의 러브 스토리를 결합시킨 〈타이타닉〉을 발표해 전 세계적인 공감을 얻어낸다. 사운드트랙은 일렉트릭과 셀틱 악기를 적극 활용하고 있는 제임스 호너가 초빙 받았다. ⓒ Paramount Pictures, 20th Century Fox

1. 〈타이타닉〉 버라이어티 평

17살 귀족은 호화롭고 불운한 R.M.S 타이타닉에 탑승하여 친절하지만 가난한 예술가와 사랑에 빠지게 된다.

A seventeen-year-old aristocrat falls in love with a kind but poor artist aboard the luxurious, ill-fated R.M.S. Titanic.

〈타이타닉〉은 제임스 카메론이 감독, 각본, 제작 및 공동 편집한 1997년 미국 서사 로맨스 및 재난 영화이다. 역사적 측면과 허구적 측면을 모두 포함하는 이 영화는 RMS 타이타닉호 침몰에 대한 설명을 기반으로 하고 있다.

레오나르도 디카프리오와 케이트 윈슬렛이 불운한 첫 항해 동안 배를 타고 사랑에 빠지는 다양한 사회 계층의 구성원으로 출연하고 있다.

Titanic is a 1997 American epic romance and disaster film directed, written, produced and co-edited by James Cameron. Incorporating both historical and fictionalized aspects. it is based on accounts of the sinking of the RMS Titanic and stars Leonardo DiCaprio and Kate Winslet as members of different social classes who fall in love aboard the ship during its ill-fated maiden voyage.

영화에 대한 카메론의 영감은 난파선에 대한 관심에서 비롯되었다고 한다. 그는 재난의 감정적 영향을 전달하기 위해 인명 손실이 산재된 사랑 이야기가 필수적이라고 느꼈다고.

1995년 카메론이 실제 타이타닉 난파선 장면을 촬영하면서 제작이 시작된다.

Cameron's inspiration for the film came from his fascination with shipwrecks. he felt a love story interspersed with the human loss would be essential to convey the emotional impact of the disaster.

Production began in 1995 when Cameron shot footage of the actual Titanic wreck.

연구 선박의 현대적인 장면은 카메론이 난파선을 촬영할 때 기지로 사용한 아카데믹 미스티슬라프 켈디시 선상에서 촬영되었다.

축척 모델, 컴퓨터 생성 이미지, 바자 스튜디오에서 건조 된 타이타닉 재구성이 침몰을 재현하는데 사용되었다.

The modern scenes on the research vessel were shot on board the Akademik Mstislav Keldysh which Cameron had used as a base when filming the wreck. Scale models, computer-generated imagery and a reconstruction of the Titanic built at Baja Studios were used to re-create the sinking.

공개 당시 제작비 2억 달러로 역대 가장 비싼 영화였다

It was the most expensive film ever made at the time with a production budget of $200 million.

1997년 12월 19일에 개봉 된 〈타이타닉〉은 중요한 상업적 성공을 거두었고 수많은 찬사를 받는다.

Upon its release on December 19, 1997, Titanic achieved significant critical and commercial success and then received numerous accolades.

14개 부문 아카데미상에 노미네이트된 영화는 가장 많은 오스카상 후보에 대해 〈이브의 모든 것〉(1950)과 공동을 이루게 된다.

단일 영화로 가장 많은 오스카상을 수상한 〈벤-허 Ben-Hur〉(1959)와 함께 작품상과 감독상을 포함하여 11개 부문을 수상한다.

Nominated for 14 Academy Awards, it tied All About Eve (1950) for the most Oscar nominations, and won 11, including the awards for Best Picture and Best Director tying Ben-Hur (1959) for the most Oscars won by a single film.

초기 전 세계 총 수익이 18억 4,000만 달러가 넘는 〈타이타닉〉은 10억 달러를 달성한 최초의 영화가 된다. 2010년 다른 카메론 감독의 영화 〈아바타〉가 이를 능가할 때까지 역대 최고 수익을 올린 영화로 남아 있었다.

With an initial worldwide gross of over $1.84 billion Titanic was the first film to reach the billion-dollar mark. It remained the highest-grossing film of all time until another Cameron's film Avatar surpassed it in 2010.

2. 〈타이타닉〉 사운드트랙 리뷰

카메론은 아일랜드 출신 뉴에이지 음악가 엔야 Enya의 작업을 들으면서 〈타이타닉〉 대본을 썼다고 한다.

그는 엔야에게 영화를 작곡할 기회를 주었지만 그녀는 거절한다. 카메론은 대신 제임스 호너를 선택하여 영화의 배경음악을 구성하게 된다.

〈타이타닉〉. ⓒ Paramount Pictures, 20th Century Fox

두 사람은 〈에이리언〉에서 격돌하는 작업을 경험한 후 헤어지게 됐다.

하지만 〈타이타닉〉은 호너가 죽을 때까지 지속된 성공적인 협력을 공고히 하게 된다. 이후 월스트리트 저널의 얼 히치너(Earle Hitchner)는 '감상적'이라고 묘사한 영화 전체에 걸쳐 들리는 보컬에 대해 호너는 일반적으로 '시셀'로 알려진 노르웨이 가수 시셀 키르케보를 선택하게 된다.

호너는 그녀의 앨범 'Innerst i sjelen'을 통해 시셀을 알고 있었다.

특히 그녀가 'Eg veit i Himmerik ei borg'-나는 천국에 성(城)이 있다는 것을 알고 있습니다.'-를 부르는 방식을 좋아했다.

그는 25-30명의 가수를 시도하다가 마침내 영화에서 특정한 분위기를 연출하기 위해 목소리로 시셀을 선택하게 된다.

Cameron wrote Titanic while listening to the work of Irish new-age musician Enya.
He offered Enya the chance to compose for the film but she declined.
Cameron instead chose James Horner to compose the film's score.

The two had parted ways after a tumultuous working experience on Aliens but Titanic cemented a successful collaboration that lasted until Horner's death.

For the vocals heard throughout the film subsequently described by Earle Hitchner of The Wall Street Journal as 'evocative'. Horner chose Norwegian singer Sissel Kyrkjebø, commonly known as 'Sissel'. Horner knew Sissel from her album Innerst i sjelen, and he particularly liked how she sang 'Eg veit i himmerik ei borg'-I Know in Heaven There Is a Castle'. He had tried twenty-five or thirty singers before he finally chose Sissel as the voice to create specific moods within the film.

호너는 카메론이 영화에서 불러주는 노래를 원하지 않았다. 이 때문에 윌 제닝스와 은밀하게 'My Heart Will Go On'이라는 노래를 추가로 썼다고 한다.
셀린 디온은 남편 르네 안젤리의 설득을 받고 데모 녹음에 동의하게 된다.

Horner additionally wrote the song 'My Heart Will Go On' in secret with Will Jennings because Cameron did not want any songs with singing in the film. Céline Dion agreed to record a demo with the persuasion of her husband René Angélil.

호너는 카메론이 적절한 기분이 될 때까지 기다렸다가 그에게 노래를 선보였다. 여러 번 재생한 후 카메론은 '영화가 끝날 때 광고가 나온다.'는 비판을 받을까 봐 걱정했지만 노래 사용 승인을 선언하게 된다.

Horner waited until Cameron was in an appropriate mood before presenting him with the song. After playing it several times, Cameron declared his approval although worried that he would have been criticized for 'going commercial at the end of the movie'

카메론은 또한 불안해하는 스튜디오 경영진을 달래고 싶었다. '그의 영화에서 히트곡이 영화의 완성을 보장하는 긍정적인 요소일 수 있다는 것을 알았다.'고 말했다.

Cameron also wanted to appease anxious studio executives and 'saw that a hit song from his movie could only be a positive factor in guaranteeing its completion'

3. 〈타이타닉〉 사운드트랙 해설 - 빌보드

'Titanic: Music from the Motion Picture'는 제임스 호너가 작곡, 편곡, 지휘한 동명의 영화의 사운드트랙이다.

Titanic: Music from the Motion Picture is the soundtrack to the film of the same name composed, orchestrated and conducted by James Horner.

영화의 엄청난 성공에 힘입어 사운드트랙은 거의 24개 국가 차트 정상에 오른다. 3천만 장 이상 판매되어 미국에서 가장 많이 팔린 100대 앨범 중 한 장이 된다.

Riding the wave of the film's immense success, the soundtrack shot to the top of the charts in nearly two-dozen territories. selling over 30 million copies making it one of the top 100 best-selling albums in the United States.

음반은 역사상 가장 많이 팔린 앨범 중 한 장이 된다.
그리고 가장 많이 팔린 주로 오케스트라 사운드트랙이 된다.

It is one of the best-selling albums of all time and the highest-selling primarily orchestral soundtrack ever.

2012년 앨범은 후속작인 〈백 투 타이타닉 Back to Titanic〉(1998)과 함께 영화의 3D 재발매를 위해 설정된 'Collector's Anniversary Edition'의 일부로 재발매 된다. 2017년 La-La Land Records는 20주년 기념 에디션을 4장 한정판으로 출반한다.

In 2012, the album, along with its successor Back to Titanic (1998) was re-issued as part of the Collector's Anniversary Edition set for the 3D re-release of the film.
In 2017, La-La Land Records released the 20th Anniversary Edition in a limited edition 4-disc release.

4. 〈타이타닉〉 사운드트랙 주요 곡 해설

영화 전반에 걸쳐 작곡가는 특정 인물, 사건, 장소 및 아이디어에 대한 주제를 만들었다.

Throughout the film, the composer created themes for particular characters, events, locations and ideas.

1. 'Hymn to the Sea'

타이타닉호의 비극적인 면
을 표현한 슬프고 우울한 테
마이다. 또한 'Never An

〈타이타닉〉. ⓒ Paramount Pictures, 20th Century Fox

Absolution'에서 두드러지게 등장하고 있다. 이 테마에는 시셀 키르케보
Sissel Kyrkjebø의 유리언 uilleann 파이프와 보컬이 포함되어 있다.
대체 버전은 영화의 오프닝 시퀀스에서 먼저 들려오고 있다.

A sorrowful, melancholic theme which expresses the tragic side of the Titanic.
It's also featured prominently in 'Never An Absolution'.
This theme contains pipes and vocals by Sissel Kyrkjebø.
An alternate version is first heard in the film's opening sequence.

또한, 이 트랙에는 배의 잔해를 나타내는 위협적이고 하강하는 3음 모티프가
포함되어 있다.
영화 시작 부분에서 타이타닉 잔해 현장이 보일 때 처음 들려오고 있다.

Furthermore, the track contains a menacing, descending three-note motif which
signifies the wreck of the ship and is first featured when Titanic's wreck site comes
in view at the beginning of the film.

로즈가 잭에게 다시 뛰어들 때와 잭과 로즈가 영화 마지막에 있는 소위 드림
시퀀스 동안 배의 그랜드 스테어케이스에서 재회할 때 더 극적이고 흥분되는
버전이 들려오고 있다.

영화 주제인 셀린 디온의 'My Heart Will Go On' 인트로에도 사용되고 있다.

A more dramatic and rousing version is heard when Rose jumps back on the ship to Jack and when Jack and Rose reunite on the ship's Grand Staircase during the so-called dream sequence at the end of the film. Also used in the intro of My Heart Will Go On by Céline Dion which is the theme to the movie.

2. 'Southampton'

타이타닉호의 장관을 상징하는 고양되고 모험적이며 영웅적으로 들리는 테마이다. 이 멜로디는 전자 합창단과 작은 드럼의 쿵하는 소리가 특징이다.

Uplifting, adventurous and rather heroic-sounding theme which signifies the spectacle of the Titanic. This melody features an electronic choir and snare drum clumps.

이 주제는 조사 선박 아카데믹 마티슬라프 켈디스를 보여줄 때 처음 들려오고 있다. 그 일부는 'Hymn to the Sea'에서 들을 수 있다.

This theme is first heard when bringing the safe up to the research vessel Akademik Mstislav Keldysh. Parts of its can be heard in 'Hymn to the Sea'

3. 'Distant Memories'

이 주제는 신세사이저 합창단 보컬과 수중의 차밍 톤을 포함하고 있다.
그것은 바다 심장과 타이타닉의 역사를 나타내 주고 있다.
이 곡은 늙은 로즈가 선박 '켈디시 Keldysh'에 탔을 때 처음 들려오고 있다.

This leitmotif contains synth choir vocals and an aquatic, chiming tone.

It represents the Heart of the Ocean and the history of the Titanic. This piece is first heard when old Rose is taken aboard the 'Keldysh'

4. 'Rose'

잭과 로즈의 로맨스와 관련된 영화의 감상적 주제이다. 대부분의 부분에서 장조에 있는 동안 이 주제의 고무적인 코러스는 상대적인 단조로 변조되고 있다.

The sentimental theme of the film that is associated with the romance between Jack and Rose. Whilst in the major key for the most parts, this leitmotif's rousing chorus modulates to the relative minor key.

주제는 관현악 바이올린, 현악기 및 피아노를 특징으로 하고 있다.
전자 합창단이 가끔 끼어들고 있다.
시젤 키르케보는 가사 없는 이 주제의 보컬을 연주하고 있다. 셀린 디온은 이 주제를 서정적인 형태의 'My Heart Will Go On'으로 노래하고 있다.

The theme features orchestral violin, strings and piano. Electronic choir intrudes at times. Sissel Kyrkjebø performs the wordless vocals of this theme with Céline Dion singing this leitmotif in lyrical form as My Heart Will Go On'

이 주제는 잭이 갑판에서 로즈를 처음 보았을 때 들려오고 있다.
일반적으로 'Hard to Starboard' 및 'Death of the Titanic'등과 같이 다른 음악이 재생될 때 시퀀스 중에 끼어들어 들려오고 있다.

This theme is first heard when Jack sees Rose for the first time on the deck and it would usually interpose during sequences when other music is playing such as in

'Hard to Starboard' and 'Death of the Titanic'

5. 'Hard to Starboard'

이 작품은 빙산과 관련된 불길한 주제 예를 들어 'Iceberg Theme'를 포함하고 있다. 이것은 빙산이 발견될 때 처음으로 듣게 된다.

This piece contains the ominous leitmotif associated with the iceberg i.e. 'Iceberg Theme' which is first heard when the iceberg is spotted.

또한 침몰하는 동안 캐릭터가 겪는 위험과 위험에 해당하는 타악기가 무겁고 맥동하는 모티브를 포함하고 있다.

모루는 이 트랙에서 광범위하게 사용되고 있다.

It also contains a percussion-heavy, pulsating motif that corresponds to the peril and danger the characters endure during the sinking.

Anvils are extensively used in this track.

6. 'Death of Titanic'

이 트랙에는 위험과 위험에 해당하는 내림차순, 소름, 불길한 모티프가 포함되어 있다.

This track contains a descending, tumid and foreboding motif that also corresponds to peril and danger.

배가 서서히 바다에 잠기기 시작하는 장면에서 흘러나오고 있다.

참고로 하강 신호는 잭과 로즈가 칼에 의해 쫓기는 경우와 같이 다른 트랙 예를 들어 'Unable to Stay, Unwilling to Leave'에서도 들리지만 약간 변경되고 있다.

It is played during the scene where the ship slowly starts to sub-

〈타이타닉〉. ⓒ Paramount Pictures, 20th Century Fox

merge into the ocean. To note, the descending cue is also heard in other tracks i.e. 'Unable to Stay, Unwilling to Leave' such as when Jack and Rose are chased by Cal although it sounds slightly altered.

7. '2 1/2 Miles Down'

이 트랙은 대부분 부수적이다.
하지만 신세사이저 보이스와 섬뜩한 스트링이 포함된 앰비언트 음악이다.

Although this track is mostly incidental, ambient music with droning synth voices and eerie strings.

그것은 배의 잔해를 의미하는 위협적이고 하강하는 3음 모티프를 특징으로 하고 있다. 'Hymn to the Sea'에서도 들리는 영화의 시작 부분에서 타이타닉의 잔해 장소가 보일 때 처음 들려오고 있다.

it features the menacing, descending, three-note motif which signifies the wreck of the ship and is first featured when Titanic's wreck site comes in view at the beginning of the film which is also heard in 'Hymn to the Sea'

5. <타이타닉> 사운드트랙이 남긴 흥행 일화

1. <타이타닉> 사운드트랙은 1998년 1월 차트에서 11위에서 1위로 빠르게 미국 빌보드 200 위로 진입한다.

샤니아 트웨인의 'Come On Over'와 마돈나의 'Ray of Light'가 1위를 차지하지 못하게 했다. 데이브 매튜 밴드 앨범 'Before This Crowded Streets'로 대체될 때까지 16주 연속 정상에 머무른다.

The soundtrack quickly moved up the US Billboard 200 going from number eleven to number one on the chart in January 1998. keeping Shania Twain's Come On Over and Madonna's Ray of Light from reaching the top spot.

It remained at the top for sixteen straight weeks until it was replaced by the Dave Matthews Band album Before These Crowded Streets.

2. 2012년 겨울 아델 앨범 '21'이 될 때까지 어떤 앨범도 10주 연속 1위를 차지하지 못한다.

이 사운드트랙은 미국에서 1,100만 장이 판매되어 11 × Platinum 인증을 받는다. 1998년 미국에서 가장 많이 팔린 앨범이 된다.

그리고 가장 빠른 인증을 받은 사운드트랙 앨범이다.

No album would spend at least ten consecutive weeks at number-one until Adele's 21 in the winter of 2012. The soundtrack has been certified 11× Platinum for 11 million copies shipped in the United States becoming the best-selling album of 1998, and the fastest-certified soundtrack album ever.

3. 사운드트랙은 또한 영국, 캐나다, 호주를 포함한 최소 14개국에서 1위를 기록한다.

사운드트랙은 350,000장을 출반하여 호주의 ARIA로부터 5배 플래티넘 인증을 받는다. 영국에서 900,000장 이상 판매되어 3 × Platinum 인증을 받는다. 캐나다 CRIA로부터 100만장 판매고로 다이아몬드 인증을 받는다. 사운드트랙은 대만에서 가장 많이 팔린 비중국어 CD 앨범으로 110만 장이 판매된다.

The soundtrack also hit number-one in at least 14 other countries including the United Kingdom, Canada, and Australia. The soundtrack was certified 5× Platinum by the ARIA in Australia for 350,000 copies shipped. It was certified 3× Platinum in the United Kingdom for over 900,000 copies shipped and was certified diamond by the CRIA in Canada for 1 million copies shipped. The soundtrack is the best-selling non-Chinese CD album in Taiwan, selling 1.1 million copies.

Track listing

1. Never An Absolution
2. Distant Memories
3. Southampton
4. Rose
5. Leaving Port
6. Take Her to Sea, Mr. Murdoch
7. Hard to Starboard
8. Unable to Stay, Unwilling to Leave
9. The Sinking
10. Death of Titanic
11. A Promise Kept

12. A Life So Changed

13. An Ocean of Memories

14. My Heart Will Go On Love Theme from Titanic Performed by Celine Dion

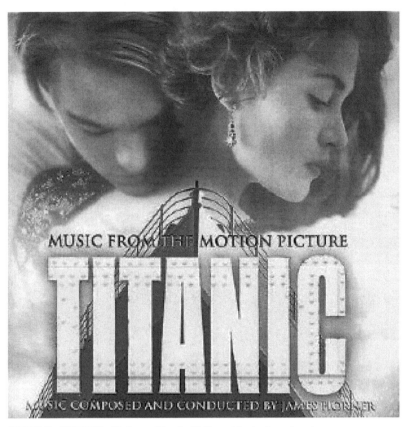

〈타이타닉〉 사운드트랙. ⓒ Sony Classical/ Sony Music Soundtracks

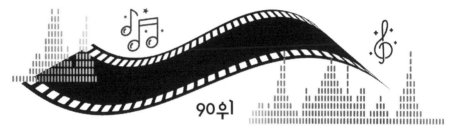

〈쉰들러 리스트 Schindler's List〉(1993) - 바흐의 '영국 모음곡 2', 나치에 의한 유대인 학살 참상 반추(反芻)시켜

작곡: 요한 세바스티안 바흐 Johann Sebastian Bach

스필버그의 2차 대전 당시 유대인 학살극에 대한 진혼 메시지를 담고 있는 〈쉰들러 리스트〉. 바흐의 'English Suite No. 2'이 테마 곡 중 한 곡으로 설정돼 깊은 여운을 남겨 주었다. ⓒ Amblin Entertainment, Universal Pictures

1. 〈쉰들러 리스트〉 버라이어티 평

영화는 제2차 세계 대전 중 자신의 공장에 고용하여 홀로코스트에서 1,000명 이상의 폴란드계 유대인 난민을 구한 독일 기업가 오스카 쉰들러의 행적을 따라가고 있다. 리암 니슨이 쉰들러, 랄프 파인즈가 친위대 장교 아몬 괴트, 벤 킹슬리가 쉰들러의 유대인 회계사 이작 스턴으로 출연하고 있다.

The film follows Oskar Schindler, a German industrialist who saved more than a thousand mostly Polish-Jewish refugees from the Holocaust by employing them in his factories during World War II.

It stars Liam Neeson as Schindler, Ralph Fiennes as SS officer Amon Göth and Ben Kingsley as Schindler's Jewish accountant Itzhak Stern.

'쉰들러 유대인 Schindlerjuden'에 관한 영화에 대한 아이디어는 이미 1963년에 제안되었다고 한다. 쉰들러 유대인 중 한 명인 폴덱 파퍼버그는 쉰들러의 이야기를 전하는 것을 인생의 사명(使命)으로 삼았다고 전해진다.

Ideas for a film about the Schindlerjuden-Schindler Jews-were proposed as early as 1963. Poldek Pfefferberg, one of the Schindlerjuden made it his life's mission to tell Schindler's story.

스필버그는 경영진 시드니 셰인버그가 〈쉰들러의 방주〉에 대한 서평을 보내면서 관심을 갖게 되었다고. 유니버설 픽쳐스가 소설 판권을 구입했지만 홀로코스트에 대한 영화를 만들 준비가 되었는지 확신이 서지 않은 스필버그는 그가 감독을 맡기 이전에 여러 감독에게 프로젝트를 넘기려고 했다.

Spielberg became interested when executive Sidney Sheinberg sent him a book review of Schindler's Ark. Universal Pictures bought the rights to the novel but

Spielberg unsure if he was ready to make a film about the Holocaust tried to pass the project to several directors before deciding to direct it.

주요 촬영은 1993년 폴란드 크라쿠프에서 72일 동안 진행되었다. 스필버그는 흑백으로 촬영하고 다큐멘터리로 영화에 접근한다. 촬영 감독 야누스 카민스키는 시간을 초월한 감각을 만들고 싶었다고 한다. 존 윌리암스가 배경 음악을 작곡한다. 바이올리니스트 이차크 펄만이 메인 테마를 연주해주고 있다.

Principal photography took place in Kraków, Poland over 72 days in 1993. Spielberg shot in black and white and approached the film as a documentary. Cinematographer Janusz Kamiński wanted to create a sense of timelessness. John Williams composed the score and violinist Itzhak Perlman performed the main theme.

〈쉰들러 리스트〉는 1993년 11월 30일 워싱턴 D.C.에서 초연된다. 1993년 12월 15일 미국 전역에서 개봉된다.

Schindler's List premiered on November 30, 1993, in Washington D.C and was released on December 15, 1993, in the United States.

가장 위대한 영화 중 한 편으로 등록된 영화는 음색, 연기-특히 파인즈, 킹슬리, 니슨-분위기 및 스필버그 감독에 대해 보편적인 비평가들의 찬사를 받아낸다. 영화는 또한 2,200만 달러의 예산으로 전 세계적으로 3억 2,200만 달러를 벌어들여 흥행 성공을 거두게 된다.

Often listed among the greatest films ever made the film received universal critical acclaim for its tone, acting-especially Fiennes, Kingsley and Neeson-atmosphere and Spielberg's direction. it was also a box office success, earning $322 million worldwide on a $22 million budget.

아카데미 어워드 12개 부문 후보에 지명 받는다. 작품상, 감독상, 각색상, 작곡 상 등 7개 부문을 수상하게 된다. 영화는 7개의 BAFTA와 3개의 골든 글로브상을 포함하여 수많은 다른 상을 수상한다.

2007년 미국 영화 연구소(American Film Institute)는 〈쉰들러 리스트〉를 역대 최고의 미국 영화 100편에서 8위에 올려놓는다.

It was nominated for twelve Academy Awards and won seven, including Best Picture, Best Director, Best Adapted Screenplay and Best Original Score.

The film won numerous other awards including seven BAFTAs and three Golden Globe Awards. In 2007, the American Film Institute ranked Schindler's List 8th on its list of the 100 best American films of all time.

2. 〈쉰들러 리스트〉 사운드트랙 리뷰

〈쉰들러 리스트〉. ⓒ Amblin Entertainment, Universal Pictures

〈쉰들러 리스트〉는 영화가 소스 응용 프로그램에 의해서만 서비스될 수 있다는 초기 논의에도 불구하고 독창적인 음악의 응용 프로그램이다. 그러나 스필버그는 필연적으로 신뢰할 수 있는 협력자인 존 윌리암스에게 의지했다고 한다.

두 사람은 함께 〈쥬라기 공원〉을 완성하는 과정에 있었고, 영화와 그 음악은 1년 내내 끝없는 부와 인기를 가져왔다.

Schindler's List is its application of original music despite early discussions that the film could be serviced solely by source applications. Spielberg inevitably turned to trusted collaborator John Williams, however. The two were in the process of completing Jurassic Park together from which the film and its score brought endless riches and popularity throughout the year.

〈쥬라기 공원〉의 기념비적인 성공으로 윌리암스가 1993년 지휘한 콘서트 공연이 끝날 때 즉시 그 모음곡을 선보이게 되었다.

그럼에도 불구하고 〈쉰들러 리스트〉는 궁극적으로 이전 악보를 압도할 정도로 엄청난 기억에 남을 영향을 미치는 바람에 〈쥬라기 공원〉은 12년 후에 '잊혀진' 또는 '과소평가' 된 배경 음악으로 분류될 뻔했다.

Despite the monumental success of Jurassic Park that led Williams to immediately feature its suite at the end of his conducted concert performances during 1993 Schindler's List would ultimately overshadow the previous score with such an enormous memorable impact that Jurassic Park came dangerously close to being classified as a 'forgotten' or 'underrated' score a dozen years later.

〈쉰들러 리스트〉는 윌리암스의 오랜 경력에서 가장 큰 배경 음악이라고 주장되어 왔다. 그리고 적절한 영화 음악 컬렉션을 갖고 있는 사람은 누구도 그 제목을 윌리암스의 최고의 감정적이고 '예술적' 노력이라는 제목에 이의를 제기하지 않을 것이다.

It has been argued that Schindler's List is Williams greatest score in his lengthy career and while nobody with a decent film score collection will dispute its title as Williams best emotionally 'artistic' effort,

윌리암스가 이전 아카데미 상을 수상한 고전적인 공포 및 모험 배경 음악과 객관적으로 비교하는 것은 정말 어렵다.

it's really difficult to objectively compare it to the classic horror and adventure scores for which Williams had earned his previous Academy Awards.

맥락에 관계없이 〈쉰들러 리스트〉 음악은 계산할 수 있는 힘이다. 스크린과 앨범 성공은 제작 과정에서 스필버그 자신의 열정적인 억제를 정확하게 반영하는 윌리암스의 능력에 있다고 할 수 있다.

Regardless of context, the music for Schindler's List is a force to be reckoned with, and its success on screen and album exists in Williams ability to precisely mirror Spielberg's own passionate restraint in the production process.

종종 이러한 신중한 접근 방식으로 인해 영화의 긴 시퀀스에 음악을 전혀 포함하지 않기로 결정했다고 한다. 상대적으로 짧은 배경 음악을 위해 개봉 일을 6주 앞당겨야 한다는 감독의 압박으로 인해 거장은 로스 엔젤레스에서 휴가를 보내는 동안 주요 선곡을 작성해야 했다.

Often, this careful approach led to the decision not to include any music at all for long sequences in the film. For the relatively short score, the maestro was forced to write its major cues while on vacation away from his Los Angeles area home due to the director's pressing of the release date forward by six weeks.

윌리암스는 나중에 이 악보의 아름다운 주제를 쓰는 과정에서 아름다운 전망이 있는 임대 주택에 있는 것이 영감을 주었다고 인정하게 된다. 〈쉰들러 리스트〉 작곡의 기술적 요소를 단순히 설명하는 것은 전체 제품으로서의 효율성을 제대로 나타내지 못하는 것이다.

He later admitted that being in a rented home with a beautiful view inspired him during his process of writing the lovely themes for this score.

To simply describe the technical elements of the Schindler's List score would not do justice to its effectiveness as an overall product.

마음을 사로잡는 감정적 유혹을 불러일으키는 많은 요소는 무형이다. 종종 진심어린 연주에 큰 영향을 미치기 때문이다.

So much of what makes the score a gripping emotional enticement is intangible, stemming often from significant influences in its heartfelt performances.

그러나 단순함을 유지하기 위해 윌리암스에게 많은 공을 돌릴 필요가 있다. 1990년대 초 윌리암스 글에서 수집가들이 듣기 시작한 복잡한 층의 열광적인 활동은 기억에 생생하게 기억에 남는 〈쥬라기 공원〉을 포함하여 〈쉰들러 리스트〉에서 완전히 빠져 있게 된다.

Much credit needs to be awarded to Williams, however for keeping it simple.

The complex layers of frenetic activity that collectors had begun to hear in Williams writing in the early 1990's including Jurassic Park fresh in memory is completely absent from Schindler's List.

대신 스필버그처럼 윌리암스는 너무 원시적인 아름다움으로 화면의 공포에 접근하고 있다. 각 하모닉 전환에서 낭만적인 비탄으로 배경 음악이 뚝뚝 떨어지고 있다. 윌리암스는 이러한 중독성 있는 사랑스러움을 완성하기 위해 3가지 테마를 만든다. 그 중 2가지는 가치 있는 콘서트 공연에 대한 충분한 관심으로 확장된다.

Instead, like Spielberg, Williams approaches the horrors on screen with a beauty so

primordial that the score is dripping with romantic heartbreak at each of its harmonic turns.

Williams creates three themes to accomplish this addictive loveliness two of which expanded upon with enough attention to merit concert performances.

주요 주제는 유례없는 성공 스토리다.
현대 역사처럼 매끄럽고 우아하게 옥타브가 구불구불하고 있다.

The primary theme is the unparalleled success story meandering about an octave as smoothly and gracefully as any in modern history.

거의 옥타브에 가까운 변경으로 유명한 메인 테마의 풍부한 진행은 가슴을 아프게 하는 단순한 하모니 진행을 이용 하고 있다.
아이러니하게도 이러한 매우 기본적인 악장에도 불구하고 많은 청취자에게 독특하고 지속적인 기억으로 결합되어 테마를 형성하고 있다.

Each lush progression of the main theme, famous for its teasingly near octave alterations takes advantage of heart wrenchingly simple harmonic progressions ironically combining to form a theme that despite these very basic movements, is a unique and lasting memory for many listeners.

두 번째 주제는 'Remembrances'에서 소개되고 있다.
윌리암스는 이 영화를 위해 처음 쓴 아이덴티티이다.
현대적 관점에서 홀로코스트를 기념하기 위한 것이다.

A secondary theme is introduced in 'Remembrances' an identity written first by Williams for the picture and meant to commemorate the Holocaust from a modern perspective.

주요 주제는 나중에 전개된 비극적인 사건에 대한 동반자로 고안되었다.
하지만 'Remembrances' 주제는 공연이 종종 더 완전한 앙상블을 소집하기 때문에 더 강력하다.

While the primary theme was later devised as a companion for the tragedy of the events as they unfolded the 'Remembrances' theme is more robust because its performances often muster a fuller ensemble.

구조적으로 〈쉰들러 리스트〉의 두 가지 주제에는 동일한 코드 진행이 많이 포함되어 있다. 대위법으로 쉽게 상호 작용할 수 있다.
윌리암스는 불행히도 그렇게 할 때 나타나는 경이로운 아름다움에도 불구하고 배경 음악에서 드물게 사용하고 있다.

Structurally, the two themes of Schindler's List contain many of the same chord progressions allowing them to interact easily in counterpoint an ability that Williams unfortunately uses sparingly in the score despite the phenomenal beauty that results when he does so.

두 가지 주제는 모두 〈쉰들러 리스트〉 앨범에서 여러 콘서트 편곡을 받았다.
마지막에는 긴 연속 프레젠테이션이 포함되고 있다.
덜 예고된 3번째 주제가 'Jewish Town'에서 발표 된다.
이 곡은 쉰들러 공장 노동자를 위한 행렬 역할을 하고 있다.

Both of these themes receive multiple concert arrangements on the albums for Schindler's List including a lengthy back-to-back presentation at the end.

A third less heralded theme is announced in 'Jewish Town' and it serves as a procession piece for Schindler's factory workers.

그것은 노동 계급 테마이다. 휘젓는 베이스 리듬으로 설정되고 다른 두 테마의 우아함을 동일한 렌즈를 통한 기계적인 움직임 감각으로 대체하고 있다.

이 리드미컬한 존재는 나중에 천천히 가속되고 강화되는 'Schindler's Workforce'를 알려주고 있다.

It's the working class theme set to a churning bass rhythm and replacing the elegance of the other two themes with a mechanical sense of movement through the same lens. This rhythmic presence later informs the slowly accelerating and intensifying 'Schindler's Workforce'

단순한 아름다움이 핵심인 모든 악보와 마찬가지로 〈쉰들러 리스트〉는 신중한 악기 선택과 앙상블 앞에서의 솔로 연주에 의존하고 있다.

As with any score for which simplistic beauty is the key Schindler's List relies upon the careful choice of instrumentation and the solo performances in front of the ensemble.

이 스코어는 윌리암스와 유명한 바이올린 연주자 이차크 펄만을 결합시킨다.

윌리암스와 다른 저명한 작곡가들이 이후에 영화 배경 음악을 위해 비슷한 1류 독주자의 서비스를 찾게 된 것은 이 협력의 기쁨과 성공이었다.

This score united Williams with famed violist Itzhak Perlman and it was the pleasure and success of this collaboration that would lead Williams and other prominent composers to seek the services of similar top flight soloists for their film scores thereafter.

많은 사람들은 펄만의 연주가 〈쉰들러 리스트〉를 있는 그대로 만들었다고 생각하고 있다.

〈쉰들러 리스트〉. ⓒ Amblin Entertainment, Universal Pictures

펄만은 악보에 극적인 영향을 미치고 있다. 하지만 펄만이 그의 연주만으로 그 매력을 제한하는 것은 악보에 있는 다른 흥미롭고 통합적인 연주의 과잉에 해가 될 것이다.

펄만의 방송 시간은 실제로 매우 적다.

Many people credit Perlman's performances for making Schindler's List what it is, and while Perlman does have a dramatic impact on the score to limit its attractiveness to his performances alone would be a disservice to the plethora of other intriguing and integral performances in the score.

The airtime for Perlman is actually quite minimal.

펄만은 다른 솔로이스트, 합창단 또는 전체 앙상블이 그를 다른 선곡으로 대체하여 원래 앨범에 수록된 주요 음악의 절반 미만으로 연주하고 있다. 그가 공연 할 때, 특히 보스턴 심포니 오케스트라 음악가들보다 높은 음역으로 악기를 옮길 때 그의 거리 구석구석 애도 스타일의 진정성은 의심의 여지가 없다.

he performs on less than half of the major cues featured on the original album with other soloists a choir or the entire ensemble replacing him in other cues.

When he does perform, the sincerity of his street corner style of lament cannot be questioned especially when moving to the high ranges of the instrument over the

Boston Symphony Orchestra's musicians.

역사적으로 정확한 유대인 곤경을 대표하는 바이올린이 초반에 희박한 맥락으로 제공되고 있다. 반면 〈쉰들러 리스트〉의 가장 신랄한 선곡 중 많은 부분에는 완벽한 앙상블 전체에 악센트로 사용되는 바이올린이 포함되고 있다.

While the violin, a historically accurate representative of the Jewish plight is offered with sparse context at the outset many of Schindler's List's most poignant cues include the violin as an accent to the flawless whole of the ensemble.

그 그룹은 'Remembrances' 테마의 레이어링 된 스트링으로 번창하고 있다. 〈7월 4일생〉 엔드 타이틀의 무성한 낭만주의를 취하고 있다. 그것들을 멜로드라마틱 한 크롤링으로 늦추어주고 있다.

That group flourishes with the layered strings of the 'Remembrances' theme taking the lush romanticism of the end titles of Born on the Fourth of July and slowing them to a melodramatic crawl.

〈쉰들러 리스트〉에서 똑같이 효과적인 것은 윌리암스의 솔로이스트와 앙상블을 보조 위치에서 교대로 사용하는 것이다. 펄만은 'I Could Have Done More'와 'Give Me Your Names' 등을 대위법 에이전트로 마무리 해주고 있다.

Equally effective in Schindler's List is Williams alternation of his soloists with the ensemble in secondary positions. Perlman rounds out 'I Could Have Done More' and 'Give Me Your Names' as a counterpoint agent.

그들의 주목할만한 솔로 공연 세트는 리코더에 의해 전달되고 있다. 윌리암스의 〈해리 포터〉 음악 팬들은 리차드 하비가 그 프랜차이즈 3번째 항목에 환상적인 솔로 통합을 기억할 것이다.

they noteworthy set of solo performances is delivered by a recorder and fans of Williams Harry Potter scores will recall Richard Harvey's fantastic solo integration into the third entry in that franchise.

〈쉰들러 리스트〉에서 레코더는 악보 전체에 걸쳐 3가지 주제를 모두 수행하고 있다. 'Immolation' 끝 부분에 있는 주요 주제와 'Stolen Memories'에 있는 'Remembrances 주제'를 수행하고 있다.
이 두 선곡에서 윌리암스는 합창 요소도 사용하고 있다.

In Schindler's List the recorder performs all three themes throughout the score carrying the main one at the end of 'Immolation' and the 'Remembrances theme' in 'Stolen Memories'. In both these cues, Williams also employs a choral element.

전자의 선곡은 후자의 〈아미스타드〉를 암시하는 계층화 된 성인 가수를 간략하게 제공하는 후자의 유일한 외향적인 비극적 공포 성가를 제공하고 있다.
반면, 후자의 선곡은 〈쥬라기 공원〉 환타지 테마와 거의 같은 방식으로 배경 기여자로서 코러스를 제시해 주고 있다.

The former cue offers the only outward tragic horror chant by the chorus briefly providing layered adult singers that suggest the later Amistad while the latter cue presents the chorus as a background contributor in much the same fashion as the fantasy theme in Jurassic Park.

윌리암스의 피아노 솔로는 현악에 침울한 결론이 내려지기 전에 'Theme from Schindler's List(Reprise)' 대부분을 장식하고 있다.

Williams own piano solos grace the majority of 'Theme from Schindler's List

(Reprise)' before a somber conclusion is afforded to strings.

이 배경 음악에 실망스러운 점이 있다면 윌리암스가 교향곡 악절을 위해 사용
한 보스톤 또는 로스 엔젤레스 앙상블 전체 깊이에 자신의 독주자를 거의 겹치
지 않는다는 사실에 있다.
예를 들어, 작곡가의 피아노 솔로는 우아한 낮은 현 반주로 더욱 향상될 수
있었다.

If there exists any disappointment with this score. it resides in the fact that
Williams rarely layers his soloists over the full depth of either the Boston or Los
Angeles ensembles he employed for the symphonic passages. the composer's piano
solos for instance, could have been enhanced even further by elegant low string
accompaniment.

타이틀 캐릭터의 행
동이 고상함에도 불구
하고 〈쉰들러 리스트〉
에는 외적으로 영웅적
인 느낌이 거의 없다.
'Making The List'
에서만 윌리암스는 금
관 악기를 사용하고 바
이올린과 플루트 독주

〈쉰들러 리스트〉. ⓒ Amblin Entertainment, Universal Pictures

자에게 더 강력하게 주요 주제를 강조하도록 지시함으로써 음악의 태도를 반항
적으로 전환해주고 있다.

Despite the nobility of the title character's action. there is very little outwardly heroic touch in Schindler's List. Only in 'Making the List' does Williams shift the attitude of music towards defiance both through the use of brass and by instructing the violin and flute soloists to emphasize the main theme with more force.

주제의 어둠은 'workforce theme'에 내재된 힌트를 포함하여 몇 가지 선곡에서만 우세하고 있다.

The darkness of the topic prevails in only a few cues including its inherent hints in the 'workforce theme'

'Schindler's Workforce'의 현악기와 목관악기 사이의 기계적 주제 전투는 날카롭고 음소거 된 강도의 타악기 및 민족적 리듬을 통해 재생되고 있다.
앨범에서 유일하게 외적으로 악의적인 선곡인 'Auschwitz-Birkenau'는 앨범의 청취 경험의 최면 흐름에서 유일한 방해 요소로 작용하는 선곡과 함께 펄만의 유일한 불협화음 순간을 제시하고 있다.

The mechanical thematic battle between string and woodwind in 'Schindler's Workforce' plays over a percussive and ethnic rhythm of sharp, muted intensity.

As the only outwardly malevolent cue on album 'Auschwitz-Birkenau' presents Perlman in his only dissonant moments with the cue serving as the sole detraction from the hypnotic flow of the album's listening experience.

2개의 전통적인 유대인 노래가 이스라엘 텔아비브에서 합창단과 함께 녹음되었다. 두 곡 모두 윌리암스 주변 악보에 맞을 만큼 충분히 짧다.
'Nacht Aktion'은 관련 사운드트랙 사이에 놀라울 정도로 몇 안 되는 연결 중 하나인 뮌헨에서 나중에 듣게 되는 희미하고 웅웅거리는 베이스라인과 스타일을 많이 예고하고 있다.

Two traditional Jewish songs were recorded with choirs in Tel-Aviv, Israel and both are short enough to fit into Williams surrounding score. 'Nacht Aktion' foreshadows much of the same faint droning baseline and style heard later in Munich, one of the surprisingly few connections between the related soundtracks.

* 〈쉰들러 리스트〉 사운드트랙 목록은 10위 〈쉰들러 리스트 Schindler's List〉 참조.

유대인 출신 스필버그 감독이 선조들을 위한 진혼(鎭魂)의 염원을 담아 제작했다는 〈쉰들러 리스트〉. 애조띈 분위기의 피아노와 바이올린 배경 음악이 전 세계인들의 심금을 울려주었다. ⓒ Universal Pictures, Amblin Entertainment

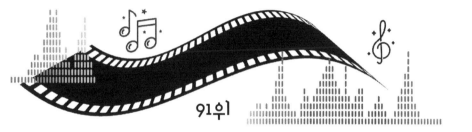

91위

〈미스 포터 Miss Potter〉(2006) - 클래식 분위기의
심포니 배경음에 담겨져 있는 아동 작가 미스 포터의 야망

작곡: 니겔 웨스트레이크 Nigel Westlake

호주 흥행 감독 군에 포진한 크리스 누난의 〈미스 포터〉. 호주 대표 영화 음악가 니겔 웨스트레이크가 배경 음악을 들려주고 있다. ⓒ Phoenix Pictures, UK Film Council, Grosvenor Park Media

1. <미스 포터> 버라이어티 평

많은 사랑을 받고 있는 베스트셀러 아동도서 '피터 래빗 이야기' 저자 베아트릭 포터와 그녀의 사랑과 행복, 성공을 위한 고군분투 이야기.

The story of Beatrix Potter, the author of the beloved and best-selling children's book 'The Tale of Peter Rabbit' and her struggle for love, happiness and success.

1902년 런던. 스핀스터 베아트릭 포터(르네 젤위거)는 부르주아 부모와 함께 살고 있다. 그녀의 속물적인 어머니 헬렌 포터(바바라 플린)는 베아트릭이 20살이 될 때까지 여러 총각들을 베아트릭에게 소개했지만 모두 거절한다.

In 1902, in London, spinster Beatrix Potter (Renée Zellweger) lives with her bourgeois parents.

Her snobbish mother Helen Potter (Barbara Flynn) had introduced several bachelors to Beatrix until she was twenty-years-old but she had turned them all down.

베아트릭 포터는 어렸을 때부터 동물을 그리고 동물에 대한 이야기를 만들어 왔다. 하지만 부모님은 그녀를 예술가로 인정한 적이 없다. 어느 날, 미스 포터는 그녀 이야기에 대한 출판을 제안한다. 그녀의 이야기에 기뻐하는 신인 출판사 노만 워인(이완 맥그리거)는 그녀의 첫 번째 아동 도서를 출판해준다.

Beatrix Potter has been drawing animals and making up stories about them since she was a child but her parents have never recognized her as an artist. One day, Miss Potter offers her stories to a print house and a rookie publisher, Norman Warne (Ewan McGregor) who is delighted with her tales, publishes her first children's book.

이 성공으로 노만은 2권의 다른 책을 출판하게 된다. 한편 미스 포터는 그의 독신 여동생 밀리 워네(에밀리 왓슨)의 가장 친한 친구가 된다.

This success leads Norman to publish two other books and Miss Potter meanwhile becomes the best friend of his single sister Millie Warne (Emily Watson).

곧 베아트릭와 노만은 서로 사랑에 빠진다. 하지만 헬렌은 딸이 '출판업자'와 결혼할 것이라는 사실을 받아들이지 않고 있다.

Soon Beatrix and Norman fall in love with each other but Helen does not accept that her daughter would marry a 'trader'

그러나 베아트릭 아버지 루퍼트 포터(빌 패터슨)는 딸이 레이크 디스트릭트에 있는 시골집에서 아내와 함께 여름을 보낼 것을 제안한다. 여름이 지나도 그녀가 노만에게 여전히 관심이 있다면 결혼을 축복해 줄 것이라고 말한다.

However, Beatrix's father Rupert Potter (Bill Paterson) proposes that his daughter spend the summer with his wife and him in their country house in Lake District and if she is still interested in Norman after the summertime.
he would bless their marriage.

미스 포터는 노만에게서 편지를 받지 않자 실망하고 만다. 그러던 어느 날 그녀는 밀리로부터 노만에게 일어난 일을 설명하는 편지를 받게 된다.

When Miss Potter stops receiving letters from Norman. she is disappointed. Then one day she receives a letter from Millie explaining what had happened to Norman

〈미스 포터〉는 크리스 누난이 감독한 2006년 전기 드라마 영화이다.
아동 작가이자 일러스트레이터 베아트릭 포터의 삶을 기반으로 하고 있다.
그녀의 삶의 이야기를 피터 래빗과 같은 그녀 이야기에 등장하는 캐릭터가 애니메이션 시퀀스와 결합하고 있다.

Miss Potter is a 2006 biographical drama film directed by Chris Noonan.
It is based on the life of children's author and illustrator Beatrix Potter and combines stories from her own life with animated sequences featuring characters from her stories such as Peter Rabbit.

토니 상을 수상한 브로드웨이 가극단 〈포세〉 감독 리차드 몰트비 주니어가 각본을 맡았다. 영화는 르네 젤위거가 주연으로, 이완 맥그리거가 그녀의 출판사 대표이자 약혼자로 출연하고 있다.

Scripted by Richard Maltby Jr the director of the Tony Award-winning Broadway revue Fosse the film stars Renée Zellweger in the title role, Ewan McGregor as her publisher and fiancé,

〈미스 포터〉. © Phoenix Pictures, UK Film Council, Grosvenor Park Media

성 베드로 광장 해머스미스, 세실 코트, 오스터리 공원, 코벤트 가든, 맨 섬, 스코틀랜드, 레이크 디스트릭트에서 촬영 되었다.

It was filmed in St. Peter's Square Hammersmith, Cecil Court, Osterley Park, Covent Garden, the Isle of Man, Scotland and the Lake District.

〈미스 포터〉는 2006년 12월 29일 미국에서 제한적으로 개봉되면서 2007년 아카데미 시상식에서 경쟁할 수 있었다.

Miss Potter received a limited release in the United States on 29 December 2006 so that the film could compete for the 2007 Academy Awards.

영화는 일반적으로 긍정적인 평가를 받는다. 젤위거는 코미디 또는 뮤지컬 영화 부문 여우주연상 후보에 오른다. 이것은 그녀의 6번째 지명이었다.

The film received generally positive reviews and Zellweger was nominated for the Golden Globe Award for Best Actress in a Motion Picture Comedy or Musical.
This was her sixth nomination

2. 〈미스 포터〉 사운드트랙 작곡가 니겔 웨스트레이크 인터뷰 – 빌보드 & 롤링 스톤

이번 인터뷰는 지난 2007년 1월 4일 진행되었다.
음악 비평가들은 니겔 웨스트레이크에게 자신의 음악적 배경과 베아트릭 포터의 생애에서 중요한 시기를 다루는 영화 〈미스 포터〉에 대해 이야기를 나누었다.

This interview was conducted on 4th January 2007 with Pop Critics to Nigel Westlake about his musical background and the film Miss Potter which covers a key period in the life of Beatrix Potter.

질문-〈미스 포터〉 영화와 사운드트랙이 곧 영국에서 공개될 예정이다.
음악에 대해 질문이 많지만 먼저 당신의 음악적 배경과 영화 음악에서 일하게 된 과정에 대해 조금 더 알고 싶다.

The Miss Potter film and soundtrack is going to be released shortly in the UK. We've a number of questions about the music but first we'd like to understand a little bit more about your musical background and how you came to work in film music.

답변: 클라리넷을 연주하며 음악 경력을 시작했다. 아버지는 시드니 심포니 오케스트라의 수석 클라리넷 연주자였다. 10살 때부터 나에게 연주를 가르쳐 주셨다. 나는 수 년 동안 오케스트라 클라리넷 연주자가 되어 그의 발자취를 따르기를 열망했다. 10대 중반에 나는 작곡에 대한 실험을 시작했다.

작곡 과정과 그것이 기존의 클래식 음악, 즉 당시 내가 공부하고 있던 음악, 즉 훌륭한 협주곡의 클라리넷 레퍼토리인 나의 해석에 미치는 영향에 상당한 관심을 갖게 되었다.

I began my musical career playing the clarinet. My father was the principal clarinettist in the Sydney Symphony Orchestra and he taught me to play from about the age of 10 and for many years I aspired to become an orchestral clarinettist and follow in his footsteps. In my mid teens I started experimenting with composition and became quite interested in the process of composing and its impact on my interpretation of existing classical music, namely the music I was studying at the time that being the clarinet repertoire of great concertos and so on.

나는 친구들이 연주할 수 있도록 재즈, 클래식, 록 배경을 가진 매우 다양한 기악 연주자들을 위한 작은 곡들을 쓰기 시작했다. 밴드를 결성하고 몇 년 동안 밴드와 함께 호주 동부 해안을 따라 순회공연을 하며 어느 정도 성공하게 된다.

I began to write little pieces for my friends to play, a very diverse collection of instrumentalists from jazz, classical and rock backgrounds. We formed a band and we toured with the band for a few years along the East coast of Australia with some success.

그 경험을 통해 라디오와 연극, 서커스 작곡 초청을 받기 시작한다. 그리고 차츰차츰 영화와 인연을 맺게 된다.

〈미스 포터〉. ⓒ Phoenix Pictures, UK Film Council, Grosvenor Park Media

Through that experience I began to get invitations to compose music for Radio and Theatre and Circus and by and by I became involved in film.

어머니는 어느 날 신문에서 작은 광고를 발견하게 된다. 시드니에 있는 호주 영화 TV 학교에서 처음으로 음악 및 영화 과정에 등록할 것을 신청자에게 요청하게 된다. 기회가 없을까 해서 지원했는데 합격하게 된다.

그 과정에 참여했던 몇몇 프로듀서들에게 내 작품이 알려지면서 다큐멘터리 작업을 하라는 권유를 받게 된다.

My mother found a little ad in the paper one day which she cut out to show to me which was asking for applicants to sign up for the first ever music and film course at the Australian Film and Television School based in Sidney.

I applied for it thinking that I didn't have a chance of getting in but I did and my work was noticed by some producers who were involved in the course and I was subsequently invited to write for some documentaries.

이 기간 동안 나는 클라리넷 연주자로서 경력을 유지하고 있었다.

그래서 꽤 오랫동안 텔레비전과 미디어 음악의 작곡가로서, 다른 한편으로는 다양한 실내악 앙상블에서 클라리넷 연주자로서 클래식 경력 등을 2중으로 쌓게 된다. 약 11년 전, 작곡 경력이 연주 경력보다 더 많았다.

영화 배경 음악을 써보라는 환상적인 제안을 받기 시작하게 된다.

During this time I was maintaining a career as a clarinet player. So I had for quite some time a dual career existence as a composer of television and media music and on the other hand a classical career as a clarinettist in various chamber music ensembles. It was about 11 years ago that my composition career eclipsed my playing career and I started to get some fantastic offers to write film scores.

그러나 실제로 그것은 내 연주 경력에 방해가 되었다. 이 때문에 그 시점에서 나는 작곡에 완전히 집중하기 시작했다. 실제로 클라리넷 연주를 중단한다.

그래서 내가 영화 음악계로 오게 된 것이다. 나는 독학 작곡가이다.

현대 음악에 깊은 관심을 갖고 다른 기악 연주자들과 함께 기악 연주자로서 많은 기술을 습득하게 된다.

But really it did interfere with my performing career. so at that point I began to concentrate fully on composition and I actually stopped playing the clarinet. So that's where I've come from. I'm a self-taught composer and gained a lot of my skills working as an instrumentalist with other instrumentalists with a keen interest in contemporary music.

질문-아주 흥미롭다.

독학했다고 말하지만 시드니에서 그 과정을 수강한 것 아닌가.

That's very interesting.

You say that you were self-taught but you did attend that course in Sidney?

답변: 글쎄, 그것은 약 8주 동안의 짧은 시간이었다.

영화에 음악을 맞추는 역학과 더 관련이 있었다.

작곡과 같은 수업이 아니라 음악을 영화에 적용하는 수업이었다.

나는 과외 선생님으로 빌 모트징이라는 뛰어난 미국 작곡가를 만나게 된다.

그는 여러 해 동안 여러 장편 악보에 참여해 왔다.

최근에는 다른 작곡가들을 위한 많은 교육과 오케스트레이션을 하고 있다.

Well that was a short couse about 8 weeks long and it was more to do with the mechanics of fitting music with film.

It wasn't a composition course as such but about applying music to film.

I had as my tutor a brilliant American composer called Bill Motzing who's been involved for many years now in a number of feature scores himself and more recently.

He's been doing a lot of teaching and orchestration for other composers.

영화 음악에 대한 멋진 소개였다. 나는 또한 내가 존경하는 다른 작곡가들에게 내 악보를 가져갈 수 있는 좋은 기회를 얻게 된다. 그들이 작업에 대해 논평하고 보다 비공식적인 상황에서 나에게 피드백을 줄 수 있었다. 따라서 '독학'은 다소 긴 여정이다. 하지만 작곡에 대한 비공식적인 접근 방식이었다.

That was a wonderful introduction into music for film. I've also had a great opportunity to take my scores to other composers whose work I admire and get them to commment on the work and give me feedback in a more informal situation.

So 'self-taught' is a bit of a long shot but it has been more an informal approach to composition.

질문-그래서 대학에서 3-4년 동안 정식으로 작곡을 공부하지 않았다.

영화 음악에서 여러 다큐멘터리를 언급했지만 적어도 우리 생각에는 당신이

〈베이브〉 영화 작곡가로 가장 친숙하다.

so you didn't study composition formally for 3 or 4 years at University.

In your film music you mentioned a number of documentaries but to our mind at least, you are most familiar as the composer for the Babe films.

답변: 내가 했던 많은 다큐멘터리는 덜 알려진 텔레비전 프리젠테이션을 위한 것이다. 하지만 최근에는 어떤 의미에서 다큐멘터리인 아이맥스 영화에 참여했다. 나는 지금까지 5개의 아이맥스 필름 배경 음악을 만들었다. 그것은 표준 드라마 장편 영화 악보와 매우 다른 작업하기에 훌륭한 형식이다.

A lot of the documentaries I've done have been for lesser known television presentations but more recently I've been involved in Imax films which in a sense are documentaries. I've done 5 Imax film scores to date and that's a wonderful format to work in which is very different to the standard drama feature film score.

질문-그래서 〈베이브〉로 돌아가서, 첫 〈베이브〉 영화는 〈미스 포터〉처럼 크리스 누난이 감독했다. 크리스와 특별한 친밀한 관계를 형성 했는가?

So going back to Babe then, the first Babe film was directed by Chris Noonan just like Miss Potter. Have you formed a particular close relationship with Chris?

답변: 예, 우리는 꽤 가까운 관계를 형성하게 됐다.

우리는 〈베이브〉에서 매우 건전한 작곡가-감독 관계를 구축하게 된다.

우리는 항상 함께 작업할 다른 프로젝트를 찾겠다고 말했다.

Yes, we formed quite a close relationship.

It was a very healthy composer director relationship that we established on Babe and we always said that we would look for another project to work on together.

크리스는 지난 10년 동안 많은 영화 대본을 개발하느라 매우 바빴다.

그 중 몇 편은 이제 앞으로 몇 년 동안 스크린에 선보일 예정이다.

그러나 〈미스 포터〉는 우리가 함께 작업하는 것

〈미스 포터〉. © Phoenix Pictures, UK Film Council, Grosvenor Park Media

이 흥미로울 것이라고 생각했기 때문에 이 배경 음악에 대한 몇 가지 아이디어를 제출하라는 요청을 받게 된다.

Chris has been very busy the last 10 years or so developing a number of film scripts, several of which he'll now be bringing to the screen over the next few years.

But Miss Potter was one that he felt would be interesting for us to work on together so I was invited to submit some ideas for this score.

사실 영화 중심에 있는 한 가지 특별한 아이디어는 베아트릭 포터 출판사의 노먼 워네 역을 맡은 이완 맥그리거는 어느 크리스마스 이브에 베아트릭으로부터 아름다운 그림을 선물 받기 위해 베아트릭 침실로 가게 된다.

그녀의 첫 번째 어린이 책 '피터 래빗 이야기' 출판에서 그녀일에 대한 그의 지원에 대한 감사를 표하기 위해 그에게 크리스마스 선물을 했다고 한다.

In fact one particular idea which is in the centre of the film is a very touching scene where Ewan McGregor who is playing the part of Beatrix Potter's publisher Norman Warne is taken up to Beatrix's bedroom one Christmas Eve in order for her to present him with a beautiful painting that she has done as a Christmas gift for him to show her appreciation for his support of her work in the publication of her first children's book 'The Story of Peter Rabbit'

그는 그녀의 방구석에서 작은 오르골을 발견하게 된다. 그는 그것을 집어 들고 연주를 시작한다. 그는 '오 그래요, Let Me Teach You How To Dance'라는 곡을 알고 있어요. 그는 자신이 끔찍한 댄서라고 말하지만 그 말은 다소 달콤하다. 베이트릭은 그에게 '오! 당신은 가사를 알고 있네요. 나를 위해 가사를 불러주실 수 있나요? 그리고 이완은 이 노래를 계속 부른다.

He notices in the corner of her room a little music box. He picks it up and it begins to play. He says 'Oh yes I know this tune which is 'Let Me Teach You How To Dance'. He says he's a terrible dancer but the words are rather sweet.
Beatrix says to him 'Oh, you know the words. Can you please sing the words for me' and then Ewan proceeds to sing this song.

크리스는 이 장면을 촬영하기 전에 몇 번 전화를 걸어 이 노래를 갖고 있는데 곡이 없다고 말했다.
그는 1890년대 경 유행하던 장르의 왈츠를 써주었으면 한다고 말했다.

Chris rang me up several says before they were due to film this scene and said we've got this song and we haven't got a tune for it. I'd like you to write me a waltz in the style of the popular genre of the period circa 1890s.

그것은 매우 형식적이고, 응접실 노래처럼 매우 달콤해야 했다.
이것은 물론 이전에 이런 곡을 써 본 적이 없는 나에게는 새로운 시도였다.
그러나 나는 재빨리 곡을 읊고 크리스에게 이메일로 mp3 파일로 보내면서 '이것이 당신이 원하는 종류의 것인가? 그리고 그렇다면 더 좋은 촬영이 될 수 있도록 계속 개발하겠다.'고 말했다. 크리스는 며칠 후 답장을 보냈다.

'예, 우리는 그 장면을 촬영했다. 곡이 아름답게 작동했다. 정말 감사하다.'

It should be very formal, very sweet like a parlour song. This was of course a new venture for me having never written anything like this before but I quickly dashed off a tune and sent it through to Chris on email as an mp3 file saying 'is this the sort of thing that you want? And if it is I'll keep developing it to make it better for the shoot'. He wrote back a couple of days later saying 'Yes, we've shot the scene and the tune worked beautifully, thank you very much'

'런던에 와서 악보를 작성하겠는가? 왜냐하면 이 주제는 이 영화의 스코어의 일부로 포함되어야 하고 당신은 분명히 그것을 할 사람이라고 생각하기 때문이다.' 그래서 나는 짐을 꾸리고 몇 달 동안 런던으로 이사를 갔다.

크리스와 악보에 대해 매우 긴밀하게 협력했다. 나는 런던에서 환상적인 최고의 세션 뮤지션들과 함께 일할 수 있는 멋진 기회를 갖게 된다.

'Would you like to come to London and write the score? Because I think that this theme should be incorporated as part of the score of this film and you're obviously the person to do it'. So it was with great excitement that I packed up and moved to London for several months and worked very closely with Chris on the score.

I had the wonderful opportunity to work in London with fantastic, top-of-the-tree session musicians.

나는 에어-델의 매기 로드포드와 마지막 순간에 합류한 마이크 배트와 캐티 멜루아 같은 사람들과 함께 일할 수 있는 큰 특권을 갖게 된다.

I had the great priviledge to work with people like Maggie Rodford at Air-Edel and of course Mike Batt and Katie Melua who came on board at the very last moment.

질문-어떻게 그런 일이 일어났는가? 당신은 참여했는가?

So how did that happen? Were you involved?

답변: 일어난 일은 내가 런던을 떠나 시드니로 돌아가기 며칠 전에 매기에게서 전화가 왔다는 것이었다.

배경 음악이 모두 녹음되었고 작업이 끝났기 때문이다.

What happened was I got a call from Maggie a couple of days before I was due to leave London to return to Sidney because the score had all been recorded and the job had wound up.

〈미스 포터〉. © Phoenix Pictures, UK Film Council, Grosvenor Park Media

매기는 '이봐! 프로듀서들은 뮤직 박스 곡을 엔딩 크레디트를 위한 일종의 팝송으로 바꾸는 데 관심이 있다.'고 말했다.

물론 내 즉각적인 반응은 '왈츠다. 왈츠가 팝송과 같은 것이 마지막으로 언제였지? 아마도 80년 전쯤인가'였다.

Maggie said 'Look! the producers are interested in turning the music box tune into some sort of pop song for the end credits'.

Of course my immediate reaction was 'It's a waltz. When was the last time a waltz was like a popular song? Maybe 80 years ago or something'

그녀는 '나는 당신이 그것을 시도해야 한다고 생각하며, 함께 일하기에 완벽한 사람은 케이티 멜루아와 마이크 배트일 것이라고 생각한다.'라고 말했다. 물론 나는 마이크 배트의 'Wombles' 작업과 음악 극장 작품 〈헌팅 오브 더 스나크 The Hunting of the Snark〉에 대해 오랫동안 알고 있었다.

She said 'I think you should give it a go and I think the perfect person to work with would be Katie Melua and Mike Batt' Of course I'd known of Mike Batt's work for many years, his work on the Wombles and his music theatre piece 'The Hunting of the Snark'

사실 모친께서는 그가 그 쇼와 함께 호주를 여행할 때 그의 오케스트라에서 연주했었다. 모친은 그의 작업 CD를 집으로 가져와서 나에게 들려주며 좋은 일을 하고 있는 저명한 친구가 있다고 말한 적이 있다.

그래서 마이크의 작업에 대해 매우 잘 알고 있었다.

In fact my mother played in his orchestra when he toured to Australia with that show. She brought home a CD of his work and played it to me, saying here's a distinguished chap who's doing some good stuff.

So I was really quite familiar with Mike's work.

그래서 어느 날 아침 그의 스튜디오에 갔을 때 그가 말했다. 'OK, 밴드는 정오에 예약했다. 오케스트라는 3시에 들어오고 캐티는 6시에 온다. 그래서 노래는 어디에 있는가?' 나는 '여기 뮤직 박스 곡이 있습니다.'라고 말했다.

So I went up to his studio one morning and he said 'OK we've got the band booked at midday and the orchestra's coming in at three and Katie's coming in at six, so where's the song?' I said 'Well here's the music box tune'

'기본적으로 우리는 가사를 뒤집어야 한다.'
영화에서 남성이 노래하기 때문이다. 'Let Me Teach You How To Dance'

는 일종의 가부장적 남성 제스처이다. 캐티가 노래하는 경우 마이크는 모든 것을 뒤집어 놓았다. 그리고 40분 만에 이 아름다운 노래 'When You Taugh Me How To Dance'의 가사를 다시 썼다.

'Basically we have to turn the lyrics around'.

Because in the film it's sung by a male. 'Let Me Teach You How To Dance' a sort of patriarchal male gesture. In the case of Katie singing it, Mike turned the whole thing around and in 40 minutes and re-wrote the lyrics for this beautiful song 'When You Taugh Me How To Dance'

그래서 어떤 의미에서 베아트릭 포터의 정신은 그녀의 어린 시절을 회상하고 그녀의 출판사 노만 워인과의 첫 낭만적인 만남이 된다.

내가 영화 편집자 로빈 세일즈에게 그것을 연주했을 때, 그는 그것이 르네 젤위거가 실제로 베아트릭 포터 스타일로 그것을 노래하는 것과 같다고 말했다. 그것은 베아트릭 자신의 약간 괴상하고 기발하지만 따뜻한 정신을 캡슐화하기 때문이다. 그리고 그것은 12시간 만에 일어났다!

So that in a sense becomes the spirit of Beatrix Potter reminiscing on her early days and her first romantic encounter with her publisher Norman Warne.

When I played it to the editor of the film, Robin Sales, he said it's just like Renee Zellwegger actually singing it in the style of Beatrix Potter as it encapsulates the spirit of it. the slightly eccentric, quirky yet warm spirit of Beatrix herself.

And it happened in 12 hours!

질문-따라서 시간 압박은 없었나!

So no time pressures then?

답변: 아니, 영화에서 어떤지 알지 않는가? 그래서 마이크가 거기에 있어서 정말 좋았다. 그는 캐티와 매우 밀접하게 일하고 그녀의 목소리를 이해했다. 그 가사를 그렇게 빨리 쓰다니, 그는 당신이 아는 천재일 뿐이다.

No, you know what it's like in film. So it was great to have Mike there. He works so closely with Katie and understands her voice.
To write those lyrics so quickly. he's just a genius you know.

아주 멋졌다. 우리는 완성된 테이프를 믹싱 세션에 보냈다. 모든 프로듀서들은 그 반응에 절대적으로 기뻐했다. 그들은 그것에 대해 매우 흥분했다. 그래서 그것은 영화 마지막에 유명한 노래가 됐다.

That was great. We sent the finished tape along to the mixing session and all the producers were absolutely overwhelmed with the response. They were very excited by it and so it becomes this prominent song at the end of the film.

질문-사운드트랙은 분명히 들었다.
하지만 아직 개봉하지 않았기 때문에 영화는 보지 못했다.

We've heard the soundtrack obviously
but We've not seen the film as it's not been released yet.

답변: 당신이 볼 수 있듯이 그 주제는 악보 전체에 걸쳐 반복되는 주제이다. 어떤 면에서는 그녀의 삶의 그 기간을 다루는 이 6년 안에 캡슐화 된 감정적 혼란의 미로를 통해 그녀를 동반하는 베아트릭의 주제가 되고 있다.

As you'll see Jim that theme is a recurring theme throughout the score and in a way it becomes Beatrix's theme that accompanies her through this labyrinth of emotional turmoil that is encapsulated within this six years that cover that period of her life.

〈미스 포터〉. ⓒ Phoenix Pictures, UK Film Council, Grosvenor Park Media

질문-그렇다면 이 핵심 테마 외에 크리스 누난은 어떤 방향을 제시했나? 어떤 종류의 지침?

Other than this key theme then what kind of direction did Chris Noonan give you? What kind of guidance?

답변: 배경 음악은 여러 수준에서 작동한다. 우리가 아주 자세하게 이야기한 또 다른 것은 빅토리아 시대 등장인물을 다루고 있다는 사실이었다. 매우 직선적이며 사람들은 자신이 생각하는 바를 정확히 말하지 않았다.

The score works on several levels. The other thing we spoke about in great detail was the fact that you're dealing with characters from the Victorian era very straightlaced people never said exactly what they were thinking.

매우 폐쇄적이고 억압적인 환경이었다. 항상 화면의 액션을 뒷받침하는 이러한 깊은 감정적 저류가 있다. 실제로 화면에서 그것을 보는 것이 아니라 작품의 극적인 맥락 때문에 거기에 있다는 것을 알고 있다.

It was a very cloistered and repressive environment. All the time there's these deep emotional undercurrents underpinning the action on screen. You're not actually looking at that on the screen but you know that it's there because of the dramatic context of the work.

그래서 크리스는 음악이 거의 잠재의식적인 측면을 취하고. 다양한 등장인물

사이에서 일어나고 있는 극적인 맥락의 저류를 지원하기를 원했다.

So Chris wanted the music to take on this almost subliminal aspect and try and support the undercurrents of the dramatic context that was happening between the various characters.

따라서 어떤 경우에는 배경 음악이 그 수준에서 작동하고 있다.
다른 경우에는 베아트릭 상상력의 아름다움과 경이로움, 그녀가 책에서 이러한 멋진 캐릭터를 만드는 데 도움이 되는 창의적인 불꽃을 갖게 된다.

So the score in some instances is working on that level and then in other instances you've got the beauty and wonder of Beatrix's imagination, the creative spark that helps her create these wonderful characters in her books.

그것은 그 자체로 배경 음악의 또 다른 가닥이다.
특정 주제가 사용되어 작품에 일종의 마법 같은 품질을 부여하기 위해 셀레스티와 하프로 오케스트라를 편성하게 된다.

That in itself is another strand of the score where a particular theme is used orchestrated with celeste and harp to give a sort of magical quality to the work.

질문-우리가 말했듯이 우리는 영화를 보지 않았지만 영화 예고편이 TV에 표시 되고 있다.
그녀의 책에 있는 삽화의 일부 캐릭터는 애니메이션 되었다.
애니메이션이 많고 음악에 대한 특별한 접근이 필요했나?

As We've said We've not seen the film but trailers from the film have been shown on TV and some of the characters in the illustrations in her books are animated. Is there a lot of animation and did it require a special approach to the music?

답변: 노! 특정 예고편을 본 적이 있는지 확실하지 않지만 캐릭터는 매우 짧은 순간 동안만 살아나고 자주는 아니다. 따라서 애니메이션을 만들 때 실제 움직임에 대한 매우 미묘한 음악적 참조가 있을 수 있다.

No, I'm not sure that I've seen that particular trailer but the characters only come alive for very brief moments and not very frequently.

So more often than not there might be a very subtle musical reference to their actual movement when they're animated.

베아트릭의 내면세계, 그녀의 환타지 세계를 뒷받침하는 음악의 경우라기보다. 따라서 캐릭터가 그녀와 상호 작용하는 시간이 많지 않다. 가끔 눈을 깜박거리거나 페이지에서 뛰쳐나가는 캐릭터나 그와 비슷한 것을 얻을 수 있다.

애니메이션이라는 단어에 대한 전통적인 이해에서는 그런 의미에서 애니메이션이 아니다.

It's more a case of the music supporting Beatrix's inner life, her fantasy world.

So there's no great slabs of time where the characters are interacting with her.

You only get the occasional blink of an eye or character running off a page or something like that. It's not an animation in that sense, in the traditional understanding of the word animation.

확실히 애니메이션은 매우 효과적으로 사용되지만 영화의 일부로 매우 미묘하게 사용되고 있다. 만화 작업은 아니었다.

Certainly animation is used very effectively but very subtly as part of the film. It wasn't like working on a cartoon.

질문-특정 순간을 강조하기 때문에 예고편에서 영화 느낌을 파악하기 어려울

때가 있다.

우리가 당신에게 묻고 싶은 또 다른 것은 레이첼 포트만이 앨범 트랙 중 3곡의 크레디트를 받았다는 것이다. 어떻게 된 것인가?

〈미스 포터〉. ⓒ Phoenix Pictures, UK Film Council, Grosvenor Park Media

It's sometimes hard to get the impression of what a film's like from a trailer because it emphasizes particular moments. The other thing We wanted to ask you about is that Rachel Portman is credited with 3 of the tracks on the album. How did that come about?

답변: 제작진의 지시였다. 그들은 그녀가 영화의 여러 장면에 적합한 특정 접근 방식을 갖고 있다고 느꼈다. 그래서 그녀는 레이크 디스트릭트 Lake District에서 베아트릭의 참여에 대해 여러 경우에 사용되는 주제를 썼다.

That was a directive from the producers. They felt that she had a certain approach that was appropriate for several scenes in the film.

So it came to be that she wrote a theme which is used on a number of occasions for Beatrix's involvement in the Lake District.

영화가 끝나갈 무렵 베아트릭은 레이크 디스트릭트로 이사를 가 그곳의 많은 농지를 사들이며 이곳에 애착을 갖게 된다.

그녀가 이 모든 땅을 원래 상태 그대로 영국인들에게 맡겼을 때 그것이 그녀 인생의 위대한 유산 중 하나이기 때문이다.

Towards the end of the film Beatrix moves to the Lake District and buys up a lot of farm land up there and becomes very attached to this place.

because that's one of the great heritages of her life as she left all this land in its original condition to the British people.

그래서 레이첼이 관여하는 것이 적절하다고 여겨졌다.

나는 그녀가 그들이 찾고 있는 특정한 접근 방식이나 소리를 갖고 있었던 것 같다. 그래서 그녀는 영화를 위해 몇 곡을 썼다.

So it was seen as appropriate that Rachel become involved.

I guess she had a particular approach or sound that they were looking for so she wrote a few tracks for the film.

질문-CD와 잘 어울리는 것 같다.

It seems to blend quite well together on the CD.

답변: 그렇게 말씀해 주셔서 기쁘다. 우리는 실제로 협업을 전혀 하지 않았다. 따로따로 작업했다. 그녀는 프로듀서들의 감독을 받고 있었기 때문에 그들이 무엇을 하고 있는지 잘 몰랐다. 그녀는 영화 작업을 시작할 때 내 악보를 듣고 있었기 때문에 오케스트레이션에서 매우 유사한 패턴을 따랐다.

I'm glad you said that. We didn't actually collaborate at all.

we were working quite separately. She was being supervised by producers so I wasn't really sure what they were up to. She had been listening to my score when she started work on the film so she followed a very similar pattern in orchestration.

질문-악기 연주는 피아노와 현악과 목관 악기로 매우 유사하다.

그리고 당신은 하프와 셀레스트를 언급했다.

the instrumentation is obviously very similar just strings and woodwind with piano and you mentioned harp and celeste.

답변: 맞다. 우리 사이에는 거의 동일한 오케스트라가 있었다.

that's right. We had pretty much an identical orchestra between us.

질문-영화의 다른 측면이 음악의 핵심이라고 보거나 특히 작곡하는데 어려웠던 부분이 있었나?

Were there any other aspects of the film that you saw as being key to the music or particularly difficult to score?

답변: 나는 배경 음악의 가장 도전적인 측면이 시간의 과도기적인 구절을 다루는 것이라고 생각하고 있다. 예를 들어, 기본적으로 베아트릭과 그녀의 발행인 관계를 설정하는 'Batrix and Norman'인 사운드트랙 9인 악보에 하나의 트랙이 있다. 그녀는 부모 밑에서 그가 장사꾼으로 여겨지기 때문에 부모로부터 그와 결혼하는 것을 금지 당하게 된다.

I guess the most challenging aspect of the score was dealing with transitional passages in time. For instance there's one track on the score which is track 9 on the soundtrack which is 'Beatrix and Norman' which is basically establishing Beatrix's relationship with her publisher. She is forbidden to marry him by her parents because he is seen to be a tradesman and beneath them.

그래서 부모님은 우리가 6개월 동안 휴가를 간다고 한다. 그 시간이 지난 후에도 여전히 그를 사랑한다면 계속해서 결혼할 수 있게 된다. 이 멋진 장면이 있다. 영화의 로맨틱한 감정의 정점에 그가 그녀의 휴가를 위해 레이크 디스트릭트로 가는 길에 역에서 그녀를 만나러 오는 장면이 있다.

So the parents say we're going on a vacation for 6 months.
If at the end of that time you still love him then you can proceed and get married.
There's this wonderful scene, a big romantic emotional peak of the film where he comes to see her off at the station on her way to the Lake District for her vacation.

영화에서 볼 수 있듯이 이것은 매우 흥미롭고 감정적인 순간을 횡단해야 한다. 철도 시퀀스의 양쪽에는 베아트릭과 노만이 함께 있는 장면이 많이 있다. 아주 친밀한 장면 사이를 전환한 다음 역에서의 이별과 그런 상황을 위한 더 큰 오케스트라 팔레트로 조명하는 것은 매우 어려웠다.

As you'll see in the picture this has to traverse some very interesting, emotional moments and either side of that railway sequence is a bunch of footage of Beatrix and Norman together. That was quite difficult to make those transitions between those quite intimate scenes and then lightening up into a larger orchestral palette for the farewell at the station and situations like that.

〈미스 포터〉. © Phoenix Pictures, UK Film Council, Grosvenor Park Media

일단 주제별 자료를 손끝에 쥐고 나면 화면에 맞게 조정했다.
이 같은 전환을 가능한 한 간단하고 쉽게 만드는 것이 항상 도전적인 문제였다.

Once I had the thematic material at my finger tips it was then a matter of fitting it to picture and making those transitions seemless and as effortless as possible which is always a challenge.

질문-영화가 개봉되면 그 장면을 찾아봐야 겠다. 음악적으로 다음은 무엇인가? 다른 프로젝트를 준비했거나 이미 일부 프로젝트를 진행 중인가?

I'll look out for that scene in the film when it comes out.

So what's next for you musically. Have you got other projects lined up or maybe you're already in the middle of some projects?

답변: 앞으로 몇 년 동안 많은 일들이 준비되어 있다. 여기 호주 지역 오케스트라를 위한 여러 오케스트라 커미션과 실내악 작품이 몇 개 있다.

그리고 현재 몇 편의 영화 대본을 보고 있다. 그 중 하나는 다시 남아프리카에 기반을 두고 있는 크리스 누난 감독의 〈제브라 Zebras〉라는 영화이다.

I've got many things lined up over the next couple of years, several orchestral commissions for local orchestras here in Australia and some chamber music works.

And I'm looking at a few film scripts at the moment one of which is with Chris Noonan again based in South Africa, a film called called Zebras.

이것은 매우 흥미진진한 대본이다. 그는 곧 그 대본에 대한 사전 제작에 들어갈 것이다. 그것은 오케스트라를 강조하는 것 뿐만 아니라 많은 전통 아프리카 음악을 포함할 것이다.

그래서 그것에 대해 매우 흥분하고 있다. 우리는 그것이 성취되는 것을 보게 될 것이다. 당신은 영화가 어떤지 알 것이다. 당신은 그것이 실제로 촬영될 때까지 결코 알 수 없을 것이다. 너무 많은 작업이 훌륭하다.

This is a very exciting script and he's going into pre-production shortly on that one.

It will involve a lot of traditional African music as well as orchestral underscore.

So I'm very excited about that. We'll see if that comes off, you know how it is with films. You never know until it's actually in the can. So plenty of work which is great.

Track listing

1. Miss Potter Performed by Nigel Westlake
2. The Park Performed by Rachel Portman
3. A Bunny Book to Conjure With Performed by Nigel Westlake
4. The Story of Peter Rabbit Performed by Nigel Westlake
5. Mother Performed by Nigel Westlake
6. Jemima Puddle Duck Performed by Nigel Westlake
7. The Rabbits Christmas Party Performed by Nigel Westlake
8. Mr Warne! Performed by Nigel Westlake
9. Beatrix & Norman Performed by Nigel Westlake
10. Return to London Performed by Nigel Westlake
11. Beatrix Locks Herself Away Performed by Rachel Portman
12. Recovery Performed by Nigel Westlake
13. I'm Painting again Performed by Nigel Westlake
14. The Lakes Performed by Rachel Portman
15. When You Taught Me How to Dance Performed by Katie Melua

〈미스 포터〉 사운드트랙. ⓒ Dramatic Entertainment

〈디바 Diva〉(1981) - 오페라 여신을 짝사랑하는 우편배달부 사연으로 차용된 'La Wally'

작곡: 알프레도 카탈라니 Alfredo Catalani

1980년대 프랑스 누벨 이마쥬 영화 열풍을 주도 한 장 자크 베이넥스 감독의 미스테리 스릴러 〈디바〉. 오페라 '라 왈리 La Wally' 아리아가 배경 음악으로 선곡돼 음악 팬들의 호기심을 자극시킨다.
ⓒ Compagnie Commerciale Française Cinématographique

1. <디바> 버라이어티 평

오페라를 사랑하는 젊은 우체부 쥘. 살인 사건에 휘말리게 된다.
두 명의 마피아 암살자에게서 도망치는 젊은 여성이 범죄 혐의 카세트를 그의
우편함에 떨어뜨리게 된다.

A young opera-loving mailman, Jules becomes inadvertently entangled in murder
when a young woman fleeing two mob hit men drops an incriminating cassette into
his mailbag.

쥘은 최근 오페라 스타인 신시아 호킨스의 최신 콘서트를 녹음했다. 이것은
호킨스가 어떤 종류의 녹음도 거부함에 따라 일종의 쿠데타와 같은 것이다.

Jules has just recently recorded opera star Cynthia Hawkins latest concert, some-
thing of a coup as Hawkins refuses to make recordings of any kind.

곧 쥘은 음성 녹음을 원하는 암살자들과 또 다른 두 명의 불길하고 신비한
요원의 표적이 됨을 알게 된다.

Soon Jules finds himself the target of the hit men who want the voice recording
and also of another couple of ominous and mysterious agents.

나중에 쥘은 신시아에게 불법 복제 녹음을 제공하고 협박의 위협을 제거하기
위해 파리로 돌아가게 된다. 그러나 그를 기다리고 있던 란틸레이스와 르 쿠레
에 의해 호텔 밖에서 납치된다.

Later, Jules returns to Paris to give Cynthia his bootleg recording and lift the threat
of blackmail from her. But he is abducted from outside her hotel by L'Antillais and
Le Curé who were lying in wait for him.

그들은 쥘을 죽일 의도로 그의 다락방 아파트로 데려간다.

쥘의 아파트를 감시하던 경찰관 파울라는 르 쿠레를 죽이고 란틸레이스에게 부상을 입혀 쥘을 구해준다.

they take him to his loft apartment with the intention of killing him there. Police officer Paula who has been keeping Jules apartment under surveillance saves him by killing Le Curé and wounding L'Antillais.

그때 사포르타가 나타나서 살아남은 그의 부하를 살해한다. 그의 죽은 부하가 그들을 쏜 것처럼 보이게 하기 위해 쥘과 파울라를 죽이려고 시도한다.

다시 한 번 고로디시는 불을 끄고 사포르타가 어둠 속에서 엘리베이터 샤프트 아래로 추락시킨다.

Saporta then appears kills his surviving henchman, and attempts to kill Jules and Paula intending to make it look like his dead henchman shot them.

Once again Gorodish saves the day by turning out the lights and making Saporta fall down an elevator shaft in the dark.

영화 마지막 장면. 쥘은 그녀를 위해 신시아 연주를 녹음한 테이프를 재생한다. 그녀는 '자신이 노래하는 것을 들어본 적이' 없기 때문에 그것을 듣는 것에 대한 긴장을 드러낸다.

In the film's final scene, Jules plays his tape of Cynthia's performance for her and she expresses her nervousness over hearing it because she 'never heard herself sing'

〈디바〉는 장-자크 베이넥스가 감독한 1981년 프랑스 스릴러 영화이다.

다니엘 오디에르-델라코르타라는 필명-가 발표한 소설 〈디바 Diva〉를 각색했다. 1970년대 프랑스 영화의 사실주의적 분위기를 버리고 훗날 시네마 뒤

룩(cinéma du look)으로 묘사되는 다채롭고 선율적인 스타일로 돌아온 초기 프랑스 영화 중 한 편이다.

Diva is a 1981 French thriller film directed by Jean-Jacques Beineix adapted from the novel Diva by Daniel Odier-under the pseudonym Delacorta.

It is one of the early French films to let go of the realist mood of 1970s French cinema and return to a colourful, melodic style, later described as cinéma du look.

〈디바〉. © Compagnie Commerciale Française Cinématographique

영화는 1981년 프랑스에서 2,281,569명의 관객과 함께 성공적으로 데뷔했다.

다음 해 미국에서 성공하여 2,678,103달러의 수익을 올린다. 영화는 컬트 클래식이 되었고 국제적으로 찬사를 받아낸다.

The film made a successful debut in France in 1981 with 2,281,569 admissions and had success in the U.S. the next year, grossing $2,678,103.

The film became a cult classic and was internationally acclaimed.

2. 〈디바〉 사운드트랙 리뷰

1981년 장-자크 베이넥스 영화 〈디바〉는 어지러운 기쁨의 풍요로움. 도시적인 쿨 함의 강한 감각과 분리와 집착이 교차하는 캐릭터의 캐스팅 등.

그들을 형성하는 데 도움이 된 고통과 외로움의 유산을 암시해주고 있다.

블라디미르 코스마(Vladimir Cosma)가 작곡한 이 배경 음악은 결국 음악 자체에 관한, 그리고 음악이 욕망과 갈망에 연결되는 방식에 관한 영화와 떼려야 뗄 수 없는 관계가 되고 있다.

The 1981 Jean-Jacques Beineix film Diva is a dizzying cornucopia of delights with a strong sense of urban cool and a cast of characters whose alternating detachments and obsessions hint at the legacy of pain and loneliness that helped form them.

It's score, composed by Vladimir Cosma is inseparable from the film which after all is about music itself and the ways that it links to desire and longing.

빌헤미나 위긴스 페르난데즈-영화에서 오페라 가수로 출연-의 아름다운 아리아부터 비에 젖은 거리 이미지에 분위기를 설정하기 위해 코스마가 작곡한 섬뜩하고 고통스럽게 아름다운 기악곡.

From the beautiful arias of Wilhemina Wiggins Fernandez-who plays an opera singer in the film-to the eerie, achingly beautiful instrumental pieces composed by Cosma to set the mood for images of rain-slicked streets.

대만의 음악 해적, 베트남의 10대 도둑, 지친 중년의 현인, 오토바이, 자동차 추격전 등 〈디바〉 음악은 코스마의 걸작 중 하나로 남아 있다.

세계적인 언더그라운드 히트작이 된 영화의 완벽한 동반자이다.

Taiwanese music pirates, teenaged Vietnamese thieves, jaded middle-aged art sages, motorbikes and car chases, the score for Diva remains one of Cosma's masterpieces a perfect companion to a film that became an international underground hit.

코스마의 배경 음악은 1980년대 펑크 모조에 흠뻑 젖어 있으면서도 완전히 스타일리시 하고 세련되게 남아 있다.

Cosma's score seems steeped in gritty 80s punk mojo while remaining completely stylish and refined.

사운드트랙의 하이라이트는 아리아 알프레드 카탈라니 오페라 '라 왈리 La Wally' 아리아 ' Ebben Ne andrò lontana'이다. 그리고 블라디미르 코스마가 작곡한 에릭 사티의 'Gymnopédies'의 파스티체이다.

유명 가수 페르난데즈는 자신의 보컬을 연주해 주고 있다.

Highlights of the soundtrack include the aria Ebben Ne andrò lontana from Alfredo Catalani's opera La Wally and a pastiche of Erik Satie's Gymnopédies composed by Vladimir Cosma. Fernandez an established singer, performed her own vocals.

3. <디바> 사운드트랙 선곡으로 재조명 받게 된 'La Wally' 해설

'라 왈리 La Wally'는 1892년 1월 20일 밀라노 라 스칼라에서 초연된 루이기 일리카 대본에 대한 작곡가 알프레도 카탈라니의 4막 오페라이다.

La Wally is an opera in four acts by composer Alfredo Catalani to a libretto by Luigi Illica first performed at La Scala, Milan on 20 January 1892.

월버가의 줄임말인 왈리는 영웅적인 특성을 지닌 소녀이다.

Wally short for Walburga is a girl with some heroic attributes.

이야기는 폰 힐레른이 만난 티롤 출신 화가 안나 스테이너-니텔의 일화를 바탕으로 하고 있다.

그녀는 한 때 둥지에서 독수리 새끼를 훔쳐서 '가이어'(독수리)라는 별명을 얻게 된다. 폰 헬런의 작품은 원래 도이치 룬드차우를 통해 연재되었다.

1875년 7월 콘힐 매거진을 통해 영어 버전 'A German Peasant Romance'으로 전재(轉載) 된다.

The story is based on an episode in the life of Tyrolean painter Anna Stainer-Knittel whom von Hillern met.

She gets her 'Geier' (vulture) epithet from once stealing a vulture's hatchling from her nest.

Von Hillern's piece was originally serialized in Deutsche Rundschau and was reproduced in English as 'A German Peasant Romance' in the Cornhill Magazine in July 1875.

1892년 1월 20일 초연된 오페라 '라 왈리 La Wally' 공연 포스터. ⓒ wikipedia

오페라는 아리아 'Ebben? Ne andrò lontana'로 가장 잘 알려져 있다.

1막에서 왈리가 집을 떠날 때 들려주는 노래이다.

미국 출신 소프라노 빌헬메니아 페르난데즈는 장-자크 베이넥스의 〈디바〉(1981)에서 스릴러 중심에 있는 공연 중 아리아를 불러 주고 있다.

The opera is best known for its aria 'Ebben? Ne andrò lontana/ Well, then? I'll go far away' act 1, sung when Wally decides to leave her home forever.

American soprano Wilhelmenia Fernandez sang this aria in Jean-Jacques 1981 movie Diva a performance at the heart of the thriller.

카탈라니는 1878년 'Chanson Groënlandaise'로 이 아리아를 독립적으로 작곡하게 된다. 나중에 그의 오페라에 통합한다.

Catalani had composed this aria independently as Chanson Groënlandaise in 1878 and later incorporated it into his opera.

오페라는 여주인공이 눈사태에 몸을 던지는 기억에 남는 오페라 죽음을 특징으로 하고 있다. 이 장면을 연출하는 어려움 때문에 부분적으로는 거의 연주되지 않고 있다. 하지만 왈리의 주요 아리아는 여전히 자주 불려지고 있다.

The opera features a memorable operatic death in which the heroine throws herself into an avalanche. It is seldom performed partly because of the difficulty of staging this scene but Wally's principal aria is still sung frequently.

4. 오페라 <라 왈리>의 주요 내용

1. 제1막

왈리 아버지 스트로밍거의 70번째 생일을 축하하기 위해 사격 대회가 열리고 있다. 하겐바흐가 이끄는 솔덴 인근 마을에서 사냥 파티가 도착한다.

A shooting contest is being held in celebration of the 70th birthday of Wally's father, Stromminger.
A hunting party arrives from the nearby village of Sölden led by Hagenbach.

오래된 적의(敵意)가 빠르게 표면화 된다.
하겐바흐는 그의 동료들에 의해 끌리기 전에 위협과 모욕을 교환하는 스트롬밍거와 헤겐바흐 사이에 싸움이 발생한다.

Old enmities quickly surface and a quarrel develops between Stromminger and Hagenbach who trade threats and insults before Hagenbach is drawn away by his companions.

빈센조 겔러는 왈리에게 마음을 두게 된다.
싸움을 하는 동안 그녀가 분명히 아버지의 적에게 푹 빠졌음을 눈치 채게 된다.

Vincenzo Gellner has his own heart set on Wally and is quick to notice that during the quarrel she is clearly infatuated with her father's enemy.

스트롬밍거와 단 둘이 남았을 때 그는 노인에게 자신의 의심을 이야기 한다.
겔너가 자신의 딸을 사랑하고 있다는 사실을 알게 된 그는 월리에게 한 달 안에 자신과 결혼하거나 영원히 집을 떠나기로 동의했다고 주장한다.
왈리는 겔너와 결혼하는 것보다 알프스 설원에서 기회를 잡고 싶다고 반박한다.

〈디바〉. ⓒ Compagnie Commerciale Française Cinéma-tographique

When left alone with Stromminger, he tells the old man of his suspicions. Recognising that Gellner is in love with his daughter. he insists that Wally agree to marry him within a month or else leave his house forever. Wally retorts that she would rather take her chances in the Alpine snows than marry Gellner.

2. 제2막

1년이 지난다. 스트로밍거는 사망한다. 왈리는 그의 재산을 상속 받게 된다. 하지만 하겐바흐는 이글 태번 Eagle Tavern 집주인 아프라와 약혼했으며 왈리에게 관심이 없는 것 같다.

A year has passed; Stromminger has died and Wally has inherited his fortune. However, Hagenbach has become engaged to Afra, the landlady of the Eagle Tavern and is apparently not interested in Wally.

솔덴에서 축제가 열리고 있다.
왈리는 하겐바흐가 거기에 있을 것이라는 사실을 알고 선술집으로 간다.
하겐바흐는 왈리의 키스를 받기 위한 도전을 수락하도록 설득 당한다.

A festival is taking place in Sölden and Wally is drawn to the tavern knowing that Hagenbach will be there. Hagenbach is persuaded to accept a challenge to try to win a kiss from Wally.

게임으로 시작하는 것은 빠르게 더 심각한 것으로 발전하고 하겐바흐는 쉽게 내기에서 승리를 거둔다.

What begins as a game quickly develops into something more serious and Hagenbach easily wins his wager.

월리는 자신이 냉소적인 내기에 희생 되었다는 사실을 깨닫고 질투와 분노가 끓어 넘치게 된다.

When Wally realizes she has been the victim of a cynical bet, her jealousy and fury boil over.

그녀는 역시 축제에 참석한 겔너를 찾아가 자신을 사랑한다면 하겐바흐를 죽여야 한다고 주장한다.

She turns to Gellner who is also at the festival and insists that if he loves her he must kill Hagenbach.

3. 제3막

라 왈리는 집으로 돌아간다. 그녀가 느꼈던 분노는 이제 가라앉았다.
그녀는 그녀가 말을 되돌릴 수 있기를 바란다.
그 순간 그녀의 문을 두드리는 소리가 들린다. 그가 어떻게 하겐바흐를 덮쳐 깊은 계곡으로 내던질 수 있었는지 설명하는 것은 겔너이다.

La Wally returns to her home. The anger she felt has now subsided and she wishes she could take back her words. At that moment there is a knock at her door.

It is Gellner who describes how under cover of darkness he was able to set upon Hagenbach and hurl him into a deep ravine.

왈리는 그가 아프라를 사랑한다고 믿고 있음에도 불구하고 하겐바흐를 구하기 위해 겁에 질려 계곡으로 서둘러 간다.
그녀 자신이 밧줄을 타고 그를 구출하고 의식을 잃은 그의 몸을 다시 수면 위로 올리는데 성공한다.

Wally is horrified and hurries to the ravine in the hope of saving Hagenbach even though she believes he loves Afra.

She herself goes down a rope to rescue him and successfully raises his unconscious body back to the surface.

4. 제4막

외롭고 우울한 월리는 마을 위 산으로 올라간다. 그녀의 유일한 친구인 월터는 그녀를 따라와 크리스마스 축제를 위해 내려오라고 재촉한다.

그녀에게 눈사태의 위험을 상기시킨다.

그녀는 그를 멀리 보내고 그녀의 임박한 죽음을 생각하게 된다.

Lonely and depressed, Wally has climbed into the mountains above the village.

Her only friend Walter has followed and urges her to come down for the Christmas festivities and reminds her of the dangers of avalanches.

She sends him away and contemplates her imminent death.

왈리는 다른 목소리를 듣게 된다. 부상에서 회복하고 사랑을 고백하기 위해 찾아온 것은 하겐바흐다.

연인들은 화해하고 하겐바흐는 안전한 길을 찾아 산을 내려간다. 그는 왈리에게 소리쳤지만 그의 부름 소리는 그를 멀리 데려가는 눈사태를 일으키게 된다.

왈리는 벼랑 끝에 잠시 서 있다가 죽기 직전에 이르게 된다.

Wally hears another voice. It is Hagenbach who has recovered from his injuries and come to confess his love. The lovers are reconciled and Hagenbach goes to find a safe path back down the mountain. He shouts up to Wally but the noise of his call sets off an avalanche which carries him away. Wally stands for a moment on the edge of the precipice before hurling herself down to her death.

Track listing

1. La Wally by Wilhelmenia Fernandez

2. Promenade Sentimentale by Piano Solo; V. Cosma

3. Voie Sans Issue

4. Gorodish

5. Le Zen Dans L'Art De La Tartine

6. La Wally by Instrumental

7. Promenade Sentimentale by Piano Solo; V. Cosma

8. Lame De Fond

9. Metro Police

10. Le Cure Et L'Antillais

11. L'Usine Desaffectee

12. La Wally

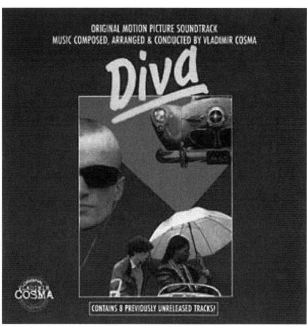

〈디바〉 사운드트랙. ⓒ DRG Records

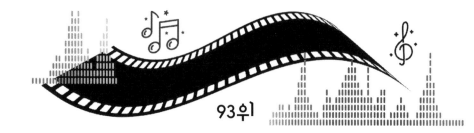

〈현기증 Vertigo〉(1958) - 버나드 허만의 불안감

조성하는 현악 선율, 고소공포증 형사 심리 노출시켜

작곡: 버나드 허만 Bernard Herrmann

고소공포증에 시달리는 형사가 겪는 로맨스 사연을 담은 〈현기증〉. 알프레드 히치콕 콤비 버나드 허만이 배경 음악을 담당한다. ⓒ Paramount Pictures

1. 〈현기증〉 버라이어티 평

〈현기증 Vertigo〉은 알프레드 히치콕이 감독하고 제작한 1958년 미국 필름 느와르 심리 스릴러 영화이다. 이야기는 보일루-나르세작의 1954년 소설 〈죽은 자들 가운데서 D'entre les morts/ From Among the Dead〉를 기반으로 하고 있다. 알렉 코플과 사무엘 A. 테일러가 각색했다.

Vertigo is a 1958 American film noir psychological thriller film directed and produced by Alfred Hitchcock. The story was based on the 1954 novel D'entre les morts/ From Among the Dead by Boileau-Narcejac. The screenplay was written by Alec Coppel and Samuel A. Taylor.

영화는 제임스 스튜어트가 전직 형사 존 스코티 퍼거슨으로 출연하고 있다. 스코티는 근무 중 사고로 고소공포증-고공에 대한 극도의 공포-과 현기증-회전 운동에 대한 잘못된 감각-을 일으켰기 때문에 사무직에서 은퇴하게 된다.

The film starred James Stewart as former police detective John Scottie Ferguson. Scottie retired rather than face desk-duty, because an incident in the line of duty which caused him to develop acrophobia-an extreme fear of heights-and vertigo-a false sense of rotational movement.

스코티는 이상하게 행동하는 개빈 아내 매들린(킴 노박)을 추적하기 위해 지인인 개빈 엘스터에게 사립 탐정으로 고용된다.

Scottie was hired by an acquaintance, Gavin Elster as a private investigator to follow Gavin's wife Madeleine (Kim Novak) who was behaving strangely.

영화는 캘리포니아 주 샌 프란시스코와 미션 산 바우티스타, 빅 바신 레드우드 주립 공원, 17-마일 드라이브의 사이프로스 포인트, 할리우드의 파라마운틴 스튜디오 등에서 촬영되었다.

The film was shot on location in the city of San Francisco, California, as well as in Mission San Juan Bautista, Big Basin Redwoods State Park, Cypress Point on 17-Mile Drive and Paramount Studios in Hollywood.

스코티의 고소 공포증을 전달하기 위해 방향 감각과 원근감을 왜곡하는 카메라 내 효과인 달리 줌을 사용한 최초 영화다.

이 영화에서 사용된 결과로 그 효과를 종종 '현기증 효과'라고 한다.

It is the first film to use the dolly zoom, an in-camera effect that distorts perspective to create disorientation to convey Scottie's acrophobia. As a result of it's use in this film, the effect is often referred to as 'the Vertigo effect'

〈현기증〉은 초기 개봉 당시 엇갈린 평가를 받았다. 하지만 현재는 고전적인 히치콕 영화이자 그의 경력을 정의하는 작품 중 한 편으로 자주 인용되고 있다.

2012년 영국 영화 연구소(British Film Institute)의 영화 전문지 사이트 앤 사운드 비평가 설문 조사에서 역대 최고 영화로 〈시민 케인〉(1941)을 대체하여 상당한 학계의 비판을 받는다.

Vertigo received mixed reviews upon initial release but is now often cited as a classic Hitchcock film and one of the defining works of his career.

Attracting significant scholarly criticism, it replaced Citizen Kane (1941) as the greatest film ever made in the 2012 British Film Institute's Sight & Sound critics poll.

영화는 종종 역사상 가장 위대한 영화 중 한 편으로 간주되고 있다.

영화는 2007년 역사상 9번째로 위대한 미국 영화로 선정된 것을 포함하여 미국 영화 연구소에서 최고의 영화에 대한 여론 조사에서 반복적으로 등장한다.

1996년에 영화는 새로운 70mm 프린트와 DTS 사운드트랙을 만들기 위해 대대적인 복원 작업이 진행된다.

The film is often considered one of the greatest films ever made. It has appeared repeatedly in polls of the best films by the American Film Institute including a 2007 ranking as the ninth-greatest American movie of all time. In 1996, the film underwent a major restoration to create a new 70 mm print and DTS soundtrack.

2. 〈현기증〉 사운드트랙 리뷰

배경 음악은 버나드 허만이 구성한다.

음반은 무이 매티슨이 지휘한다.

제작 당시 미국에서 음악가들의 파업이 있었기 때문에 유럽에서 녹음된다.

〈현기증〉. © Paramount Pictures

The score was written by Bernard Herrmann. It was conducted by Muir Mathieson and recorded in Europe because there was a musicians strike in the U.S.

영국 영화 연구소(BFI) 잡지 사이트 & 사운드 2004년 특별호에서 마틴 스콜세지 감독은 허만의 유명한 음악 특징을 다음과 같이 설명해 주었다.

In a 2004 special issue of the British Film Institute's (BFI) magazine Sight & Sound director Martin Scorsese described the qualities of Herrmann's famous score.

'히치콕 영화는 집착(執着)에 관한 것이다. 다시 말해 같은 순간으로 되돌아가는 것에 관한 것이다. 그리고 음악도 나선과 원, 성취와 절망을 중심으로 만들어지고 있다. 허만은 히치콕이 의도한 바를 정말로 이해했다.
그는 집착의 심장부에 침투하길 갈망했다.'

'Hitchcocks film is about obsession which means that it's about circling back to the same moment again and again And the music is also built around spirals and circles, fulfilment and despair. Herrmann really understood what Hitchcock was going for. he wanted to penetrate to the heart of obsession'

3. 〈현기증〉 사운드트랙 해설 – 빌보드

알프레드 히치콕의 1958년 영화 〈현기증〉 배경 음악은 1958년 1월 3일과 2월 19일 사이에 버나드 허만이 작곡하게 된다. 녹음은 무이 매티슨이 지휘하는 오케스트라와 함께 런던과 비엔나에서 이루어졌다. 음악가들의 파업으로 인해 허만이 지휘하는 로스 엔젤레스에서 배경 음악을 녹음할 수 없었다.

The music score for Alfred Hitchcock's 1958 film Vertigo was composed by Bernard Herrmann between 3 January and 19 February 1958. The recordings were made in London and Vienna with orchestra conducted by Muir Mathieson.

A musicians strike had prevented the score from being recorded in Los Angeles with Herrmann conducting.

버나드 허만의 〈현기증〉 음악은 42곡의 선곡으로 구성되어 있다.

영화에서 들려오는 음악은 약 74분으로 구성되어 있다. 미지 Midge 축음기에서 들리는 모차르트 Mozart 곡이나 영화 후반부에 스코티와 주디가 춤을 추는 음악과 같이 영화에 사용된 소스 음악의 작은 부분은 허만이 작곡한 것이 아니므로 배경 음악의 일부로 간주되지 않고 있다.

Bernard Herrmann's score for Vertigo consists of 42 cues which comprise about 74 minutes of music heard in the film.

The small bits of source music used in the film such as the Mozart piece heard on Midge's phonograph or the music Scottie and Judy dance to late in the film were not composed by Herrmann and are therefore not considered as part of the score.

4. 〈현기증〉 사운드트랙 작곡 에피소드

배경 음악을 위해 히치콕은 자신의 4번째 악보를 제작했던 버나드 허만을 선택한다.

For the music score Hitchcock once again chose Bernard Herrmann who produced his fourth score for Hitch.

허만은 히치콕 기질과 정반대였다고 한다. 뮤지션이나 동료 작곡가가 자신의 완벽함 기준에 미치지 못한다고 느꼈을 때 허만은 분노에 휩싸일 수 있었다.

MGM 음악 부서장 스티븐 스미스는 '버나드 허만이 자살한 것 같다.

본의 아니게 마약도, 권총도 아닌 증오라는 네 글자 단어로'라고 회상해 주고 있다.

Herrmann was Hitchcock's temperamental opposite. When he felt a musician or a fellow composer wasn't meeting his own standards of perfection,
Herrmann was capable of flying into fits of rage. As Steven Smith, the head of MGMs music department recalled to 'I think Benny Herrmann committed suicide. Unwittingly not with drugs, not with a pistol but with a four-letter word called hate'

'나는 그가 그의 삶을 불필요한 스트레스와 긴장으로 채웠다고 확신하고 있다.'
하지만 어찌됐든 두 작가의 예술적 감성은 감정의 차이를 메우기에 충분했다.
아마도 그것은 영화감독으로서 히치콕 능력에 대한 허만의 존경이었을 것이다.

'I'm convinced that he filled his life with unneeded stress and tension'
But somehow, the artistic sensibilities of these two artists was enough to bridge emotional differences. Perhaps it was Herrmann's respect for Hitchcock's abilities as a film director.

아마도 그것은 동료 예술가들이 자신의 속도에 따라 스스로 작업할 수 있게 하여 허만이 대립 없이 기여할 수 있도록 한 히치콕의 작업 스타일이었을 것이다.

Perhaps it was Hitchcock's working style which allowed fellow artists to work at their own pace and on their own leaving Herrmann to contribute without confrontation.

처음 개봉되었을 때 많은 사람들이 〈현기증〉 줄거리를 이해하지 못했다.
비평가들도 별로 좋아하지 않았다.

When it was first released many didn't understand the plot of Vertigo and the critics didn't like it much either.

일부는 믿을 수 없는 스토리 라인에 대해 불평했다. 줄거리에 많은 구멍이 있었다. 그러나 히치콕이 말했듯이 '이것은 영화일 뿐이다.'

그러나 그것은 어떤 영화인가!

'나이트메어 The Nightmare'로 알려진 장면을 보고 제임스 스튜어트가 악몽에서 마침내 깨어나면서 소용돌이치는 영상과 믿을 수 없을 정도로 강렬한 허만의 음악이 휩쓸려가고 있다.

〈현기증〉. ⓒ Paramount Pictures

Some have complained about the unbelievable story line and it does have many holes in the plot. But as Hitchcok would say. 'It's only a movie'

But what a movie it is! Just watch the scene known as 'The Nightmare' and be swept along with the swirling visuals and the incrediblly intense music of Herrmann as James Stewart finally awakes in terror after his nightmare.

〈현기증〉은 모든 영화 애호가가 고급 빈티지 와인처럼 음미해야 할 영화이자 배경 음악이다. 영화와 음악은 언뜻 보면 매끄럽게 흘러갈 수 있지만 영화 핵심 장면에서 그 킥을 조심해야 한다.

Vertigo is a film and score that every film lover should savor like fine vintage wine. The film and music may go down smoothly at first glance but be careful for that kick at key scenes in the film.

음반사 바레세 사라방드가 출반한 2장의 추천 사운드트랙 CD가 있다.

무이 매티슨이 지휘한 최초의 오리지널 사운드트랙. 허만은 댄 아우러가 보고한 대로 노동 쟁의 때문에 지휘를 할 수 없었기 때문에 화를 냈다고 한다.

There are two CDs of the soundtrack that are recommended, both released by Varese Sarabande. First the original soundtrack conducted by Muir Mathieson.

Herrmann was angry because he was not allowed to conduct because of a labor dispute as Dan Auiler reports it.

허만은 매티슨 녹음에 결코 만족하지 않았다. 당시 허버트 콜맨은 비엔나 오케스트라 지휘자에게 히치콕과 허만이 결과에 만족한다고 편지를 썼다.
하지만 편지에는 불만이 있었을 수 있다는 암시가 있었다.
'현에서 울리는 묵직한 소리'에 대한 불만 등.

Herrmann was never happy with the Mathieson recordings.

At the time, Herbert Coleman wrote to the director of the Vienna orchestra that Hitchcock and Herrmann were happy with the results although the letter hints that there may have been complaints among them a certain dissatisfaction about the heavy bowing sound from the strings.

그러나 편지는 그것이 정확히 허만이 노린 효과였다고 주장하고 있다. 하지만 나중에 허만은 녹음이 엉성하고 실수로 가득 차 있다고 주장한다. 1996년에 새로 복원되어 재발매된 녹음은 음악가의 약간의 부주의를 드러내고 있다.

But the letter goes on to assert that the that was exactly the effect Herrmann had been after. Later, though, Herrmann would contend that the recordings were sloppy and full of mistakes. Newly restored and re-released in 1996, the recording does reveal some sloppiness on the part of the musicians.

실수가 있더라도 이것은 여전히 매력적인 오리지널 사운드트랙 녹음이다.

Even with the mistakes, this is still an appealing original soundtrack recording.

이상하게도 영화 스토리를 고려할 때 허만이 아닌 영화를 위해 작곡된 노래도 있었다. 이 곡은 이미 3번의 아카데미상을 수상한 제이 리빙스턴과 레이 에반스 작곡 팀이 작곡했다. 그 중 하나는 〈나는 비밀을 알고 있다 The Man Who Knew Too Much〉(1956)의 'Que Sera, Sera (What Will Be, Will Be)'로 히치콕 영화의 한 작품이다.

Strangely, considering the film's story. there was also a song written for the film but not by Herrmann. The song was written by the songwriting team of Jay Livingston and Ray Evans who had already received three Oscars including one for a Hitchcock film 'Que Sera, Sera (What Will Be, Will Be)' from The Man Who Knew Too Much(1956).

댄 아우러는 이 노래에 대해 이렇게 썼다.

Dan Auiler has written this about the song.

작곡가에 따르면 히치콕은 〈현기증〉이 관객에게 개념에 익숙해

〈현기증〉. © Paramount Pictures

지는 데 도움이 되기를 희망하면서 그들에게 접근했다.

'여러분, 스튜디오는 〈현기증〉이라는 단어가 무엇을 의미하는지 아무도 모른다고 생각한다.'라고 히치콕은 팀에게 설명했다고 한다.

According to the songwriters, Hitchcock approached them for VERTIGO hoping that they would help familiarize audiences with the concept.

'Gentlemen, the studio thinks that no one knows what the word vertigo means' Hitchcock explained to the team.

'하지만 그것은 내 영화에 관한 것이다. 〈현기증〉이라는 단어의미를 설명하는 노래를 쓰면 나에게 많은 도움이 될 것이다.' 그들은 〈현기증〉 나는 높이에 대한 언급과 함께 노래를 작곡하고 데모를 녹음하게 된다.

'But that's what my picture is about and if you will write a song explaining what the word vertigo means. it will help me a great deal'
They wrote the song with references to dizzying heights and recorded a demo.

팀은 그들의 작업을 제출한다. 하지만 히치콕이 그것을 사용하지 않기로 결정했을 때 안심했을 것이다. 반면 파라마운트는 〈현기증〉의 모든 사전 극장 광고에 이 노래를 삽입했다. 그들은 그것의 죽음에 대해 기뻐할 수 없었다.

The team submitted their work but may well have been relieved when Hitchcock decided not to use it. Paramount, on the other hand was plugging the song on all the advance theater advertisements for Vertigo.
they couldn't have been happy about its demise.

〈현기증〉 노래는 영화에서 사용된 적이 없다.
하지만 악보는 이제 수집가들의 많은 사랑을 받는 아이템이다.

Though the Vertigo song was never used in the film.
the sheet music is now a much sought after collector's item.

Track listing

1. Prelude and Rooftop
2. Scotty Trails Madeline including: Madeline's First Appearance, Madeline's Car, The Flower Shop, The Alleyway, The Mission, Graveyard and Tombstone

3. Carlotta's Portrait

4. The Bay

5. By the Fireside

6. The Forest

7. The Beach

8. The Dream

9. Farewell and The Tower

10. The Nightmare and Dawn

11. The Letter

12. Goodnight and The Park

13. Scene d'Amour

14. The Necklace, The Return and Finale

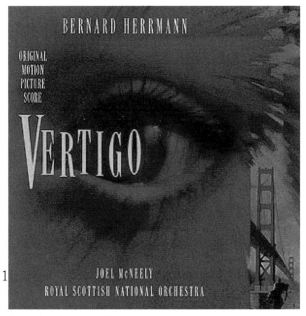

〈현기증〉 사운드트랙. ⓒ Colosseum VSD

〈카사블랑카 Casablanca〉(1942) -

오스트리아 출신 미국 작곡가 막스 스타이너,

2차 대전 배경 애조(哀調)띤 로맨틱 배경 음악 들려줘

작곡: 막스 스타이너 Max Steiner

마이클 커티스 감독의 〈카사블랑카〉. 시대를 초월해 환대 받고 있는 로맨스 드라마로 환대받고 있다. 배경 음악은 막스 스타이너가 창작해 냈다. ⓒ Warner Bros

1. 〈카사블랑카〉 버라이어티 평

〈카사블랑카〉는 마이클 커티즈가 감독하고 험프리 보가트, 잉그리드 버그만, 폴 헨레이드가 출연한 1942년 미국 로맨틱 드라마 영화이다.
제2차 세계 대전 중에 촬영되고 설정된다.

Casablanca is a 1942 American romantic drama film directed by Michael Curtiz, and starring Humphrey Bogart, Ingrid Bergman, and Paul Henreid. Filmed and set during World War II.

영화는 그의 사랑(버그만)과 비시 정부가 통제하는 카사블랑카에서 탈출하여 독일과의 전투를 계속하려는 체코 레지스탕스 지도자인 그녀 남편(헨리드)을 돕는 것을 선택해야 하는 미국 국외 추방자(보가트)에 초점을 맞추고 있다.

it focuses on an American expatriate (Bogart) who must choose between his love for a woman (Bergman) or helping her and her husband (Henreid) a Czech resistance leader escape from the Vichy-controlled city of Casablanca to continue his fight against the Germans.

각본은 머레이 버넷과 조안 엘리슨의 미 제작 무대 연극 〈모두가 릭의 카페로 오고 있다 Everybody Comes to Rick's Cafe〉를 기반으로 하고 있다.

The screenplay is based on Everybody Comes to Rick's Cafe an unproduced stage play by Murray Burnett and Joan Alison.

워너 브라더스 스토리 편집자 이레인 다이아먼드는 제작자 할 B. 월리스에게 1942년 1월에 연극에 대한 영화 판권을 구매하도록 설득한다.
처음에는 줄리어스 형제와 필립 G. 엡스타인 형제가 각본을 작성하도록 지정

되었다. 그러나 스튜디오의 저항에도 불구하고 그들은 1942년 초 프랭크 카프라의 〈왜 우리는 싸우는가? Why We Fight?〉 시리즈 작업을 위해 떠난다.

Warner Bros story editor Irene Diamond convinced producer Hal B. Wallis to purchase the film rights to the play in January 1942. Brothers Julius and Philip G. Epstein were initially assigned to write the script. However, despite studio resistance, they left to work on Frank Capra's Why We Fight series early in 1942.

1개월 뒤 엡스타인이 돌아올 때까지 하워드 코치는 각본에 할당 되었다. 주요 영화 장면 촬영은 1942년 5월 25일에 시작하여 8월 3일에 끝난다. 영화는 로스 엔젤레스 반 누이스 공항에서 한 장면을 제외하고는 캘리포니아 버뱅크에 있는 워너 브라더스 스튜디오에서 촬영되었다.

Howard Koch was assigned to the screenplay until the Epsteins returned a month later. Principal photography began on May 25, 1942 ending on August 3. the film was shot entirely at Warner Bros Studios in Burbank, California with the exception of one sequence at Van Nuys Airport in Van Nuys, Los Angeles.

〈카사블랑카〉는 유명 스타와 일류 작가가 있는 A급 영화였지만 제작에 참여한 사람 중 누구도 이 영화가 할리우드에서 매년 제작하는 수백 편의 영화 중 눈에 띌 것이라고 예상하지 못한다.

Although Casablanca was an A-list film with established stars and first-rate writers, no one involved with its production expected it to stand out among the hundreds of pictures produced by Hollywood yearly.

〈카사블랑카〉는 몇 주 전 연합군의 북아프리카 침공에 대한 홍보를 이용하기 위해 급히 개봉된다. 1942년 11월 26일 뉴욕에서 세계 초연을 한다.

1943년 1월 23일 미국 전역에서 개봉 된다.

영화는 초기 상영에서 눈에 띄지는 않았지만 견고한 성공을 거두게 된다.

Casablanca was rushed into release to take advantage of the publicity from the Allied invasion of North Africa a few weeks earlier. It had its world premiere on November 26, 1942, in New York City and was released nationally in the United States on January 23, 1943. The film was a solid if unspectacular success in its initial run.

기대 이상으로 〈카사블랑카〉는 아카데미 작품상을 수상하게 된다.

커티즈는 감독, 엡스타인과 코치는 각색상을 받는다.

Exceeding expectations, Casablanca went on to win the Academy Award for Best Picture while Curtiz was selected as Best Director and the Epsteins and Koch were honored for Best Adapted Screenplay.

주연 배우, 기억에 남는 대사와 널리 퍼진 주제가 등이 모두 상징적일 정도로 그 명성은 점차 높아진다.

지속적으로 역사상 가장 위대한 영화 목록의 맨 위에 랭크된다.

〈카사블랑카〉. ⓒ Warner Bros

Its reputation has gradually grown to the point that its lead characters, memorable lines and pervasive theme song have all become iconic and it consistently ranks near the top of lists of the greatest films in history.

2. 〈카사블랑카〉 사운드트랙 리뷰

〈카사블랑카〉 음악은 〈킹 콩〉 〈바람과 함께 사라지다〉 등의 배경 음악을 만든 막스 스타이너가 작곡한다.

The music was written by Max Steiner who wrote scores for King Kong and Gone with the Wind.

허만 힙펠드의 'As Time Goes By'라는 노래는 원래 희곡의 일부였다. 스타이너는 그것을 대체할 자신의 작곡을 쓰고 싶었다. 하지만 버그만은 이미 다음 역할인 〈누구를 위하여 종은 울리나〉 마리아 역을 위해 머리를 짧게 잘랐다.

The song 'As Time Goes By' by Herman Hupfeld had been part of the story from the original play. Steiner wanted to write his own composition to replace it but Bergman had already cut her hair short for her next role. María in For Whom the Bell Tolls.

그리고 노래가 포함된 장면을 다시 촬영할 수 없었기 때문에 스타이너는 전체 악보와 프랑스 국가 'La Marseillaise'를 바탕으로 변화하는 분위기를 반영하는 주제로 변형하게 된다.

and could not reshoot the scenes that incorporated the song so Steiner based the entire score on it and 'La Marseillaise' the French national anthem, transforming them as leitmotifs to reflect changing moods.

스타이너는 'As Time Goes By'를 싫어했다. 하지만 1943년 인터뷰에서 '너무 많은 관심을 끌 만한 내용이 있었음에 틀림없다.'고 인정한다.
샘 역을 연기한 둘리 윌슨은 드러머였다.
그러므로 그의 피아노 연주는 진 플러머(Jean Plummer)가 공연해 주었다.

Even though Steiner disliked 'As Time Goes By'. he admitted in a 1943 interview that it 'must have had something to attract so much attention'. Dooley Wilson who played Sam was a drummer so his piano playing was performed by Jean Plummer.

특히 기억에 남는 것은 릭의 카페에서 스트라저와 라즐로 사이의 'the duel of the anthems'이다. 사운드 트랙에서 'La Marseillaise'는 전체 오케스트라에 의해 연주되고 있다. 원래 이 상징적인 시퀀스의 반대 곡은 나치 국가인 'Horst Wessel Lied'였다. 하지만 비 동맹국에서는 여전히 국제 저작권으로 보호되었다. 대신 'Die Wacht am Rhein'이 사용되었다.

Particularly memorable is 'the duel of the anthems' between Strasser and Laszlo at Rick's cafe. In the soundtrack 'La Marseillaise' is played by a full orchestra.

Originally, the opposing piece for this iconic sequence was to be the 'Horst Wessel Lied' a Nazi anthem but this was still under international copyright in non Allied countries. Instead 'Die Wacht am Rhein' was used.

독일 국가 'Deutschlandlied'는 독일 위협에 대한 제목이며 단조 형식으로 여러 번 사용되고 있다. 예를 들어 독일 군이 다음 날 파리에 도착한다는 소식이 전해지자 파리의 한 장면. 스트라저가 총격을 받은 뒤 'La Marseillaise'로 넘어가는 마지막 장면에 등장하고 있다.

The 'Deutschlandlied' the national anthem of Germany is used several times in minor mode as a leitmotif for the German threat, e.g. in the scene in Paris as it is announced that the German army will reach Paris the next day. It is featured in the final scene giving way to 'La Marseillaise' after Strasser is shot.

1940년대 초반 사운드트랙 일부가 78rpm 레코드로 출반된 영화는 거의 없었다. 카사블랑카도 예외는 아니었다.

영화 초연 후 거의 55년이 지난 1997년 터너 엔터테인먼트는 라이노 레코드와 협력하여 오리지널 노래와 음악, 음성 대화, 대체 테이크가 포함된 컴팩트 디스크 출반을 위한 영화 최초의 오리지널 사운드트랙 앨범을 출반하게 된다.

Very few films in the early 1940s had portions of the soundtrack released on 78 rpm records and Casablanca was no exception. In 1997, almost 55 years after the film's premiere Turner Entertainment in collaboration with Rhino Records issued the film's first original soundtrack album for release on compact disc including original songs and music, spoken dialogue and alternate takes.

3. 〈카사블랑카〉 사운드트랙 해설 - 빌보드

워너 브라더스와 계약을 맺은 스타이너는 영화의 자연스러운 선택이었다.

그는 난민, 도박꾼, 프랑스 애국자, 나치가 가득한 카페 환경을 고려할 때 자신의 사운드 스케이프에 나이트클럽 분위기를 불어 넣으면서 에너지, 분위기 및 음모를 포착해야 한다는 것을 일찍 이해하게 된다.

Steiner who was under contract with Warner Brothers was the natural choice for the film. He understood early that given the café setting one populated by refugees, gamblers, French patriots and Nazis that he would have to infuse his soundscape with a nightclub vibe, which captured its energy, ambiance and intrigue.

카페가 미국식이어서 업템포 컨템포러리 음악을 사용한다.

음원에는 'Crazy Rhythm' 'Baby Face' 'I'm Just Wild About Harry'

'Heaven Can Wait' 'Love for Sale' 'Avalon' 등이 포함된다.

스페인 내전에서 충성파 전사로서 릭의 과거에 대한 암시는 노래 'Tango della Rose'에서 찾을 수 있다.

또한 M. K. 제롬과 잭 스콜의 작사가는 'Knock On Wood'와 'Dat's What Noah's Done'과

〈카사블랑카〉. ⓒ Warner Bros

같이 영화를 위한 몇 곡의 신곡을 작성해 달라는 요청을 받는다.

Since the café was American, up-tempo contemporaneous music was used.

Source songs included 'Crazy Rhythm' 'Baby Face' 'I'm Just Wild About Harry' 'Heaven Can Wait' 'Love for Sale' and 'Avalon' Allusions to Rick's past as a loyalist fighter in the Spanish civil war are found with the song 'Tango della Rose'.

Additionally, M. K. Jerome and lyricist by Jack Scholl were asked to write a couple of new songs for the film, which were 'Knock On Wood' and Dats's What Noah's Done'

교훈적인 것은 스타이너가 노래를 완성하는 것을 결코 허용하지 않는다는 것이다. 이것은 릭과 일사의 사랑이 이루어지지 않을 운명이라는 사실을 암시해 주고 있다. 또한 주목할 가치가 있는 것은 다른 강력한 감정이 촉매 작용을 하고 있다. 그 음표에 의해 교차되고 있다. 이 때문에 스타이너가 표현을 변경하여 때때로 슬프거나 화나게 하거나 고뇌에 빠뜨릴 수 있다는 것이다.

Instructive is that Steiner never allows the song to be completed an allusion to the fact that Rick and Ilsa's love is destined to not be fulfilled. Also, worth noting is that other powerful emotions are catalyzed and intersected by its notes so Steiner alters its expression at times making it sad, angry or anguished.

스타이너는 또한 이야기의 내러티브를 감안할 때 자신의 배경 음악에 애국적인 국가를 주입하는 것이 중요하다는 것을 이해하게 된다. 프랑스인을 위해 그는 상징적인 'La Marsaillaise'를 선택하게 된다. 그러나 독일 국가는 문제가 있었다. 그의 원래 선택은 나치당의 국가이자 제국의 비공식 두 번째 국가 'Das Horst-Wessel-Lied'였다. 그러나 이것은 나치에 로열티를 지불해야 했다!

Steiner also understood that given the story's narrative that it was important to infuse his score with patriotic anthems.

For the French he chose the iconic 'La Marsaillaise'. The German anthem however was problematic. His original choice was 'Das Horst-Wessel-Lied'.

the Nazi Party anthem and unofficial second national anthem of the Reich, however this would have required the payment of royalties to the Nazis!

그래서 그는 오래된 애국 노래 'Die Wacht am Rhein'을 선택하게 된다. 음악은 칼 빌하임(Karl Wilheim), 가사는 막스 슈네켄버거이다.

So he opted for 'Die Wacht am Rhein' an old patriotic song, music by Karl Wilheim, lyrics by Max Schneckenburger.

'Main Title'은 스타이너가 자신의 솜씨를 과시하는 배경 음악의 하이라이트를 제공하고 있다. 확장된 선곡은 매끄럽게 흐르는 6개의 세그먼트로 구성되고 있다. 스타이너가 〈토바리치 Tovaritch〉(1938)를 위해 처음 출반한 'Warner Brothers Fanfare'와 함께 성대하게 열리고 있다.

'Main Title' offers a score highlight where Steiner displays mastery of his craft.

The extended cue is constructed in six segments which flow seamlessly.

We open grandly with the Warner Brothers Fanfare which Steiner first launched for Tovaritch (1938).

이 작품은 영화의 메인타이틀을 출반할 때 작곡가가 선택한 키로 흘러갈 수 있는 자유도를 제공하는 음조 중심이 없다는 점에서 훌륭하게 구상되었다.

The piece is brilliantly conceived in that it lacks a tonal center which gives the composer latitude to flow into any key of his choice in launching a film's main titles.

로고는 아프리카 지도를 드러내는 불협화음의 화음과 함께 사라지고 있다. 3명의 주요 배우의 이름이 뒤따른다. 스타이너는 영화 톤을 설정하기 위해 템포와 악기의 변화로 〈로스트 패트롤 Lost Patrol〉(1934) 음악을 삽입시키고 있다.

The logo dissipate s upon a dissonant chord revealing a map of Africa followed by the names of the three principle actors. Steiner interpolates his music from The Lost Patrol (1934) with changes in tempo and instrumentation to set the tone of the film.

현악기 연결 음은 활기찬 타악기 오스티나토에 의해 뒷받침되고 있다. 실로폰과 종으로 가득한 이국적인 북아프리카 리듬과 함께 축제 댄스 음악을 안내하고 있다.

A string bridge ushers in festive dance music with exotic North African rhythms replete with xylophone and bells supported by an energetic percussive ostinato.

영감을 받은 주요 모달 밝기를 제공하고 있다. 프랑스인의 회복력 있는 정신을 알려주는 'Le Marseillaise'의 렌더링으로 이어지고 있다.

we segue into a rendering of 'Le Marseillaise' which offers an inspired major modal brightness and informs us of the resilient spirit of the French people.

우리는 일반적으로 제작자를 위해 예약된 그러한 팡파르가 있는 프로토콜과의 편차에 주목하고 있다.

대신 크레디트에서 'Music by Max Steiner'를 예고하고 있다. 국가는 나치로부터 자유의 생존이 의심된다는 미묘한 암시인 불길한 3중음으로 끝나고 있다.

〈카사블랑카〉. ⓒ Warner Bros

We note a deviation from protocol with such fanfare usually reserved for the producer instead it heralds 'Music by Max Steiner' in the credits!

The anthem concludes with an ominous tritone, a subtle allusion that freedom's survival from the Nazi's is in doubt.

우리는 화자(話者)가 세계의 상태에 대해 웅변적으로 애도하는 '프롤로그'로 흘러 들어가게 된다. 회전하는 지구본이 나타나 유럽으로 향하는 어두운 나치 장벽을 피해 도망치는 절망적인 난민들의 자취를 보여주고 있다.

we flow into the 'Prologue' where a narrator offers an eloquent lament on the state of the world. A spinning globe appears and displays the tracks of desperate refugees fleeing the dark Nazi pall upon Europe.

스타이너는 불쌍한 현악기와 쓸쓸한 혼으로 피난민들의 투쟁에 대한 우리의 공감을 이끌어내고 있다.

Steiner elicits our empathy for the struggles the flight of the refugees with plaintive strings and forlorn horns.

우리는 이전의 이국적인 북아프리카 리듬이 뒷받침하는 붐비는 거리로 전환하게 된다. 오보에(Oboes)와 동족의 목관 악기는 민족적 분위기로 가득 차 카사블랑카의 북적이는 거리의 맥박을 포착하고 있다.

독일 국가 'Deutschland Uber Alles'의 팡파르와 함께 나치의 존재가 전면에 부각되면서 드라마로 끝맺게 된다.

We transition to crowded streets supported by the earlier exotic North African rhythms. Oboes and kindred woodwinds awash with ethnic auras, capture the pulse of the crowed streets of Casablanca.

we conclude with drama as the Nazi presence is brought to the forefront with fanfare of the German anthem 'Deutschland Uber Alles'

팀파니의 웅웅거리는 소리에 의해 발음이 잘리고 있다. 사무실 경찰관이 중요한 문서를 갖고 있는 2명의 독일 운반인이 오란에서 온 기차에서 살해된 채 발견되었다고 동료들에게 발표한다. 이후 경찰이 드래그넷을 풀고 발사한다.

스타이너는 현악기 퓨리오소와 요란한 혼 피리로 그의 오케스트라를 열광적으로 휘두르며 그물망을 지원해주고 있다.

Its articulation is truncated by a timpani rumble, which dissolves and launches a police dragnet after an office policeman announce to his comrades that two German carriers with important documents have been found murdered on the train from Oran. Steiner supports the dragnet by whipping his orchestra into frenzy with strings furioso and blaring horns.

강렬하게 반복되는 현악 하강은 도망치는 남자의 절망을 전달하고 있다.

하지만 그의 죽음을 지지하는 팀파니와 베이스가 결합된 마지막 하강과 함께 총에 맞게 된다.

Intense repeating string descents impart the desperation of a fleeing man yet he is shot with a final descent joined by timpani and bass supporting his death.

이제는 자존심이 무너진 '마르세예즈'의 재현이 경찰서로 장면이 전환되는 것을 지원해주고 있다. 리스본 비행기가 공항에 착륙할 때 절망적인 눈이 하늘을 바라보면서 선곡은 애절하게 끝이 난다.
이 복잡한 다중 경관 선곡은 훌륭하게 지원되고 있다.

A reprise of 'Le Marseillaise' now shorn of its pride supports a scene change to the police station.
The cue concludes plaintively as desperate eyes look skyward as the Lisbon plane lands in the airport. This complex multi-scenic cue was masterfully supported!

아이샴 존스의 작곡과 거스 칸 가사가 어우러진 낭만적인 소스 곡 'It Had To Be You'는 릭의 카페 아메리카에 대한 우리의 첫 인상을 뒷받침하고 있다.
카메라는 북적북적한 카페를 가로 지르며 노래를 부르고 있는 피아노 연주자 샘(둘리 윌슨)에게 멈추고 있다.

The romantic source song 'It Had To Be You' music by Isham Jones with lyrics by Gus Kahn supports our first look at Rick's Café Americain.
The camera pans through the packed café and comes to rest on piano player Sam (Dooley Wilson) who is singing the song.

우리는 혈기 넘치는 스윙 리듬 'Shine'에게 빠져들게 된다.
이 리듬은 절망적인 한 사람이 보석을 팔고 탈출용 보트를 빌리거나 통행증을 구입하려는 여러 장면을 뒷받침 해 주고 있다.

스테이너는 릭의 음모, 에너지 및 축제 분위기를 완벽하게 포착해 주고 있다.

we segue into 'Shine' with its high octane swing rhythms which underpins multiple shots of one desperate person after another peddling jewels chartering an escape boat or trying to purchase transit papers. Steiner perfectly captures the intrigue, energy and festive ambiance of Rick's.

무득점 장면에서 릭은 그늘진 우가르테에서 살해된 특사들의 운송 서류를 임시로 소유하고 있다. 카메라는 M. K. 제롬 작곡, 잭 스콜 작사의 'Knock On Wood'가 시작되면서 카메라는 샘에게 돌아간다.

즐거운 시간을 지원하는 장난기 넘치는 인터랙티브 곡이다.

In an unscored scene Rick takes temporary possession of the transit papers of the murdered couriers from the shady Ugarte.

The camera returns to Sam who launches into 'Knock On Wood' by M. K. Jerome and lyricist by Jack Scholl. It is a playful interactive tune which supports the good time.

밴드와 관객 모두가 소리를 지르며 모두가 즐거운 시간을 보내고 있다. 'Rick And Renault'에서 릭은 클럽 밖에서 담배를 피우기 위해 리널트와 합류하게 된다. 리널트는 그의 과거와 카사블랑카에 있는 목적에 대해 반복적으로 질문하고 있다. 하지만 릭은 회피하거나 방향을 틀며 대답을 하지 않고 있다.

스타이너를 레이 노블의 소스 곡 'The Very Thought of You'를 삽입하여 지원해 주고 있다.

Both the band and audience chime in and everyone is having a great time.
In 'Rick And Renault' Rick joins Renault for a smoke outside his club.
Renault repeatedly queries him as to his past, and purpose for being in Casablanca,

yet Rick evades or deflects, yielding no answers.

Steiner supports by interpolating the source song 'The Very Thought of You' by Ray Noble.

부드러운 발라드가 그들의 대화를 눈에 띄지 않게 지원해 주고 있다. 미묘한 암시에서 스타이너

〈카사블랑카〉. ⓒ Warner Bros

는 'As Time Goes By'라는 노래의 짧은 구절을 제공한다.

리스본으로 가는 비행기가 머리 위로 날아갈 때 간신히 식별할 수 있다.

The soft ballad unobtrusively supports their dialogue. In a subtle allusion.
Steiner offers a brief phrase of the song 'As Time Goes By' is barely discernible as the plane to Lisbon flies overhead

'Arrival of Ilsa and Victor at Rick's'에서 르노는 카페에 들어온 라즐로와 일사에게 자신을 소개하고 있다. 그는 탭에서 그들에게 음료를 제공하고 그들은 우호적인 조건에 있는 것처럼 보이고 있다.

하지만 라즐로는 여전히 경계를 유지하고 있다.

In 'Arrival of Ilsa and Victor at Rick's' Renault introduces himself to Laszlo and Ilsa who have entered the café. He offers them a drink on his tab and it appears they are on friendly terms although Laszlo remains guarded.

스타이너는 콜 포터의 'Love for Sale' 음원을 피아노로 렌더링하여 장면을 지원해 주고 있다. 음이 풍부하고 자유롭게 흐르는 선율은 대화에 완벽한 배경

을 제공하고 있다. 'Play It Sam... Play As Time Goes'가 연주되고 있을 때 일사는 파리에서 보낸 샘을 알아보게 된다.

그리고 샘에게 옛날 노래를 연주해 달라고 부탁한다.

Steiner supports the scene with a piano rendering of the source song 'Love for Sale' by Cole Porter. The note rich free-flowing tune offers a perfect backdrop to the conversation. 'Play It Sam... Play As Time Goes', Ilsa recognizes Sam from her days in Paris and asks him to play some of the old songs.

샘은 알 존슨, 버디 실바 및 빈센트 로즈 작사, 작곡의 'Avalon'을 연주하기 시작한다. 그 선율은 감미로운 고전적 부드러움으로 즐겁다. 그러나 몇 마디 후에 일사는 샘에게 옛날을 위해 'As Time Goes By'를 연주해 달라고 간청한다.

He begins with 'Avalon' music and lyrics by Al Jolson, Buddy Silva and Vincent Rose. Its tune is pleasant with a sweet classical gentility.

Yet after a few bars she entreats him to play 'As Time Goes By' for old time's sake.

'사랑 테마'는 마침내 클라이맥스로 올라가 그녀의 손이 유리잔을 넘어뜨리는 것을 볼 때 으스스한 하강을 겪게 된다. 릭이 일사가 합류하기를 기다리는 폭풍우 동안 기차역으로 장면이 변경하게 된다.

The Love Theme at last ascends to climax only to suffer a crushing descent as we see her hand topple her glass. We scene change to the train station during a rainstorm where Rick waits for Ilsa to join him.

우리는 술에 취한 릭이 샘이 피아노로 'As Time Goes By'를 연주할 때 그의 유리잔을 넘어뜨리는 릭에서 다시 끝을 맺게 된다.

이 플래시백 시퀀스는 최고 수준의 배경 음악을 제공하고 있다.

We conclude back at Rick's where a drunken Rick topples his shot glass as Sam plays 'As Time Goes By' on the piano.

this flashback sequence offers scoring of the highest caliber.

'Airport Finale/ Here's Looking at You, Kid'에서 그들은 공항에 있고 릭은 마침내 환승 서류가 일사와 라즐로를 위한 것임을 밝힌다.

일사는 자신의 영원한 사랑과 숭고한 희생을 고백하며 압도된다.

In 'Airport Finale/ Here's Looking at You, Kid'. they are at the airport and Rick finally discloses that the transit papers are for Ilsa and Laszlo.

Ilsa is overwhelmed as he confesses his everlasting love and noble sacrifice.

Track listing

1. Main Title/ Prologue
2. It Had to Be You/Shine written by Isham Jones and Gus Kahn/ Ford Dabney, Lew Brown and Cecil Mack, performed by Dooley Wilson
3. Knock on Wood written by M. K. Jerome and Jack Scholl, performed by Dooley Wilson
4. Rick and Renault (The Very Thought of You) written by Ray Noble, arr. Max Steiner
5. Arrival of Ilsa and Victor at Rick's Love for Sale written by Cole Porter, arr. Max Steiner
6. Play It Sam... Play As Time Goes By Avalon/ As Time Goes By written by Vincent Rose/Herman Hupfeld, arr. Max Steiner
7. Of All the Gin Joints in All the Towns in All the World...
8. Paris Montage
9. At La Belle Aurore
10. Ilsa Returns to Rick's

11. Die Wacht Am Rhein/ La Marseillaise written by Karl Wilhelm and Max Schneckenburger/ Claude Joseph Rouget de Lisle
12. Ilsa Demands the Letters
13. Rick Confronts Ilsa and Laszlo
14. Airport Finale/ Here's Looking at You, Kid
15. Shine/ It Had to Be You-Alternate Orchestral Version written by Ford Dabney, Lew Brown and Cecil Mack/ Isham Jones and Gus Kahn, arr. Max Steiner
16. Dat's What Noah Done performed by Dooley Wilson
17. Knock on Wood written by M. K. Jerome and Jack Scholl, performed by Dooley Wilson
18. Ilsa Returns As Time Goes By written by Herman Hupfeld, arr. Max Steiner
19. Laszlo As Time Goes By written by Herman Hupfeld, arr. Max Steiner
20. As Time Goes By written by Herman Hupfeld, performed by Dooley Wilson

〈카사블랑카〉 사운드트랙. ⓒ EMI Records

95위

〈더 이어 마이 보이스 브로크 The Year My Voice Broke〉 (1987) - 'The Lark Ascending', 1960년대 뉴 사우스 웨일즈 10대들 성장 배경 곡으로 선곡

작곡: 랄프 본한 윌리암스 Ralph Vaughan Williams

호주 출신 존 두이간 감독이 펼쳐주는 10대들의 성장 드라마 〈더 이어 마이 보이스 브로크〉. 영국 작곡가 랄프 본한 윌리암스의 'The Lark Ascending'이 주제곡으로 차용되고 있다. ©️ Hoyts Distribution

1. <더 이어 마이 보이스 브로크> 버라이어티 평

1962년 호주 뉴 사우스 웨일즈 시골.

대니는 날씬하고 사회적으로 어색한 15세 소년으로 어린 시절부터 프레야와 가장 친한 친구였다. 프레야는 아기 때 입양되었다. 결과적으로 그녀는 그녀의 친부모일 가능성이 있다는 소문과 마을 소문의 대상이 된다. 두 사람은 텔레파시와 최면을 실험하며 마을 변두리의 어린 시절을 보내게 된다.

In 1962 in rural New South Wales, Australia. Danny is a thin, socially awkward 15-year-old boy who has been best friends with Freya since childhood. Freya was adopted as a baby, as a result. she is the subject of town gossip and rumors about her possible biological parents. The two spend their days at their childhood hangout on the outskirts of town experimenting with telepathy and hypnosis.

한편 트레버는 구금된 곳에서 풀려나 다른 차를 훔치고 무장 강도 과정에서 점원에게 중상을 입힌다. 트레버는 버려진 집에서 프레야의 임신 소식을 듣게 된다. 경찰이 집에 도착하지만 대니는 트레버의 탈출을 돕는다. 경찰은 추적 과정에서 트레버의 차를 도로에서 몰아내고 트레버는 다음날 사망하게 된다.

프레야는 사라진다. 대니가 버려진 집에서 프레야를 발견하고 병원으로 데려갈 때까지 유산과 저 체온증을 겪게 된다.

Meanwhile, Trevor breaks out of detention, steals another car and severely wounds a store clerk during an armed robbery. Trevor returns to town long enough to reunite with Freya at the abandoned house where he learns of her pregnancy. The police arrive at the house, but Danny aids in Trevor's escape. The police then run Trevor's car off the road during the course of the pursuit and Trevor dies the next day.

Freya disappears and later suffers a miscarriage and hypothermia until Danny finds her at the abandoned house and takes her to the hospital.

마지못해 대니는 프레야에게 어머니의 정체를 드러낸다. 그녀의 낙인이 찍힌 것을 깨닫고 프레야는 도시로 향하는 야간열차를 타기로 결정한다.
역에서 대니는 자신을 부양하기 위해 평생 저축한 돈을 주고 그녀를 배웅해준다.
서로 우정을 약속하고 연락을 유지하기 위해서이다.

Hesitantly, Danny reveals the identity of Freya's mother to her. Realising the stigma now hanging over her, Freya decides to leave on the night train for the city.
At the station, Danny gives her his life's savings to support herself and sees her off promising their friendship to one another and to keep in touch.

나중에 대니는 그들이 가장 좋아하는 행아웃 장소로 이동하여 프레야, 트레버 및 자신의 이름을 바위에 새겨 넣는다.
성인이 된 그는 관객에게 프레야를 다시는 본 적이 없다고 알려준다.

Later, Danny travels to their favourite hangout spot and carves the names of Freya, Trevor and his own into a rock as his adult self informs the audience that he never saw Freya again.

〈더 이어 마이 보이스 브로크〉는 존 두이간이 각본 및 감독을 맡고 노아 테일러, 로엔 카르멘 및 벤 멘델손이 출연한 1987년 호주 성인 드라마 영화이다.
1962년 뉴 사우스 웨일즈 시골 서던 테이블랜드가 배경이다.

The Year My Voice Broke is a 1987 Australian coming of age drama film written and directed by John Duigan and starring Noah Taylor, Loene Carmen and Ben Mendelsohn.
Set in 1962 in the rural Southern Tablelands of New South Wales.

작가이자 감독 존 두이간의 어린 시절을 바탕으로 한 어색한 호주 소년의 경험을 중심으로 한 3부작 영화 중 첫 번째 작품이다.

it was the first in a projected trilogy of films centred on the experiences of an awkward Australian boy based on the childhood of writer/ director John Duigan.

영화 자체는 대니가 가장 친한 친구 프레야가 1년 동안 어떻게 헤어졌는지 회상하는 일련의 상호 연결된 부분으로 들려주고 있다.

The film itself is a series of interconnected segments narrated by Danny who recollects how he and his best friend Freya grew apart over the course of one year.

3부작은 결실을 맺지 못했다. 하지만 1991년 속편 〈플러팅〉이 뒤를 이었다.
영화는 1987년 호주 영화 연구소 최우수 영화상을 수상했다.
〈플러팅〉도 1990년에 수상한다.

Although the trilogy never came to fruition. it was followed by a 1991 sequel Flirting. The film was the recipient of the 1987 Australian Film Institute Award for Best Film a prize which Flirting also won in 1990.

〈더 이어 마이 보이스 브로크〉. ⓒ Hoyts Distribution

2. 〈더 이어 마이 보이스 브로크〉 사운드트랙 리뷰

영화에 사용된 주요 테마는 영국 작곡가 랄프 본한 윌리암스의 'The Lark Ascending'이다.

2005년 시드니에서 열린 특별 행사 상영에서 존 두이간 감독은 대니의 청소년기에 대한 동경을 보완해주는 작품이라고 생각하여 이 곡을 선택했다고 말했다.

The main theme used in the film is 'The Lark Ascending' by English composer Ralph Vaughan Williams.

At a 2005 special-event screening in Sydney, director John Duigan stated that he chose the piece as he felt it complemented Danny's adolescent yearning.

'The Lark Ascending'은 성장 영화 〈더 이어 마이 보이스 브로크〉 주요 음악 테마로 기능하고 있으며 예고편에도 등장하고 있다.

'The Lark Ascending' functions as the main musical theme in the coming-of-age film,

The Year My Voice Broke (John Duigan, 1987) and features in this trailer for the film.

1921년 전후 영국의 유명한 민족주의 작곡가 랄프 본한 윌리암스가 작곡했다.

It was composed by the famous British nationalist composer of the pre-war and interwar period, Ralph Vaughan Williams in 1921.

악기 구성은 전통적인 영국 민속 방식으로 연상되는 5음계 음계를 위, 아래로 펄럭이는 바이올린 독주자의 여러 카덴자를 특징으로 하고 있다.

뉴 사우스 웨일즈의 시골 마을 브레이드우드 Braidwood 주변 메리노 양 방목지의 영화 촬영 장면과 겹쳐지면서 흘러나오고 있다.

The instrumental composition features several cadenzas by the violin soloist which flutter up and down an evocative pentatonic scale in the manner of traditional English folk and is superimposed over the cinematography of the surrounding Merino sheep-grazing land of the rural NSW town of Braidwood.

일반적으로 영화의 향수를 불러일으키는 1960년대 배경에 해당하는 대중적인 음악과 병치된 곡이 'The Lark Ascending'이다. 대니(노아 테일러)의 상상력과 기억을 구현하며 장소와 문화적 열망의 분리를 제안해주고 있다.

Juxtaposed with a popular music score that generally corresponds to the film's nostalgic 1960s setting, 'The Lark Ascending' embodies Danny's (Noah Taylor) imagination and memory and suggests a disjunction between place and cultural aspiration.

* 영화에 등장하는 추가 소스 음악은 다음과 같다.
  Additional source music featured in the film includes.

1. Apache performed by The Shadows
2. Corinna Corinna performed by Ray Peterson
3. Temptation performed by The Everly Brothers
4. Tower of Strength and A Hundred Pounds of Clay performed by Gene McDaniels
5. Diana' performed by Paul Anka
6. (The Man Who Shot) Liberty Valance performed by Gene Pitney
7. Get a Little Dirt on Your Hands performed by The Delltones
8. I Remember You performed by Frank Ifield
9. That's the Way Boys Are performed by Lesley Gore

– 1964년에 발표된 'That's Way Boys Are'를 제외하고는 모든 곡이 극중 시대에 충실하다. All of the songs are true to the period except 'That's the Way Boys Are' which was released in 1964.

3. 'The Lark Ascending'은 어떤 곡?

'The Lark Ascending' 작곡가인 랄프 본한 윌리암스. © wikipedia

'The Lark Ascending'은 영국 작가 조지 메레데스의 1881년 동명의 시(詩)에서 영감을 받아 영국 작곡가 랄프 본한 윌리암스가 작곡한 짧은 1악장 작품이다.

The Lark Ascending is a short, single-movement work by the English composer Ralph Vaughan Williams inspired by the 1881 poem of the same name by the English writer George Meredith.

원래는 바이올린과 피아노를 위한 것으로 1914년에 완성되었다. 하지만 1920년까지 연주되지 않았다. 작곡가는 1차 세계 대전 이후 솔로 바이올린과 오케스트라를 위해 그것을 재작업 했다고 한다. 작품이 주로 알려진 이 버전은 1921년에 초연된다.

It was originally for violin and piano completed in 1914 but not performed until 1920. The composer reworked it for solo violin and orchestra after the First World War. This version, in which the work is chiefly known was first performed in 1921.

본한 윌리암스가 명상적인 느린 음악을 선호하는 용어인 'A Romance'라는 부제목이 있다. 이 작품은 영국과 다른 곳에서 상당한 인기를 얻었다. 1928년과 현재 사이에 많이 녹음되었다.

It is subtitled 'A Romance' a term that Vaughan Williams favoured for contemplative slow music. The work has gained considerable popularity in Britain and elsewhere and has been much recorded between 1928 and the present day.

작곡가 랄프 본한 윌리암스의 열정 중에는 시와 바이올린이 있었다. 그는 소년 시절에 바이올린 연주자로서 훈련을 받았다. 한 번도 좋아하지 않았던 피아노보다 바이올린을 더 좋아했다.

Among the enthusiasms of the composer Ralph Vaughan Williams were poetry and the violin. He had trained as a violinist as a boy and greatly preferred the violin to the piano for which he never had a great fondness.

그의 문학적 취향은 광범위했다. 그가 존경한 19세기와 20세기 초반 영국 시인 중에는 테니슨, 스윈번, 크리스티나와 단테 가브리엘 로세티, 하디, 휴즈맨, 조지 메레디스 등이 있다.

His literary tastes were wide-ranging and among the English poets of the 19th and early 20th centuries whom he admired were Tennyson, Swinburne, Christina and Dante Gabriel Rossetti, Hardy, Housman and George Meredith.

'The Lark Ascending'을 작곡하기 전에 본한 윌리암스는 메레디스의 한 구절을 초기 악보 위에 새겨 놓았다고 한다. 지금은 분실되었다.

Before the composition of The Lark Ascending, Vaughan Williams had inscribed a verse by Meredith above an early score, now lost.

작곡가의 두 번째 아내이자 시인 우술라는 'The Lark Ascending'에서 본한 윌리암스가 '음악적 사고(思考)를 구축하기 위한 문학적 아이디어를 취했다. 제목을 따온 시를 설명하는 것 보다 바이올린을 새의 노래이자 비행이 되도록 만들었다.'고 썼다.

The composer's second wife Ursula, herself a poet wrote that in The Lark Ascending Vaughan Williams had 'taken a literary idea on which to build his musical thought and had made the violin become both the bird's song and its flight being rather than illustrating the poem from which the title was taken'

악보 머리 부분에서 본한 윌리암스는 메레디스의 122행 시에서 12행을 썼다.

At the head of the score, Vaughan Williams wrote out twelve lines from Meredith's 122-line poem.

그는 일어나서 빙빙 돌기 시작하고 그는 소리의 은사슬을 떨어뜨리고 끊김 없는 수많은 링크들 중에서 쩍쩍, 휘파람, 이음줄 및 흔들.

He rises and begins to round, He drops the silver chain of sound, Of many links without a break, In chirrup, whistle, slur and shake.

그의 공중 고리에서 길을 잃을 때까지 빛 속에서 그리고 팬시가 노래한다.

Till lost on his aerial rings In light and then the fancy sings.

본한 윌리암스가 이 작품을 언제 어디서 작곡했는지는 알려져 있지 않다. 원본 원고는 분실되었다.
이 작품을 작곡하고 헌정한 솔리스트는 당시 영국 최고 바이올리니스트이자 전직 에드워드 엘가(Edward Elgar) 제자였으며 그 작곡가의 바이올린 협주곡에 대한 그녀의 해석으로 유명한 마리 홀(Marie Hall)이었다.

It is not known when and where Vaughan Williams composed the piece.
The original manuscript has been lost.
The soloist for whom the work was written and to whom it is dedicated was Marie
Hall, a leading British violinist of the time, a former pupil of Edward Elgar and cele-
brated for her interpretation of that composer's Violin Concerto.

그녀는 초연 전에 새 작품에 대해 본한 윌리암스와 함께 작업했다. 배경 음악
의 일부 세부 사항에 영향을 미쳤을 수 있다. 하지만 범위는 알 수 없다.

She worked with Vaughan Williams on the new piece before the premiere and may
have influenced some details of the score though if so, the extent is unknown.

1920년 12월 15일 홀과 피아니스트 제프리 멘담(1899-1984)이 바이올린
과 피아노 버전의 초연을 샤이어햄튼 공회당에서 진행한다.

The premiere of the violin and piano version was given by Hall and the pianist
Geoffrey Mendham (1899-1984) at the Shirehampton Public Hall on 15 December 1920.

홀은 1921년 6월 14일 런던 퀸즈 홀에서 열린 영국 음악 학회(British Music
Society) 콘서트에서 오케스트라 버전의 첫 번째 연주에서 다시 솔리스트였다.
브리티시 심포니 오케스트라는 아드리안 볼트가 지휘한다.

Hall was again the soloist in the first performance of the orchestral version in the
Queen's Hall, London on 14 June 1921 at a concert presented by the British Music
Society. The British Symphony Orchestra was conducted by Adrian Boult.

'더 타임즈 The Times' 음악 평론가는 'The Lark Ascending'이 홀스트의

'The Planets' 초기 공연을 특징으로 하는 프로그램의 주요 항목이 아니었지만 좋은 인상을 주었다고 말했다. 그는 다음과 같이 논평했다.

The music critic of The Times noted that The Lark Ascending was not the main item on the programme, which featured an early performance of Holst's The Planets but it made a favourable impression. He commented that it.

'오늘이나 어제 유행을 고요하게 무시하는 프로그램의 유일한 작품으로 나머지 작품과 차별화 되었다. 그것은 '쉬지 않고 많은 링크'를 따라 꿈을 꾸고 '그는 아이들의 춤, 앵초과 야생화 제방을 위해 외치는 씨 뿌리는 사람들의 춤'이라는 대사의 에너지로 결코 떠오르지 않지만 음악은 깨끗한 것이다.

음악은 세련된 콘서트 룸이 아니라 깨끗한 시골의 음악이다.'

stood apart from the rest as the only work in the programme which showed serene disregard of the fashions of to-day or of yesterday. It dreams its way along in 'many links without a break' and though it never rises to the energy of the lines 'He is the dance of children, thanks of sowers, shout for primrose banks'. the music is that of the clean countryside not of the sophisticated concert-room'

Track listing

1. With A Girl Like You Performed by The Troggs
2. That's The Way Boys Are Performed by Lesley Gore
3. A Hundred Pounds of Clay Performed by Gene McDaniels
4. Diana Performed by Paul Anka
5. Sleepy Lagoon Performed by Harry James
6. The Man Who Shot Liberty Valance Performed by Gene Pitney
7. Apache Performed by The Shadows

8. Tower of Strength Performed by Gene McDaniels

9. The Mooche Performed by Sidney Bechet

10. Get A Little Dirt on Your Hands Performed by The Delltones

11. Big Bad John Performed by Jimmy Dean

12. Corinna Corinna Performed by Ray Peterson

13. I Remember You Performed by Frank Ifield

14. The Wasps (Overture) Performed by Queensland Symphony Orchestra/ Patrick Thomas Conductor

15. The Lark Ascending Performed by London Philharmonic Orchestra/Sir Adrian Boult Conductor

〈더 이어 마이 보이스 브로크〉 사운드트랙. ⓒ Columbia Australia

⟨쥬라기 공원 Jurassic Park⟩(1993) - 존 윌리암스
오케스트레이션 사운드로 부활한 쥬라기 시대 공룡

작곡: 존 윌리암스 John Williams

스티븐 스필버그와 존 윌리암스 콤비의 ⟨쥬라기 공원⟩. ⓒ Universal Pictures, Amblin Entertainment

1. 〈쥬라기 공원〉 버라이어티 평

〈쥬라기 공원〉은 스티븐 스필버그가 감독하고 캐스린 케네디와 제랄드 R. 모렌이 제작한 1993년 미국 SF 액션 영화이다. 〈쥬라기 공원〉 프랜차이즈의 첫 번째 작품이자 〈쥬라기 공원〉 오리지널 3부작의 첫 번째 영화이다.

마이클 클라이튼의 1990년 동명 소설과 클라이튼과 데이비드 켑이 각색을 한 시나리오를 기반으로 하고 있다.

Jurassic Park is a 1993 American science fiction action film directed by Steven Spielberg and produced by Kathleen Kennedy and Gerald R. Molen.

It is the first installment in the Jurassic Park franchise and the first film in the Jurassic Park original trilogy and is based on the 1990 novel of the same name by Michael Crichton and a screenplay written by Crichton and David Koepp.

영화는 코스타리카 근처 중미 태평양 연안에 위치한 가상의 섬인 이슬라 누블라르를 배경으로 하고 있다. 그곳에서 부유한 사업가 존 해먼드와 유전 과학자 팀이 멸종된 공룡의 야생 동물 공원을 조성한다.

The film is set on the fictional island of Isla Nublar located off Central America's Pacific Coast near Costa Rica. There wealthy businessman John Hammond and a team of genetic scientists have created a wildlife park of de-extinct dinosaurs.

산업 파괴가 공원 전력 시설과 보안 예방 조치의 치명적인 폐쇄로 이어진다. 이어 소수 방문객과 해먼드 손자들은 위험한 섬에서 살아남고 탈출하기 위해 고군분투 한다.

When industrial sabotage leads to a catastrophic shutdown of the park's power facilities and security precautions a small group of visitors and Hammond's grandchildren struggle to survive and escape the perilous island.

클라이튼 소설이 출판되기 전에 4개의 스튜디오가 영화 판권을 얻기 위해 입찰에 참여한다. Universal Studios 후원으로 스필버그는 1990년에 출판되기 전에 150만 달러에 판권을 획득하게 된다. 클라이튼은 소설을 스크린에 각색하기 위해 500,000달러를 추가로 지불 받고 고용된다.

Before Crichton's novel was published, four studios put in bids for its film rights. With the backing of Universal Studios, Spielberg acquired the rights for $1.5 million before its publication in 1990.

Crichton was hired for an additional $500,000 to adapt the novel for the screen.

코엡은 소설의 설명과 폭력 대부분을 생략하고 등장인물에 수많은 변경을 가한 최종 초안을 작성하게 된다.

Koepp wrote the final draft which left out much of the novel's exposition and violence and made numerous changes to the characters.

촬영은 1992년 8월부터 11월까지 캘리포니아와 하와이에서 이루어졌다. 후반 작업은 1993년 5월까지 진행된다. 폴란드에서 스필버그가 〈쉰들러 리스트〉를 촬영할 때 감독을 맡게 된다.

Filming took place in California and Hawaii from August to November 1992 and post-production rolled until May 1993 supervised by Spielberg in Poland as he filmed Schindler's List.

공룡은 ILM(Industrial Light & Magic)의 획기적인 컴퓨터 생성 이미지와 스탠 윈스톤 팀이 만든 실물 크기의 애니마트로닉스 공룡으로 만들어졌다.

공룡 포효(咆哮)를 위한 다양한 동물 소리가 혼합된 영화 사운드 디자인을 보여주기 위해 스필버그는 디지털 서라운드 사운드 형식을 전문으로 하는 회사인 DTS 설립에 투자하게 된다.

The dinosaurs were created with groundbreaking computer-generated imagery by Industrial Light & Magic (ILM) and with life-sized animatronic dinosaurs built by Stan Winston's team. To showcase the film's sound design which included a mixture of various animal noises for the dinosaur roars, Spielberg invested in the creation of DTS a company specializing in digital surround sound formats.

영화는 또한 100개 이상의 회사와 라이선스 계약을 포함하여 6,500만 달러의 광범위한 마케팅 캠페인을 진행한다.

The film also underwent an extensive $65 million marketing campaign which included licensing deals with over 100 companies.

〈쥬라기 공원〉은 1993년 6월 9일 워싱턴 D.C 업타운 극장에서 초연된다. 미국에서는 6월 11일 개봉된다.
극장 상영으로 전 세계적으로 9억 1,200만 달러 이상의 수익을 올리게 된다.

〈쥬라기 공원〉. © Universal Pictures, Amblin Entertainment

1993년 최고 수익을 올린 영화이자 당시 가장 높은 수익을 올린 영화가 되었다. 이 수치는 1997년 〈타이타닉〉이 개봉될 때까지 유지된 기록이다.

Jurassic Park premiered on June 9, 1993 at the Uptown Theater in Washington, D.C and was released on June 11 in the United States.

It went on to gross over $912 million worldwide in its original theatrical run becoming the highest-grossing film of 1993 and the highest-grossing film ever at the time a record held until the release of Titanic in 1997.

특수 효과, 연기, 존 윌리암스의 배경 음악, 스필버그 연출을 칭찬하는 비평가들로부터 매우 긍정적인 평가를 받는다.

2013년 3D 재출시에 이어 20주년을 기념해 〈쥬라기 공원〉은 역사상 17번째이자 가장 오래된 영화로 티켓 판매액이 10억 달러를 넘어서게 된다.

It received highly positive reviews from critics who praised its special effects, acting, John Williams musical score and Spielberg's direction.

Following its 3D re-release in 2013 to celebrate its 20th anniversary Jurassic Park became the seventeenth and oldest film in history to surpass $1 billion in ticket sales.

영화는 시각 효과 및 음향 디자인 분야의 기술적 성과로 3개의 아카데미 상을 포함하여 20개 이상의 상을 수상한다. 〈쥬라기 공원〉은 컴퓨터 생성 이미지와 마리마트로닉스 시각 효과 개발의 랜드마크로 간주되고 있다.

The film won more than twenty awards including three Academy Awards for its technical achievements in visual effects and sound design.

Jurassic Park is considered a landmark in the development of computer-generated imagery and animatronic visual effects.

영화에 이어 상업적으로 성공한 4개의 속편이 있다.

〈잃어버린 세계 Lost World: Jurassic Park〉(1997) 〈쥬라기 공원 3 Jurassic Park III〉(2001) 〈쥬라기 월드 Jurassic World〉(2015) 〈쥬라기 월드: 타락한 왕국 Jurassic World: Fallen Kingdom〉(2018), 2022년 공개된

다섯 번째 속편 〈쥬라기 월드 도미니온 Jurassic World: Dominion〉 등이 있다.

The film was followed by four commercially successful sequels: The Lost World: Jurassic Park (1997), Jurassic Park III (2001), Jurassic World (2015) and Jurassic World: Fallen Kingdom (2018) with a fifth sequel Jurassic World Dominion scheduled for a 2022 release.

2. 〈쥬라기 공원〉 사운드트랙 리뷰

존 윌리암스는 2월 말에 영화의 배경 음악 작곡을 시작한다.
한 달 후에 녹음된다.
알렉산더 커리지와 존 누펠드가 배경 음악 편곡을 제공한다.

John Williams began scoring the film at the end of February and it was recorded a month later.
Alexander Courage and John Neufeld provided the score's orchestrations.

그가 작곡한 또 다른 스필버그 영화인 〈미지와의 조우〉에서처럼 윌리암스는 영화에서 나오는 '압도적인 행복과 흥분'을 다룬다는 점을 감안할 때 '경외함'과 살아있는 공룡을 볼 수 있다는 '매혹의 감각을 전달할 작품'을 써야 한다고 생각했다고 한다.

As with Close Encounters of the Third Kind, another Spielberg film he scored Williams felt he needed to write 'pieces that would convey a sense of awe' and 'fascination' given it dealt with the 'overwhelming happiness and excitement' that would emerge from seeing live dinosaurs.

차례로 티라노사우르스 공격과 같은 서스펜스적인 장면에는 무서운 주제가 필요했다. 첫 번째 사운드트랙 앨범은 1993년 5월 25일에 발매된다.

In turn more suspenseful scenes such as the Tyrannosaurus attack required frightening themes. The first soundtrack album was released on May 25, 1993.

영화 개봉 20주년을 맞아 윌리암스 개인적으로 선택한 4곡의 보너스 트랙을 포함하여 2013년 4월 9일 디지털 다운로드를 위한 새로운 사운드트랙이 발매된다.

For the 20th anniversary of the film's release a new soundtrack was issued for digital download on April 9, 2013 including four bonus tracks personally selected by Williams.

3. 〈쥬라기 공원〉 사운드트랙 작곡 에피소드 – 롤링 스톤

윌리암스는 1993년 2월 말에 〈쥬라기 공원〉 배경 음악을 쓰기 위한 준비를 했지만 1개월 후 진행된다.

윌리암스가 작곡 세션 동안 허리 부상을 입었기 때문에 아티 케인이 몇 곡의 선곡

〈쥬라기 공원〉. © Universal Pictures, Amblin Entertainment

을 지휘하게 된다. 케인은 영화 크레디트에 오르지 않았지만 1993년 사운드트랙 앨범 크레디트에서는 특별한 감사를 받았고 La-La Land Records 세트의

지휘자로 언급되고 있다.

Williams began writing the Jurassic Park score at the end of February 1993 and it was conducted a month later because Williams sustained a back injury during the scoring sessions, several cues were conducted by Artie Kane.

Kane is uncredited in the film, but receives special thanks in the 1993 soundtrack album's credits and is listed as a conductor in the La-La Land Records set.

작곡 과정은 사운드 편집 과정과 동시에 스카이워커 랜치에서 이루어졌다. 윌리암스는 게리 라이드스트롬의 공룡 소음 작업에서 영감을 얻었다고 한다.

The composition process was done in Skywalker Ranch concurrently with the sound editing process leading Williams to get inspiration from Gary Rydstrom's work with dinosaur noises.

윌리암스는 그것을 '거칠고 시끄러운 노력-교향곡 만화의 방대한 작업'이라고 설명해 주고 있다. 그는 또한 '공룡의 리드미컬한 선회에 맞추려고' 하다가 결국 '이런 우스꽝스러운 발레'를 만들었다고 말했다.

Williams described it as 'a rugged, noisy effort—a massive job of symphonic cartooning'. He also said that while trying to 'match the rhythmic gyrations of the dinosaurs'. he ended up creating 'these kind of funny ballets'

차례로, 티라노사우르스 렉스의 공격과 같은 더 긴장된 장면은 무서운 주제를 얻게 된다. 처음으로 스필버그는 폴란드에서 〈쉰들러 리스트〉를 촬영하고 있었기 때문에 자신의 영화 중 하나의 녹음 세션에 참석할 수 없었다.

In turn, more suspenseful scenes, such as the Tyrannosaurus rex attack earned frightening themes. For the first time, Spielberg was unable to attend the recording sessions for one of his own movies as he was in Poland filming Schindler's List.

대신 윌리암스는 여행 전에 주요 주제의 피아노 버전이 포함된 데모 테이프를 스필버그에게 주었다고 한다.
감독은 매일 세트장으로 가는 길에 그것들을 듣곤 했다고 한다.

Instead, Williams gave Spielberg demo tapes with piano versions of the main themes prior to his travel and the director would listen to them daily on the way to the sets.

악보는 종종 다양한 타악기, 2개의 하프, 바리톤 호른 및 합창단을 포함하는 대규모 오케스트라를 사용하고 있다. 샤쿠하치나 E♭ 피콜로 오보에와 같은 특이한 목관 악기를 요구하는 악절도 있다.

The score uses a large orchestra that often includes a variety of percussion two harps, baritone horns and choir. Some passages also call for unusual woodwinds such as shakuhachi and E♭ piccolo oboe.

게다가 윌리암스는 대부분 악보에 신세사이저를 포함시켰다.
'Dennis Steals Embryos'와 같은 일부 선곡에서는 그것들이 두드러지게 특징되고 있다. 하지만 많은 신세사이저 악절은 훨씬 더 조용히 믹스되어 종종 목관 악기를 두 배로 하거나 낮은 하모니를 살찌우는 데 도움이 됐다고 한다.

Furthermore, Williams included synthesizers in much of the score.
Some cues such as 'Dennis Steals the Embryos' feature them prominently but many of the synth passages are mixed much more quietly often doubling the woodwinds or helping flesh out the lower harmonies.

몇 몇 저명한 셀레스트 솔로-예를 들어 'Remembering Petticoat Lane'-도 신세사이저로 연주되고 있다.

Several prominent celeste solos-such as in 'Remembering Petticoat Lane'-are also performed on synthesizers.

가장 많이 듣는 첫 번째 모티브는 간단히 '쥬라기 공원 테마'로 알려져 있다.
극중 방문객들이 브라키오사우르스를 처음 볼 때 소개되고 있다. 그것

〈쥬라기 공원〉. © Universal Pictures, Amblin Entertainment

은 윌리엄스가 '자연에 있는 공룡의 경이로운 아름다움과 숭고함을 포착하기 위한' 시도라고 선언한 '부드럽고 종교적이며 성악의 서정적 선율'을 특징으로 하고 있다.

이 주제는 존 윌리엄스의 가장 위대한 주제 중 하나로 널리 알려져 있다.

The first motif which is heard most frequently is known simply as 'Theme from Jurassic Park' and is introduced when the visitors first see the Brachiosaurus.

It features 'gentle religioso cantilena lines' which Williams declared was an attempt 'to capture the awesome beauty and sublimity of the dinosaurs in nature'.

This theme is widely regarded as one of John Williams greatest.

'쥬라기 공원 테마'에는 몇 가지 다른 변형이 있다.
하나는 'Welcome to Jurassic Park'에서 들은 확장 버전이다.
두 번째는 영화의 여러 부분에서 들리는 더 짧고 부드러운 버전이다.

테마의 클라이맥스의 부드러운 버전을 중심으로 회전하고 있다. 이 부드러운 버전은 약간 수정되어 'A Tree for My Bed' 트랙에 사용되고 있다.

There are a couple different variants of 'Theme from Jurassic Park'.
One is an extended version heard in 'Welcome to Jurassic Park'.
The second is a shorter more tender version heard in various parts of the film.
It revolves around a softer version of the theme's climax.
This softer version was slightly modified and used for the track 'A Tree for My Bed'

또 다른 주제 'Journey to the Island'는 고귀한 팡파르 형식을 취하고 있다. 헬리콥터가 이슬라 누블라르에 접근할 때 처음으로 들려오고 있다. 작곡가는 그것을 '모험 테마, 흥겹고 황량하고, 스릴 있고 경쾌한 음악적으로' 라고 설명해 주고 있다.

Another theme 'Journey to the Island' takes the form of a noble fanfare.
It is first heard as the helicopter approaches Isla Nublar. The composer described it as an 'adventure theme, high-spirited and brassy, thrilling and upbeat musically'

'Journey to the Island'의 오리지널 버전도 'Theme from Jurassic Park' 로 구성되어 있다. 'Theme from Jurassic Park' 및 'Journey to the Island' 의 변형은 일반적으로 목관 악기, 호른 또는 키보드를 사용하여 스코어의 더 조용하고 부드러운 순간에 사용되고 있다.

The original version of 'Journey to the Island' also consists of 'Theme from Jurassic Park'.
Variations of 'Theme from Jurassic Park' and 'Journey to the Island' are used for the score's quieter more tender moments typically with woodwinds, horns or keyboards.

윌리암스는 '여러 다른 장소에서 사용할 수 있고 다르게 편성할 때 처음에 본 것의 아름다움을 전달할 수 있는' 공원 자체의 가장 중요한 주제가 되도록 이 주제를 재사용했다고 말했다.

Williams stated that these leitmotifs were reused in order to make the pieces become an overarching theme for the park itself 'which could be used in several different places and when orchestrated differently could convey the beauty of what they were seeing at first'

3번째 주제도 작곡되어 주요 두 주제와 매우 다르다.

4개의 위협적인 음으로 구성되어 있다. 육식 공룡, 특히 랩터의 위협이 있는 장면에서 자주 들려오고 있다. 'Into the Kitchen'-오리지널 사운드트랙의 'The Raptor Attack'이라는 제목-선곡은 이 주제를 광범위 하게 탐구하고 있다.

A third theme was also composed and is very different from the main two. Comprising four menacing notes. it is heard frequently in scenes involving the threat of the carnivorous dinosaurs the raptors in particular. The cue 'Into the Kitchen'- entitled 'The Raptor Attack' on the original soundtrack-explores this motif extensively.

모티프는 〈죠스〉의 상어 모티프와 같은 윌리암스의 이전 서스펜스 음악에서 영감을 얻었다고 한다. '야생적인 오케스트라와 합창을 활용했다.
아이디어는 바닥을 흔들고 모두를 놀라게 하는 것이었다.'
이 테마는 또한 'Journey to the Island'의 엔딩을 피날레로 제공하고 있다.

The motif drew inspiration from Williams previous suspense music such as the shark motif from Jaws and utilized 'wild orchestral and choral things. the idea was to shake the floor and scare everybody'.
This theme also features the ending of 'Journey to the Island' as its finale.

윌리암스는 그것을 '극적인 방식으로 운영'하고 '오케스트라의 압도적인 측면'을 강조할 수 있는 기회라고 설명해 주었다.

Williams described it as 'operatic in a dramatic way' and an opportunity for him to emphasize the 'swashbuckling aspects of the orchestra'

Track listing

1. Opening Titles
2. Theme from Jurassic Park
3. Incident at Isla Nublar
4. Journey to the Island
5. The Raptor Attack
6. Hatching Baby Raptor
7. Welcome to Jurassic Park
8. My Friend, the Brachiosaurus
9. Dennis Steals the Embryo
10. A Tree for My Bed
11. High-Wire Stunts
12. Remembering Petticoat Lane
13. Jurassic Park Gate
14. Eye to Eye
15. T-Rex Rescue & Finale
16. End Credits
17. The History Lesson
18. Stalling Around
19. The Coming Storm
20. Hungry Raptor

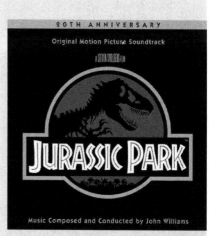

〈쥬라기 공원〉 사운드트랙. © Geffen Records

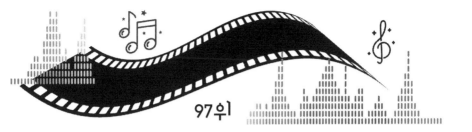

〈오만과 편견 Pride & Prejudice〉(2005) -
이태리 작곡가 다리오 마리아넬리,
피아노 리듬으로 19세기 영국 여성들의 행적 격려

작곡: 다리오 마리아넬리 Dario Marianelli

제인 오스틴 원작을 극화한 〈오만과 편견〉. 19세기 영국 상류층 여성들이 겪는 다양한 일상을 담아 호기심을 자극시킨다. ⓒ Universal Pictures, Mars Distribution, Focus Features

1. <오만과 편견> 버라이어티 평

<오만과 편견>은 2005년 조 라이트 감독의 장편 데뷔작이다. 제인 오스틴의 1813년 동명 소설을 원작으로한 로맨틱 드라마 영화이다. 영화는 결혼, 도덕 및 오해의 문제를 다루는 영국 상류 지주 계층의 다섯 자매를 다루고 있다.

Pride & Prejudice is a 2005 romantic drama film directed by Joe Wright in his feature directorial debut and based on Jane Austen's 1813 novel of the same name.
The film features five sisters from an English family of landed gentry as they deal with issues of marriage, morality and misconceptions.

키이라 나이틀리는 히로인 엘리자베스 베넷 역, 매튜 맥파딘은 그녀의 연인 다아시 역을 연기하고 있다. 스튜디오 카날 Studio Canal과 함께 워킹 타이틀 필름 Working Title Films에서 제작한 영화는 2005년 9월 16일 영국, 11월 11일 미국에서 개봉되었다.

Keira Knightley stars in the lead role of Elizabeth Bennet, while Matthew Macfadyen plays her romantic interest Mr. Darcy. Produced by Working Title Films in association with StudioCanal, the film was released on 16 September 2005 in the United Kingdom and on 11 November in the United States.

시나리오 작가 데보라 모가치는 애초 대화 대부분을 유지하며 엘리자베스 관점으로 글을 쓰면서 처음에는 가능한 소설에 충실한 대본을 만들려고 시도했다고 한다. 첫 장편 영화를 감독하던 라이트는 베넷 가족 내에서 역학을 변경하는 것을 포함하여 텍스트에서 더 큰 편차를 권장했다고 한다.

Screenwriter Deborah Moggach initially attempted to make her script as faithful to the novel as possible writing from Elizabeth's perspective while preserving much of the original dialogue.

Wright who was directing his first feature film encouraged greater deviation from the text including changing the dynamics within the Bennet family.

라이트와 모가치는 영화를 더 이른 시기로 설정하고 '완벽하게 깨끗한 리젠시 세계'를 묘사하는 것을 피하고 대신 당시 '흐릿한 밑단 버전'을 제시한다.

11주 일정에 따라 영국에서 로케이션 전체를 촬영한다.

Wright and Moggach set the film in an earlier period and avoided depicting a 'perfectly clean Regency world' presenting instead a 'muddy hem version' of the time. It was shot entirely on location in England on an 11-week schedule.

라이트는 특정 캐릭터의 과거 연기로 인해 캐스팅에 어려움을 겪게 된다.

Wright found casting difficult due to past performances of particular characters.

영화 제작자는 스타에 대한 스튜디오의 열망과 각 역할에 가장 적합하다고 생각하는 사람의 균형을 맞춰야 했다. 나이트리는 〈캐리비안의 해적〉 시리즈에서 그녀의 역할로 부분적으로 유명했지만 맥파덴은 국제적으로 인정받지 못했다.

The filmmakers had to balance who they thought was best for each role with the studio's desire for stars. Knightley was well known in part from her role in the Pirates of the Caribbean film series while Macfadyen had no international name recognition.

영화 주제는 사실주의, 낭만주의 및 가족을 강조하고 있다.

그것은 젊은 주류 관객에게 판매된다.

판촉 품목은 그것이 오스틴의 소설로서 출처를 인정하기 전에 2001년 로맨틱 코미디 〈브릿지 존스의 일기〉 제작자로 부터 나왔다고 언급한다.

The film's themes emphasise realism, romanticism and family.

It was marketed to a younger, mainstream audience promotional items noted that it came from the producers of 2001's romantic comedy Bridget Jones's Diary before acknowledging its provenance as an Austen novel.

〈오만과 편견〉은 전 세계적으로 약 1억 2,100만 달러의 수익을 올렸다. 이것은 상업적 성공으로 간주되었다.

Pride & Prejudice earned a worldwide gross of approximately $121 million which was considered a commercial success.

〈오만과 편견〉. © Universal Pictures, Mars Distribution, Focus Features

〈오만과 편견〉은 일반적으로 긍정적인 평가를 받는다.

20세 나이틀리의 여우주연상을 포함하여 제 78회 아카데미 시상식에서 4개 부문 후보에 오른다.

당시 3번째로 어린 여우주연상 후보에 지명 받은 것이다.

Pride & Prejudice received generally positive reviews and also received four nominations at the 78th Academy Awards including Best Actress in a Leading Role for 20-year-old Knightley making her the third-youngest Best Actress nominee at the time.

오스틴 학자들은 라이트의 작품이 유산 영화의 전통적인 특성과 '청춘 지향 영화 제작 기법'을 혼합하여 새로운 하이브리드 장르를 만들었다는 의견을 제시한다.

Austen scholars have opined that Wright's work created a new hybrid genre by blending traditional traits of the heritage film with 'youth-oriented filmmaking techniques'

2. <오만과 편견> 사운드트랙 리뷰

이태리 작곡가 다리오 마리아넬리가 영화 음악을 작곡한다.
사운드트랙은 영국 체임버 오케스트라와 함께 프랑스 피아니스트 장-이브 티보데가 연주해 주고 있다.

Italian composer Dario Marianelli wrote the film score. The soundtrack is performed by the French pianist Jean-Yves Thibaudet accompanied by the English Chamber Orchestra.

루트비그 판 베토벤의 초기 피아노 소나타는 원곡의 '기준점'이자 '출발점'이 된다. 일부 작품은 영화의 시대에서 영감을 받았다. 그 시대에 들을 수 있고 18세기 후반에 적합한 실제 댄스 선곡이 포함되어 있다고 가정했다.
배우들이 연기하는 곡들은 촬영이 시작되기 전에 먼저 작곡되었다.

The early piano sonatas of Ludwig van Beethoven 'became a point of reference' and 'starting point' for the original score.

Some pieces were inspired by the film's period with the assumption that they could conceivably have been heard during that time and contained actual dance cues that were fitting for the late eighteenth century. Pieces that actors perform were composed first before filming began.

사운드트랙에는 궁극적으로 영화와 다른 방식으로 구성된 17 곡의 연주 음악 트랙이 포함되어 있다.

The soundtrack ultimately contained seventeen instrumental tracks of music organised in a different way from the film.

3. <오만과 편견> 사운드트랙 작곡 에피소드

'A Postcard to Henry Purcell'은 벤자민 브리튼이 'The Young Person's Guide to the Orchestra'에서 사용했던 아델라자르 Abdelazar를 위한 헨리 푸르셀의 부수적인 음악의 주제를 기반으로 하고 있다.

'A Postcard to Henry Purcell' is based on a theme from Henry Purcell's incidental music for Abdelazar that was also used by Benjamin Britten in The Young Person's Guide to the Orchestra.

이태리 작곡가 다리오 마리아넬리와 영화감독 조 라이트의 관계는 2001년 영화 <워리어>에서 마리아넬리와 함께 일했던 폴 웹스터가 그를 라이트에게 소개하면서 시작되었다고 한다.

The relationship between Italian composer Dario Marianelli and movie director Joe

Wright began when Paul Webster who had worked with Marianelli on the 2001 film The Warrior introduced him to Wright.

첫 번째 대화에서 마리아넬리와 라이트는 루드비그 판 베토벤의 초기 피아노 소나타에 대해 논의했다.
이것은 오리지널 스코어의 '기준점'이자 '출발점'이 됐다고 한다.

In their first conversation, Marianelli and Wright discussed the early piano sonatas of Ludwig van Beethoven which 'became a point of reference' and 'starting point' for the original score.

베토벤 외에도 'Meryton Townhall'과 'The Militia Marches In'-플루트가 등장-과 같은 작품은 영화 시대에서 영감을 받았다.
이들 곡들은 영화 배경 시대에 들을 수 있었을 것으로 생각되었다.

In addition to Beethoven, pieces such as 'Meryton Townhall' and 'The Militia Marches In'-featuring the flute-were inspired by the film's period with the intention that they could conceivably have been heard during that time.

'Meryton Townhall'과 'Another Dance' 등은 18세기 후반에 적합한 실제 댄스 선곡이 포함되어 있었다. 음악 평론가 윌리암 룰만(William Ruhlmann)에 따르면 마리아넬리의 배경 음악에는 '익숙한 낭만적 플롯을 동반하는 강한 낭만주의적 풍미'를 갖고 있었다고 한다.

'Meryton Townhall' and 'Another Dance' contained actual dance cues that were fitting for the late eighteenth century.
According to music critic William Ruhlmann Marianelli's score had a 'strong Romantic flavour to accompany the familiar romantic plot'

여러 장면에서 배우가 피아노를 연주하는 모습이 나오고 있다.

마리아넬리는 촬영이 시작되기 전에 여러 곡을 완성해야 했다.

그에 따르면 '이 작품들은 내가 나중에 더 친밀하고 감정적으로 이야기를 다루기 위해 역사적 정확성을 포기했을 때 내가 나중에 악보로 발전시킨 것의 씨앗을 이미 포함하고 있었다.'라고 말하고 있다.

Multiple scenes feature actors playing pianos, forcing Marianelli to complete several of the pieces before filming began. According to him 'Those pieces already contained the seeds of what I developed later on into the score when I abandoned historical correctness for a more intimate and emotional treatment of the story'

〈오만과 편견〉. © Universal Pictures, Mars Distribution, Focus Features

마리아넬리는 그의 둘째 딸의 탄생으로 인해 배우들이 그의 음악을 연주할 때 참석하지 않았다.

사운드트랙에는 라이트가 세계에서 가장 위대한 피아니스트 중 한 명으로 여겼던 프랑스 피아니스트 장-이브 티보데가 참여하고 있다.

Marianelli was not present when the actors played his music due to the birth of his second daughter. The soundtrack featured French pianist Jean-Yves Thibaudet whom Wright considered one of the greatest pianists in the world.

〈오만과 편견〉은 마리아넬리와 라이트의 4편의 공동 작업 중 첫 번째 작업이었다.

It was the first of four collaborations between Marianelli and Wright.

4. 〈오만과 편견〉 사운드트랙 해설 – 빌보드

시간과 기술이 계속해서 발전함에 따라 제인 오스틴의 스크린 각색에 대한 글을 정당화하기 위해서는 점점 더 많은 재능이 필요한 것 같다.

그녀 이야기는 대부분의 경우 이미 대형 화면을 위해 만들어졌기 때문에 오스틴 소설 정신을 포착하고 섬세한 춤을 추면서 이전 적응의 발을 밟지 않는 방식으로 포착하는 것이 훨씬 더 어렵게 됐다.

As both time and technology continue to barrel forward. it seems to take more and more talent to do justice to the writings of Jane Austen in their screen adaptations. With her stories already made for the big screen in most cases. it's even more diffi-cult to both capture the spirit of Austen's novels and do so in a fashion that doesn't step on the feet of previous adaptations while performing that delicate dance.

〈오만과 편견〉의 경우 1990년대만큼 최근에 BBC에 각색된 것을 잊지 않기는 어렵다. 거의 동시에 많은 비평적 성공을 거두며 큰 스크린을 강타한 오스틴의 작품 르네상스는 말할 것도 없다.

In the case of Pride & Prejudice. it's hard not to forget the BBC adaptation from as recently as the 1990's not to mention the renaissance of Austen's work that hit the big screens with much critical success at about the same time.

예상치 못한 청소년 그룹을 주연으로 캐스팅하고 약간의 역할을 하는 기성 배우를 기용한 조 라이트의 최신 각색은 영화에 필요한 모든 진정성을 유지하면서 이야기에 신선한 피를 불어넣으며 상당한 비평과 대중적 찬사를 받아낸다.

The newest adaptation by Joe Wright casting an unexpected group of youth in the lead roles and peppering bit roles with established actors has been met with considerable critical and popular praise infusing the story with fresh blood while maintaining all the necessary authenticity required of the story.

18세기 영국의 제도적 결혼 시대에 〈오만과 편견〉은 가장 좋은 구혼자에게 모든 딸을 결혼시키는 과정과 처음에는 거절하는 특정 딸-그녀의 구혼자처럼-과 사랑에 빠지지만, 물론 불가피하게 그렇게 된다.

In the age of institutional marriage in 18th Century England, Pride & Prejudice is a standard Austen tale of a family in the process of marrying off all its daughters to the best suitors and revolving around one particular daughter who at first refuses—just like her suitor—to fall in love but of course, inevitably does so.

많은 현대 독자와 영화 관객은 오스틴 이야기를 참을 수 없다고 생각한다. 부분적으로는 너무 일관되고 부분적으로는 훨씬 더 엄격하고 덜 관용적인 사회 시대에 존재하기 때문이다.

A great deal of modern readers and moviegoers find Austen tales to be intolerable partly because they are so consistent and partly because they exist in a far more rigid and less tolerant age of society.

화면에서 오스틴 소설의 각색을 괴롭히는 일관성 중 하나는 패트릭 도일, 레이첼 포트만, 조지 펜튼 또는-비 영국인-리차드 로빈스의 풍부하고 민감한 작품과 함께 종종 전체 길이에 걸쳐 들리는 고정 관념의 음악이다.

그들의 영국 감성에서 서로에게 많은 것을 차용하고 있다.

One of the consistencies that plagues the adaptations of Austen novels on screen is the stereotypical music that is often heard throughout their lengths with the lush, sensitive works of Patrick Doyle, Rachel Portman, George Fenton or (non-Brit) Richard Robbins often borrowing heavily from each other in their British sensibilities.

2005년 가장 놀라운 과제 중 하나는 이 최신 버전의 〈오만과 편견〉에 이태리인 다리오 마리아넬리의 애착(愛着)이었다.

One of the most surprising assignments of 2005 has been Italian Dario Marianelli's attachment to this newest version of Pride & Prejudice.

마리아넬리는 올해 초에 테리 길리암 감독의 〈그림 형제〉에 배정되었을 때 비슷한 평가를 받았다. 마리아넬리는 미국 무대에 짙은 오케스트라 창의성의 상쾌한 유럽 감각을 가져왔던 것이다.

Marianelli was similarly received when assigned to Terry

〈오만과 편견〉. ⓒ Universal Pictures, Mars Distribution, Focus Features

Gilliam's The Brothers Grimm earlier in the year a film for which Marianelli brought a refreshingly European sense of dense orchestral creativity to an American stage.

이태리에서 런던으로 풀타임으로 이사한 마리아넬리는 10년도 채 되지 않은 기간 동안 영화를 촬영했지만 BAFTA 상을 수상한 두 개의 프로젝트에 참여하게 된다. 〈오만과 편견〉에 대한 그의 접근 방식-제작 이전에 소설의 개념을 기반으로 곡을 쓰기 시작-은 대부분의 청취자에게 쉽게 배경 음악의 승패를 좌우하게 될 것이다.

Having moved from Italy to London full time, Marianelli has scored films for less than a decade but has been involved with two projects that have won BAFTA awards. His approach to Pride & Prejudice-starting his writing based on the concepts in the novel before production was far along-will easily be the make or break aspect of the score for most listeners.

대부분 역사 영화에서 성공적으로 수행하기 어려운 전술에서 마리아넬리는 작가가 처음 이야기를 쓸 때 들었을 정확한 음악으로 영화 배경 음악을 선택하기로 결정하게 된다.

In a tactic that is often difficult to pull off successfully for most historical films Marianelli chooses to score the film with the exact music that the author would have heard when first writing the stories.

제인 오스틴 세계에서 이것은 피아노와 현악 중심의 실내 오케스트라를 의미하고 있다. 유명한 피아니스트 장-이브 티보데(Jean-Yves Thibaudet) 도움을 받은 마리아넬리. 그는 베토벤의 중요한 색조를 테이블로 가져와 궁극적으로 가장 활동적인 순간에 강렬하게 고전적인 악보를 만들어 낸다. 특정 장면에 대한 춤과 행진의 프레젠테이션에서 개인적이고 전통적인 악보를 만든다.

In the world of Jane Austen, this means a heavy dose of piano and string-centered chamber orchestra. Enlisting the help of renown pianist Jean-Yves Thibaudet, Marianelli brings significant shades of Beethoven to the table, ultimately creating a score that is intensely classical in its most active moments and personal and traditional in its presentation of dances and marches for specific scenes.

배경 음악의 하이라이트는 'Arrival at Netherfield' 'Liz on Top of the World' 'Your Hands is Cold' 등 티보데의 피아노가 오케스트라를 맹렬한 속도로 이끄는 본격적인 베토벤 해석이다. 이 테마는 주요 젊은 여성 캐릭터의 치열하고 용서하지 않는 측면을 완벽하게 표현해주고 있다.

The highlights of the score are the full-scale Beethoven interpretations during which Thibaudet's piano is leading the orchestra at blazing speeds including 'Arrival at Netherfield' 'Liz on Top of the World' and 'Your Hands are Cold'.
This theme perfectly represents the fierce, unforgiving side of the primary young woman's character,

그리고 'Your Hands are Cold'에서 캐릭터의 마지막 저항은 환상적이고 단호한 피아노 연주로 제공되고 있다.

and in 'Your Hands are Cold' the last resistance of the character is served with a fantastic, determined performance on piano.

'Darcy's Letter'의 인상적이고 완전한 주제의 진술과 엔딩 크레디트를 포함하여 현악 부분의 여러 큰 팽창(膨脹)이 종종 피아노를 반주해 주고 있다.

Several large swells of the string section often accompany the piano including impressive and full statements of theme in 'Darcy's Letter' and the end credits.

댄스 시퀀스의 소스 음악은 'The Militia Marches In'의 군국주의 행진처럼 덜 기발한 녹음이다.
현을 제공하며 이러한 순간은 그렇지 않으면 쉽게 듣는 경험을 깨뜨리게 된다.

The source music for the dance sequences offers the strings in a jarring, less whimsical recording as does the militaristic march in 'The Militia Marches In' and these moments do break up the otherwise easy listening experience.

전반적으로 마리아넬리는 〈오만과 편견〉에 대해 전혀 기회를 갖지 않고 있다. 가능한 한 보수적으로 연주하면서 유쾌하고 때로는 강한 음악을 제공하고 있다. 그러나 클래식 음악 수집가조차 감명을 줄 수 없는 넓고 구불구불한 길을 여행하고 있다.

Overall, Marianelli takes absolutely no chances with Pride & Prejudice and in playing it as conservatively as possible.

he offers music that is both pleasant and occasionally strong but also travels a wide and beaten path that may not impress even collectors of classical music.

Track listing

1. Dawn
2. Stars and Butterflies
3. The Living Sculptures of Pemberley
4. Meryton Townhall
5. The Militia Marches in
6. Georgiana
7. Arrival at Netherfield
8. A Postcard to Henry Purcell
9. Liz on Top of the World
10. Leaving Netherfield
11. Another Dance
12. The Secret Life of Daydreams

13. Darcy's Letter
14. Can't Slow Down
15. Your Hands are Cold
16. Mrs. Darcy
17. Credits

〈오만과 편견〉 사운드트랙. ⓒ Decca Records

98위

〈일 포스티노 Il Postino: The Postman〉(1994) -

루이스 바칼로프, 합창과 오케스트라 연주 결합시켜

우편배달부와 위대한 시인과의 교류 묘사(描寫)

작곡: 루이스 바칼로프 Luis Bacalov

평범한 우편배달부와 칠레 출신 위대한 시인 파블로 네루다의 교류를 담아 관심을 얻어낸 〈일 포스티노〉. ⓒ Miramax

1. 〈일 포스티노〉 버라이어티 평

칠레 유명한 시인 파블로 네루다. 정치적인 이유로 작은 섬으로 유배된다. 섬에서 가난한 어부의 실직한 아들은 우편배달부의 엄청난 증가로 인해 추가 우편배달부로 고용된다.

Pablo Neruda, the famous Chilean poet is exiled to a small island for political reasons. On the island, the unemployed son of a poor fisherman is hired as an extra postman due to the huge increase in mail that this causes.

우편배달부는 유명인의 우편물을 그에게 직접 배달한다. 교육을 제대로 받지 못했다. 하지만 우편배달부는 시를 사랑하는 법을 배우고 결국 네루다와 친구가 된다. 성장하고 자신을 더 완벽하게 표현하기 위해 고군분투하는 그는 갑자기 사랑에 빠지고 그 어느 때 보 다 네루다의 도움과 조언이 필요하게 된다.

Il Postino is to hand-deliver the celebrity's mail to him. Though poorly educated, the postman learns to love poetry and eventually befriends Neruda.
Struggling to grow and express himself more fully.
he suddenly falls in love and needs Neruda's help and guidance more than ever.

〈일 포스티노〉는 마시모 트로이시가 공동 집필하고 주연을 맡은 1994년 코미디 드라마 영화이다. 영국 출신 마이클 래드포드가 감독을 맡고 있다.
안토니오 스카메타의 1985년 소설 〈불타는 인내 Ardiente paciencia/Burning Patience〉를 원작으로 하고 있다. 스카메타가 각색을 맡았다.
영화는 실제 칠레 시인 파블로 네루다가 시를 사랑하는 법을 배우는 단순한 나폴리 만 작은 섬 프로시다 우체부(트로이치)와 함께 우정을 형성하는 허구의 이야기를 들려주고 있다.

Il Postino: The Postman/ The Postman is a 1994 comedy-drama film co-written by and starring Massimo Troisi and directed by English filmmaker Michael Radford.

Based on the 1985 novel Ardiente paciencia/ Burning Patience by Antonio Skármeta itself adapted from a 1983 film written and directed by Skármeta.

the film tells a fictional story in which the real life Chilean poet Pablo Neruda forms a friendship with a simple Procida postman (Troisi) who learns to love poetry.

작가 겸 배우 트로이시는 촬영 중 몸이 많이 아파서 심장 수술을 연기했다. 주요 촬영이 끝난 다음 날, 그는 치명적인 심장마비를 겪는다. 영화는 그의 사후(死後)에 완성되어 개봉된다.

Writer/ star Troisi was severely ill during filming postponing heart surgery so it could be completed. The day after principal photography ended. he suffered a fatal heart attack and the film was completed and released posthumously.

영화는 비평가들의 찬사를 받았다. BAFTA에서 영어가 아닌 최우수 영화상, 최우수 감독상, 최우수 영화 음악상을 비롯한 수많은 상을 수상한다. 작곡가 루이스 바칼로프는 아카데미상에서 최우수 오리지널 드라마 작곡상을 수상한다.

영화는 이전에 제작 또는 출판된 자료를 기반으로 하여 최우수 작품상, 최우수 감독상, 최우수 남우주연상 및 최우수 각본상 후보로 지명 받는다.

accolades including BAFTA Awards for Best Film Not in the English Language, Best Direction and Best Film Music.

Composer Luis Bacalov won the Academy Award for Best Original Dramatic Score and the film was nominated for Best Picture, Best Director, Best Actor and Best Screenplay Based on Material Previously Produced or Published.

2. 〈일 포스티노〉 사운드트랙 리뷰

1994년 미라막스는 영화를 홍보하기 위해 〈일 포스티노: 사운드트랙 The Postman/ Il Postino: Music From The Miramax Motion Picture〉을 출반한다.

In 1994 to promote the film, Miramax published The Postman (Il Postino): Music From The Miramax Motion Picture.

영화 주제곡은 화려하다. 달콤하고 우울하며 틀림없이 이태리

〈일 포스티노〉. ⓒ Miramax

다. 작곡가 루이스 바칼로프가 아카데미 작곡 상(Best Dramatic Score)상을 수상했다. 그러나 구매자는 이 CD에 대해 16달러를 지불하는 데 신중해야 한다. 두 가지 이유가 있다. 우선, 그 신랄한 멜로디에 질리기가 쉽지 않지만 이 CD는 듣는 사람을 좋게 하고 질리게 하기 위해 최선을 다하고 있다.

The theme tune from this movie is gorgeous, sweet, melancholy, unmistakably Italian. It won composer Luis Bacalov a well-deserved Best Dramatic Score Oscar.
But buyers should be cautious about slapping down 16 dollars for this CD for two reasons. First of all, while it's not easy to get tired of that poignant melody.
this CD tries its darndest to get the listener good and sick of it.

라이트모티브-반복되는 곡조-는 피아노 버전, 하프시코드와 현 버전, 기타와 반도네온 버전 등 30개 트랙 중 거의 모든 트랙에서 반복되고 있다.
소비자가 주의해야 하는 두 번째 이유는 CD 절반이 '시와 음악'이기 때문이다.

모음곡 Suite은 파블로 네루다 시(詩)를 읽는 슈퍼스타의 퍼레이드를 특징으로 하고 있다. 네루다는 이 세미-역사 드라마의 등장인물 중 한 명이다.

The leitmotif is repeated in almost every one of the 30 tracks. in the piano version, the harpsichord and string version, the guitar and bandoneon version, etc.

The second reason for consumer caution is that half of the CD is a 'Poetry and Music Suite' featuring a parade of superstars reading Pablo Neruda's poems.

Neruda is one of the characters in this semi-historical drama.

바칼로프 음악은 네루다의 감미롭고 땀 흘리는 서정성과 아름답게 맞물리고 있다. 그러나 CD를 배경 음악으로 사용하는 청취자와 CD 플레이어에서 임의의 '셔플' 기능을 사용하는 것을 좋아하는 청취자는 이것을 구입하기 전에 다시 한 번 생각하고 싶을 것이다.

Bacalov's music meshes beautifully with Neruda's sweet, sweaty lyricism. But listeners who use their CDs for background music and those who like to use the random 'shuffle' feature on their CD players might want to think twice before buying this

바칼로프가 작곡한 영화음악 외에도 사운드트랙에는 스팅, 미란다 리차드슨, 웨슬리 스나입스, 랄프 파인즈, 에단 호크, 루퍼스 소웰, 글렌 클로즈, 사무엘 L. 잭슨, 앤디 가르시아, 윌렘 대포우, 마돈나. 빈센트 페레즈, 줄리아 로버츠 등이 낭독한 파블로 네루다 시가 포함되어 있다. 총 31곡의 트랙이 있다.

Besides the film's score composed by Bacalov.

the soundtrack includes Pablo Neruda's poems recited by Sting, Miranda Richardson, Wesley Snipes, Ralph Fiennes, Ethan Hawke, Rufus Sewell, Glenn Close, Samuel L. Jackson, Andy García, Willem Dafoe, Madonna, Vincent Perez and Julia Roberts. There are a total of 31 tracks.

3. 〈일 포스티노〉 사운드트랙 해설 – 빌보드

〈일 포스티노〉는 이태리 작은 섬에 사는 우체부의 사랑스러운 이야기를 들려주고 있다. 즉, 그가 망명 중인 전설적인 시인 파블로 네루다에게 직위를 전달하고 네루다 작품의 도움과 영감을 받아 섬에서 가장 아름다운 젊은 여성에게 매력을 부여할 때까지.

Il Postino tells the lovable tale of a postman on a small island in Italy who has little reason to be excited about his isolated job. That is, until he delivers post to the legendary poet Pablo Neruda in exile and with the help and inspiration of Neruda's work puts the charms on the island's most beautiful young woman.

가슴 훈훈한 로맨스 이야기는 일반적으로 지중해식 애티튜드의 쓸쓸하면서도 달콤한 로맨스처럼 다소 파괴적인 결말로 얼룩져 있다.
베테랑 이태리 작곡가 루이스 바칼로프의 원곡과 마찬가지로 네루다의 시는 영화 내내 기억에 남는 분위기를 조성해 주고 있다.

The heart-warming romance story is tainted by a somewhat disruptive ending as typically are bittersweet romances of Mediterranean attitude.
Neruda's poetry sets a memorable mood throughout the film as does the original score by the veteran Italian composer Luis Bacalov.

몇 년 후 〈인생은 아름다워〉와 마찬가지로 이 영화는 단기간 추진력으로 인해 아카데미 시상식에서 보기 드문 외국 영화의 성공을 거둔 미국에서 빠른 현상이 된다. 대부분 영화 음악 팬들은 1996년 2월 아카데미 시상식에서 제임스 호너의 〈아폴로 13〉과 〈브레이브하트〉를 물리친 바칼로프의 〈일 포스티노〉 음악을 기억할 것이다.

The film, much like Life is Beautiful a few years later would be a quick phenomenon in America where its short-lived momentum would carry it to rare foreign-film success at the Academy Awards.

Most film score fans will recall Bacalov's Il Postino score as that which defeated James Horner's Apollo 13 and Braveheart at the Oscars in February 1996.

충격적인 약자가 호너의 두 가지 뛰어난 노력에 대해 승리를 거둔 것은 아카데미 내에서 호너 경력을 지지하는 지지자들이 두 배경 음악 사이에서 표를 나누었기 때문일 것이다. 2년 후 호너가 오스카상을 수상하면서 많은 팬들이 〈일 포스티노〉에 대해 여전하고 압력을 가한 경멸을 표현했다.

The shocking underdog triumphed over Horner's two superior efforts occurred likely because the supporters of Horner's career within the Academy split their votes between the two scores. Incidentally, with Horner's win of an Oscar two years later, many fans released their lingering, pressurized disdain for Il Postino.

〈일 포스티노〉. © Miramax

그 자체로 〈일 포스티노〉 음악은 그 해 아카데미상을 받을 자격이 없었다.

하지만 여전히 이태리 영화 음악이 제공해야 하는 최고를 대표하는 것으로 그 자체로 강력하다.

대부분 영화 음악 팬들이 인정하듯이 유럽 이외의 지역에서는 거의 주목받지 못한 이 장르의 지중해 출력에 대한 표준을 상당히 반영하는 음악이다.

On its own merit, the Il Postino score did not deserve the Academy Award that year but it still stands strongly on its own as a representative of the best that Italian film music has to offer. It is music that is very reflective of the norm for Mediterranean output in this genre which as most film score fans will admit has gone largely unnoticed outside of Europe.

영화 자체는 대부분 미국 팬들이 똑같이 주목하지 않는 이태리 예술극의 한 부분이다. 이러한 스타일의 영화와 음악에 대해 본질적으로 가질 수 있는 편견에 관계없이 바칼로프 배경 음악은 이 특정 이야기와 완벽하게 일치하고 있다.

The film itself is a slice of Italian arthouse drama that goes equally unnoticed by most American fans and regardless of any biases you might inherently have against this style of film and its music.
Bacalov's score is a perfect match for this particular story.

경쾌하고 자유분방한 〈일 포스티노〉 음악은 고립된 이태리 섬의 라이프스타일을 전달하는 능력에서 놀라울 정도로 중독성이 있다.

Airy and free-floating, Il Postino's music is surprisingly catchy and addictive in its ability to convey the lifestyles on an isolated Italian island.

만돌린과 반도네온을 사용한 진정성에서 현악 4중주의 낭만적인 풍미에 이르기까지 모든 기대는 즐거운 성공과 함께 연주되고 있다.
배경 음악이 작다고 말하는 것은 기술적으로 정확하다.
하지만 전염성 있는 성격으로 보상하는 것 이상이다.

From the authenticity of spirit in the use of mandolins and a bandoneon to the romantic flavor of the string quartets, every expectation is played upon with pleasant success. To say that the score is small in scale would be technically correct but it more than compensates with its infectious personality.

한 가지 단점은 노력 전반에 걸쳐 주요 주제와 보조 주제의 극도로 반복적인 특성일 수 있다. 때로는 다른 악기 조합을 통해 주제를 끝없이 바꿔쓰는 동안 앨범에 대한 사람의 관용을 늘리고 있다.

One detraction may be the extremely repetitive nature of the main theme and auxiliary motifs throughout the effort sometimes stretching a person's tolerance on album during the endless rephrasing of the theme through different instrumental combinations.

'The Postman's Dreams'과 'Milonga del Poeta'라는 선곡과 함께 가장 멋진 멜로디 공연이 추가 목관악기와 타악기 반주와 함께 주요 주제를 제시해주고 있다. 더욱 발전된 주제의 공연에서 배경 음악은 매우 즐겁다.

The most snazzy performances of melody accompany the cues 'The Postman's Dreams' and 'Milonga del Poeta' which present the primary theme with extra woodwinds and percussive accompaniment. In these more developed performances of the theme, the score is extremely enjoyable.

특히 피아노 연주의 특정 감각은 소리를 신선하게 유지해주고 있다.
모티프의 오래된 팝 연주와 스트레이트 재즈 곡-'Loved by Women'은 타이틀 테마의 일관된 진술에서 휴식을 제공하고 있다.
궁극적으로 전체 작업의 청취자에게 가장 좋은 인상은 해당 주제의 가장 밝고 열정적인 연주에서 형성되어 니콜라 피오바니 작곡의 〈인생은 아름다워〉 같은 앨범 경험을 만들어 내고 있다는 것이다.

A certain flair in the performances by the piano especially keep the sound fresh. An older pop rendition of a motif, as well as a straight jazz piece-'Loved by Women' offer breaks from the consistent statements of the title theme.

Ultimately, the overall work's best impressions on the listener are formed during the most upbeat and enthusiastic performances of that theme producing an album experience much like Nicola Piovani's Life is Beautiful.

〈일 포스티노〉 배경 음악은 미국과 이태리 여러 앨범에 존재해 왔다.

The Il Postino score has existed on several albums both in America and Italy.

〈일 포스티노〉. ⓒ Miramax

미국인들은 할리우드 레코드에서 앨범을 제공 받았다. 사운드트랙 제작 과정에서 몇 몇 주요 배우와 여배우들이 파블로 네루다의 시-줄리아 로버츠가 이끄는- 팬이라는 사실이 거의 우연히 발견된다.

그 결과 이 예술가들이 읽은 그의 시 모음집이 앨범에 포함된다.

The Americans have the album courtesy of Hollywood Records and during the production process of the soundtrack.

it was discovered almost by accident that several major actors and actresses were fans of Pablo Neruda's poetry-led by Julia Roberts-and as a result a collection of his poetry read by these artists is included on the album.

Track listing

1. Theme
2. Morning–Pablo Neruda by Sting
3. Poetry–Pablo Neruda by Miranda Richardson
4. Leaning into Afternoons–Pablo Neruda by Wesley Snipes
5. Poor Fellows, poem–Luis Bacalov by Julia Roberts
6. Ode to The Sea–Pablo Neruda by Ralph Fiennes
7. Fable of The Mermaid & The Drunks–Pablo Neruda by Ethan Hawke
8. Ode to The Beautiful Nude–Pablo Neruda by Rufus Sewell
9. I Like You to Be Still–Pablo Neruda by Glenn Close
10. Walking Around–Pablo Neruda by Samuel L. Jackson
11. Tonight I Can Write–Pablo Neruda by Andy Garcia
12. Adonic Angela–Pablo Neruda by Willem Dafoe
13. If You Forget Me–Pablo Neruda by Madonna
14. Integrations–Pablo Neruda by Vincent Perez
15. And Now You're Mine–Pablo Neruda by Julia Roberts & Andy Garcia
16. The Postman (Titles)
17. Bicycle
18. Madreselva, tango
19. The Postman Lullaby
20. Beatrice
21. Metaphors
22. Loved By Women
23. The Postman by Trio version
24. Sounds of the Island
25. The Postman's Dreams
26. Pablito
27. Milonga Del Poeta
28. Madreselva, tango–Instrumental

29. The Postman Poet

30. The Postman by Harpsichord and String version

31. The Postman by Guitar and Bandoneon version

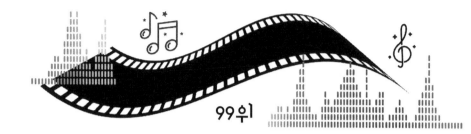

〈이 티 E.T. the Extra-Terrestrial〉(1982) -

존 윌리암스, 복조화음 polytonality 통해

지구 소년과 외계인 우정 묘사(描寫)

작곡: 존 윌리암스 John Williams

스티븐 스필버그 감독이 외계인과 지구인의 화합 메시지를 제시해 폭발적 관심을 얻어낸 〈이 티〉. 배경 음악은 콤비 작곡가 존 윌리암스를 초빙했다. ⓒ Amblin Productions, Universal Pictures

1. <이 티> 버라이어티 평

<이 티>는 스티븐 스필버그가 제작 및 감독했다. 멜리사 매티슨이 각본을 맡은 1982년 미국 SF 영화이다. 영화는 지구에 고립된 외계인 E.T와 친구가 된 소년 엘리어트의 이야기를 담고 있다. 엘리어트는 친구 및 가족과 함께 정부를 피해 집으로 되돌아 갈 E.T를 도울 방법을 찾아야 한다.

E.T. the Extra-Terrestrial or simply E.T is a 1982 American science fiction film produced and directed by Steven Spielberg and written by Melissa Mathison.
The film tells the story of Elliott a boy who befriends an extraterrestrial dubbed E.T who is stranded on Earth. Along with his friends and family.
Elliott must find a way to help E.T return home while avoiding the government.

영화 컨셉은 스필버그가 부모님 이혼 후 만든 가상의 친구를 기반으로 했다.
1980년 스필버그는 매티슨을 만나 실현되지 않은 프로젝트 <나이트 스카이>에서 새로운 이야기를 전대하게 된다.

The film's concept was based on an imaginary friend that Spielberg created after his parents divorce. In 1980, Spielberg met Mathison and developed a new story from the unrealized project Night Skies.

두 달도 채 되지 않아 매티슨은 'E.T와 나'라는 제목의 대본 첫 번째 초안을 작성하게 된다. 그리고 두 번의 재작성을 거친다.

In less than two months, Mathison wrote the first draft of the script titled E.T and Me, which went through two rewrites.

이 프로젝트는 상업적 잠재력을 의심했던 컬럼비아 픽쳐스에 의해 거부된다.

유니버설 픽처스는 결국 100만 달러에 대본을 구입한다.

The project was rejected by Columbia Pictures who doubted its commercial potential. Universal Pictures eventually purchased the script for $1 million.

촬영은 1981년 9월부터 12월까지 1,050만 달러 예산으로 진행된다.
대부분 영화와 달리 〈E.T〉는 젊은 출연진의 설득력 있는 감정 연기를 돕기 위해 대략적인 시간 순서대로 촬영하게 된다.
영화의 애니마트로닉스는 카를로 램볼디가 디자인을 맡는다.

Filming took place from September to December 1981 on a budget of $10.5 million.
Unlike most films, E.T was shot in rough chronological order to facilitate convincing emotional performances from the young cast.
The animatronics for the film were designed by Carlo Rambaldi.

〈E.T〉는 1982년 5월 26일 칸 영화제 폐막작으로 초연된다.
1982년 6월 11일 미국에서 대봉된다.

E.T premiered as the closing film of the Cannes Film Festival on May 26, 1982 and was released in the United States on June 11, 1982.

영화는 즉시 블록버스터가 되어 〈스타 워즈〉를 제치고 역대 최고 수익을 올린 영화가 된다. 스필버그의 자신의 〈쥬라기 공원〉이 1993년 이를 능가할 때까지 11년 동안 이 기록을 유지하게 된다. 〈이 티〉는 비평가들에게 널리 찬사를 받았으며 역사상 가장 위대한 영화 중 한 편으로 간주되고 있다.

The film was an immediate blockbuster surpassing Star Wars to become the high-est-grossing film of all time a record it held for eleven years until Spielberg's own Jurassic Park surpassed it in 1993. E.T. was widely acclaimed by critics and is regarded as one of the greatest films of all time.

영화는 1985년과 2002년에 20주년을 기념하여 변경된 샷,
시각 효과 및 추가 장면을 담아 재개봉된다.

The film was re-released in 1985 and again in 2002 to celebrate its 20th anniversary
with altered shots, visual effects and additional scenes.

2. 〈이 티〉 사운드트랙 리뷰

영화의 배경 음악을 작
곡한 스필버그의 정규 협
력자 존 윌리암스는 그런
괴상하게 생긴 생물에게
동정을 불러일으킬 음악
을 만드는 도전에 대해 설
명한다.

이전 협업과 마찬가지
로 스필버그는 윌리암스

〈이 티〉. © Amblin Productions, Universal Pictures

가 작곡한 모든 테마를 좋아했고 포함시킨다. 스필버그는 마지막 추격전 음악
을 너무 좋아해서 시퀀스에 맞게 편집하게 된다.

Spielberg's regular collaborator John Williams who composed the film's musical
score described the challenge of creating one that would generate sympathy for such
an odd-looking creature. As with their previous collaborations, Spielberg liked every

theme Williams composed and had it included. Spielberg loved the music for the final chase so much that he edited the sequence to suit it.

윌리암스는 특히 동시에 연주되는 두 대의 서로 다른 건반 소리를 나타내는 다조성을 사용하여 모더니스트 접근 방식을 취한다.

리디안 모드는 폴리톤 방식으로도 사용 되었다. 윌리암스는 신비롭고 몽환적 이며 영웅적인 특성을 표현하기 위해 폴리톤과 리디안 모드를 결합한다.

Williams took a modernist approach, especially with his use of polytonality which refers to the sound of two different keys played simultaneously.

The Lydian mode can also be used in a polytonal way. Williams combined polytonality and the Lydian mode to express a mystic, dreamlike and heroic quality.

하프, 피아노, 첼레스타, 기타 건반과 같은 색채 악기와 타악기를 강조한 그의 주제는 〈이 티〉의 어린아이 같은 본성과 그의 '기계'를 암시하는 것이다.

His theme, emphasizing coloristic instruments such as the harp, piano, celesta and other keyboards as well as percussion, suggests E.T's childlike nature and his 'machine'

3. 〈이 티〉 사운드트랙 작곡 에피소드

영화 사운드트랙은 실제로 여러 번 이슈가 된다. 원래 문제는 영화음악을 기 반으로 한 콘서트 편곡을 녹음하는 것이었다.

대부분 선곡은 원래 영화를 위해 녹음되었다. 하지만 새로운 선곡으로 대체된 대체 녹음은 이후 영화에서 들려오는 실제 사운드트랙 선곡에 포함된다.

The soundtrack for the film has actually been issued numerous times.

The original issue was a recording of concert arrangements based on the film's music. Later issues contain the actual soundtrack cues as heard in the film although most cues are alternates originally recorded for the film but replaced by new cues.

배경 음악은 캘리포니아 컬버시티에 있는 MGM 스코어링 스테이지에서 녹음된다.

The score was recorded at the MGM Scoring Stage in Culver City, California.

트랙 'Magic of Halloween'에서 이 티는 요다 의상을 입은 아이를 보게 된다. 윌리암스는 1980년 〈제국의 역습〉을 위해 작곡한 '요다의 테마'에 대한 언급을 포함시킨다.

On the track 'The Magic of Halloween' when E.T. sees a child wearing a Yoda costume, Williams includes a reference to 'Yoda's Theme' which he had composed for The Empire Strikes Back in 1980.

조지 루카스는 〈스타 워즈: 에피소드 1-보이지 않는 위험 Star Wars: Episode I-The Phantom Menace〉-존 윌리암스 작곡-에서 상원 의원으로 3명의 E.T.를 포함시켜 두 영화를 반연결함으로써 최종 연결을 만들어 낸다.

George Lucas made the final link when he included three E.T.s as a member of the senate in Star Wars: The Phantom Menace-also composed by John Williams-and thereby semiconneting the two movies.

영화만을 위해 녹음된 대체 음악과 앨범 편곡을 제외하고 약 80분의 음악이 있다. 종이에 악기 부품을 제외한 전체 악보 총수는 500페이지가 훨씬 넘는다.

음악은 1981년 12월부터 1982년 1월까지 전체 악보를 연필로 작성했던 오케스트라 연주자 허버트 W. 스펜서에게 나중에 전달될 스케치에 처음 작성된다.

There are almost 80 minutes of music excluding alternates and album arrangements recorded just for the film. In paper the total number of full score excluding instrument parts excess well over 500 pages. The music was first written on a sketch to later be handed to orchestrator Herbert W. Spencer who penciled out the full score from December 1981 to January 1982.

오케스트라는 변형이 있는 일반적인 표준 오케스트라로 구성된다. 엔딩 크레디트는 플루트 3대, 오보에 2대, 클라리넷 2대, 바순 3대, 혼 인 f 4대, 트럼펫 3대, 트롬본 3대, 튜바 1대, 타악기 부분, 하프 1대, 피아노 1대 및 현악 부분으로 구성된다.

영화의 다른 부분에는 셀레스티 및 오르간과 같은 추가 악기가 필요했다.

녹음하는 동안 몇 몇 목관악기 연주자들은 자신의 악기와 피콜로 플루트, 잉글리시 호른, 클라리넷, 콘트라 바순 사이에서 복식을 연주하기도 한다.

The orchestra consist of that of a usual standard orchestra with variations, e.g. the end credits consist of 3 flutes, 2 oboes, 2 clarinets, 3 bassoons, 4 horn in f, 3 trumpets, 3 trombones, 1 tuba, percussion section, 1 harp, 1 piano and string section. Other parts of the movie required additional instruments such as celeste and organ. During the recording several of the woodwind players also play doubles between their own instrument and piccolo flute, English horn, and a clarinet and contra bassoon.

최종 영화 음악이 준비되기 전에 음악에 대한 몇 가지 수정이 이루어진다.

Several revisions to the music were made before the final film score was ready.

음악의 원본 버전 중 일부는 새 녹음과 함께 원본 사운드트랙 앨범에 포함된다. 반면 다른 버전은 1996년 또는 2002년에 발매되어 La La Land Records가 모든 대체 버전의 선곡이 보너스 자료로 제

〈이 티〉. © Amblin Productions, Universal Pictures

공되는 것을 포함한 원본 영화 배경 음악을 마침내 발매한다.

Some of the original versions of the music would end up on the original soundtrack album along with new recordings while others would end up on either the 1996 or 2002 releases before La La Land Records finally released the original film score including all alternate versions of the cues were presented as bonus material.

녹음에서 알려진 일화 중 하나는 윌리암스가 피날레 추격을 녹음하는 동안 음악 타이밍에 문제가 발생한다. 이에 스필버그는 프로젝터를 끄고 윌리암스에게 원하는 대로 음악을 녹음하도록 지시했다고 한다.

스필버그는 나중에 녹음된 음악 주변의 장면을 편집했다고 한다.

One of the known anecdotes from the recording is that Williams had problems with timing of the music during the recording of the finale chase which resulted in Spielberg shutting off the projector and telling Williams to record the music as he wanted it. Spielberg later edited the scenes around the recorded music.

4. <이 티> 사운드트랙 해설 - 빌보드

스필버그-윌리암스 팀은 이제 확고하게 자리를 잡았다. 윌리암스는 이 영화를 즉시 좋아하게 되었다. 그가 스튜디오에서 '플라잉 테마'의 피아노 렌더링을 발표했을 때 스필버그는 기뻐했다. 나머지는 역사가 된다.

The Spielberg-Williams team was now firmly established and Williams took an instant liking to the film. When he presented at his studio a piano rendering of the Flying Theme Spielberg was overjoyed and the rest is history.

윌리암스는 영화가 어린이 눈을 통해 보인다는 것을 이해했다.
이것은 영화를 촬영할 때 스필버그 카메라 앵글에 의해 강화된 사실이다.
그는 또한 이 영화가 낯선 세계에 홀로 남겨진 소외되고 비통한 소년과 젊은 외계인 사이에 형성된 유대에 대해 이야기하고 있음을 이해한다.

Williams understood that the film is seen through a child's eyes, a fact reinforced by Spielberg's camera angles in shooting the film.
He also understood that the film spoke to the bond formed between an alienated, grieving boy and a young alien, alone on a strange world.

그들의 우정을 통해 그들은 치유되었다. 영화가 성공하기 위해 이것에 대해 이야기하는 데 필요한 음악이 필요하게 된다.

Through their friendship they are both healed and the music needed to speak to this for the film to succeed.

따라서 윌리암스 영화의 배경 음악을 매길 때 평소와 같이 주제별 접근 방식을 선택하게 된다. 그는 외계인을 위한 3가지를 포함하여 9가지 주제와 2가지 주제를 제공한다. 'E.T 테마'는 그의 아이덴티티 역할을 하며 그의 고립감과 가족을 되찾고자 하는 열망을 나타내고 있다.

As such, Williams chose his usual thematic approach to scoring the film. He provided nine themes and two motifs, including three for the aliens. E.T's Theme serves as his identity and speaks to his isolation and desire to regain his family.

반복되는 6개의 음표 숫자로 된 솔로 피콜로는 일반적으로 멜로디를 전달하고 있다. 그 멜로디는 부드러우면서도 취약하지만 슬픔을 담고 있다.

A solo piccolo in repeating six-note figures usually carries the melody which I found tender, vulnerable yet also bearing a tinge of sadness.

'외계인 테마'는 외계인의 집단적 정체성 역할을 하고 있다.

그것은 미스테리오소를 제공하고 있다.

구성과 표현에 있어서 선율적이기보다는 주변적이다.

〈이 티〉. ⓒ Amblin Productions, Universal Pictures

윌리암스는 매달린 심벌즈 위에 슈퍼 볼을 문지르고 셀레스티와 결합하여 현악 질감을 이동하여 다른 세상의 소리를 만들어낸다.

The Alien Theme serves as the collective identity of the Aliens. It offers a mysterioso and is ambient rather than melodic in its construct and articulation.

Williams created its otherworldly sound by rubbing a super ball over a suspended cymbal, while joined by celeste and shifting string textures.

'The Call Motif'는 본질적으로 '에이리언 테마'와 관련이 있으며 종종 동반된다. 〈이 티〉 가족에 대한 그리움과 향수병에 대해 이야기 하고 있다.

The Call Motif is intrinsically bound to the Alien Theme to which it often accompanies. It speaks to E.T's longing for his family and homesickness.

그것의 간단한 구조는 높은 음역에서 시작하여 낮은 음역에서 응답하는 내림차순 2음표 호출을 제공하고 있다.

Its simple construct offers a descending two-note call which begins in the upper register and is answered in the lower register.

'Elliot-E.T' 우정에는 5가지 테마가 제공되고 있다. 'gossamer Friendship 테마'는 친밀하고 부드럽다. 윌리암스는 하프, 셀레스티, 움직이는 현 질감에 의해 전달되는 그 조음에서 꿈과 같이 그것을 목적을 갖고 의도하고 있다. 주목할 만한 것은 테마가 궁극적으로 큰 감동의 '형제 사랑 테마'로 변형된다는 것이다.

Five themes are provided for the Elliot-E.T. friendship including the gossamer Friendship Theme is intimate and tender. Williams purposely intended that it by dreamlike in its articulation carried by harp, celeste, shifting string textures.
Note-worthy is that the theme is ultimately transformed into a sibling Love Theme of great emotive power.

'플레이 테마'는 리드미컬하고 장난기 많다. 무엇보다 유희가 심하며 베이스 클라리넷, 트롬본, 팀파니의 어리석고 느린 행진곡으로 자주 표현되고 있다. 엘리오트와 이 티가 등장하는 장면을 지원하고 있다.

이들은 단지 어린 아이일 뿐이며 곤경에 처해 있다.

The Play Theme, is rhythmic, playful and above all, mischievous, often rendered as a silly, plodding march by bass clarinet, trombones and timpani.

It supports scenes where Elliot and E.T are just being kids and getting into trouble.

'The Search Theme'는 이 티를 찾기 위한 엘리오트의 노력을 말하고 있다. 하지만 다른 사람들이 추적 중일 때 함께 움직이고 있다. 긴 줄을 따라 내려가며 반복되는 14음표 프레이징은 현악기와 목관악기 애니마토에 의해 추진되고 혼 선언과 함께 매우 리드미컬하다. 하프, 셀레스트, 반짝이는 타악기 장식은 그 서술에 반짝임을 제공하고 있다.

The Search Theme speaks to efforts by Elliot to find E.T but it also animates them together when others are in pursuit. The descending, long-lined, repeating 14-note phrasing is very rhythmic propelled by strings and woodwind animato with horn declarations. Adornment by harp, celeste and twinkling percussion provides a sparkle to its statement.

'플라잉 테마'는 여러 면에서 악보의 가장 정의적인 테마 역할을 하고 있다. 경이로움을 선사하여 음악을 치솟게 한다. 그것은 E.T의 마법의 힘과 경이로움을 말하고 있다. 엘리어트의 자전거가 땅 위를 날도록 추진해주고 있다.

The Flying Theme in many ways serves as the score's most defining theme providing a sense of wonderment which allows the music to soar. It speaks to the magic powers and wonder of E.T as he propels Elliot's bike to fly above the ground.

주제의 'A Phrase'는 베이스와 튜바의 페달 라인에 의해 고정된 현, 목관악기 및 호른이 전달하는 명료하고 자신감 있고 선언적이며 고양되고 있다.

그러나 보다 유동적이고 서정적인 'B 프레이즈'는 호화로운 현과 호른 선언에 의해 추진되는 주제가 치솟고 경이로움을 불러일으키는 곳이다.

The theme's 'A Phrase' is sweeping, confident, declarative and uplifting in its articulation carried by strings, woodwinds and horns anchored by a pedal line by bass and tuba.

The more fluid and lyrical 'B Phrase' however is where the theme soars and evokes a sense of wonderment propelled by sumptuous strings and horn declarations.

이것은 아마도 윌리암스의 가장 큰 주제일 것이다.

마지막으로 우리의 영웅 E.T와 위협적인 정부 요원에 대한 엘리어트의 승리의 순간을 확인하는 'Victory Fanfare'가 있다.

그것은 9개의 음으로 된 구절을 반복하면서 대담하게 승리를 축하하는 트럼펫 팡파르를 울리고 있다.

This may be perhaps Williams greatest theme. Lastly we have the Victory Fanfare which affirm moments of victory by our heroes E.T and Elliot over the menacing government agents. It resounds boldly won celebratory trumpet trionfonti led fanfare with repeating nine-note phrases.

Track listing

1. Three Million Light Years from Home
2. Abandoned and Pursued
3. E. T. and Me
4. E. T's Halloween
5. Flying
6. E. T Phone Home

7. Over the Moon

8. Adventure on Earth

〈이 티〉 사운드트랙. ⓒ MCA Records

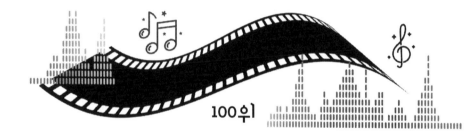

〈4번 결혼식과 한 번의 장례식 Four Weddings and a Funeral〉(1994) - 헨델 'The Arrival of the Queen of Sheba', 현대인들의 떠들썩한 관혼상제 음악으로 선택

작곡: 조지 프리데릭 헨델 George Frideric Handel

서구인들의 결혼과 장례에 얽힌 일화를 들려준 마이크 뉴웰 감독의 〈4번 결혼식과 한 번의 장례식〉.
© PolyGram Filmed Entertainment, Channel Four Films, Working Title Films

1. 〈4번 결혼식과 한 번의 장례식〉 버라이어티 평

헌신적인 총각은 5번의 사교 행사를 통해 자신이 사랑을 발견했을 수 있다는 생각을 고려해야 한다.

Over the course of five social occasions, a committed bachelor must consider the notion that he may have discovered love.

〈4번 결혼식과 한 번의 장례식〉은 마이크 뉴웰이 감독한 1994년 영국 로맨틱 코미디 영화이다. 시나리오 작가 리차드 커티스의 여러 영화에 출연한 휴 그랜트의 첫 번째 작품이다.

찰스(그랜트)와 그의 친구들이 로맨스를 만나면서 여러 사교 행사를 통해 모험을 따라가고 있다.

Four Weddings and a Funeral is a 1994 British romantic comedy film directed by Mike Newell. It is the first of several films by screenwriter Richard Curtis to feature Hugh Grant and follows the adventures of Charles (Grant) and his circle of friends through a number of social occasions as they each encounter romance.

6주 만에 제작된 영화는 300만 파운드 미만의 비용으로 예상치 못한 성공을 거두었다.

당시 전 세계 박스 오피스 총액 2억 4570만 달러로 역사상 가장 높은 수익을 올린 영국 영화가 된다. 아카데미 작품상 및 각본상 후보에 오른다.

The film was made in six weeks cost under £3 million and became an unexpected success and the highest-grossing British film in history at the time with worldwide box office total of $245.7 million and receiving Academy Award nominations for Best Picture and Best Original Screenplay.

영화 성공으로 휴 그랜트는 특히 미국에서 국제적인 스타덤에 오르게 된다.

The film's success propelled Hugh Grant to international stardom particularly in the United States.

1999년 〈4번 결혼식과 한 번의 장례식〉은 영국 영화 연구소(British Film Institute)의 20세기 가장 위대한 영국 영화 100편에서 23위를 차지한다.
2016년 엠파이어 매거진은 100대 영국 영화 목록에서 21위로 선정한다.

In 1999, Four Weddings and a Funeral placed 23rd on the British Film Institute's 100 greatest British films of the 20th century.
In 2016, Empire magazine ranked it 21st in their list of the 100 best British films.

2017년 '타임 아웃' 매거진이 150명의 배우, 감독, 작가, 프로듀서, 비평가를 대상으로 실시한 여론 조사에서 이 영화를 최고의 영국 영화 74번째로 선정한다.

A 2017 poll of 150 actors, directors, writers, producers and critics for Time Out magazine ranked it the 74th best British film ever.

커티스는 2019년 3월 15일 '빨간 코의 날' 동안 개봉 25주년 기념 재결합으로 코믹 단편 〈빨간 코의 날과 결혼식〉을 위해 뉴웰 감독과 살아남은 출연진을 재결합시킨다.

Curtis reunited director Newell and the surviving cast for a 25th anniversary reunion Comic Relief short entitled One Red Nose Day and a Wedding which aired in the UK during Red Nose Day on 15 March 2019.

2. <4번 결혼식과 한 번의 장례식> 사운드트랙 리뷰

오리지널 배경 음악은 영국 작곡가 리차드 로드니 베넷이 작곡한다.

영화는 또한 그룹 웻 웻 웻 Wet Wet Wet이 부른 더 트로그의 'Love is All Around' 커버 버전을 포함하여 인기 있는 노래의 사운드트랙을 선보였다.

이 곡은 영국 싱글 차트에서 15주 동안 1위를 유지한다.

영국에서 가장 많이 팔린 싱글이 된다.

The original score was composed by British composer Richard Rodney Bennett. The movie also featured a soundtrack of popular songs including a cover version of The Troggs 'Love is All Around' performed by Wet Wet Wet that remained at number 1 on the UK Singles Chart for fifteen weeks and biggest selling single of all time in Britain.

〈4번 결혼식과 한 번의 장례식〉. ⓒ PolyGram Filmed Entertainment, Channel Four Films, Working Title Films

이 노래는 나중에 'Christmas is All Around'로 각색되어 그랜트가 주연을 맡은 리차드 커티스 감독의 2003년 영화 〈러브 액츄얼리〉에서 빌리 맥 캐릭터가 불러 주고 있다. 사운드트랙 앨범은 750,000장 이상 판매된다.

This song would later be adapted into 'Christmas is All Around' and sung by the character of Billy Mack in Richard Curtis 2003 film Love Actually in which Grant also stars. The soundtrack album sold more than 750,000 units.

3. <4번 결혼식 한 번의 장례식> 사운드트랙 선곡 에피소드

<4번 결혼식 한 번의 장례식>과 같은 제목으로 여기에 있는 대부분의 트랙이 사랑을 다룬다는 것은 놀라운 일이 아니다.

커버 곡, 이전에 발표 된 노래, 옛날 노래 및 신곡이 정말 잘 믹스되어 있다. 영화 주제는 나중에 재활용 되었지만 <러브 액츄얼리>에서 개조 되었다.

스코틀랜드 팝스타 웻 웻 웻 Wet Wet Wet이 그룹 트로그의 'Love is All Around' 커버를 발표해 15주 동안 1위를 차지한다. 한 순간에는 멋진 현악기이고 다음에는 요란한 락 기타이지만 가치 있는 커버이다.

With a title like Four Weddings and a Funeral, it's no surprise that the majority of tracks here deal with love. It's a mixture of cover songs, previously released songs, oldies and new songs that really mix well. The theme of the movie which was later recycled yet revamped in Love Actually also underscored by Scottish popsters Wet Wet Wet who scored their biggest hit with their cover of the Troggs 'Love is All Around' which spent 15 weeks on top of the UK charts.

It's nice strings one instant blaring rock guitar the next but a worthy cover.

엘튼 존은 여기에 3곡의 노래가 있다. 그 중 하나는 오래된 이야기 'Crocodile Rock'이다. 다른 2곡은 커버 곡과 영화의 시작과 끝이다.

조지 거쉰의 커버 곡 'But Not for Me'가 영화 오프닝을 장식하고 있다.

Elton John has three songs here, one of them being an old chestnut 'Crocodile Rock'. The other two are cover tunes and bookend the movie his great cover of George Gershwin's 'But Not for Me' opening the film.

가벼운 현악기와 여가 준비는 많은 사람들이 느낄 수 있는 느낌을 주고 있다.

'그들은 사랑의 노래를 쓰고 있지만 나를 위한 것은 아니다.'

마지막으로, 영화의 포토 몽타주 해피 엔딩 동안 딕시 컵스의 'Chapel of Love' 커버가 흘러나오고 있다.

The light strings and leisure arrangements lends the feeling that many might feel. 'They're writing songs of love but not for me' Finally, his cover of the Dixie Cups 'Chapel of Love' is played during the photo montage happy ending of the film.

그의 1970년대를 연상시키는 락킹 스타일로 완성되었다.

거쉰 트랙과 함께 이 컬렉션의 음악적 하이라이트를 만들고 있다.

It's done with a rocking style reminiscent of his 70's period and along with the Gershwin track make these musical highlights of this collection.

'Crocodile Rock'과 함께 안거스와 로라의 결혼식 댄스 장면에서 연주된 다른 노래는 사이먼 캘로우 캐릭터가 OTT 댄스를 하고 있는 글로리아 게이너의 'I Will Survive'라는 클래식 디스코 고전 곡이다.

Along with 'Crocodile Rock' the other song played during the dance scene of Angus and Laura's wedding was that classical disco chestnut 'I Will Survive' by Gloria Gaynor which had Simon Callow's character doing an OTT dance to it.

컨/ 하바흐의 클래식 'Smoke Gets in Your Eyes'에 대한 누 칼라스의 부드러운 R&B 연주가 두 번째 결혼 파티에서 연주되고 있다.

Nu Colours smooth R&B rendition of the Kern/ Harbach classic 'Smoke Gets in Your Eyes' is played during the party of the second marriage.

영화에서 못 들은 곡들이 있다. 하나는 원래 그의 앨범 'Nothing But Sun'에 수록된 스팅의 'The Secret Marriage'이다.

영화 맥락에서 두 캐릭터가 실제로 어떻게 결혼했는지 보여주고 있다.

There are some tunes I didn't catch in the movie. One was Sting's 'The Secret Marriage' originally from his Nothing But The Sun album. In context of the movie, it shows how two of the characters were actually married, of sorts.

스윙 아웃 시스터는 델포닉스의 'La La La(Means I Love You)'에서 부드러운 재즈 팝 사운드를 제공하고 있다. 그리고 나중에 아티피칼 조이 클럽으로 구현한 캐나다 듀오 One 2 One은 여기에서 가장 경쾌한 노래인 Stock-Aitken-Waterman 형식의 풍선껌 소울 넘버 'The Right Time'을 연주해 주고 있다.

Swing Out Sister lend their smooth jazz-pop sound on the Delfonics 'La La La (Means I Love You)'. And Canadian duo One 2 One who later became incarnated as Artifical Joy Club do the bounciest song here, a soulful Stock-Aitken-Waterman-type bubblegum soul number 'The Right Time'

다른 하나는 앨범 'Some Fantastic Place'에 수록된 스퀴즈의 'Loving You Tonight'의 가벼운 영혼이다.

Another is the light soul of Squeeze's 'Loving You Tonight' original on their Some Fantastic Place album.

마지막 트랙은 가레스(사이먼 캘로우) 추도식에서 매튜(존 한나)의 대화로 W. H. 악보 반주와 함께 오든의 'Funeral Blues'이다.

마침내, 이것은 단순히 4번 결혼식이라고 불리는 것이 아니었다.

The final track is dialogue taken from Matthew (John Hannah) during the memorial service of Gareth (Simon Callow) and is a reading of W.H. Auden's 'Funeral Blues' with

〈4번 결혼식과 한 번의 장례식〉. ⓒ PolyGram Filmed Entertainment, Channel Four Films, Working Title Films

the score accompaniment. After all, this wasn't merely called Four Weddings

4. 헨델의 'The Arrival of the Queen of Sheba/ Solomon'은 어떤 곡?

'솔로몬 HWV 67'은 조지 프리드리히 헨델의 영어 오라토리오이다.

Solomon, HWV 67 is an English oratorio by George Frideric Handel.

현재 영국계 유대인 시인이자 극작가 모세 멘데스(사망, 1758년)가 쓴 것으로 알려진 익명의 대본은 다음과 같다. '열 왕 기' 첫째 책과 역대 둘째 책에 나오는 지혜로운 왕 솔로몬의 성서 이야기를 바탕으로 했다.

고대 역사가 플라비우스 요세푸스가 쓴 고대 유대의 자료를 추가시킨다.

The anonymous libretto currently thought to have been penned by the English Jewish poet/ playwright Moses Mendes (d.1758) is based on the biblical stories of the wise king Solomon from the First Book of Kings and the Second Book of Chronicles with additional material from Antiquities of the Jews by ancient historian Flavius Josephus.

음악은 1748년 5월 5일에서 6월 13일 사이에 작곡되었다.
첫 번째 공연은 1749년 3월 17일에 런던 코벤트 가든 극장에서 타이틀 롤로 카테리나 갈리와 함께 두 차례 더 공연된다.
헨델은 1759년에 이 작품을 부활시킨다.

The music was composed between 5 May and 13 June 1748 and the first performance took place on 17 March 1749 with Caterina Galli in the title role at the Covent Garden Theatre in London where it had two further performances.
Handel revived the work in 1759.

오라토리오에는 '시바 여왕의 도착'으로 알려진 3막에서 두 개의 오보에와 현을 위한 짧고 생생한 기악 구절이 포함되고 있다. 이 작품은 완성된 작품의 맥락 밖에서도 유명해 졌다. 2012년 런던 올림픽 개막식에서 제임스 본드(다니엘 크레이그)가 버킹엄 궁전에서 여왕을 만나러 가는 장면에서 등장한 바 있다.

The oratorio contains a short and lively instrumental passage for two oboes and strings in Act Three known as 'The Arrival of the Queen of Sheba' which has become famous outside the context of the complete work and was featured at the 2012 London Olympics opening ceremony as James Bond (Daniel Craig) goes to meet the Queen at Buckingham Palace.

〈4번 결혼식과 한 번의 장례식〉. ⓒ PolyGram Filmed Entertainment, Channel Four Films, Working Title Films

3막은 'The Arrival of the Queen of Sheba'로 알려진 매우 유명한 신포니아로 시작되고 있다. 오보에를 특징으로 하는 밝고 경쾌한 관현악 작품이다. 종종 오라토리오의 맥락 밖에서 행렬 작품으로 사용되고 있다.

Act 3 begins with the very famous sinfonia known as 'The Arrival of the Queen of Sheba' a bright and sprightly orchestral piece featuring oboes which has often been used outside the context of the oratorios as a processional piece.

토마스 비참 경(卿)은 이 신포니아에 'The Arrival of Sheba of Sheba'라는 이름을 붙인 것으로 믿어지고 있다. 아마도 1933년에 녹음을 했을 때였을 것이다. 또는 1955년에 요약된 그리고 재구성된 형태의 오라토리오를 녹음했을 때였을 것이다.

Sir Thomas Beecham is believed to have given the name 'The Arrival of the Queen of Sheba' to this sinfonia, perhaps in 1933 when he made a recording of it or perhaps in 1955 when he recorded the oratorio in an abridged and re-orchestrated form.

참고로 이 문맥에서 'Sinfonia'는 순전히 기악곡을 의미하고 있다.

'Accompagnato'는 'recitative'로 표시된 구절에서와 같이 연속 악기만이 아니라 오케스트라가 반주하는 레치타티보-오페라에서 낭독하듯 노래하는 부분-이다.

Note: 'Sinfonia' in this context means a purely instrumental piece.

'Accompagnato' is a recitative accompanied by the orchestra rather than by continuo instruments only as in the passages marked 'recitative'

Track listing

1. Love is All Around by Wet Wet Wet
2. But Not for Me by Elton John
3. You're The First, My Last, My Everything by Barry White
4. Smoke Gets in Your Eyes by Nu Colours
5. I Will Survive by Gloria Gaynor
6. La La La (Means I Love You) by Swing Out Sister
7. Crockodile Rock by Elton John
8. The Right Time by 1 To 1
9. It Should Have Been Me by Gladys Knight & The Pips
10. Loving You Tonight by Squeeze
11. Can't Smile Without You by Lena Fiagbe
12. Four Weddings and A Funeral/ Funeral Blues-1. Carrie's Bedroom, 2. Before The Funeral, 3. After The Funeral, 4. The Morning After, 5. Love In The Rain
13. The Secret Marriage by Sting
14. Chapel of Love by Elton John

〈4번 결혼식과 한 번의 장례식〉 사운드트랙. ⓒ London Records

참고 자료(Reference Books)

이 책을 쓰기 위해 각국의 영화음악, 팝 전문지 외에도 단행본이 큰 도움이 되었다. 좀 더 전문적 영화음악 공부를 하려는 독자들을 위해 참고 자료를 밝힌다.

1. sound track-definition of sound track by Merriam-Webster.com. Merriam -Webster.

2. The 50 greatest film soundtracks. The Guardian. 18 March 2007.

3. Why Does Nearly Every Broadway Show Still Release a Cast Album. Vulture. October 6, 2015.

5. Savage, Mark. Where Are the New Movie Themes? BBC, 28 July 2008.

6. Bebe Barron: Co-composer of the first electronic film score, for Forbidden Planet, The Independent. London. May 8, 2008. Retrieved May 2, 2010.

7. Rockwell, John (May 21, 1978). When the Soundtrack Makes the Film. The New York Times. Retrieved August 10, 2010.

8. Karlin, Fred; Wright, Rayburn (January 1, 2004). On the Track: A Guide to Contemporary Film Scoring.

9. Kompanek, Sonny. From Score To Screen: Sequencers, Scores And Second Thoughts: The New Film Scoring Process. Schirmer Trade Books, 2004.

10. George Burt, The art of film music, Northeastern University Press.

11. Music on Film New Article in Variety about James Newton Howard's King Kong score. Archived from the original on 12 December 2007. Retrieved 30 July 2008.

12. About the Film Music Society. Film Music Society.

13. Film music: a history By James Eugene Wierzbicki.

14. Jump up to: a b Cooke, Mervyn (2008). A History of Film Music. New York: Cambridge University Press.

15. Are David Fincher And Trent Reznor The Next Leone and Morricone? October 4, 2014.

16. Elal, Sammy and Kristian Dupont (eds.). The Essentials of Scoring Film". Minimum Noise. Copenhagen, Denmark.

17. Harris, Steve. Film, Television, and Stage Music on Phonograph Records: A Discography. Jefferson, N.C.: McFarland & Co. 1988.

책자에 언급된 영화 제작 연도, 음반 출시사, 사운드트랙 리스트 등은 http://www.imdb.com, www.about.com, EW article, www.Moviereporter.net, Variety article, www.amazon.com, www.wikipedia.org 등을 참고했다.

Photo References Notice

본 저술 물에서 인용된 이미지는 press release still cut을 활용했습니다.

저작권자는 각 스틸과 앨범 자켓에 명시했습니다.

단, 의도하지 않게 스튜디오 컷을 사용해 저작권을 침해했을 경우 합당한 사진 저작료를 지불하겠습니다.

영화 설명 가이드 및 해당 국가의 관광 정보 자료의 경우도 영화 홍보 사에서 제공하는 '보도 자료'를 참고했습니다. 홍보 사 제공 자료를 인용하는 과정에서 본의 아니게 텍스트 저작권을 침해했을 경우 정보 저작료를 지불하겠습니다.

아울러 본 책자에 게재된 사진들은 저작권법 제28조 '공표된 저작물은 보도, 비평, 교육, 연구 등을 위하여 정당한 범위 안에서 공정한 관행에 합치되게 이를 인용할 수 있다'에 의거해서 사용한 사진입니다.

출처가 인터넷의 경우 원저작권자는 영화 제작사임을 밝힙니다.

본 저술물에 대한 제반 문의:

영화 칼럼니스트 이경기 (LNEWS4@chol.com)

미국 영화연구소(AFI) 선정

영화, 할리우드를 뒤흔든
창의적이고 혁명적 사건 101 장면

영화 전공자 및 애호가들이 쉽고 평이하게
일독(一讀)할 수 있는 세계 영화 발달사에 대한
에세이 개론서

카메라 밖에서 바라 본
감독들의 천태만상 풍경

영화감독, 그들의 현장
거장이거나 또라이거나

카메라 밖에서 바라 본 할리우드 1급 감독들의
적나라한 천태만상 풍경

흥행작 타이틀에 숨겨 있는
재밌고 흥미있는 스토리

영화 제목, 아 하!
그렇게 깊은 뜻이!

약 5,700여 편에 달하는 방대한 작품에 대한
국내 최초 영화 타이틀 해제(解題) 도서.

와우(Wow)! 시네마 천국에서
펼쳐지는 발칙한 영화 100과

영화, 알고 싶었던 모든 것.
하지만 차마 묻지 못했던 여러 가지

영화가 제작되기 까지 기기묘묘한 일화 및 약
3,500여 편의 영화 종합 백과사전.

1960년대-2019년 팝 아티스트 212명의
사운드트랙 협력 에피소드

영화 음악을 만들어 내는 팝 아티스트 1권, 2권

록 음악과 영화계의 최전
성시기로 꼽히고 있는
1960년대부터 2019년 최
근까지 흥행가를 강타했던
히트 영화 속에서 차용됐
거나 배경 음악으로 흘러
나와 관객들을 매료시켰던
창작자들의 음악 이력을
살펴 본 이 분야 국내 최초이자 최대 분량을 담은 의미 있는 단행본이다.

제스처는 진실(眞實)을 말한다.

깜찍한 영화 속 주인공은 당신을 속이고 있다

타인의 속마음을 편견 없이 파악하는 동시에 내실 있는 대인 관계를 맺어 갈 수 있는 요령 제시.

A, B, AB, O 형에 담겨 있는 대인 관계 비법

혈액형을 알면 성공이 보인다

A, B, AB, O 형에 담겨 있는 대인 관계 비법 및 자신의 참모습을 발견할 수 있는 가이드 북.

발타자르 그라시안(Baltasar Gracián)이 제시한 삶의 지혜 234 가지

하마터면 밤새워 읽을 뻔 했네 읽어도 읽어도 가슴 벅찬 글들

400년 전 발타자르 신부가 제시한 인생과 삶의 나침반.

추리 익스프레스 특급
& 미스테리 걸작 소설

넌센스, 두뇌 퀴즈 및
추리 소설 베스트 컬렉션

수수께끼 같은 설정을 읽어나가는 동안 흡사 1급
탐정이 된 듯한 기분에 빠져 볼 수 있을 것이다.

촌철살인(寸鐵殺人), 세계 저명
셀럽(Celebs)들의 언어 퍼레이드

명사(名士)들이 남긴 말(言),
말(word), 말(speech)

이 책에 기술된 말들은 현재의 삶이 보다 풍요로
워지는 가이드 역할을 해낼 것이라고 믿는다.

용기를 불어 넣어주는
인생 4막(幕) 이야기

오늘도 힘차게 살아간다.
성공+희망+복(행운)+사랑이 있기에!

다른 사람을 거울삼아 나를 돌아보았을 때,
인생의 많은 지혜를 얻어 갈 수 있을 것이다.

청춘의 책갈피를 장식했던 참 좋은 글

내 가슴을 뛰게 만든
명구(名句)들 - 제1권 -

독서를 통해 한 자락 감동을 느낄 수 있을 것이다.
적어두고 싶은 글, 공감을 하거나 여운을 주었던
명구들을 모아 보았다.

해외 OST 전문지 추천 베스트 콜렉션

영화 음악, 사운드트랙
히트 차트로 듣다

서구 영화 음악 히트 발달사에 대한 가장 핵심적
인 베스트 영화 음악 자료를 소개한 책자.

007 제임스 본드 25부 + 〈조커〉
그리고 무성영화 걸작까지

영화, 스크린에서 절대 찾을 수 없는
1896가지 정보들

영화 관람에서 놓쳤던 기기묘묘한 영화 상식을
흥미롭게 증가시킬 수 있는 영화 정보 서적이자
영화 만물 사전.

스티븐 스필버그도 궁금해 하는 절대적 영화 파일 1,001

제1권 영화 일반 흥미진진 에피소드

〈보헤미안 랩소디〉흥행 비화 및 극장 의자는 왜 붉은 색일까? 등 극장 화면에서 펼쳐졌지만 무심하게 지나쳤던 영상 세계의 정보 수록.

제2권 히트작 흥미진진 에피소드

괴도 신사 뤼팽, 〈돈키호테〉, 마술 영화 등이 장수 인기를 얻고 있는 매력 포인트 분석 등 할리우드 흥행 영화의 히트 요인 등을 감칠맛 담긴 에세이 스타일로 구성.

제3권 배우, 감독 흥미진진 에피소드

팝 스타 겸 배우 마이클 잭슨 업적, 007 제임스 본드 히트의 1등 공신 본드 걸이 남긴 일화 등 해외 발행 연예 매체 뉴스를 국내 실정에 맞게 종합 구성.

제4권 흥행가 흥미진진 에피소드

성인 영화의 대명사 〈목구멍 깊숙이〉상영 저지를 위해 미국 첩보 기관까지 동원됐다는 흥미로운 비사 등 스크린 밖에서 펼쳐지고 있는 다양한 핫 이슈 수록.

제5권 영화 제목 흥미진진 에피소드

'갈리 폴리 전투'의 역사적 의미, 〈다모클레스의 검〉〈달과 6펜스〉등 히트작 제목에 담겨 있는 서구 신화 일화를 일목요연하게 정리.

제6권 지구촌 영화계 흥미진진 에피소드

닌자 영화에 스며있는 일본인들의 민족 특성을 비롯해 말보로 등 담배 영화가 남성 관객들의 호기심을 끌고 있는 심리적 요인 등 영화 세계가 전파시키고 있는 감추어진 토픽을 집대성.

이경기의 영화 음악(OST) 총서 시리즈

국내 최초이자 가장 방대한 분량의 영화 음악 해설서
팝 전문지 『빌보드』 『롤링 스톤』誌 강력 추천

영화 음악, 죽기 전에 꼭 들어야 할 OST 5001

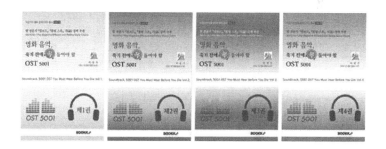

각국 음악 전문가들이 사운드트랙의 의미와 가치를 평가하는 전문적 평
외에도 각 영화에서 배경 음악이나 삽입곡들이 어떤 효과를 보여 주고
있는지에 초점을 맞추어 원고를 구성, 영화와 음악 애호가들은 좀 더 새
로운 시각에서 작품을 음미해 볼 수 있도록 했다.

제1권 〈갈리폴리〉〈갈매기의 꿈〉에서 〈리틀 숍 오브 호러〉〈리틀 트램프〉 까지 126편

제2권 〈마고 여왕〉〈마다가스카 2〉에서 〈빠리가 당신을 부를 때〉〈빠삐용〉 까지 110편

제3권 〈사 계〉〈사관과 신사〉에서 〈일요일은 참으세요〉〈일 포스티노〉 까지 167편

제4권 〈자이안트〉〈작은 신의 아이들〉에서 〈후즈 댓 걸〉〈흑인 오르페〉 까지 169편

무라카미 하루키, 재즈와 영화 음악을 말하다

동양이 배출한 세계적 문호(文豪)가 역대 베스트
셀러 속에서 언급한 재즈 아티스트와 그들의 업적이
담겨 있는 사운드트랙 리스트 수록.

게리 멀리간, 글렌 밀러, 냇 킹 콜, 빌리 할리데이 등
재즈 역사를 장식한 아티스트 40인에 대한 에세이 열전.

국판. 320p | 17,600원

영화음악, 그것이 정말 알고 싶다!

영화는 음악을 타고(Singing In The OST)

2019년을 기준으로 탄생 92주년을 맞이하는 영화
음악의 역사를 각 시기별로 조망해 그 동안 영화 음악
장르가 어떠한 역할을 해왔으며, 앞으로는 또 어떤
방향으로 영화 세계와의 교류를 모색할 것인가를
알아볼 수 있도록 구성했다.

국판. 498p | 24,800원

영화음악.. 사소하지만 궁금한 501가지 것들

-사운드트랙 탄생 92주년(1927~2019) 기념-

2019년은 1927년 알란 크로스랜드 감독이 〈재즈
싱어 The Jazz Singer〉에서 알 존슨이 열창해 준
'My Mammy' 'Toot Toot Tootsite Goodbye'
'Blue Skies' 등의 노래를 삽입함으로써 유성영화
시작을 선언한 때부터 92주년이 되는 의미 깊은 해.

이와 같은 뜻 깊은 시기에, 지나온 세계 영화음악사의 움직임을 우리
시각에 따라 기술해 본 것이 이 책의 특징이다.

국판. 470p | 23,600원

영화음악이 사랑한 팝송 베스트 89

각국 음악 전문가들이 사운드트랙의 의미와 가치를
평가하는 전문적 명 외에도 각 영화에서 배경 음악이나
삽입곡들이 어떤 효과를 보여 주고 있는지에 초점을
맞추어 원고를 구성했기 때문에 영화와 음악 애호가들은
좀 더 새로운 시각에서 작품을 음미해 볼 수 있도록 하였다.

국판. 434p | 22,200원

푹 빠지게 만드는 또 다른 시네마 천국의 세계

영화 엄청나게 재밌는 필름용어 알파 & 오메가
1권, 2권, 3권

영화 용어는 영화를 효과적으로 관람하기 위한 최소한의 준비 재료이다 국내외 주요 일간지와 방송가에서 빈번하게 쓰고 있는 영상 용어를 국내 출판 사상 최초로 엄선해 용어의 탄생 유래와 구체적인 사용 사례를 보다 심층적이고 다양한 영상 세계에 대한 체계적인 학습을 할 수 있는 참고 자료로 꾸몄다.

스크린을 수놓은 고전 음악의 선율들

시네마 클래식 2022 Edition

영화계는 고전 음악을 배경 곡으로 차용함으로써 관객들에게 영화에 대한 호감도와 작품에 대한 품위를 높이는 이중 효과를 거두어 왔다. 클래식이 영화 음악으로 효과적으로 쓰일 수 있는 다양한 작품을 볼 수 있다.

당연히 알 것 같지만 전혀 몰랐던
영화제작 현장 일화들

영화 흥행 현장의
기기묘묘한 에피소드

이 책은 주로 할리우드 제작 현상에서 쏟아진 정보를 다양하게 집대성한 에피소드 모음집이다.

21C 언택트(Untact) 시대에서
〈기차 도착〉까지

영화계를 깜짝 놀라게 한 이슈 127

이번 책자는 영화 역사에서 획기적인 계기를 초래한 사건을 파노라마처럼 엮은 영화 교양서이다. 필독서로 늘 유용하게 활용될 책자라고 자부한다.

서구(西歐) 소설＋신화＋감독＋작가들이 창조한 영상 세계

영화계가 즐겨 찾는 흥행 소재

영화계가 가장 고민하고 큰 비중을 두고 있는 것이 '뭐 확 끌어당길 만한 이야기꺼리 없어?'라는 질문이다. 그에 대한 해답을 조금 엿보기로 하자.

스크린 명언 명대사 콜렉션

영화 관람하다 찾아낸 암기하고 싶었던 그 한마디

작가들의 땀과 영화 혼이 배어있는 촌철살인의 지혜는, 영화 애호가들에게 대화의 소재를 다양하게 해 줄 언어 화수분이 되어 줄 것이라고 믿는다.

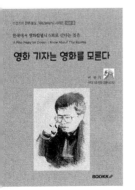

한국에서 영화칼럼니스트로 산다는 것은

영화 기자는 영화를 모른다

패기만만한 초년 기자 시절부터 직접 체험한 취재 뒷이야기와 국내외 유명 엔터테이너들을 만나고 나서 느낀 소회와 짧은 인연의 사연을 실었다.

사운드트랙이 남긴
달콤 쌉싸름한 이야기들

영화 음악, 이런 노래 저런 사연

영화 배경 음악 단골로 활용되고 있는 팝 선율이나 클래식이 탄생되는 뒷이야기를 모아 본 탄생 스토리는 색다른 영화 음악 감상법을 제공할 것이다.

스크린을 바라보는 삐따기의 또 다른 시선

영화가 알려주는
세상에 대한 모든 지식

관객들이 무심코 흘려보낸 극중 사건의 의미, 등장인물들이 제시한 귀감이 될 만한 인생 교훈 등 영화 한 편을 통해 다양한 정보와 상식으로 구성하였다.

사운드트랙이 남긴
달콤 쌉싸름한 이야기들

영화 음악 2019-2022
시즌 핫 이슈 콜렉션

흥행작 중 영화 음악으로 재평가 받고 있는 작품들을 정리한 최신 영화 음악 뉴스 모음 칼럼집이다.

한 vs 영어 대역(對譯)으로 읽는

영화감독 31인 육성 고백 /

영화란 도대체 무엇인가?

한 vs 영어 대역(對譯)으로 읽는

영화음악 작곡가 22인 육성 고백

영화란 도대체 무엇인가?

인간의 희로애락(喜怒哀樂)을 부추겨 주고 있는 '영화라는 매체의 정체는 무엇일까?' 이 책을 통해 진솔하게 고백한 수많은 영화인들의 육성 메시지를 접할 수 있을 것이다.

한 vs 영어 대역(對譯)으로 읽는

영화음악 작곡가 22인 육성 고백

영화음악이란 도대체 무엇인가?

영화 음악을 직접 창작해 내는 일선 작곡가들의 육성 증언을 통해 '영화 음악에 대한 의견이나 직업적 가치관, 음악을 하게 된 성장 배경 등 허심탄회한 소회를 들어볼 수 있을 것이다.

2021-2022 시즌 핫 토픽
사운드트랙 앤소로지(anthology)

영화 음악 <미나리> <블랙 팬서>
그리고 OST 289

1950년대 흘러간 명화부터 2022년 근래 뜨거운 호응을 불러 일으켰던 작품과 영화 음악으로 이슈를 만들어낸 화제작 등 영화 음악 해설을 담고 있다.

2021-2022 시즌을 장식한 Hot OST

영화음악 크루엘라 + 캐시 트럭 그리고
빌보드 추천 사운드트랙 450

배경 음악 덕분에 꾸준히 상영되고 있는 흥행작, 팝 전문지 등에서 총력 특집으로 보도한 베스트 OST 등 원문(原文)을 병기해서 사운드트랙 해설을 접할 수 있도록 구성하였다.

『엠파이어』『할리우드리포터』
『버라이어티』 탑을 장식한 핫 이슈

영화, 할리우드를 시끄럽고
흥미롭게 만든 엄청난 토픽들

할리우드 현지에서 발간되고 있는 영화 전문지와 엔터테인먼트 관련 매체에서 쏟아내는 뉴스와 토픽은 대형 화면에서 펼쳐지는 감동적 화면에 버금가는 호기심을 줄 것이다.

해외 음악 전문지 절대 추천
사운드트랙 퍼레이드

영화음악
21세기 최고의 사운드트랙 2525

미국 및 영국 등 영화 선진국에서 발행되는 영화, 영화 음악, 대중음악 및 연예 전문지 등에서 보도한 핫이슈를 특집 기획 기사를 꼼꼼하게 체크한 뒤 국내 영화 음악 애호가들의 정보 욕구에 충족할만한 내용을 중심으로 재구성했다.

할리우드 영화 음악 비평지 강력 추천
사운드트랙 퍼레이드

영화 음악에 대해 베스트 10으로
묻고 싶었던 것들 [1][2][3][4]

최신 사운드트랙 뉴스, 역대 베스트 OST 콜렉션, 팝 및 록 뮤지션과 영화 음악의 협력 작업 사례, 사운드트랙 발달에 획기적 계기를 제시했던 사건 등 주옥같은 팝 선율 중 영화 음악으로 단골 채택되고 있는 베스트 10을 선정, 핵심적인 내용을 조망해 볼 수 있도록 구성하였다.

베스트 10으로
할리우드 최신 흥행작 둘러보기

영화 틱! 톡! 100과 정보

〈영화 틱! 톡! 100과 정보〉는 책자 타이틀처럼 유
튜브를 뜨겁게 달구고 있는 어플 '틱! 톡!'과 밀폐
된 용기에 다양한 먹거리를 담고 있는 용기처럼 베
스트 10 혹은 15 그리고 근래 극장가를 노크한 최신작 등을 30가지 주제로
묶어서 흥미로운 영화 에피소드 일화를 수록했다.

스크린을 장식한 바로 그 말(語)

영화 대사에는 뭔가
특별한 것이 있다

등장인물들이 주고받는 감칠 맛 나는 대사는 영화
흥행 성공의 1차적인 조건이다. 주인공의 성격이
규정되고, 관객이 그 주인공을 좋아하게 되는 지름
길은 바로 영화 캐릭터가 구사하는 대사가 핵심적
인 요소라는 점이다. 명작 영화에서 흘러나왔던 보석 같은 명대사를 엿보자.